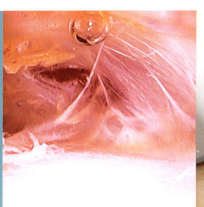
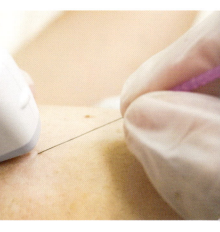

Fasciaの評価と治療

▶Web動画付き

解剖・動作・エコーで導く

Fasciaリリースの基本と臨床

第2版

ハイドロリリースのすべて

編集
木村裕明
小林 只
並木宏文

文光堂

■編　集

木村　裕明	医療法人 Fascia 研究会木村ペインクリニック
小林　　只	弘前大学医学部附属病院総合診療部
並木　宏文	公益社団法人地域医療振興協会公立久米島病院

■編集協力（五十音順）

浅賀　亮哉	医療法人 Fascia 研究会木村ペインクリニック
黒沢　理人	トリガーポイント治療院
鈴木　茂樹	医療法人 Fascia 研究会木村ペインクリニック

■執　筆（五十音順）

浅賀　亮哉	医療法人 Fascia 研究会木村ペインクリニック
今北　英高	畿央大学大学院健康科学研究科
小幡　英章	埼玉医科大学総合医療センター麻酔科
川島　清隆	熊谷総合病院泌尿器科
木村　裕明	医療法人 Fascia 研究会木村ペインクリニック
黒沢　理人	トリガーポイント治療院
小林　　只	弘前大学医学部附属病院総合診療部
鈴木　茂樹	医療法人 Fascia 研究会木村ペインクリニック
須田　万勢	諏訪中央病院リウマチ膠原病内科
銭田　良博	株式会社ゼニタ銭田治療院千種駅前
並木　宏文	公益社団法人地域医療振興協会公立久米島病院
平野　貴大	弘前大学大学院医学研究科総合診療医学講座
洞口　　敬	B＆Jクリニックお茶の水

■執筆協力（五十音順）

黒谷　一志	隠岐広域連合立隠岐島前病院
佐野　公永	佐野歯科医院
白石　吉彦	隠岐広域連合立隠岐島前病院
高木恒太朗	羽生総合病院漢方内科
谷掛　洋平	谷掛整形外科
鳥居　　諭	しおがま鍼灸治療室
峰　　真人	みね鍼灸院
吉田　眞一	よしだ整形外科クリニック
吉村　亮次	ブライト鍼灸院

■協　力

一般社団法人日本整形内科学研究会（JNOS）
一般社団法人日本超音波鍼灸協会（JAU）

第2版 序文

　fasciaの概念とハイドロリリースの登場は，西洋医学にパラダイムシフトをもたらしました．これは，西洋医学と東洋医学・民間療法を含めた多分野の知識・経験を有機的につなげ，さらに局所と全体の精密かつ俯瞰的な理解を導いています．本書は，局所治療を学ぶだけの書籍ではありません．fasciaやハイドロリリースの命名から現在に至る経緯や思いを伝え，先人からの知恵と技術，そして臨床への姿勢を紡ぎ，総合的な疼痛診療の実践へと導く指南書です．

　2017年に発刊された本書の初版は，当時のMPS研究会のメンバーを中心に執筆・編集され，「エコーガイド下Fasciaリリース」の知名度を国内外に広げつつ，fasciaの研究を活性化させました．MPS研究会は2018年に，一般社団法人日本整形内科学研究会 Japanese Non-surgical Orthopedics Society（JNOS）へと名称を変更し，活発に研究支援，技術の発展と継承，ウェブ・セミナーの開催，多職種連携を基礎とする教育活動などを展開しています．
　2018年6月には，国際疾病分類が30年ぶりに改訂され第11回改訂版（ICD-11）となり，基本構造物にfasciaが追加され，この臓器に対しての注目が高まりました．さらに，11月にはThe Fascia Research Society主催の第5回国際Fascia研究学術大会もドイツ・ベルリンで開催されました．世界中から数百名の医療関係者が集まるfasciaに関する最大の学術大会において，JNOS理事・今北英高先生（畿央大学大学院健康科学研究科教授）の「Influence of Adhesion-Related Fascial Gliding Restrictions on Dermal and Articular Movement」がThe Best Basic Science Abstract Awardを受賞しました．
　2019年3月には，第124回日本解剖学会総会・全国学術集会で初となる「fasciaのシンポジウム」がJNOS会員らによって開催され，fasciaに係る現状と課題について日本解剖学会へ提言いたしました．また，8月にはfascia研究の第一人者であるCarla Stecco先生（パドバ大学人体解剖学・運動科学教授）による講演会をJNOSで開催しました．そして，エコーガイド下fasciaリリースを直接披露したところ，fasciaの成書である「Fascia」の改訂第2版に執筆依頼を受けることができました．2020年には，JNOS第3回学術集会とともに第1回日本ファシア会議を開催し，日本におけるfascia研究を先導しています．

　エコーガイド下fasciaリリースの手技自体は，注射手技であるハイドロリリース，鍼治療，徒手療法，物理療法，運動療法，そして時に手術を含みます．外国では，fasciaの評価治療は徒手治療が中心に扱われていますが，日本では多様な治療手技が多診療科・多職種により展開されています．対象疾患・病態に関しても，頸肩部・肘部・手指・背部・腰殿部・鼠径部・股関節部・膝部・足部など従来の運動器疾患に加えて，頭部・顔面部・歯・顎関節部・創部のほか，炎症性疾患・神経内科疾患に合併する病態

への活用が広がっています．これら多領域を扱ううえで，今北英高先生と小幡英章先生（埼玉医科大学総合医療センター麻酔科教授）に，fasciaの機能解剖や疼痛発生機序などの基礎的な部分について執筆いただきました．全身を評価するという観点では，診断学の基礎，自律神経の症候学・治療学について小林只先生（弘前大学医学部附属病院総合診療部学内講師・JNOS学術局長）に執筆いただきました．具体的な手技などについては，本書第1版に比べて大幅に加筆しました．加えて，運動器疾患に限らない多様な臨床領域における症例を提示しました．患者の治療には，発痛源の局所治療だけではなく，その悪化因子への評価・介入が欠かせません．その観点では，問診技術・認知行動療法，生活指導・サポートについて，総合診療医の並木宏文先生（公立久米島病院副院長）・平野貴大先生（弘前大学大学院医学研究科総合診療医学講座）にも，その技術を紹介いただきました．西洋医学と東洋医学の架け橋としての経穴・経絡とfasciaの関係については，須田万勢先生（諏訪中央病院リウマチ・膠原病内科医長）と鍼灸師兼理学療法士である銭田良博先生（株式会社ゼニタ代表取締役社長）に執筆いただきました．近年，外科領域においてもfasciaは，取り除くべき邪魔な組織ではなく，低侵襲手術を革新的に発展させる術式にとっては愛護的に扱うべき最重要組織として注目されてきました．本書においても，川島清隆先生（熊谷総合病院泌尿器科医長）と洞口敬先生（B＆Jクリニックお茶の水院長）に，手術操作におけるfasciaの取り扱いについて執筆いただきました．歯科領域においても，fasciaに注目する歯科医である佐野公永先生（佐野歯科医院院長）に貴重な助言をいただきました．また，多くの執筆協力者の方々の尽力なければ本書は執筆しえませんでした．このように，第2版である本書は，整形外科医・スポーツ医，麻酔科医・ペインクリニシャン，総合診療医，膠原病内科医，漢方医，歯科医，泌尿器科医などの医師，理学療法士・鍼灸師などのメディカルスタッフが，協働して執筆しました．

　今回の編集は，前回に引き続き，小林只先生と並木宏文先生を中心に行われました．小林只先生は，臨床，教育，研究・開発，執筆など多忙の中で多くの時間を本書作成に割いていただいて大変感謝しています．前回と同様，本書の理論的な大黒柱で，言葉の定義・論議，基礎医学と臨床技術の架橋，外科医らの感性を言語化する情報整理を担いました．さらに最近は，著作権などの知的資産管理，ウェビナーにおける通信環境・利用規約の整備にも尽力いただき，その技能の幅広さと深さに頭が下がります．並木宏文先生は，地域医療で局所治療から生活サポートまで，それこそ総合的に患者も地域もケアする総合診療医であり，理解が難しい散乱した原案を，平易な表現や理解しやすい構成へ解きほぐし，執筆状況を管理し，各執筆者への適切な指示とサポートを担いました．いつも冷静な判断は，とても心強く感じます．

編集補佐として，鍼灸師の黒沢理人先生（トリガーポイント治療院院長），当院理学療法士の鈴木茂樹先生と浅賀亮哉先生は，私の執筆補佐の他に解剖イラストを作成していただきました．fasciaに注目した解剖図はほとんど存在しなく，我々が表現したい内容に合わせた多くのオリジナルイラストを提案していただきました．また，業務時間外の写真・動画撮影を手伝ってくださった当院看護師の大谷桂子様，鍼灸師の堀米秀法先生にも感謝申し上げます．そして，本書の発刊まで辛抱強く助言をくださった文光堂編集企画部 中村晴彦様，八幡晃司様をはじめ，すべての関係者に心より御礼申し上げます．

　新しい知識が増えるほど，新しい視点が加わるほど，新しい治療部位や技術が見つかります．その結果として，症状の改善が思わしくなかった患者が，治っていくこと，喜んでくれることは，治療者にとって至上の喜びです．一方で，ハイドロリリースを含むfasciaリリースは，決して万能ではありません．従来の治療技術と有機的に組み合わせ，科学として，その限界を提示しつつ，適応となる病態や患者を明示していくプロセスを提示するために，本書では「このまま治療継続してはいけない場合」，「治療がうまくいかない場合に次どうするか？」も記載しました．本書が，すべての治療者の糧になれば幸いです．

2021年5月　編者を代表して

医療法人Fascia研究会　木村ペインクリニック　**木村裕明**

目次

解剖・動作・エコーで導く
Fascia リリースの基本と臨床　第 2 版
ハイドロリリースのすべて

1 fascia（ファシア）とは ... 1

① fascia の歴史・定義の変遷―実態・認識・言葉の狭間で ... 2
　column　雲と fascia の類似性 ... 14
② fascia は西洋医学と東洋医学の架け橋 ... 16
③ fascia の解剖生理 ... 21
　column　Dr. Jean-Claude Guimberteau と fascia ... 33

2 fascia の病態 ... 35

① fascia と疼痛学 ... 36
　column　fascia の発痛源は「神経」か？ ... 44
② fascia と画像評価 ... 46
　column　エコー技術の発展と fascia の病態解明 ... 52
③ ファシア疼痛症候群（FPS）の提唱 ... 53
④ fascia の病態に関わる代表的な用語（癒着，柔軟性など） ... 55
⑤ 癒着の Grade 分類 ... 60

3 fascia から再考する各種病態 ... 61

① 診断とは何か？　病名と診断名の再考 ... 62
　column　不定愁訴とは？　原因不明とは？ ... 65
② 関節の病態 ... 66
　column　病名の再区分― thumb pain syndrome ... 68
③ 炎症性疾患との関係 ... 70
④ 末梢神経の病態 ... 73
⑤ 血管の病態（冷え症含む） ... 75
⑥ fascia と自律神経症状 ... 77
⑦ 局所と中枢の治療戦略 ... 80

4 エコーガイド下 fascia リリースとは ... 81

① エコーガイド下 fascia リリースの技術開発，命名の歴史的経緯 ... 82

② fascia リリースの種類と適応 ……………………………………………… 89
　　column　末梢神経内リリース ……………………………………………… 93
③ エコーガイド下ハイドロリリースとは？ …………………………………… 95
　　column　ハイドロリリースという言葉が生まれた背景 ……………………… 97
④ hydrorelease と hydrodissection およびブロックの違い ………………… 99

5　fascia リリース評価と治療概論　103

① さまざまな fascia リリース（注射, 鍼, 徒手など）の方法とその組み合わせ方
　　…………………………………………………………………………… 104
　　column　針・鍼の先端の形状と組織侵襲性 ………………………………… 107
　　column　鍼は本当に神経や血管を避けるのか？ …………………………… 108
　　column　注射療法＋徒手療法（passive manipulation with hydrorelease） …… 112
② 注射手技と効果判定の全体像 ………………………………………………… 113
③ 注射の治療効果判定 …………………………………………………………… 114
　　column　リリースで悪化する場合（圧痛による治療部位選定のピットフォール） …… 117

6　治療部位・発痛源の評価　119

① fascia リリースのための診察の流れ ………………………………………… 120
　　column　fascia 治療に関する適切な用語は？ ……………………………… 123
② 触診―触診方法のコツ ………………………………………………………… 124
　　column　医師が鍼を使う意義 ………………………………………………… 130
③ 触診―触診の学習方法 ………………………………………………………… 131
　　column　エラストグラフィを活用したエコーガイド下触診教育 …………… 135
④ 動作分析と可動域評価 ………………………………………………………… 136
　　column　pROM の全身評価の方法：real anatomy train ……………………… 140
⑤ pROM と nerve tension test …………………………………………………… 141
　　column　エコーを用いた坐骨神経の滑走評価 nerve gliding test …………… 147
⑥ fascia 治療におけるエコーの活用法 ………………………………………… 149

⑦ 多様な関連痛マップ (dermatome, myotome, fasciatome, angiosome, venosome, osteotome) ……………………………………………… 153

7 エコーガイド下 fascia ハイドロリリースの方法 …………… 159

① 穿刺および注射針の操作技術—注射針・シリンジ・薬液の選択 …………… 160
    column fascia ハイドロリリースにおけるステロイド薬の適応 ……………… 170
② fascia ハイドロリリースに伴う合併症 ………………………………………… 172
③ 安全で確実に注射するための工夫と学び方 ………………………………… 175
④ 安全確実な fascia ハイドロリリースのための教え方 (気胸を克服する) ……… 181

8 エコーガイド下 fascia ハイドロリリース (US-FHR) の実践 …… 185

① エコーガイド下 fascia ハイドロリリースの学習法 ………………………… 186
② エコーガイド下 fascia ハイドロリリースの難易度一覧 …………………… 189

A 頭部 ……………………………………………………………………… 190

① 頭半棘筋/大後頭神経/下頭斜筋 (ランク A) ………………………………… 190
② 中斜角筋/後斜角筋/第 1 肋骨 (ランク C) …………………………………… 192
③ 胸鎖乳突筋裏 (C2〜3 レベル) (ランク B) …………………………………… 194
④ C8 神経根周囲の fascia (ランク C) …………………………………………… 197
⑤ 側頭筋/外側翼突筋 (ランク C) ………………………………………………… 201
⑥ C1/2 の黄色靱帯・背側硬膜複合体 (ligamentum flavum/dura complex : LFD) (ランク C) ………………………………………………………………………… 205

B 肩関節 …………………………………………………………………… 207

① 肩峰下滑液包と三角筋下滑液包 (ランク A) ………………………………… 207
② 烏口上腕靱帯 (ランク A) ……………………………………………………… 210
③ 三角筋筋内腱 (ランク A) ……………………………………………………… 213
④ 小円筋/上腕三頭筋 (長頭)/腋窩神経, 下後方関節包複合体 (ランク C) ……… 216

C 上肢帯 …………………………………………………………………… 218

① 僧帽筋/棘上筋 (ランク A) ……………………………………………………… 218
② 棘下筋 (横走線維/斜走線維) (ランク A) ……………………………………… 220

③ 腋窩動脈周囲の fascia（腋窩鞘）（ランク C） ······· 222

D 上　肢 ······· 224
① 橈骨神経周囲の fascia（上腕遠位部）（ランク B） ······· 224
② 尺骨神経周囲の fascia（Struthers 腱弓）（ランク B） ······· 226
③ オズボーンバンド（ランク B） ······· 228
④ 長短橈側手根伸筋・総指伸筋/回外筋（ランク A） ······· 230
⑤ 手関節部の伸筋支帯（ランク B） ······· 232
⑥ 手関節部の屈筋支帯（ランク B） ······· 235
⑦ 正中神経（束間神経上膜）（ランク C） ······· 237

E 体　幹 ······· 239
① 胸腰筋膜（ランク A） ······· 239
② 腰部多裂筋（ランク A） ······· 241
③ 腰椎横突起腹側（腰方形筋付着部）（ランク A） ······· 243
④ 腰椎椎間関節包（ランク B） ······· 245
⑤ 術後創部痛（ランク B） ······· 247

F 下肢帯 ······· 249
① 中殿筋/小殿筋/腸骨（ランク A）および中殿筋/小殿筋/股関節包（ランク A） ······· 249
　1. 中殿筋/小殿筋/腸骨 ······· 250
　2. 中殿筋/小殿筋/股関節包 ······· 251
② 梨状筋（ランク B） ······· 252
③ S1 後仙骨孔（ランク C） ······· 254
④ 坐骨神経（ランク C） ······· 256

G 下　肢 ······· 258
① 鵞足/内側側副靱帯（ランク A） ······· 258
② 伏在神経周囲の fascia（膝関節周囲）（ランク B） ······· 260
③ 半腱様筋/半膜様筋（ランク A） ······· 262
④ 膝窩動脈周囲の fascia（ランク C） ······· 264
⑤ 総腓骨神経周囲の fascia（ランク B） ······· 266
⑥ 足関節部の上伸筋支帯（ランク B） ······· 268
⑦ 足根洞（ランク A） ······· 270

9 症例提示　fascia ハイドロリリースの実践が進む分野 …… 273

- ① 症例1　整形外科医の腰痛 …………………………………………… 275
- ② 症例2　若年女性の上肢痛の原因は「顎関節」 ……………………… 277
- ③ 症例3　歯科領域への応用（新しい非歯原性歯痛分類の提案）……… 279
  - column　顔面痛に対する fascia ハイドロリリース ………………… 281
- ④ 症例4　脳卒中後遺症ではなかった右上肢のしびれ感 ……………… 284
  - column　神経疾患とファシア疼痛症候群（FPS）の合併 …………… 286
- ⑤ 症例5　創部痛（大動脈弁置換術のための開胸術後）………………… 287
  - column　腹壁へのハイドロリリース ………………………………… 289
- ⑥ 症例6　スポーツ選手の筋腱断裂後疼痛 ……………………………… 291
- ⑦ 症例7　左肘窩部の採血後疼痛 ………………………………………… 293
- ⑧ 症例8　交通事故後のむち打ち症（外傷性頸部症候群）……………… 295
- ⑨ 症例9　前胸部不快感と過換気発作を繰り返す若年女性 …………… 298
- ⑩ 症例10　膠原病（炎症性疾患）に合併するファシア疼痛症候群（FPS）……… 299
  - column　リンパ節炎後のリンパ節リリース ………………………… 301
- ⑪ 症例11　脳出血後の頭痛・めまい（fascia がつなぐ東洋医学と西洋医学）…… 303

10 悪化因子への対応　整形内科的生活指導 …… 307

- ・生活指導の現状と課題 ……………………………………………………… 308
- ・運動器疼痛に対する整形内科的生活指導のプロセス …………………… 308
- ・事実の確認方法 …………………………………………………………… 309
- ・個人への介入方法 ………………………………………………………… 309
- ・集団への介入方法 ………………………………………………………… 311

11 fascia に注視した手術　認識と手技の変遷 …… 313

- ・創部と痛み・癒着の関係 ………………………………………………… 315
- ・創部の治療 ………………………………………………………………… 315
- ・手術手技と fascia ………………………………………………………… 315
- ・手術領域において「膜」や「膜様構造」と認識されてきた fascia …… 316
- ・"膜" や "膜様構造" は fascia の1つの表現形にすぎない …………… 317

- fasciaに対する認識の転換―内視鏡による拡大近接画像が見せた
「生きている立体的網目状構造」 ·· 317
- 総論：fasciaを意識した手術手技（腹部・骨盤部を例に）······················ 318
- 各論：fasciaの認識と手術手技の関係（腹部・骨盤部を例に）
―fasciaを温存するか，しないか ·· 319
- fasciaを意識した手術は合併症を減らす ·· 323
- fasciaを意識した手術の未来 ·· 324

12 初学者のためのQ&A集 ·· 327

Q1	どのように診察を始めればよい？ ·· 328
Q2	結局，痛いところに注射をすればよい？ ···································· 328
Q3	リリースで悪化する病態はあるの？ ·· 329
Q4	注射実施時の感染予防対策は？ ·· 329
Q5	プローブの血液汚染はどうすればよい？ ···································· 330
Q6	注射後は，注射した液体を手などで広げるの？ ··························· 330
Q7	よくある治療中の患者の反応は？ ·· 330
Q8	注射後の重だるさや痛み（リバウンド）はあるの？ ····················· 331
Q9	注射した液体はどれくらいで消えるの？ ···································· 331
Q10	薬液注入量のだいたいの目安は？ ·· 331
Q11	針を骨に当てると骨表面上での合併症が起こる？ ······················· 332
Q12	古いエコー機器ではこの治療はできないの？ ····························· 332
Q13	治療に要する時間は，一人当たりおよそ何分くらい？ ················ 332

索 引 ··· 333

解剖・動作・エコーで導く
Fasciaリリースの基本と臨床 第2版

動画ウェブサイトのご案内

　本書に掲載した手技などの動画を専用ウェブサイトに掲載しています．ぜひご覧ください．関連動画のある項目については，各項目内に WEB動画 ▶ マークを付して示しています．

　動画閲覧には会員登録が必要です．弊社ホームページ https://www.bunkodo.co.jp/ にアクセスいただき，会員登録の上，ご利用ください．

　なお会員登録は無料ですが，動画閲覧にかかる通信料は利用者のご負担になります．

fascia（ファシア）とは | 1

1 fascia（ファシア）とは

① fascia の歴史・定義の変遷―実態・認識・言葉の狭間で

■ポイント
- 異言語間の記号（例：単語）の意味は一対一で対応しない（例：靭帯/間膜と ligament）．
- 皮下組織の層構造と虹の層構造の認識は似ており，観察者の言葉と認識に依存する．
- 解剖学的な境界，そして境界で区切られた構造物の名前は，観察者が恣意的に定めてきた．
- 歴史的に「結合組織」は「その他」に分類され，単に構造を支持するだけの不活性組織と理解されてきたが，近年は fascia という言葉とともに「活性組織」として再認識され始めた．
- fascia は，国際的には，機能用語としての「fascia system」，形態用語としての「a fascia」として，日本でも一致した言葉として「ネットワーク機能を有する『目視可能な線維構成体』」と定義された．

　多くの医療関係者は基礎医学を学んでおり，その基礎医学には，解剖学や生理学，病理学といった人体の構造や機能，病態を学ぶ科目が含まれる．その中で，人体解剖実習の記憶をたどってみる．実習では，何を学んだだろうか？　骨格筋，それに接合している末梢神経，その大もととなる脳や脊髄の各部位，心臓や肺，その他各臓器など，多くの組織の形態や構造，その局在性を学び，今に活かされている．では，その多くを学ぶためにどのように解剖されたか？　まずは，皮膚を切開して，その内部の皮下組織や脂肪組織を取り除き，神経や血管，骨格筋，各臓器を学んだことは鮮明に記憶していると思われる．しかし，その手順の中で，取り除かれていた不要な組織には fascia が存在していた．fascia は，本当の重要性および機能を無視されがちであった．解剖学者であり，人類学者でもあり，理学博士で生物学者でもある Frederic Wood Jones（1879～1954）は，このように述べている．

　「人体解剖において，fascia は本当の重要性および機能を無視して説明される傾向にある．しかし，fascia はそれ自体が有益で大いに興味が湧くものであり，fascia ほど実地解剖学の研究で医学や手術へ実用的に貢献できる組織はない．」[1]

　fascia は，今まで不必要なものとして扱われていた．しかし，最近の研究において fascia は，たいへん大きな役割を持っていると考えられている．2018 年の Dr. Theise らの研究では，新しい器官として「間質」に着目し，そこには衝撃緩衝材としての機能があり，間質を満たしている間質液については，細胞が発するシグナルを伝達する役割や，癌細胞の拡散への影響も指摘している[2]．また，Dr. Coffey らの研究チームは，腸間膜に着

目し，4年間にわたって腸間膜が臓器の1つである証拠を集め，2016年に論文として発表している[3]．同年の雑誌「Molecular Cell」には，ヒトの全染色体の47パーセント（％）を占める未知の鞘状の構造が発見されたことが報告されている[4]．このように目まぐるしい医学の進歩の中でも，未だ多くの組織，器官およびその機能が見出されている．これらの中でどこまでをfasciaと呼ぶのかは，議論の余地はあるが，多くの部分で関連した組織であると考えられる．

本章では，fasciaという存在・概念を可能な限り正確に認識し，建設的な議論が展開されることを願い，言葉と実態というヒトの認識に係る根底の理解から始めたい．

言葉と実態の歴史的推移（通事性と共時性）

「過去を知らないで，現在を知ることはできない．」（ゲーテ）

これは，文学者・自然科学者であるJohann Wolfgang von Goethe（1749〜1832）の有名な言葉である．歴史に対応する英語はhistoryとされる．その語源には諸説あるが，語源学辞典（Etymology online）によると，オランダの歴史家Johan Huizinga（1872〜1945）の定義「歴史は，過去に起きた，我々にとって重要な出来事の『解釈 interpretation』である」が有名である．つまり，歴史とは「事実」ではなく「解釈」なのである．

「歴史は勝者によって書かれる．」（陳舜臣）

これは，歴史著述家である陳舜臣（1924〜2015）の言葉である．つまり，過去を知ること，可能ならば「その過去の背景（思惑）」を説明できる解釈を考えることが必要になる．そのため，歴史修正主義という「新しく発見された史料や，既存情報の再解釈により，歴史を叙述し直すことを主眼とした試み」を展開する分野がある．適切な研究プロセスによって，再解釈され記述変更されたもの（例：米作は縄文時代からされていた）は問題ない．注意すべきは，「世間一般で認識されている歴史事件を，自身に都合よく改竄しようとする思想」[5]である．

歴史学の研究は「調査し，疑問を持ち，新しい仮説を提案し，それを検証する」という，まさに科学的な方法を用いる．それゆえ，歴史学は人文「科学」の一種とされる．歴史学における前記「歴史修正主義」とは，自然科学における「パラダイムシフト」に相当する概念であり，学問の発展に寄与するもので倫理的にも問題はない．実際に，科学的な観点から歴史を記述し直して歴史学に旋風を巻き起こしたアメリカ合衆国（米国）の生理学者・生物地理学者であるJared Mason Diamondは書籍「銃，病原菌，鉄」[6]において，「ユーラシア大陸の文明がアメリカ大陸の文明よりも発展した理由として，民族優生思想でなく単純な地理的要因であること」を提示し，世界から高く評価された．現在の医学研究でも，後ろ向きの観察研究における比較研究の手法として，ランダム化比較試験（RCT）と同様に，介入の影響を評価することが可能になる手法である傾向スコア（propensity score）が注目され，RCT至上主義という医学「宗教」からの脱却も進む．この研究方法も歴史学的には，過去を精密に研究する手法の1つと理解できる．

本項の目的は，「科学的に共通言語を制定するためには，多分野の包括的知識・ノウハウが必要であること」を読者に伝えることである．fasciaに関する定義や議論が収束していかない理由はさまざまであるが，その1つに「実態（事実）」と「言葉（認識）」の差異がある．これを本質的に理解するためには，医学分野に加えて，語源学・認知言語学・翻訳学・論理学・哲学・歴史学・社会学・人類学・コミュニケーション学など，多分野の知

識・ノウハウを包括的に探求しながら「ヒトが人として思考」するための根源となる「言葉」という分野から始める必要がある．

> 異言語間の記号（例：単語）の意味は一対一で対応しない

「**人間は，記号という『概念の単位』により現実世界を切り分けている．**」（ソシュール）

これは，スイスの言語哲学者であり，ヨーロッパにおける構造主義言語学の父とも称されるFerdinand de Saussure（1857～1913）の言葉である[7]．その意味は，記号による現実世界（いわゆる「実態」：実際の状態）の切り分け方は，普遍的ではなく恣意的であること．ここでいう「記号」とは，意味と形式の組み合わせのことであり，「言葉（ことば）：［頭の中にある］思いや考えが表現されたもの」や「言語（げんご）：ある共同体で話される言葉で相手に伝えるとき，ルールや構造を体系化したもの」がある．以下に具体例を挙げる．

🔊 1. 異言語間の記号（例：単語）の意味は一対一で対応しない

それぞれの言語を話す人々は，どの差異を区別し，どの差異を無視するかということを，恣意的に選択，あるいは無意識的に習得（幼少期からの母語の習得過程における学習）している．そして，その選択がその言語に固有の語体系をつくるのであり，その言語体系は，その言語の話者の集団（多くは民族）に，語体系というフィルターを通した現実世界を与えている．例えば，英語における"water"は，「水」と「湯」を区別しない言葉である．「水」は英語でcold water，「湯」はhot waterであるが，いずれにしても"water"という基本語に基づく．特に基本語の差異は，その言葉を扱う人の世界観の認識に深く関わる．このような差異は非常に多く，ものの名前（名詞），動きや状態の表現（動詞）のみならず，位置関係などを示す前置詞でも同様である．例えば，"on"という語は，日本語における「～の上」ではなく，「面に接している状態（上面でも下面でもよい）」である．そのため，その現象を確認したうえで「上面」，「下面」，「～と接して」などと訳する必要がある．オーストラリアの先住民のように，「左右」の概念がない民族言語もある[8]．一方，名詞が同じ対象物を意味していたとしても，その言語体系に基づく文化における価値は異なる．例えば，英語のsheepとフランス語のmoutonがよい例である．

このように，言葉の認識（定義とも言い換えられる）の差異は，医学分野でも同様である．例えば，「靭帯」と「ligament」の例を挙げる．解剖学における「ligament」は，固有構造を定位置に保持するための線維性の組織である．一方，肝鎌状間膜（falciform ligament of liver）や子宮広間膜（broad ligament of the uterus）のように「間膜」とも和訳されており，いわゆる「骨同士を結合する『靭帯』」とは構造や組成は異なる．これは，整形外科用語と解剖学用語の差異ともいえる．解剖学用語，そもそも医学用語自体が，「言語」の設定による認識世界の切り分けという側面を，歴史的に積み重ねてきた事実を反映している．

🔊 2. 同一言語内における同じ表記（発音）でも，その意義（意味）が異なる

独立言語の定義を満たさない"方言"であっても同様である．一般用語としては，東京弁と関西弁の違いをイメージいただければわかりやすいだろう．例えば，「なおす（東京弁では『修理する』，関西弁では『片づける』）」は有名である．一般用語と医学用語（専門用語）の差異としては，「肩こり症（この時の『肩』は，医学的には頸部（neck）だろうか，肩部（shoulder）だろうか）」，「腰痛症（言語間，そして医師と一般人の認識する部位は異なる）」[9]がイメージしやすい．あるいは，「『ずっと』痛い」が，医学的な持続痛（persistent pain)であることは稀であり，実際は「1日に数回ズキッと痛むことが1ヵ月間『ずっと』続いている」であったりする．このような一般用語と医学用語の誤翻訳は，特に診断学における誤診の一因として注意が必要である[10]．

3. ある言語体系には存在しない語（言葉）

これは日本語の方言レベルでも多い．青森県では，患者の主訴が「お腹が"にやにや"する」と問診票に記載されていることは珍しくない．筆者も，「不快感でも痛みでもない，"にやにや"なんだ」と説明されて，戸惑った記憶が懐かしい．人は，幼少期より自然と習得してきた「言葉のイメージ（体験）」に基づき，知覚される世界を言葉で認識している．

4. 「話し言葉」と「書き言葉」の差異

言葉の第一義的目的はコミュニケーションであり，発音（話し言葉）が基本である．文字がない言葉はあっても，発音がない言葉はない．基本的には，両者は別の"言葉"として理解したほうが混乱しない．例えば，正月に「あけましておめでとう」と話しても，「謹賀新年」と挨拶する人はいないだろう．話し言葉の目的は「日常コミュニケーション」であり，書き言葉の目的は「正確な記録」と一般的に理解される．個人的には，学術など専門分野は「書き言葉」で発表し，コミュニケーションをとることが要求される分野のため，一定の訓練が必要になるものと理解している．

5. 同じ対象物を見ていても，異なる認識をする場合

色に対する認識の例を挙げる．例えば，現代の日本人は「信号の色」を「青（あお）」と覚えているが，実際の色は「緑（みどり）」として認識している．一説によると，日本では元々「緑色」という概念が希薄であり，「青りんご」「青汁」「青々とした木々」のように，緑（色）のものを青（色）と呼ぶ傾向にある．fasciaに関しても，これまでの蓄積された知識・理論・経験から認識している．目の前の患者を，既存の枠組みに当てはめる作業（例：診断基準や分類基準に当てはめる単純作業）は，既存の知識に目の前の現象を分類しているだけであり，対象物を分析・認識していない．「症例報告（目の前の現象を緻密に分析し，現状の知識・理論とのギャップを記述すること）が書けて臨床医として一人前」といわれる先人の教えは妥当である．歴史的には，中医学や東洋医学における「経穴（ツボ）や経絡」は，先人たちが目の前の患者を観察し，認知し，言語化してきた集大成（認識）という観点では「事実」として存在している．以下に例を挙げる．

a) 画像診断装置（画像）と解剖（実態）

画像診断装置によりつくられた画像は，実態の投影，つまり影絵である．その原理は，単純X線，CT，MRI，そして超音波画像（エコー）も同様である．近年，エコー解剖（sonographic anatomy）という分野の研究が増え，実際の解剖学的構造との相関性が報告されている．しかしながら，画像診断装置の画像（投影像）と解剖（実態）は，厳密には一致しない．「画像診断装置の解像度」および「ヒトの目で認識できる限界」の両者により，画像（投影像）と解剖（実態）の関係は規定される．事実，ヒトの目が認識しやすいように画像を加工しながら，画像（投影像）と解剖（実態）を一致させていくことが，エコーという画像診断装置の基本開発コンセプトなのである（2章②で詳述）．

b) 皮下組織の層構造と虹の層構造の認識は似ている

「皮下組織におけるfasciaは何層の構造だろうか？」という問いは，「虹は何色？」と似る（図1）．虹を見た時に，我々は実際に7色を認識できるだろうか？　日本人の場合，幼少期に暗記した「赤橙黄緑青藍紫」という記憶（認知）が影響している可能性が高い．江戸時代末期に西洋科学を取り入れ始めるまでは，日本の文献で虹の色の数を「七」と記

1 fascia（ファシア）とは

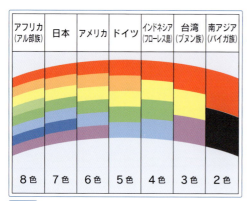

図1 虹は何層構造でしょうか？（いくつの色に見えますか？）
色の境界の認識（虹を例に）.

載したものはなく，日本でも古くは五色，沖縄地方では二色（赤，黒または赤，青）とされていた．他国でも，2色から8色まで多様である[11]．つまり，「認識次第」となる．

図2のような構造を認識した場合[12]，「皮膚（表皮・真皮），皮下組織浅層（skin ligamentsの方向次第では，別の層構造とも分離できるかもしれない），superficial fascia，皮下組織深層，deep fascia（6〜7層構造と一般的にいわれるが，身体の部位により異なる），疎性結合組織，筋外膜」と層構造の数は一定しない．

つまり，「言葉は現実を反映している」ともいえる．実際の生活（仕事）で必要なものには細かく分類された語彙があり，不必要なものには大雑把に捉えた語彙しかない．さらには，言葉には通事性（対象の歴史的変化の追求）と共時性（同一の時における差異の注目）があるため，その定義や解釈には慎重になる必要がある．これは，後述する結合組織の歴史にも当てはまる．

> 異言語間に必要なのは，翻訳か，それとも共通語の作成か

異言語で記述された文章を正確に理解するための，あるいは異言語間で精密な議論を進めるための，2つの方法を紹介する．それは，翻訳と共通語の創出である．

「異言語間の本質的な『翻訳』は可能か？」という有名な問いがある．前述の認識論の観点からすれば，「それは不可能」という回答になる．一方，他言語に翻訳しやすくするための工夫をしている専門分野もある．例えば，知的財産権のうちの産業財産権（特許など）がある．これらは世界共通で権利範囲が保持されることが極めて重要であるが，「翻訳」の壁を乗り越えるため，定冠詞（the［法的にはsaidも使用される］）に対応するため，該（がい）や前記（ぜんき）を名詞の前に付ける．要するに，翻訳しやすい言葉の記述という観点のことである．

他方で，互いの言語を近づける工夫ではなく，新しい言語体系（記号体系）を共通語と

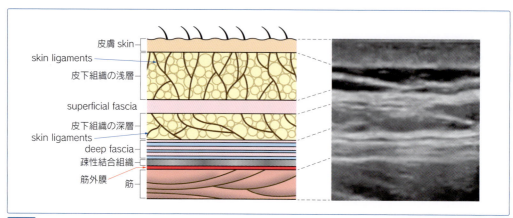

図2 皮下組織の層構造と名称（イラストと超音波診断装置による断面像）

① fasciaの歴史・定義の変遷—実態・認識・言葉の狭間で

して創出しようとする動きもある．記号体系としては，前述の色スペクトラムを挙げる．色の知覚は，人種（色覚細胞の種類・密度・感度の差）や言語（方言）により異なるのみならず，時代とともに変化もする．先に提示した虹の例以外にも，色の認識に差が生じていることは，例えば交通業界や印刷業界などでは極めて重要である．したがって，信号の色は，国際基準（国際照明委員会による規定）では「赤，黄，緑，青，白」の5色と定められ，交通信号は「赤，黄，緑」を使い，「白と青」は主に航空信号などにおける使用が指定されている．共通の色を伝えるには，PANTONEなどの色彩基準（標準表記）で表す必要がある．例えば，光の3原色RGBにおいて色モデルの「＃003882」は，0％の赤色，21.96％の緑色，50.98％の青色で構成される色と表記される．これは，数学や物理学が共通語になりやすい原理にもつながる．

このように，世界標準の定義やルールを決めることは，精密かつ"恣意的"である．そこには利権なども絡むため，統一するのは容易ではない．

結合組織という言葉の歴史と，その定義

「私が知る限り，『結合させる組織こそがすべての組織の基盤であり，これがなければ人の身体は存在できず，形成されることもない』という事実を認識した者はいない．」（ラマルク，1809）[1]

これは，現代の意味としての「biology（生物学）」という言葉を創出した人物の一人である，博物学者のJean-Baptiste Lamarck（1744〜1829）が，結合組織（connective tissue）という学術語が創出される以前の1809年に残した言葉とされる．

その後，結合組織（connective tissue）という用語は，1830年にJohannes Peter Müllerにより紹介され，1839年に正式に解剖用語として採用された．結合組織は，伝統的な分類における3組織（上皮組織，筋組織，神経組織）に該当しない組織のすべてを含む大きな未分化カテゴリーから始まったとされる[13]．そのため，「結合組織」という概念自体が，通事性が強く，時代とともに定義や範囲が変化することは自明であった．現代では，広義の結合組織には血液や骨，軟骨なども含まれ，狭義の結合組織には，密性結合組織，疎性結合組織，膠様組織，細網組織，脂肪組織などの線維性結合組織があると分類されている．そして，肉眼解剖としての固有結合組織は，細胞成分・線維成分・基質の3成分で構成され，それらの種類と密度により「疎性結合組織（細胞・基質が比較的多く，線維が少ない）」と「密性結合組織（線維が多く，細胞と基質が比較的少ない）」にさらに分類された．なお，しばしば使用される線維性結合組織は，多義語（1つで複数の意味を持つ語）であり，「固有結合組織の線維成分で構成される組織」や「密性結合組織とほぼ同義」などとして使用されるため，注意が必要である．

長年，「その他」として分類されてきた結合組織は，単に構造を支持するだけの不活性組織と理解されてきた．しかし近年，その活性機能（例：心外膜脂肪が放出するサイトカインの冠動脈硬化への影響[14]，腸間膜（mesentery）が独立臓器として証明[3]，間質が独立器官として再認識[2]）が注目されている．fasciaも同様であり，その代表格である筋膜（myofascia）は「保持，パッケージ」などの構造の保持機能に加えて，「刺激への侵害受容や深部感覚の伝達」を行っていることが判明してきた．そして，マクロの観点では，アナトミートレイン（anatomy train）のように全身が連続していることが，概念と肉眼解剖学による研究結果として報告された[15]．これは，運動療法や徒手療法などの有効性を検

討する際の，重要な概念になりつつある．ミクロの観点では，細胞外からの機械的刺激は細胞内まで伝達し，核の代謝に直接的な影響を与えている（機械的シグナル伝達）．これは，結合組織の細胞レベルの機能特性を示している．

fasciaという言葉の歴史と，その定義

　fasciaの語源は，1560年代のラテン語のfasciaとされる（Etymology online）．その当時の意味は，バンド，リボン，包むもの，束などの形態表現であった．15世紀前半にmembraneが，解剖学的意味でthin layer of skin or tissue（皮膚や臓器を包む薄い膜）で使用された．fasciaは，歴史的には1788年に解剖用語として初めて記述され，1895年のBasle Nomina Anatomica（BNA）で採用された．1920年には，前述のFrederic Wood Jonesが「人体解剖や臨床におけるfasciaの重要性」に注目していたが，表舞台に上がることはなかった[1]．1977年のNomina Anatomica 4th ed（NA4）まで細分化されることなく使用されてきた[16]．主要な定義を**表1**に提示した．

　歴史的にもfasciaは形態としての名称であり，書籍「THE整形内科」（南山堂，2016）[17]以降，小林らは，「筋膜（myofascia）に加えて腱，靱帯，神経を構成する結合組織，脂肪，胸膜，心膜など，内臓を包む膜など骨格筋と無関係な部位の結合組織を含む概念」の表現として，「線維性に構成される結合組織の総称」という肉眼解剖の観点で定義してきた．一方，世界的には，2012年に3rd International Fascia Research Congress（FRC）において，ドイツのRobert Schleipが「機能（ネットワークシステムnetwork system）」としての定義を発表した．しかし，2015年のFRCにおいて，イタリアの解剖学者であるCarla Steccoが，解剖用語としての定義（2015年の「グレイ解剖学41版」の定義とほぼ同義）を改めて発表し，FRC関係者はそれらの定義の差異に戸惑っていた．その後2016年には，両氏の連名で「a fascia」という肉眼解剖用語と「fascia system」という機能の用語の2種類の定義が公表された[18]．

　2018年6月にジュネーブにて，世界保健機関（World Health Organization：WHO）が，国際疾病分類の第11回改訂版（ICD-11）を公表した．現行であったICD-10への改訂が1990年であったため，それ以来，約30年ぶりの改訂となった．この改訂によって，fasciaが基本構造物や原因部位として追加され，国際統計においても正式にfasciaが扱われることが決まった．

　したがって，fasciaに対応する日本語も再制定する必要がある．最新の解剖学用語集「解剖学用語改訂13版」（日本解剖学会（監修）/解剖学用語委員会（編集），2007）[19]や「整形外科学用語集」（日本整形外科学会（編集））[20]によれば，残念ながら未だに，「筋膜」または「腱膜」と和訳されている．しかしながら，日本解剖学会はこの問題を十分に認識している．解剖学用語集には，fasciaは「筋膜」と訳されているものの，その意味はmyofasciaを越えた言葉であることが明示されており，その注釈は約1ページにも及ぶ[19]．現状では，筆者らは「ファシア」とカナ表記にしている[13]．

　現在の世界的なコンセンサスとしては，「fasciaは，全身に連なる解剖学的にも生理学的にも重要なネットワーク構造および機能を持つ臓器（organ）であり，さらには器官系（system）である」[15, 21]ということだけは明確に認識されている．「fasciaは構造の用語なのか，機能の用語なのか？」という問いへの答えは「（現時点では）両方」となる．厳密にいえば，扱っている組織構成のレベルが異なるため矛盾はない（**表2，図3**）[22]．

表1 fascia の定義の歴史的変遷

年	提案元	Fascia の定義
1998	Terminologia Anatomica (TA)	鞘，シート，あるいは剖出可能な結合組織の集合体．内臓を包むもの，そして関連した解剖可能な構造体を含む． Sheaths, sheets or other dissectible connective tissue aggregations. Includes "investments of viscera and dissectible structures related to them".
2007	書籍・Human Anatomy & Physiology	結合組織のバンド，あるいはシート A band or sheet of connective tissue
2007	The 1st Fascia Research Congress (FRC)[*1]	人体に行きわたる結合組織系の軟部組織成分である．これは，「固有の筋膜」とも呼ばれている高密度平面組織シート（中隔，関節包，腱膜，臓器包，支帯）だけでなく，靱帯と腱の形でのこのネットワークの局所高密度化したものも含む．その上で，それは浅筋膜（浅層の fascia）または筋内の最奥の筋内膜のような，より柔らかい膠原線維性結合組織を含む． The soft tissue component of the connective tissue system that permeates the human body. This includes not only dense planar tissue sheets (like septa, joint capsules, aponeuroses, organ capsules, or retinacula), which may be also called "proper fascia", but it also encompasses local densifications of this network in the form of ligaments and tendons. Additionally it includes softer collagenous connective tissues like the superficial fascia or the innermost intramuscular layer of the endomysium.
2008	書籍・グレイ解剖学 Gray's Anatomy 40版	裸眼で肉眼的に確認可能なほどの大きさがある結合組織の塊，内部の線維構造は織り合わされている．皮下組織など疎性で低密度な結合組織を含む． Masses of connective tissue large enough to be visible to the unaided eye, fibres in fascia tend to be interwoven. Includes "loose areolar connective tissue" such as the subcutaneous.
2012	3rd Fascia Research Congress (FRC)	線維性結合組織，体中に力を伝達するシステムを担う． Fibrous collagenous tissues which are part of a body wide tensional force transmission system.
2015	書籍・グレイ解剖学 Gray's Anatomy 41版	鞘，シート，あるいは剖出可能な結合組織の集合体で，裸眼で肉眼的に確認可能なほどの大きさがある．そして，fascia は，皮膚と筋の間，筋周囲，末梢神経と血管をつなぐ疎性結合組織，頸動脈や大腿動脈などの大血管を覆う密性結合組織，これら関連構造をも含み，機能的にも非常に重要である．もはや Terminologia Anatomica (TA) の範囲を越えている． Fascia is a genetic term applied to sheaths, sheets or other dissectible masses of connective tissue that are large enough to be visible to the unaided eye. （中略）Including connective tissue between skin and muscle, surrounding muscles, viscera, linking them together as neurovascular bundles, and related structure, respectively, are no longer included in the Terminologia Anatomica (TA). Loosely packed connective tissue surrounds peripheral nerves, blood and lymph vessels as they pass between other structures, often linking them together as neurovascular bundles. Some large vessels, e.g. the common carotid and femoral arteries, are invested by a dense connective tissue sheath that may be functionally significant. （後略）
2015〜2016	4th Fascia Research Congress (FRC)[*2]	ア・ファシア：鞘，シート，または剖出可能な結合組織の集合体で，裸眼で肉眼的に確認可能なほどの大きさがあるもの（筆者訳）． A fascia : a sheath, a sheet or any number of other dissectible aggregations of connective tissue that forms beneath the skin to attach, enclose, separate muscles and other internal organs. This is a purely anatomical definition. ファシア・システム：力や感覚といった情報，あるいはさまざまな物質などを伝えるための巨大な伝達網（ネットワークシステム）としての機能を有するもの Fascia system : the functional aspects of the larger fascial net, including force transmission, sensory functions and wound regulation
2016〜2017	書籍・THE 整形内科 書籍・無刀流整形外科	線維性結合組織の総称．筋膜（筋外膜，筋周囲膜）以外には，皮膚 skin（手術瘢痕含む），支帯 retinaculum，異所性脂肪体 ectopic fat body（例：Kager fat pad，膝蓋下脂肪体）内の膜様結合組織，腱 tendon（腱鞘含む），靱帯 ligament，関節包 capsule，骨間膜 interosseous membrane，骨膜 periosteum，神経上膜 epineurium，神経周膜 perineurium，血管周囲の結合組織などを含む．
2019	日本整形内科学研究会 Japanese Non-surgical Orthopedics Society (JNOS)[*3]	ネットワーク機能を有する「目視可能な線維構成体」 Macroscopic anatomical structures forming of fibrils with the function of fascial network system →これは，a fascia と fascia system を組み合わせた用語である．より具体的には以下：「全身にある臓器を覆い，接続し，情報伝達を担う線維性の立体網目状組織として，臓器の動きを滑らかにし，これを支え，保護して位置を保つシステムであり，腱，靱帯，a fascia (superficial fascia, deep fascia [aponeurotic fascia, epimysial fascia], visceral fascia [investing fascia, insertional fascia], meningeal fascia [meningeal layers, neural sheaths]) を含む．」
2021	書籍・グレイ解剖学 Gray's Anatomy 42版	「グレイ解剖学 41版」と基本コンセプトは同じだが，「See Commentary 1.6 (A critical evaluation of the current status of myofascial chains)」と加筆されている．このコメンタリー論文には，Thomas Myers らの anatomy train がイラストとともに多分に紹介されている．時代の節目ともいえる事項だろう．

[*1] Stecco L, et al : Preface. Fascial Manipulation : Practical Part, Piccin, 2009
[*2] Stecco C, et al : A fascia and the fascial system. J Bodyw Mov Ther 20 : 139-140, 2016
[*3] Japanese Non-surgical Orthopedics Society : 2. What is the definition of fascia. https://www.jnos-global.org/for-medical #2What_is_the_definition_of_fascia. 2021.5

1 fascia（ファシア）とは

表2 組織構成のレベルとfasciaの定義の関係

fasciaに係る定義	組織構成のレベル（階層構造のレイヤー）
なし	1. 個体(organism)：生物の固体単位
機能（システム） fascia system	2. 器官系(organ system)：機能単位．複数の器官が役割分担して構成される概念．例：**運動器系**，**神経系**，循環器系，泌尿器系，**ファシア系(fascia system)**など **運動器系**：動物の器官の分類の1つで，身体を構成し，支え，身体運動を可能にするシステム．身体の支柱である全身の骨格と関節（骨格系）と，それらに結合する骨格筋・腱・靱帯を運動器系に含む． **ファシア系**：全身にある臓器を覆い，接続し，情報伝達を担う線維性の立体網目状組織として，臓器の動きを滑らかにし，これを支え，保護して位置を保つシステム．腱，靱帯，a fascia，（その他の）結合組織をファシア系に含む．
肉眼解剖（マクロ） a fascia	3. 器官(organ)：例：骨格筋，腱，靱帯 【内臓】＝呼吸器・消化器・泌尿器の「臓器」 【臓器】＝体内・体外問わずすべての「器官」
	4. 組織(tissue)： 歴史的には，上皮組織(epithelial tissue)，筋組織(muscle tissue)，神経組織(nervous tissue)に分類され，その他の分類としての「結合組織(connective tissue)」があった．
組織解剖（ミクロ） fibrils	5. 細胞(cell)：各組織を構成する細胞たち ミクロ解剖の世界は「細胞・線維・基質」で構成される． ・細胞の例：上皮細胞，線維芽細胞，神経膠細胞，筋細胞 ・線維の例：コラーゲン線維，エラスチン線維，神経線維，筋線維 ・基質の例：グリコサミノグリカン，プロテオグリカン，ヒアルロナン ＊線維＋基質＝マトリックスとも称される．

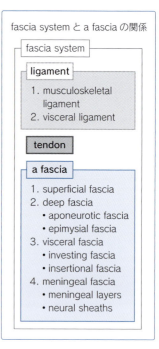

fascia systemとa fasciaの関係

fascia system
- ligament
  1. musculoskeletal ligament
  2. visceral ligament
- tendon
- a fascia
  1. superficial fascia
  2. deep fascia
     - aponeurotic fascia
     - epimysial fascia
  3. visceral fascia
     - investing fascia
     - insertional fascia
  4. meningeal fascia
     - meningeal layers
     - neural sheaths

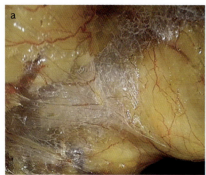 

図3 fasciaの構造

a：a fascia（構造）としてのfascia（拡大写真・内視鏡）；中央に見える白い泡状・網目状の構造が，典型的な疎性結合組織としてのdeep fasciaのイメージである．（熊谷総合病院泌尿器科医長・川島清隆先生よりご提供）

b：fascia system（機能）としてのfascia（ジオデシック・ドーム）；fasciaの機能的イメージに近いとされる形状の1例．球に近い正多面体あるいは半正多面体を要素に形成される正十二面体ないし正二十面体を，さらに対称的に正三角形で細分割し，球面をその測地線（ジオデシック）で構成したドーム．特に，構造が均質な構造材を多数並べることによって組み上げたドーム状構造物．（Biosphere Canada Montral CC0 Public Domain. https://www.maxpixel.net/Biosphere-Canada-Montral-1541719）

重要なのは，fasciaの定義を議論する際には，いくつかある定義の次元を必ず一致させながら行うことである．構造物，いわゆるマクロ解剖としてのfascia（a fascia）の定義は，「鞘，シート，または剝出可能な結合組織の集合体で，裸眼で肉眼的に確認可能なほどの

大きさがあるもの」と「グレイ解剖学41版」に記載されており，Steccoら（2016）も同様としている[18]．これは，日本整形内科学研究会（Japanese Non-surgical Orthopedics Society：JNOS）の定義であるところの「目視可能な線維構成体」と同義でもある[13]．代表的な組織としては，筋外膜，関節包，骨膜，支帯，神経上膜，硬膜などと，それら周囲の疎性結合組織である．一方，システム系としてのfascia（the fascial system）の定義は，「力や感覚といった情報，あるいは，さまざまな物質などを伝えるための巨大な伝達網（ネットワークシステム）としての機能を有するもの」である[18, 22]．さらにミクロ解剖としてのfasciaについては，筆者らは「線維（fibrils）」と表記し，「a fascia」や「fascia system」とは区別して呼称している．

日本では2019年4月に，小林と今北を中心としたJNOS学術局の協議により，fasciaの定義を「ネットワーク機能を有する『目視可能な線維構成体』」（macroscopic anatomical structures forming of fibrils with the function of fascial network system）」と提案した[13]．「ネットワーク機能」とは，機能（システム：fascia systemに相当）を意味し，『目視可能な線維構成体』は肉眼解剖用語（a fasciaに相当）である（表2）．これは，「アルコール分解能を有する『肝臓』」という表現と同義である．

また，一般向けの平易な説明として，2020年3月には，fasciaを「全身にある臓器を覆い，接続し，情報伝達を担う線維性の立体網目状組織．臓器の動きを滑らかにし，これを支え，保護して位置を保つシステム」と表記した．

2021年には「グレイ解剖学42版」が刊行され，「グレイ解剖学41版」とfasciaの直接的記載については基本コンセプトは同じだったが，大きな変化が1つあった．それは，fasciaの定義の記載部分に「See Commen-

図4 すべての組織は連続している（概念図）

tary 1.6（A critical evaluation of the current status of myofascial chains）」と加筆されていたことであった．このコメンタリー論文には，Thomas Myersらのanatomy trainがイラストとともに多分に紹介されている．「全身をつないでいる」という概念がグレイ解剖学に掲載されたことは，時代の節目ともいえる．

これに至る経緯やfasciaに係る世界各国の推移の概要に関しては，JNOSの医療者向けページ[23]に最新の状況を詳述してある．

解剖学的な境界は恣意的に決まる

「解剖学的な境界はどのように規定されるのか？」という問いの答えは，「恣意的」となる．肉眼解剖でも組織解剖でも同様である．肉眼解剖としての固有結合組織を考えてみて，組織成分の種類と密度はシームレス（境界がハッキリとしない様）に移行していく（図4）．そして，あるパターンの組織構造の場合に，「典型例」として「固有名称（例：筋外膜，靱帯，神経）」が命名されてきた．しかし実際は「連続」している．例えば，筋腱移行部，腱組織の骨への移行部，靱帯と関節包の連続性，筋

外膜と筋周膜と筋線維，deep fasciaと筋外膜・血管外膜・神経鞘，末梢神経終末とfascia（正確には，コラーゲン線維などの線維群fibrils）と毛細血管，などがよい例である．

したがって，関節（joint）という構造は，「fascia（関節包を含む線維成分）+ joint space（関節腔）」とも表現可能と考える．仙腸関節，膝関節，肩関節なども同様に「関節腔+関節包（靱帯群）」と解剖学的に定義されている（詳細は3章②を参照）．末梢神経の構造に関しても，組織解剖としても肉眼解剖としてもfasciaと神経を分離することはできない[24, 25]．したがって，関節，神経ともに新たな言語（認識）による再整理と言語化が必要だろう（詳細は3章④を参照）．

fasciaに係る共通定義を多分野間で制定するために

「目の前に見えている対象（現象）を適切に表す用語を設定することはできるのか？」という問いの答えは「ない」だろう．究極には『『言いたい』と思っていることを，言葉で表現することは不可能である」（ヘーゲル「精神現象学」[26]）となる．したがって，目の前の現象をただ忠実に記述していく技術と地道な記録こそが信頼に足る．特に，解剖図や肉眼所見は（もちろん「認知のフィルター」を介してではあるが），基礎解剖学者が「目の前にあるものを無心に記述するだけである．その意味は臨床解剖学という別分野で考察すべき」と論じるのは妥当である．しかし，共通言語を新たに創成していくことは，たやすくはない．最近では国内においても，運動器領域に加えて泌尿器科・婦人科領域の内視鏡手術におけるfasciaの病態や意義が議論され始めた．多様な医学分野において，fasciaが建設的に議論される近未来を実現するためにも，緻密な論理に基づく「言葉」の提唱を通じて，「共通言語」の設立のため国内外の調整が必要である．

文献

1) Lesondak D：Fascia：What it is and why it matters, Handspring Publishing, Edinburgh, 2017
2) Benias PC, et al：Structure and distribution of an unrecognized interstitium in human tissues. Sci Rep 8：4947, 2018
3) Coffey JC, et al：The mesentery：structure, function, and role in disease. Lancet Gastroenterol Hepatol 1：238-247, 2016
4) Booth DG, et al：3D-CLEM reveals that a major portion of mitotic chromosomes is not chromatin. Mol Cell 64：790-802, 2016
5) 暁　美焔：社会学的視点から歴史修正主義を検証する歴史学との統合理論．http://lelang.sites-hosting.com/naklang/rakuenriron.html（最終閲覧日：2021年4月5日）
6) ジャレド・ダイアモンド（著），ほか：銃・病原菌・鉄―1万3000年にわたる人類史の謎，草思社，東京，2000（原著：Guns, Germs, and Steel：the Fates of Human Societies, W.W. Norton, 1997）
7) フェルディナン・ド・ソシュール（著），ほか：一般言語学講義，岩波書店，東京，1972
8) 井上京子：もし「右」や「左」がなかったら―言語人類学への招待，大修館書店，東京，1998
9) 小林　只，ほか：fasciaの概念からみた腰背部痛．柏口新二（編）：無刀流整形外科，p71，日本医事新報社，東京，2017
10) 小林　只，ほか：時の形式―各論―．松岡史彦，ほか（著）：プライマリ・ケア―地域医療の方法，pp31-32，メディカルサイエンス社，東京，2012
11) 平成17年度一橋大学附属図書館企画展示：虹は本当に七色か．http://www.lib.hit-u.ac.jp/service/tenji/owen/rainbow-color.html（最終閲覧日：2021年4月5日）
12) Pirri C, et al：Ultrasound imaging of the fascial layers：you see (only) what you know. J Ultrasound Med 39：827-828, 2020
13) 日本整形内科学研究会ホームページ：2. Fasciaとは？．https://www.jnos.or.jp/for_medical#Fascia（最終閲覧日：2021年4月5日）
14) Sacks HS, et al：Human epicardial adipose tissue：a review. Am Heart J 153：907-917, 2007
15) Myers TW：Anatomy Trains：Myofascial Meridians for Manual and Movement Therapists, 3rd ed, Churchill Livingstone Elsevier, 2013
16) Wendell-Smith CP：Fascia：an illustrative problem in international terminology. Surg Radiol Anat 19：273-277, 1997
17) 小林　只，ほか：新しい概念「筋膜性疼痛症候群（MPS）」．白石吉彦，ほか（編）：THE整形内科，pp37-49，南山堂，東京，2016
18) Stecco C, et al：A fascia and the fascial system. J Bodyw Mov Ther 20：139-140, 2016
19) 日本解剖学会（監），ほか：解剖学用語改訂13版，p87，医学書院，東京，2007
20) 日本整形外科学会（編）：整形外科学用語集第8版，p100，南江堂，東京，2016

21) Guimberteau JC, et al：Architecture of Human Living Fascia, The Extracellular Matrix and Cells Revealed Through Endoscopy, Handspring Publishing, Scotland, 2015
22) 小林　只：シンポジウム「JNOSの未来」fascia総論，第1回日本整形内科学研究会学術集会，2018
23) 日本整形内科学研究会ホームページ：医療者向けページ．https://www.jnos.or.jp/for_medical
24) Stecco C, et al：Role of fasciae around the median nerve in pathogenesis of carpal tunnel syndrome：microscopic and ultrasound study. J Anat 236：660-667, 2020
25) Doan RA, et al：Glia in the skin activate pain responses. Science 365：641-642, 2019
26) Hegel GWF（著），ほか：精神現象学，作品社，東京，1998

注）本稿は「小林只：Fasciaとは―実態・言語・歴史の見地から．臨スポーツ医37：120-127, 2020」および「今北英高，ほか：Fasciaとは―解剖生理学的意義の見地から．臨スポーツ医37：134-140, 2020」をもとに，著者の許諾を得て再編集したものである．

1 fascia（ファシア）とは

column

雲と fascia の類似性

図1 雲形の4例
a：巻雲（すじ雲），b：高積雲（ひつじ雲），c：積雲（わた雲），d：積乱雲（入道雲）
（クリエイティブコモンズの「CC 表示-（継承）」に基づき，Wikipedia ホームページ：雲より引用．https://w.wiki/3KVZ）

　雲は，水，微粒子，そして空気からできているが，その大小にかかわらず，上空で集まって，周辺の空気とは明らかに別の塊として認識され，"雲"と表現される．日本では，入道雲，ひつじ雲などの俗称が有名であるが，世界気象機関（WMO）により，雲の種類は"10種雲形"が基本として定められ，入道雲，ひつじ雲などもこの分類に属している（図1）．この分類は，紀元前400年頃から研究されてきた雲学（くもがく）に由来する．その分類と名前の基礎は，1803年に英国の Howard（ハワード）氏が雲の形態に関する論文を発表したことに端を発する．しかしその後，世界中の気象観測者が自国の雲の形に対して自国言語により独自に命名し，雲の分類が混乱してきた．その中で，スウェーデンの Hildebrandsson（ヒルデブランドソン）教授と英国の Abercromby（アベルクロムビー）卿は，世界中の地域を実際に廻り，雲を撮影し，現地の研究者と議論し，"雲の形は世界共通である"ことを示した．彼らは1887年に，ハワードの分類をもとにして10種類の雲形に分類・命名し，当時の標準学術言語で

あるラテン語で世界に発信後，1894年に国際気象学会で公認された．そして，この分類は現在でも変わらない．

　fasciaは，細胞，線維，そして基質からできているが，身体内で異なる密度や割合で集まって，さまざまな構造を呈する．例えば，策状様→靱帯，膜状様→筋膜，固形状様→密性結合組織，網状様→疎性結合組織などの「独立した組織」として命名されてきた（これらの中間状態の組織・構造ももちろん多い）．用語の命名者の意図や認識はさておき，これらの用語は観察者の"認識そのもの"を表現した言葉にすぎず，実態はfasciaという連続性のある構造にすぎない．

　雲とfasciaは似ている．細かい雲の名称はさておき，空に浮かぶ白いものは"雲"であるのと同様に，身体内で臓器を覆い・支え・つなぐものは"fascia"である．我々も雲学の歴史に学び，各地を廻り，発信し，議論・継承しながら活動を続けたい．

② fascia は西洋医学と東洋医学の架け橋

> ■ポイント
> ▷ 西洋医学と東洋医学はともに，ヒトを観察し分析してきた．認識方法，そして表現方法（言語化・概念化）の差異である．
> ▷ 西洋医学において，疾病の原因・治療手技の論拠として fascia が注目されている．
> ▷ 東洋医学における経穴・経絡の仕組みを，fascia は説明可能かもしれない．

西洋医学と東洋医学は認識方法の差異

　西洋医学と東洋医学は対立軸として時に語られる．しかし，対立構造の原因となっている「誤解」が解消されれば，論争やけんかも終わる．両医学とも，人間を対象として「治すため」そして「ケアするため」に発展してきた．人種の差異，文化の差異，宗教の差異なども影響する話であるが，同じ「人間（ホモサピエンス）」に対峙してきた技術と概念は，両者とも表現が異なる，つまり観察点が異なることに由来していると考えることが可能だろう．fascia（ファシア）の解明は，両医学の誤解を解く鍵，つまり東洋医学と西洋医学の架け橋となるのかもしれない．

西洋医学と fascia

　西洋医学は，病気やけがになった後のエビデンスに基づいた治療法を積み上げることにより発展し，肉眼解剖からマクロ解剖・生理学または病理学的根拠・検査データの検証によって，目に見えるものから西洋医学を勉強した者であれば誰でも治療ができるように普及してきた．日本では，西洋医学という表現は，明治時代初期（約150年前）から欧米医学を指す言葉として用いられた．

　西洋医学が普及し始めた時から，西洋医学で治療をしている医師は気づかぬうちに fascia の恩恵を受けていた．例えば，手術を行う際に内臓・血管・神経などの位置がいつも同じところにあるのが当たり前のように考えていると思う．しかし，解剖学的にいつでも同じ配列で位置しているのは，fascia の存在があるからである[1〜3]．

　つまり，今まで西洋医学の世界で fascia の概念なくして構築された解剖生理学的エビデンスは，ホメオスタシスに関連するさまざまな因子（感覚・栄養・血圧・免疫・疼痛コントロール・組織修復・自律神経系・電気エネルギーの発生および伝導，など）を見直して再定義することが必要である．そして，未だに医学的にわかっていない現象は，fascia 内の構造や機能の解明がその糸口になるものと考える．具体的には，本態性高血圧症（動脈周りの fascia の影響），疼痛・感覚障害（fascia からの情報入力），栄養障害・組織修復（fascia を形成する環境［細胞・基質・線維］の影響）などを推察している．

東洋医学と fascia

　"西洋"に対する"東洋"の意味には，中国のほか，インドなどアジア全体が含まれるが，中国大陸を中心にして発達した医学を指している．日本では，江戸時代にオランダを通じて西洋医学が伝来したため，西洋医学を蘭方（らんぽう）と呼び，従来，中国から伝えられていた医学を中医学または漢方と呼んで区別するようになった．しかし最近では，漢方という呼び方は漢方薬（湯液療法）を指すよ

うになっている．そのため"東洋医学"という言葉は，鍼灸・湯液，導引，気功などを総称して用いる場合もある．

東洋医学は，人から人への言い伝えによって継承されてきた．そして，約4000年前からゆっくりと時間をかけ，経穴・経絡として，目に見えないところから統計学的な処理を行わず経験学的に究められた学問である．東洋医学は，見えない体内を想像しながら，局所および全身の詳細な臨床症状に基づいて経験的に治療をしてきた症例報告（ケースシリーズ）の集大成である．「未病を治す」という概念のごとく，病気になる前の症状に気づいて五臓六腑の概念をもとに弁証論治（西洋医学でいう病態診断）を行い，施術（西洋医学でいう治療行為）と同時に，養生（西洋医学でいうセルフケア・生活指導）という考え方を重んじている．

古代中国には解剖学的な知識も存在したが，臓腑の形態と動きに対する認識は，人間に対する細かな観察から形成された．体表の微細な変化から，臓腑の働きや病変を捉えるという臓腑論が中心となり，そこから臨床における診断と治療を考えていったのである．ちなみに，中医学の「臓腑論」の蔵象（ぞうしょう）学説によれば，「蔵」とは内臓の生理や病理のことを指し，「象」とは臓腑の生理的・病理的状態が外に現れた現象のことを意味する．例えば，中医学における「肺」とは，肺（lung）自体ではなく，「肺の呼吸器に関連するシステム全体（つまり"器官系 organ system"としての意味）」を表す．システムとして，循環器系，呼吸器系などが密接に関係するように，人体のあらゆる病変は五臓六腑に関連していると考えると理解しやすいかもしれない．このように，西洋医学と東洋医学では，同じ言葉を使っていても，その概念や定義が異なることが多い．これは，両者の架け橋をつくっていくための議論を難しくさせている一因でもある．

東洋医学では，経絡上の経穴に治療（鍼，灸，徒手刺激，物理刺激など）を行う．東洋医学の理論には，漢方理論（正確には，現在の中国で主流の「中医」と，日本独自の発展をしてきた「（日本）漢方」は異なる）と経穴理論がある．理論はさらに，陰陽論五行説から陰陽五行論・気血論・臓腑論・診断論・治療論と細分化される．自然は神とイコールで考えられている．

4000年以上かけて築き上げられてきた東洋医学では，MRIよりも高い解像度を有する超音波診断装置（エコー）の活用とfasciaの概念の導入により，経穴の可視化というパラダイムシフトが期待されている[4]．今後は，臨床研究の中にエコーを取り入れると同時に，fasciaに関する東洋医学的研究を行っていくことにより，今まで西洋医学の臨床家にとっては不可思議であった世界が，次第に理解されることになるだろう．

東洋医学と西洋医学の架け橋としてのfascia

西洋医学は，病気やけがになった後の治療から発展し，目に見えるもの（主に肉眼解剖）に基づいた標準治療法をつくり上げてきた．対して東洋医学は，病気やけがを予防するために，あらゆる可能性を全宇宙的（時に仏教的考え方も含む）に考え，経験的に基づいた治療効果を集約し，後世に伝えてきた．

ダニエル・キーオン（著）・須田万勢ほか（監訳）・建部陽嗣（訳）「閃めく経絡」[5]では，fasciaのことを東洋医学的にも西洋医学的にもわかりやすく丁寧に説明している．

・すべての神経，筋，血管，臓器，骨，腱はfasciaでおおわれている．そして，fasciaは何がどこにあるかを外科医に示してくれる．fasciaを貫かない限りは，ダメージを与えることはできない．小さい傷跡ですむ低侵襲の内視鏡手術は，まさしくこの特性の上に成立している

(p.14).
- 中医学では，外科医と同じくらい，もしかすると外科医以上に fascia を大事に考えている．1つのみならず2つの臓器をこの最も普遍的な組織である fascia に充てている．それらは，心包と三焦である (p.15)．
- 中医学(東洋医学含む)と西洋医学は，時として矛盾し，混乱を引き起こしているように思える．しかし，すべての臓器の存在に関しては同意している (p.15)．
- 生命は電気的な力(東洋医学でいう『氣(「気」ではない)』)に始まり，生物の命ある限り持続する．電氣は，発達のあらゆる段階で，そして研究されているすべての生物で見つかっている．電氣は fascia 内を流れる (p.109)．

fascia やエコーは，東洋医学側と西洋医学側の両者にとって，お互いが歩み寄り，ともに議論の土台となるための足場(架け橋)になる概念であろう[2]．以下に，運動器疼痛における具体例を提示する．
- 西洋医学でいう使いすぎ(overuse)や廃用(disuse)は，東洋医学では実証・虚証の側面としても理解可能である．
- 西洋医学で筋肉痛・非特異的腰痛・心理的原因と考えられていた疼痛の中に，筋膜痛や fascial pain が含まれ，その治療点として東洋医学の経穴・経絡が参考になる．
- 東洋医学側からは経穴や経絡の実態は不明であったが，筋硬結・トリガーポイント・皮電点・良導絡・モーターポイント・神経筋接合部，そして fascia の概念を取り入れることで，評価・治療の再現性が高まる．
- fascia の層構造に関して，各層の機能自体が異なる可能性もある．その因子として，電気抵抗，細胞外マトリックスのうち基質の環境(例：pH，弾性，粘性)および細胞の種類(例：線維芽細胞, telocyte, fasciacyte)，そして神経系の種類と分布(例：自由神経終末，パチニ小体)などが挙げられる．
- 西洋医学的検査(いわゆる整形外科テスト)で疑陽性や偽陰性となる診察方法の考察に fascia が役立つ．また，関節可動域評価などにおいて，制限因子としての fascia を考察することができる(3章を参照)．
- 東洋医学的評価の考察にも fascia が役立つ．脈診(両腕の橈骨動脈を触知する診察)は，動脈の外膜および連続する fascia の状態(例：伸張性，緊張度)が関連する．腹診(腹部の緊張度を評価する診察)は，腹部の皮下組織(前述の皮下組織構造)，腹筋(腹直筋と腹斜筋の差異，左右の差異でも評価が変わる)，壁側腹膜・腸間膜(内臓の fascia の評価)，腹部大動脈の拍動(大血管における脈波の触診：自律神経系の評価を含む)などを総合的に評価しているが，脈診・腹診で体表に触れる時の深さは superficial fascia の部位である．東洋医学での実証と虚証の評価は，fascia の病態にも関連しているのかもしれない．
- エコーの活用により，解剖学的治療部位を可視化する[6,7]ことで，手術・注射・鍼・灸・徒手・東洋医学的治療などの効果の比較検討を行うことが可能となる．
- 西洋医学側から指摘される，東洋医学としての鍼の安全性の問題に対して，エコーの活用は刺鍼の安全性を担保し，神経・血管・胸膜など近傍の fascia も治療することができる[6,7]．

fascia と経絡の比較

上記の観点も踏まえて，fascia と経絡を直接比較してみると**表1**のようにまとめられる．三次元的立体構造としての fascia と，「線」や「点(経穴)」の集合として表現される経絡の違いを，どのように捉えたらよいだろうか？

表1 fasciaと経絡の比較

fascia	経絡
電気の通り道（fasciaはコラーゲンが主成分で，コラーゲンはピエゾ効果などで状況によって導電性をもつことが知られる）	「氣」（東洋医学が想定する生命エネルギー）の通り道である
内臓から四肢まで隅々に張り巡らされる	「五臓六腑」と四肢をつなぐ
トリガーポイント（侵害受容器の過敏性が強い点）がfascia上に存在する可能性がある	経穴に当たると「響き（得気）」感が得られる
構造物の間に三次元的に広がる	定められた通路を通る

そのヒントは，「偽物（シャム）の鍼」にあるのかもしれない．鍼灸の臨床研究では，「本物の経穴」に打つ群に対して，コントロール（対照群）として，経穴の近傍や，経穴まで届かせずに浅い部分に打つ「シャムの鍼」をおく方法がある．ところが，この「シャムの鍼」も，場合によっては本物の鍼と同程度まで効いてしまうことがある[8]．つまり，経穴は小さな「点」でなく，むしろ「空間」としての広がりをもったものという解釈ができるだろう．fasciaという「三次元的構造」の中で，導電性，電圧，神経終末の密度などが偏っている部分が経穴と呼ばれ，それは，ある点を中心としてグラデーションのついた裾野をもって広がっているのかもしれない．

fasciaの生理学的・生化学的な理解は，経穴に科学的な光を当てる可能性がある．例えば，ラットの研究で，炎症を起こしたfasciaでは正常のfasciaと比較して，発痛物質であるサブスタンスPに反応する神経線維が増加していることが明らかになった[9]．別の研究では，ラットの殿部のfasciaにおいて，侵害受容性疼痛を伝えるC線維とAδ線維はfascia全体に分布しているにもかかわらず，発痛物質のcalcitonin gene-related peptide（CGRP）に反応する神経終末はfasciaの遠位1/3に局在することが示された[10]．これらの研究からは，侵害受容性疼痛を受容する自由神経終末の中でも，特定の発痛物質に対応するものが，状況に応じてfasciaの中に局在して高密度で発現してくる可能性が示唆される．俗に「ツボが出現する」と表現される現象は，まさにこのような自由神経終末の高密度の発現を指先で捉えているのかもしれない．実際，経穴では自由神経終末の密度が周囲組織よりも高いという研究もある[11]．

fasciaハイドロリリース中に針を刺入すると，局所単収縮反応（local twitch response；針を刺入した部分の筋肉が単収縮する［一部「ピクッ」と動く］現象．鍼治療，トリガーポイント注射などの反応として記述されることが多い）と呼ばれる反応が出ることがある．一方，鍼灸の施術においては，経穴（いわゆる「ツボ」）に当たった時に，患者がズシーンとした響き（得気感覚）を感じることがある．局所単収縮反応も得気感覚も，上記のような特定の発痛物質に対応する自由神経終末の密度が高くなった点に針（鍼）が刺入された時の反応をみている可能性があり，両者の生理学的な相同性を示唆している．

文献

1) 坂井建雄，ほか（監訳）：プロメテウス解剖学アトラス 解剖学総論/運動器系第2版，医学書院，東京，2011
2) 銭田良博：治せる治療家になるためにはfascia（ファシア）に対するエコーの臨床・教育・研究が必要である―理学療法士＆鍼灸師として．Sportsmedicine 31：11-15，2019
3) 日本整形内科学研究会ホームページ：医療者向けページ．https://www.jnos.or.jp/for_medical（最終閲覧日：2021年4月5日）

4) 筋膜と発生学の新知見でわかった！　経絡経穴ファッシア論―鍼灸はなぜ効くのか―，医道の日本 77(6)，2018
5) ダニエル・キーオン（著），ほか：閃めく経絡，医道の日本社，神奈川，2018
6) Zenita Y, et al：A single ultrasound-guided acupuncture session for abnormal fascia improved chronic mandibular numbness for 6 years after orthodontic surgery：a case report. J Bodyw Mov Ther 22：866-867, 2018
7) Kurosawa A, et al：Ultrasound-guided dry needling for abnormal fascia between the deltoid muscle and the supraspinatus tendon. Pain Med 21：863-864, 2020
8) Lowe C, et al：Sham acupuncture is as efficacious as true acupuncture for the treatment of IBS：a randomized placebo controlled trial. Neurogastroenterol Motil 29：e13040, 2017
9) Tesarz J, et al：Sensory innervation of the thoracolumbar fascia in rats and humans. Neuroscience 194：302-308, 2011
10) Taguchi T, et al：Nociception originating from the crural fascia in rats. Pain 154：1103-1114, 2013
11) Zhou F, et al：Chapter 2 Neuroanatomic basis of acupuncture points. *In*：Xia Y, et al (eds)：Acupuncture Therapy for Neurological Diseases：A Neurobiological View, pp32-80, Tsinghua University Press, Beijing, 2010

注) 本稿は「銭田良博，ほか：Fascia とは―西洋医学と東洋医学の架け橋として．臨スポーツ医 37：162-169, 2020」をもとに，著者の許諾を得て再編集したものである．

③ fascia の解剖生理

■ ポイント
> fascia とは，全身の組織間の結合や組織自体を包み込み，そしてつなぐ，いわゆる結合組織（connective tissue）である．
> 肉眼解剖レベルから組織解剖レベルにおいて，組織成分の種類と密度は徐々に遷移していく．
> fascia は臓器間の境界として，臓器が潤滑に動けるために表面を覆い，臓器を結合し，正しい位置に固定する役割もある．
> 結合組織は機械的な刺激の性質に応じて，そこに存在する細胞へシグナルを伝達し，その結果，結合組織自身の変化も誘導する．

fascia に関して，組織構成のレベルごとに整理して議論することが重要である（1章①の表2参照）．本稿では，結合組織との関係性を提示した後，解剖学的見解（a fascia [一部 fibrils を含む]），生理学的見解（fascia system），そして分子生物学的見解（線維 fibrils，細胞外マトリックスなど）を概説する．

結合組織と fascia の関係性

「結合組織」という言葉の歴史的経緯と定義の変遷は，1章①を参照いただきたい．結合組織は，主要な4大組織（筋組織，神経組織，上皮組織，結合組織）の1つとされているが，身体におけるさまざまな組織に当てはまらない組織を総称して，まとめたものともいわれている．広義の結合組織には血液や骨，軟骨なども含まれ，狭義の結合組織には，密性結合組織，疎性結合組織，膠様組織，細網組織，脂肪組織などの線維性結合組織がある．その中の密性結合組織は，線維が発達しており密であること，また構成している線維も太い束をつくったコラーゲン線維が中心で，外力に対して強靭である．身体組織では，腱や靱帯（線維の方向が規則性），筋膜や腱膜（線維が二次元的に交織），真皮や胸膜（線維が三次元的に交織）などが挙げられる．一方，疎性結合組織は，構成する線維や細胞は密性

表1 主な結合組織の構成

細胞	細胞成分	線維芽細胞
		脂肪細胞
		マクロファージ
		肥満細胞
		形質細胞
細胞外基質	線維成分	コラーゲン線維
		細網線維
		弾性線維
	基質成分	グリコサミノグリカン
		プロテオグリカン
		糖タンパク
基底膜		インテグリン
		ラミニンなど

（今北英高，ほか：Fascia とは―解剖生理学的意義の見地から．臨スポーツ医 37：134-140, 2020 より引用）

結合組織とほぼ同じ成分だが，その細胞成分やコラーゲン線維がまばらに存在し，水分に富んだ結合組織である．皮下組織や粘膜下組織などが疎性結合組織である（表1）．

fascia とは，全身の組織間の結合や組織自体を包み込み，そしてつなぐ，いわゆる結合組織（connective tissue）である．結合組織も fascia も身体のあらゆる部分に存在する．例えば，手術をする時は，解剖学的破綻をきたしている手術部位にたどり着くまでに fascia が手術部位の周囲に必ず存在していたが，

1 fascia（ファシア）とは

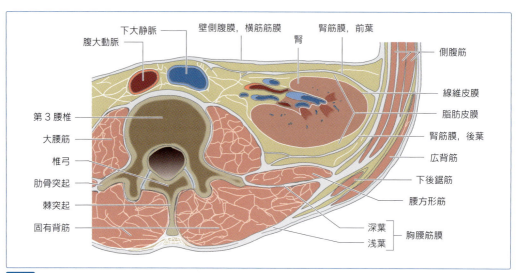

図1 第3腰椎レベルの断面図
腎臓（内臓）・神経・血管・骨格筋・骨の周りや，内部の灰色の線，灰色の部分がfascia（ファシア）である．fasciaは体の中を隙間なく埋めているだけでなく，各効果器を区画している．
注）横筋筋膜，腎筋膜，胸腰筋膜の元英語はfasciaであり，myofasciaではないが，解剖用語に準じて，上記の表記としてある．

多くの場合「ただの無機質なパッケージ」，あるいは「手術操作に邪魔なもの」として認識されてきた．しかしながら，実は非常に重要な役割を担っている組織だと，近年，注目されてきている．そもそも西洋医学で治療をしている医師は，気づかぬうちにfasciaの恩恵を受けていたとも表現できる．例えば，手術を行う際に内臓・血管・神経などの位置は，いつも同じところにあるのが当たり前のように考えていると思う．しかし，解剖学的にいつでも同じ配列で位置しているのは，fasciaの存在があるからである（図1）．もし，fasciaの存在がなかったら，体の中に空洞ができ臓器，血管・神経などがあちこちに動いてしまう．

fasciaの肉眼解剖学的見解

fasciaという言葉の歴史的変遷と定義に関しては，1章①を参照いただきたい．

肉眼解剖レベルから組織解剖レベルにおいて，組織成分の種類と密度は徐々に移行していく．例えば筋膜（myofascia）は，筋外膜として筋の外側を覆うだけでなく，筋周膜・筋内膜として筋束を包み筋線維の間にも入り込む（図2）．神経も同様であり，傍神経鞘・神経上膜が神経の外側を覆うだけでなく，神経周膜・神経内膜として神経線維を束ねる「束」構造の間にも入り込み，つながる（図3）．さらには，血管周囲も同様であり，血管の外膜はfasciaの一部ともいえる（図4）．フランスの形成外科医Guimberteau（ガンベルトー）は，高精細内視鏡を用い，主に上肢の手術において，コラーゲン線維などで構成されている立体的網目状構造（クモの巣状構造）のfascia（正確にはfibrils）を動的変化も含め可視化し（図5），すべてが連続した線維によるものであることを示した[1,2]（1章③column参照）．また，Schleipらは，それらの線維性結合組織を線維配列と密度から分類することを提唱している[3]（図6）．

1. 皮下組織の構造

皮下組織は，浅部から深部に向かって，主に防御性脂肪筋膜系（protective adipofascial system：PAFS）で構成される皮下組織の浅層，superficial fascia，主に潤滑性脂肪

③ fasciaの解剖生理

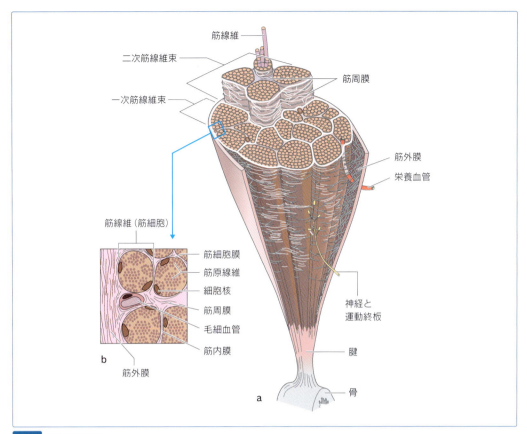

図2 骨格筋の構造
a：骨格筋の横断面，b：拡大図（横断面）

筋膜系（lubricant adipofascial system：LAFS）で構成される皮下組織の深層，deep fascia，の順に存在する（図7）．これはエコー画像でも同様に認識できる．

表層にあるsuperficial fascia（浅層のファシア）[訳注]は皮下に存在し，脂肪を含んだ疎性結合組織の皮下組織に連続しており，そこ

には神経，動脈，静脈，リンパ管なども走行している．深層にあるdeep fascia（深層のファシア）[訳注]は，骨格筋のみならず，血管，リンパ管，骨，そして臓器も包み込んでいる．こちらは主に密性結合組織に分類され，比較的強靭なI型コラーゲン線維と，弾性に富むエラスチンを含む[1]．そして，deep fasciaは3〜4層構造が多いと報告されている（図8）．浅部から3層までは，縦・横・斜め方向の膜様結合組織（コラーゲン線維シート）で構成され，さまざまな方向への張力に対応している．4層目（時に一体化した3層目と4層目）は，筋外膜epimysial fascia（従来のepimysiumに相当）を指す場合もある．deep fasciaの間には疎性結合組織loose connective tissueがあり，各層の滑走性を担保している[4]．

訳注）superficial fascia, deep fascia：現在，日本語では前者は浅筋膜，後者は深筋膜と呼ばれているが，前述の通りfascia＝筋膜ではないため，誤訳といえる．よって，本書では英語で表記する．両者の解剖学用語の定義については現在も世界中で統一見解は出ておらず，研究者や国によってその定義が異なるため注意が必要である．例えば，superficial fasciaは，イギリスでは皮下組織"層"として，イタリアとフランスでは皮下脂肪組織を2つに分ける線維性結合組織の膜様組織（線維弾性シート）のみを意味し，また別の国では皮膚支帯（skin ligaments）の意で使用されることもある．

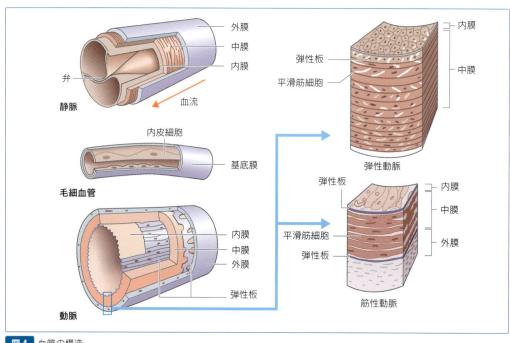

図3 末梢神経の構造

図4 血管の構造

図5 fasciaの網目状構造（クモの巣状構造）
（熊谷総合病院泌尿器科医長・川島清隆先生よりご提供．日本整形内科学研究会ホームページオンライン抄録掲載，https://www.jnos.or.jp/archives/information/2031 より転載，最終閲覧日：2021年4月5日）

　皮下組織の脂肪層もまた2層と考えられている．皮下組織浅層（superficial fascia より表層）の脂肪層を構成する LAFS，および皮下組織深層の脂肪層（superficial fascia の深層）を構成する PAFS である[5,6]．このうち特に LAFS は，非常に血管に富み神経も細かく入り込んでいる可能性が高い組織と考えられており，fascia と痛みに関する重要部位としても注目されている．

　また，身体の部位によって，各層構造の厚

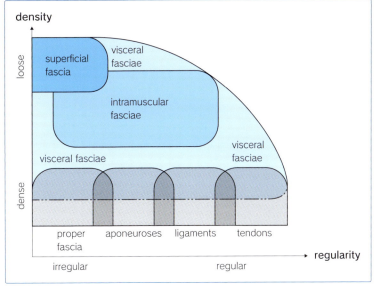

図6 fasciaの視点で線維配列と密度から整理した線維性結合組織の分類

(Schleip R, et al: What is 'fascia'? A review of different nomenclatures. J Bodyw Mov Ther 16: 496-502, 2012, Figure 3より引用)

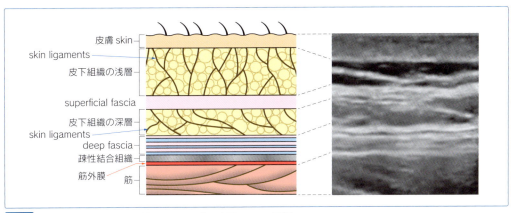

図7 皮下組織の層構造と名称（左図：イラスト，右図：エコー画像）

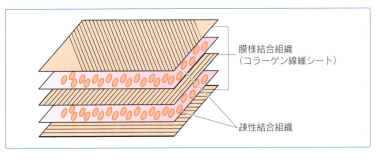

図8 deep fasciaの層構造のイメージ

縦・横・斜め方向の3層の膜様結合組織の間に疎性結合組織があり，各膜様結合組織同士の滑走性を担保する．

さや関係は異なり（**図9**），部位ごとに最適な層構造が形成されている．superficial fasciaやdeep fasciaが存在する部位と存在しない部位もあり，ヒトだけでなく，動物種によってもその局在性は異なる．例えば，ヒトの支帯（retinaculum）は，筋や腱鞘との滑走性を担保するためにdeep fasciaが局所的に肥厚している部位との示唆もある．**図10**は，

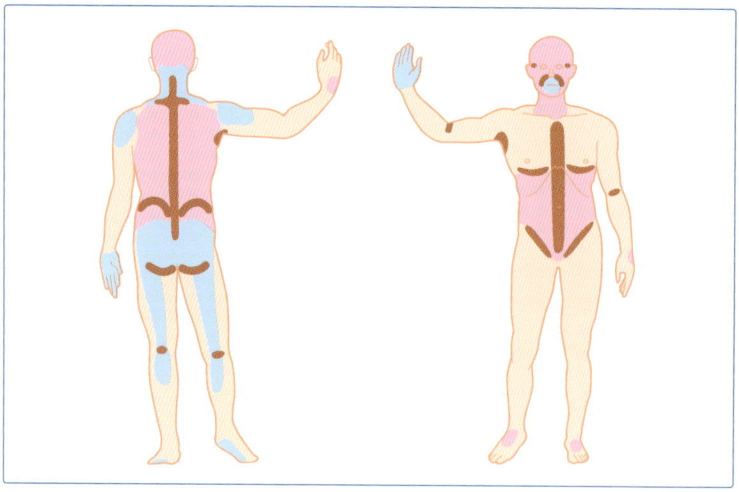

1 fascia（ファシア）とは

図9 皮下組織の全身分布とその特徴

■ 境界の superficial fascia が明瞭な2層性構造．肩甲部，下腹部，腰部では LAFS が厚く発達．

■ 境界の superficial fascia が不明瞭な2層構造．

■ 皮下組織が全層で PAFS を呈する部位．手背，足背，肩部，殿部，大腿部後面．

■ deep fascia が筋外膜と結合しながら骨膜など深部組織へ向かい anchoring 構造を呈する部位．鼠径部，腸骨稜，坐骨部，椎体部，腹直筋鞘，腋窩，肘窩，膝窩．

（文献5）の図17より転載，一部改変）

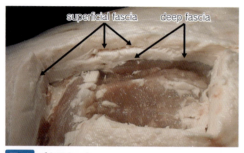

図10 ブタの fascia
脂肪組織の中間部に superficial fascia が，深層部に deep fascia が存在する．
（今北英高，ほか：Fascia とは一解剖生理学的意義の見地から．臨スポーツ医 37：134-140, 2020 より転載，一部改変）

ブタにおける殿部〜大腿外側部であるが，この部位には2種類の fascia が確認できる．

このように，fascia に関連した多様な組織が何らかの原因で癒着（adhesion）することで，さまざまな愁訴につながると考えている（図11）（詳細は，2章⑤，3章を参照）．

fascia の生理学的見解

1. fascia system としての考え方

fascia の機能的側面として，fascia system という言葉が使われている[7]．fascia system は，身体に広がる柔軟でコラーゲンを含む，疎性および密性の線維性結合組織の三次元連続体で構成される（図12）．また，すべての臓器，筋肉，骨，神経線維を相互に貫通して取り囲み，身体に機能的な構造を与え，すべての身体システムが統合的に動作できる環境を提供している[8]．言い換えれば，fascia は皮下にある連続した結合組織の全身ネットワークであり，別々に働く個々の骨格筋が，fascia という鎖でつながっていることにより，1つの動作が全く別領域の身体の部分に力や動きを伝達する．例えば，前腕の回外筋外傷が何年か後に頸椎の障害を引き起こしたという事例もある．このように fascia は，人体構造の枠組みを構築しており，さらに支持機能があるため，その破綻は障害のある部位にとどまらず，他の部位の障害を引き起こす可能性もある（図13）．圧痛点と myofascial trigger point site が必ずしも一致しないのも，このような構造の影響によるのかもしれない．

2. fascia と臓器の関係

fascia は，骨格系への支持機能だけではなく，内臓の機能がスムーズに働くことも助けている．fascia は臓器間の境界として，臓器が潤滑に動けるために表面を覆い，臓器を結合し，正しい位置に固定する役割もある．fascia の三次元的な構造と特異的な生理作用によって外力を吸収し，それをうまく分配することにより，繊細な組織や臓器への外傷を

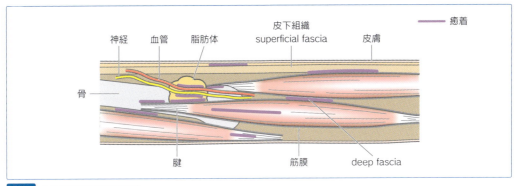

図11 さまざまな組織間の癒着

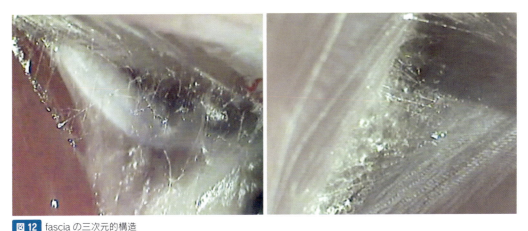

図12 fasciaの三次元的構造
ラットmyofasciaにおける三次元構造．隣接するfasciaに接合し，筋収縮を固定・保護したり，他の部位に伝達したりしている．
(今北英高，ほか：Fasciaとは－解剖生理学的意義の見地から．臨床スポーツ医学37：134-140，2020より転載，一部改変)

防ぐためにも重要であると考えられている[9]．臨床的知見として，手術の際に浅層の脂肪組織やsuperficial fasciaを保持することが術後の早期回復に寄与することもいわれている[10]．日本の泌尿器科医・川島は，前立腺周囲の疎性結合組織を観察し，手術の際のfasciaの切離位置を極めてわずかにずらしfasciaそのものを温存させることで，術後臨床成績が優位に向上することを報告している[11,12]．

3. fasciaと神経，血管との関係

fasciaの中を走行する神経，血管，リンパ管などは，周りをfasciaで覆われることにより，保護と方向性が与えられている（図14，図15， WEB動画 ）．また，筋骨格系に対する働きからも，我々の身体の姿勢はfasciaの張力によって保持されているともいえる．さらにfasciaは，身体を区画に分けることによって体外からの病原菌が素早く拡散するのを防ぐといったような生体防御システムにおいても大切な役割を担っている．マクロファージや樹状細胞といった免疫細胞が障害を受けた組織に集積するためにも，fasciaによる制御された構造が重要であると考えられている[9]．

fasciaの分子生物学的見解

fasciaに存在する主要なタンパク質はⅠ型

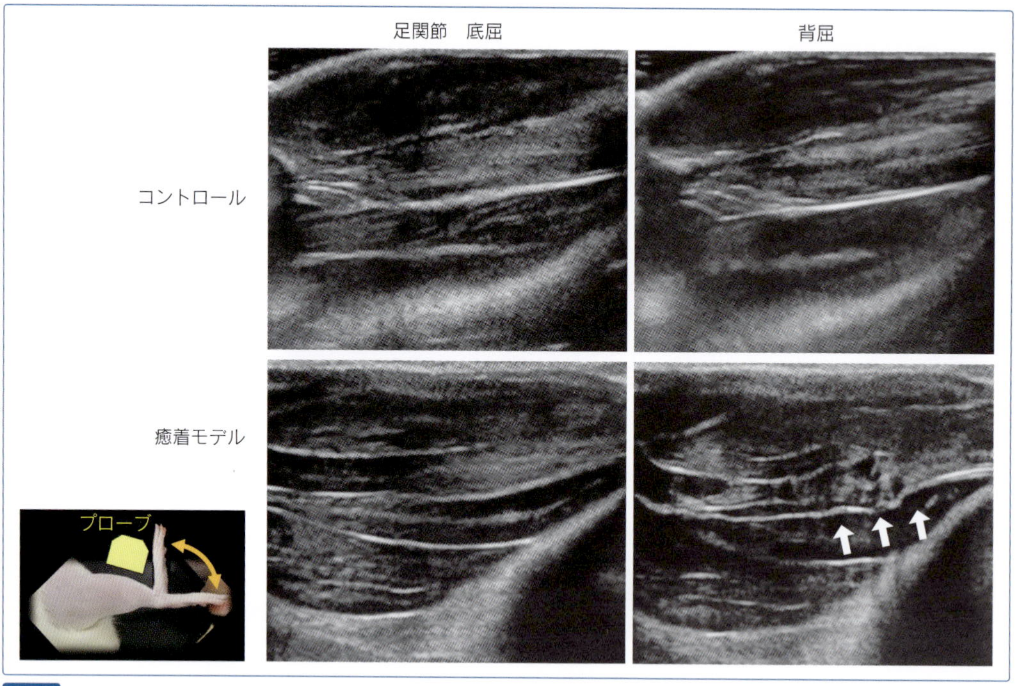

1 fascia（ファシア）とは

図13 癒着モデルにおける足関節底背屈での下腿内部の動き
コントロールは皮膚切開のみ．癒着モデルは皮膚から前脛骨筋まで切開．その後縫合し，4週間後の足関節底背屈運動時のエコー所見．癒着によってfasciaに過度な伝達力が，より深層まで加わっている（矢印）．
（今北英高，ほか：Fasciaとは—解剖生理学的意義の見地から．臨スポーツ医37：134-140, 2020より転載，一部改変）

図14 fasciaに張り巡らされている血管
fasciaの中を走行する神経，血管，リンパ管などは，周りをfasciaで覆われることにより，保護と方向性が与えられている．
（今北英高，ほか：Fasciaとは—解剖生理学的意義の見地から．臨床スポーツ医学37：134-140, 2020より転載，一部改変）

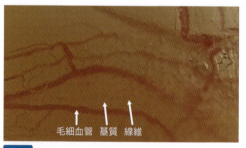

図15 細胞・線維・基質の世界 WEB動画
毛細血管と赤血球（7μm）の動き．
（熊谷総合病院泌尿器科医長・川島清隆先生よりご提供）

コラーゲン線維であり，主に線維芽細胞（fibroblasts）が，これらのタンパク質の生合成や再構築において重要な働きを担っている[13]．Langevin[14, 15]やBenjamin[16]らは，fasciaに存在する線維芽細胞は，細胞間のgap junctionを通じて情報をやりとりし，神経系のように身体全体で機械刺激感受性のシグナルを伝達しているようだと述べており，線維芽細胞は，fasciaにおいてその張力を統合するため身体中でさまざまに関わっていることを示唆している．この張力の統合が，身体各部位における姿勢や動きのセンサーとなり，かつフィードバック機構となり，各動作をスムーズに統合させていると考えられる．

1. 張力の調節

結合組織内の線維芽細胞は，筋線維芽細胞

③ fasciaの解剖生理

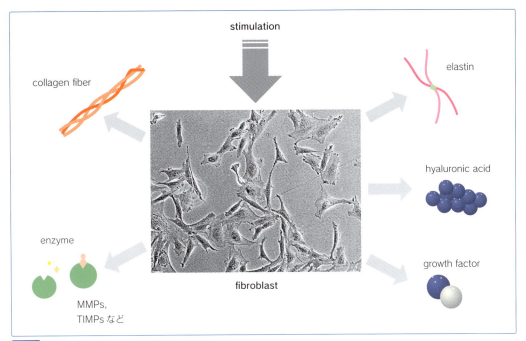

図16 線維芽細胞（fibroblast）が分泌する物質
TIMPs：tissue inhibitor of metalloproteinases, MMPs：matrix metalloproteinases
線維芽細胞に伝わる機械的な刺激は，その性質や方向性，刺激時間の変化などが伝達され，細胞内にさまざまな変化を引き起こす．
（今北英高，ほか：Fasciaとは―解剖生理学的意義の見地から．臨床スポーツ医学37：134-140, 2020より引用）

に分化することなく細胞骨格を再構築することで，組織が生理的に無理のない範囲で伸張できるように外力に対して素早く反応している．fasciaすなわち結合組織が引き伸ばされると，線維芽細胞は形態を変化させ，平坦に広がることで影響を与える細胞外マトリックス（extracellular matrix）の面積を拡大し，fasciaにかかる張力を和らげている．fasciaに存在するこれらの線維芽細胞は，それぞれ機能的にも代謝的にも異なる性質を持ち，その多くは身体の浅層に位置し，深層では疎性結合組織に存在する．そして，線維芽細胞は存在する場所により性質を変化させ，fasciaの伸張に対し異なる反応をすることが知られている．疎性結合組織に存在する線維芽細胞は，張力に対して細胞骨格の再構築で対応するが，密性結合組織内では細胞骨格の再構築が起こりにくいとされている．圧力や張力といったメカニカルな刺激により誘導される線維芽細胞の細胞骨格再構築は，さまざまな形態的変化として観察されるが，その刺激時間が短い場合，誘導されていた形態変化は元に戻ることも可能である．このように，線維芽細胞に伝わる機械的な刺激は，その性質や方向性，刺激が継続する時間の変化などが，細胞には言語のように伝わり（機械的シグナル伝達），細胞内にもさまざまな変化を引き起こす（図16）[17, 18]．私たちの身体は常に生理的な負荷，機械的な刺激を受けており，外界からの刺激が組織に伝わらない状態に置かれると，骨格筋においては良好な栄養状態であっても萎縮が起こるとされ，負荷がかかりすぎると肥大するというように異常な発達が生じる．腱の損傷などにおいても細胞外マトリックスが損傷を受け，その構造に脆弱な部分が生じると組織の緊張が高まり，過度な力が周辺の線維芽細胞に働くことで組織の炎症や分解を引き起こし，細胞死も誘導するといわれている．また，状況によっては皮膚外傷の治癒過程において，過度に結合組織が伸張

29

1 fascia（ファシア）とは

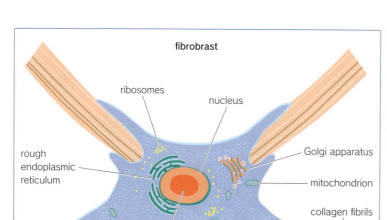

図 17 線維芽細胞とコラーゲン線維との結合
線維芽細胞はコラーゲン線維に結合しており，コラーゲン線維の機械的刺激によって細胞活性が生じ，さまざまな細胞の分化を誘導する．
（今北英高，ほか：Fasciaとは―解剖生理学的意義の見地から．臨スポーツ医 37：134-140，2020 より引用）

されれば，組織の線維化（fibrosis）が起こる可能性もある．このように，結合組織は機械的な刺激の性質に応じて，そこに存在する細胞にシグナルを伝達し，その結果，結合組織自身の変化も誘導する．また，この機械刺激的なシグナル伝達は細胞の分化を誘導することも可能で，遺伝子の発現にも影響を及ぼすとされる[19, 20]．

2．間質圧の調節

線維芽細胞が存在する疎性結合組織は，コラーゲンがメッシュ状に不規則に並んでおり，透明で粘性のあるゲル状の物質であるグリコサミノグリカン（glycosaminoglycan；硫酸ムコ多糖類）が存在し，大量の水を含むことが可能である．組織は生理的な状態でも水分を含んでいるが，通常は線維芽細胞がコラーゲンメッシュの構築や細胞の形態変化を通じて細胞外マトリックスの密度や圧を変化させることで，細胞外マトリックスに入ってくる水分を物理的に調節しているのではないかと考えられている．しかし，炎症が起こるとそれに伴い分泌される物質により，細胞外マトリックスと線維芽細胞の接触が壊され，水が浸透できるようになる．水は，電気的に負に荷電しているグリコサミノグリカンに引き付けられることで，大量に細胞外マトリックスへ移動し，組織を膨張させる．すなわち，炎症に伴う腫脹が引き起こされることになる[21]．炎症以外にもfasciaに過度の張力がかかると，一時的に力がかかった部分で，線維芽細胞膜のインテグリンと細胞外マトリックスとの間で同様に接触が破壊され，浸透によって細胞や毛細血管からの水分が細胞外マトリックスへ移動するが，張力が元に戻ると，細胞は元の形となり，接触も再形成される．このような水の移動は，機械的な刺激によるfasciaの剛性の増強に関わっていると考えられる（図 17）．

3．細胞外マトリックスの調節

線維芽細胞は細胞外マトリックスの分解，産生に直接関わることで，間接的にfasciaの連続性を保つために働き，その機能を決定している[22]．線維芽細胞に細胞外マトリックスから伝わる張力が強すぎるとfibrosisを誘導することにもなるが，生理的な張力が粘性や弾性のある細胞外マトリックスによって適度に伝わると，線維芽細胞の機能も保たれ，線維芽細胞が細胞外マトリックスを制御することで，結果的にfasciaの連続性が機能し，正常に働くことが可能となる．そのメカニズ

ムは，線維芽細胞が分泌する酵素や成長ホルモンの働きによって，多くの細胞外マトリックスが産生され，必要に応じて分解されることにより，うまく調節されている．線維芽細胞によって産生される酵素は，分解機能をもつマトリックスメタロプロテアーゼ（MMPs），そして，その分解能を抑制するMMPのインヒビターであるTIMPsなどがあり，この両者のバランスが組織修復の際に重要な鍵となる．線維芽細胞は，それ以外にもtransforming growth factor β1（TGF-β1）やfibroblast growth factor（FGF）といった細胞の代謝や増殖に重要なホルモンも分泌している．そして，免疫反応においてもその働きは重要で，炎症作用に関わる多くのサイトカインやケモカインを産生し，炎症性の環境を数時間でつくり出すことも可能である[23]．このような線維芽細胞の機能により，炎症を促進することもでき，fasciaが毎日受けているストレスにも対応し，fasciaの連続性の維持に重要な役割を担っている[24, 25]．

4. ヒアルロン酸の機能

ヒアルロン酸はグリコサミノグリカンの一種であり，fasciaの機能にも関わっている物質である．ヒアルロン酸を分泌する主な細胞はdeep fasciaの層に存在し，筋線維芽細胞とfasciacytes[26]という線維芽細胞様の細胞だとされている．これらの細胞がヒアルロン酸を分泌することで，fasciaでは線維性の層がうまくスライドすることが可能となる．すなわち，分泌されたヒアルロン酸は，結合組織の中で潤滑油のように働き，deep fasciaの機能を維持するのに貢献している[27]．

最後に

現在，fasciaという言葉が急速に浸透してきているが，定義や用語としては，まだまだ議論の余地がある．また，今後の研究によって，fascia systemに関しても新しい知見が数多く見出されることも期待できる．今後，身体の内部情報や動きに関する視点，姿勢の捉え方，そしてfasciaに対する治療法も大きく展開してくるものと期待する．

文献

1) Guimberteau JC, et al：Architecture of Human Living Fascia：The Extracellular Matrix and Cells Revealed Through Endoscopy, Handspring Publishing, Scotland, 2015
2) Guimberteau JC, et al：The role and mechanical behavior of the connective tissue in tendon sliding. Chir Main 29：155-166, 2010
3) Schleip R, et al：What is 'fascia'？ A review of different nomenclatures. J Bodyw Mov Ther 16：496-502, 2012
4) Stecco C, et al：Fascia redefined：anatomical features and technical relevance in fascial flap surgery. Surg Radiol Anat 35：369-376, 2013
5) 今西宣晶：機能的観点からみた脂肪筋膜組織の解剖学的研究．慶應医学 71：T15-T33，1994
6) Nakajima H, et al：Anatomical study of subcutaneous adipofascial tissue：a concept of the protective adipofascial system（PAFS）and lubricant adipofascial system（LAFS）．Scand J Plast Reconstr Surg Hand Surg 38：261-266, 2004
7) Stecco C, et al：A fascia and the fascial system. J Bodyw Mov Ther 20：139-140, 2016
8) Adstrum S, et al：Defining the fascial system. J Bodyw Mov Ther 21：173-177, 2017
9) Römer F：Practical Manual of the Fascial Distortion Model, International FDM Organization, 2015
10) Chopra J, et al：Re-evaluation of superficial fascia of anterior abdominal wall：a computed tomographic study. Surg Radiol Anat 33：843-849, 2011
11) 川島清隆：微小解剖の理解による超解剖学的手術の試み―さらなる根治性向上，低侵襲性を目指して（解説）．日ミニマム創泌内視鏡外会誌 8：15-19，2016
12) 川島清隆，ほか：骨盤内筋膜概念のパラダイムシフト―筋膜からfascia（ファシア）へ，さらに細胞外マトリックスへ―．泌外 32：1119-1126, 2019
13) Grinnell F：Fibroblast mechanics in three-dimensional collagen matrices. J Bodyw Mov Ther 12：191-193, 2008
14) Langevin HM, et al：Dynamic fibroblast cytoskeletal response to subcutaneous tissue stretch ex vivo and in vivo. Am J Physiol Cell Physiol 288：C747-C756, 2005
15) Langevin HM：Connective tissue：a body-wide signaling network? Med Hypotheses 66：1074-1077, 2006

16) Benjamin M：The fascia of the limbs and back-a review. J Anat 214：1-18, 2009
17) Abbott RD, et al：Stress and matrix-responsive cytoskeletal remodeling in fibroblasts. J Cell Physiol 228：50-57, 2013
18) Goldman N, et al：Purine receptor mediated actin cytoskeleton remodeling of human fibroblasts. Cell Calcium 53：297-301, 2013
19) Chiquet M, et al：From mechanotransduction to extracellular matrix gene expression in fibroblasts. Biochim Biophys Acta 1793：911-920, 2009
20) Langevin HM, et al：Fibroblast cytoskeletal remodeling contributes to connective tissue tension. J Cell Physiol 226：1166-1175, 2011
21) Langevin HM, et al：Cellular control of connective tissue matrix tension. J Cell Biochem 114：1714-1719, 2013
22) Langevin, et al：Fibroblasts form a body-wide cellular network. Histochem Cell Biol 122：7-15, 2004
23) Buckley CD, et al：Fibroblasts regulate the switch from acute resolving to chronic persistent inflammation. Trends Immunol 22：199-204, 2001
24) Buckley CD：Why does chronic inflammation persist：an unexpected role for fibroblasts. Immunol Lett 138：12-14, 2011
25) Cao TV, et al：Dosed myofascial release in three-dimensional bioengineered tendons：effects on human fibroblast hyperplasia, hypertrophy, and cytokine secretion. J Manipulative Physiol Ther 36：513-521, 2013
26) Stecco C, et al：The fasciacytes：a new cell devoted to fascial gliding regulation. Clin Anat 31：667-676, 2018
27) Stecco C, et al：Hyaluronan within fascia in the etiology of myofascial pain. Surg Radiol Anat 33：891-896, 2011

注）本稿は「今北英高，ほか：Fasciaとは―解剖生理学的意義の見地から．臨スポーツ医37：134-140, 2020」，および「銭田良博，ほか：Fasciaとは―西洋医学と東洋医学の架け橋として．臨スポーツ医37：162-169, 2020」を主に再活用し，著者の許諾を得て再編集したものである．

column

Dr. Jean-Claude Guimberteau と fascia

　フランスの Jean-Claude Guimberteau（ジャン・クロード・ガンベルトー）医師は，形成外科手術を通して生体での fascia の微細構造を世界で初めて観察・撮影した（図1）．最新の高精細内視鏡を用いて，立体的網目状構造が外力に応じてダイナミックに形状を変化させる様子をも明らかにした．Guimberteau 医師は「手術による人体解剖の観察は外科医だけに許されたものである．この知識は他の人々に伝える義務がある」という崇高な理念のもとに観察を続け，その成果を精力的に公表している．Guimberteau 医師は，立体的網目状構造を"microvacuolar collagenic absorbing system"と命名し，衝撃吸収システムとして身体の柔軟性に寄与していると発表した．Guimberteau 医師の示した映像は fascia を研究する者に，それまで未知であった生体内の fascia に対するイメージを与え，fascia の研究に多大な貢献を果たした．さらに，fascia の詳細な観察を通して，fascia の本質，人体の本質に迫るべく思索を続けている．直接の生体内における fascia の研究方法が確立さ

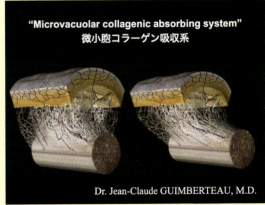
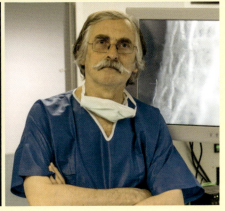

図1 fascia の世界
（Guimberteau 医師による撮像画像を許諾を得て掲載）

れていない現状では，これは極めて重要なアプローチといえる．この映像は，肉眼所見と顕微鏡所見からの知見のみで人体を認識してきた外科医が「結合組織」に対して抱いていたイメージと大きく異なるものである．衝撃的なそのイメージを理解することは即座には難しいかもしれない．しかし，Guimberteau医師も言うように，見えているfasciaの真実を我々は受け入れなくてはならない．そして，この知見も含めた人体に対する新しい論理体系の構築が今まさに求められている．fasciaという新たな概念をもとに，"新時代の解剖"を再構築していく必要がある．

fasciaの病態 | 2

2 fasciaの病態

① fasciaと疼痛学

> **ポイント** ▷ 痛みの原因として筋および筋膜などのfasciaが想定されていなかったため，旧来の一般的な痛みの分類には，多くの矛盾がある．

疼痛の発症機序—fasciaはどのように関与するか

fasciaハイドロリリースの痛みへの有効性が大きく注目され，fasciaが痛みの発生と維持に重要な役割を果たしていることが認識されつつある．痛みは，侵害受容性疼痛，神経障害性疼痛，非器質的疼痛の3つに大きく分類されている（**図1**）．現状では，これらの痛みに対するfasciaの関与はほとんど認識されていない．これらの痛みの機序が，現在どのように考えられているのかを解説し，fasciaとの関連について総論的に考察する．各論に関しては3章で詳述する．

痛みの分類

一般的に，痛みは，侵害受容性疼痛，神経障害性疼痛，非器質的疼痛の3つに区分されている．侵害受容性疼痛は，末梢神経の自由神経終末が侵害刺激を受けることにより発生する痛みである．その原因疾患として，運動器疾患や炎症性疾患などが挙げられる．神経障害性疼痛は，神経線維が障害されることにより生じる痛みとされている．その原因疾患としては，手根管症候群による正中神経障害や帯状疱疹後神経痛などが挙がる．また，非器質的疼痛は，この2つでは説明できない痛みとされることが多い．このように，こ

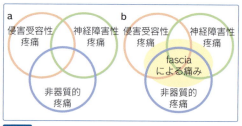

図1 痛みの分類
a：従来の枠組み，b：fasciaの位置づけ（概念図）

れら3つの痛みが生じるメカニズムは異なるが，病態生理としての相互関係も報告されている．

今でも，痛みの分類や概念に関する議論は続いている．近年も国際疼痛学会（IASP）が2017年に侵害可塑性疼痛（nociplastic pain）を提示し，非器質的疼痛のような「原因のわからない痛み」を説明しようとしている．この侵害可塑性疼痛のメカニズムにもfasciaの異常が大きく関与していると，我々は考えている．

1. 筋膜性疼痛と他のタイプの疼痛の混在

従来の西洋医学では，腰痛の原因の約8割は原因不明とされている．一方で，十分な疫学調査はされていないが，ペインクリニックで診断される症状のうち85％が筋膜性疼痛症候群（myofascial pain syndrome：MPS）のみに起因した痛みという報告[1]がある．また，カナダの一般人口における筋痛症有病率は約20％[2]，タイの一般人口におけ

る潜在性トリガーポイントを含む筋硬結の有病率は約11％[3]，アメリカの一般人口におけるMPSの有病率は約3％[4]，ある大学病院の内科外来で痛みを主訴に受診した患者のうち約30％がMPS[5]など，その有病率の高さが報告されている．

臨床の現場で我々は，fasciaをキーワードに，筋などの軟部組織の痛みに対する治療方法の開発・実践・臨床的な検証を重ねてきた．現在の一般的な痛みの原因分類に，MPSを代表とする筋など軟部組織による症状の概念が反映されれば，より多くの疼痛患者に恩恵が与えられると確信している．関節内と関節外の病態の再整理，炎症性疾患とfasciaの相互関係，神経疾患とfasciaの関係，末梢神経病態，自律神経病態，血管の病態など，fasciaの観点での再整理を本書では提案している（3章で詳述）．

筋膜性疼痛を含むfasciaの異常と，他のタイプの疼痛が混在している患者は多い．一人の患者が抱える多様な痛みの要素をそれぞれしっかり評価し，実施可能な治療を施す必要がある．科学の基本は現象の解析であり，既存の知識体系で現象を整理することではない．生じている現象が事実であり，既存の医学体系で理解できなければ，理解できるように考え改める必要がある．

痛みの生理学

組織損傷を引き起こす刺激には化学的刺激や熱刺激などがあり，これらを総称して侵害刺激と呼ぶ．この侵害刺激を電気信号に変換するもの（transducer）が，侵害受容器（nociceptor）である．侵害受容器には，機械的侵害受容器（mechanical nociceptor），熱侵害受容器（thermal nociceptor），ポリモーダル受容器（polymordal nociceptor），サイレント受容器（silent nociceptor）の4種類がある．このうち，侵害受容器の代表であるポリモーダル受容器は，その名前の通り，機械的，化学的，熱刺激など多（poly）様式（mode）の刺激に反応する，分化の程度が低い受容器である．また，ポリモーダル受容器は，最も分化の遅れた原始的受容器との示唆もある．侵害受容器は全身のあらゆる部位にあり，皮膚・筋・関節・内臓など部位によって数や種類は異なる．

1. 侵害受容性疼痛と痛みの伝達

組織損傷を誘発しうるような強い熱，寒冷，機械，化学刺激（侵害刺激）が末梢組織に加わると，侵害刺激を伝達する一次求心性神経（侵害受容器）の末梢側終末（自由神経終末）に存在する受容体が活性化される[6]．受容体は陽イオンチャネルで，侵害刺激が加わるとCa^{2+}やNa^+が細胞内に流入する．これが膜電位を上昇させ，電位依存性Na^+チャネルの閾値を超えると活動電位となって，一次求心性神経から脊髄後角，視床，大脳皮質へと伝えられ，痛みと認識される．自由神経終末はfascia内に多く存在するが，それらの境界部ははっきりと認識できない[7]．すなわち，fasciaは広く侵害受容を認識するセンサーとして働いており，イオンの流れによって活動電位発生に関与している可能性がある．

侵害受容器には，速い痛みを伝える有髄のAδ線維と，遅い痛みを伝える無髄のC線維の2種類がある．両者とも，silent afferentsとも称されるMIAs（mechanically-insensitive afferents；機械的刺激に反応しない線維）を含む．MIAsは，正常状態では機械的刺激に反応しないが，炎症などのポリモーダル受容器への持続的な刺激や神経損傷がある状態では，無反応（silent）から活性化（active）し，機械的刺激に反応するようになり，局所の痛覚過敏の成立に関与する．また侵害受容器には，侵害性機械刺激のみに反応する高閾値機械的侵害受容器，熱刺激に特異的に反応する熱侵害受容器，機械・熱・化学的刺激のいずれにも反応するポリモーダル受容器

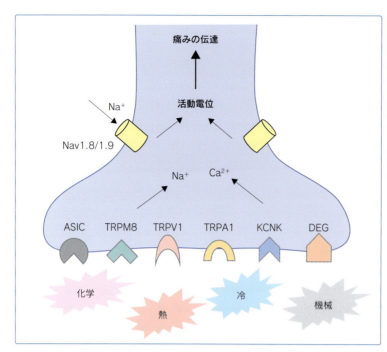

図2 末梢での侵害受容

侵害刺激が加わると，侵害受容器の受容体は陽イオンを通過させ，Ca^{2+}やNa^+が細胞内に流入する．これが膜電位を上昇させ，電位依存性Na^+チャネルの閾値を超えると活動電位となって，痛みを脊髄後角，上位中枢へと伝える．ASIC (acid sensing ion channel)，DEG (degenerin)，TRP (transient receptor potential cation channel)，KCNK (voltage-gated cation channel K^+)．

が存在する．例えば，熱刺激を伝える侵害受容器の受容体としては transient receptor potential (TRP) チャネルが知られている．この中でも，痛みに特異的に関与する受容体として特に注目されているものは，TRPV1受容体である．TRPV1は43℃以上の熱刺激や組織損傷に伴う酸性化によって活性化され，痛みを引き起こす[8]（図2）．

一次求心性神経は，後根から脊髄内に入り，脊髄後角に存在する二次感覚ニューロンである脊髄後角ニューロンとシナプスを形成する．Aδ線維は主に第Ⅰ層と第Ⅴ層，C線維は主に第Ⅱ層に入力する．二次感覚ニューロンは，末梢からの情報だけではなく，脊髄後角の介在ニューロンや上位中枢から脊髄後角に投射する下行性ニューロンからも修飾を受ける．

脊髄に入力された侵害刺激は，脊髄視床路，脊髄網様体路，脊髄中脳路などによって視床や中脳に伝達される．これらは痛みの強さや部位の認識を伝える外側系と，不快感のような情動面に関与する内側系に分けられる．

視床に入力された侵害刺激の情報は，視床皮質路を通って大脳皮質にある体性感覚野に到達し，侵害刺激が痛みと認識される．

2. 組織損傷とそれに続く炎症性疼痛

末梢組織を損傷すると，肥満細胞，血小板，マクロファージ，神経終末などから，さまざまな炎症性メディエーターが放出され，痛みや腫脹・発赤を引き起こす．これらは，神経終末に存在する特異的受容体に結合し，痛みを誘発し互いに増強し合ったり，一次求心性神経を感作したりして疼痛閾値を低下させる（末梢性感作）．例えばブラジキニンが，その受容体であるB2受容体に結合すると，プロテインキナーゼC (PKC) が活性化され，TRPV1はリン酸化される[9]．これによって，TRPV1を活性化する温度閾値は43℃から体温以下に低下するため，末梢組織損傷時にはTRPV1は常に活性化されて，持続的に痛みを引き起こす（図3）．

3. 神経障害性疼痛

神経障害性疼痛は，「体性感覚神経系の病変や疾患によって引き起こされる疼痛」と定

① fasciaと疼痛学

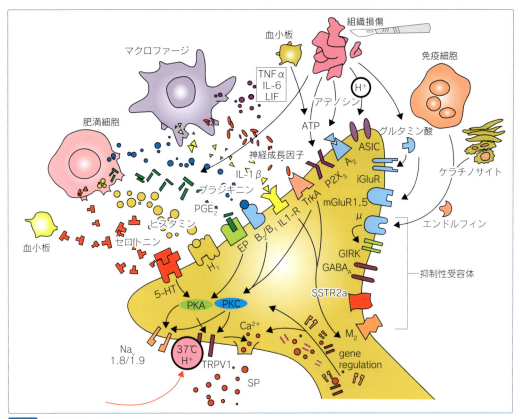

図3 組織損傷後の炎症性疼痛
組織損傷によって局所に炎症性物質が放出され，それぞれの受容体に結合し，直接痛みを引き起こしたり，他の物質の作用を増強したりする．活性化された受容体の一部は，PKCの活性化などによって侵害受容器の閾値を下げるため（例えばTRPV1受容体は，活性化されると閾値が43℃から37℃へ低下する），痛みに対して過敏な状態になる（末梢性感作）．

義されている[10]．針で刺されるような痛みや焼けるような痛み，しびれを訴えるが，同時に，痛みがある神経支配に一致した領域に感覚障害がある．実際に神経障害性疼痛の診断をする際には，まずpainDETECT日本語版[11]のようなスクリーニングのための質問票を用いると便利である．最終的には，解剖学的に障害神経の領域に一致した感覚障害があること，痛みを説明する神経病変あるいは疾患があることを，診察と検査で証明して確定診断する[12]．治療は薬物療法が主体であり，第一選択となる薬剤は，Ca^{2+}チャネル$\alpha 2\delta$リガンド（プレガバリン，ガバペンチン，ミロガバリンなど），三環系抗うつ薬（アミトリプチリン，ノルトリプチリン，イミプラミンなど），セロトニン・ノルアドレナリン再取り込み阻害薬（デュロキセチンなど）である[13]．

神経障害性疼痛を引き起こす末梢神経の変化は，以下が想定されている．まず，損傷を受けたニューロンの後根神経節や，損傷によって形成された神経腫から，自発的な異所性発火が起こる[14]．異所性発火による電気的興奮が，持続的に脊髄後角へ入力することによって，脊髄後角ニューロンが感作され，中枢性感作を引き起こす．

一方，末梢神経損傷に伴って一次求心性神経の有髄神経が脱髄を起こすことも，神経障害性疼痛の重要な機序である．正常な神経線維は，髄鞘によって電気的絶縁状態が保たれているが，脱髄を起こした有髄線維は，隣接する有髄線維および無髄線維との間に混線状

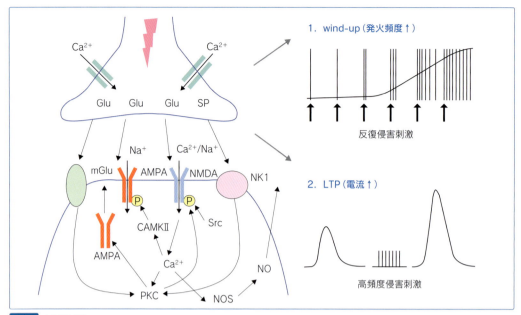

図4 中枢性感作

繰り返し侵害刺激が加えられると，脊髄後角細胞のNMDA受容体が開いて細胞内にCa²⁺が流入し，セカンドメッセンジャーを介して興奮性を高める．これによって発火頻度の加算効果を生み，より長く強くその興奮性が持続する（wind-up現象）．また，一度の侵害刺激で多くの電流が流れる（long-term potentiation：LTP）．

態（エファプス）を引き起こす．また損傷神経が軸索発芽を起こし，新たなシナプスを形成する．このような機序によって，有髄Aβ線維由来の非侵害刺激（触刺激）と侵害刺激が，区別されなくなる．

　一次求心性神経が軸索切断を受けると，その細胞体である後根神経節細胞において遺伝子変化が生じる．例えば，同一神経の中で軸索切断を受けているものと，そうでない神経が混在する場合には，軸索切断を受けていない神経細胞でサブスタンスP，CGRP（カルシトニン遺伝子関連ペプチド）およびBDNF（脳由来神経栄養因子）のような痛みを増強する物質の遺伝子が増加する[15, 16]．

4. 痛みの慢性化に関わる中枢神経の変化

a）中枢性感作（図4）

　中枢性感作とは，脊髄後角ニューロンの興奮性が増大することである．侵害刺激が繰り返し，脊髄後角ニューロンに入力されることによって生じる．中枢性感作が起こると，触刺激でも痛みを誘発するようになり（アロディ

ニア），脊髄後角ニューロンの受容野が拡大するため，痛みを誘発する部位が広くなる（二次性痛覚過敏）．中枢性感作には，脊髄後角ニューロンに存在するN-methyl-D-aspartic acid（NMDA）受容体が重要な役割を果たしている[17]．

　中枢性感作の間接的機序として重要なのが，脊髄後角におけるグリア細胞の活性化である[18]．正常状態では主に細胞の保持や免疫応答を担っているアストロサイトとミクログリアは，末梢神経の損傷や炎症によって活性化し，炎症性サイトカインなどを放出して痛みを増強させ，脊髄後角ニューロンを感作する．

b）下行性抑制系の減弱

　生理的な痛みは生体防御反応として働くが，過剰な痛みや必要のない痛みは，生体内に内在する内因性鎮痛系によって抑制される．内因性鎮痛系の中でも，脳幹から脊髄後角に投射する下行性抑制系は特に重要である．痛みが脳で認識されると大脳皮質，視床下部，扁

桃体などからの情報が中脳中心灰白質（peri-aqueductal grey：PAG）に入力し，さらには吻側延髄腹内側部（rostral ventromedial medulla：RVM）や青斑核に伝達する．青斑核からはノルアドレナリン（NA）作動性ニューロンが，PAG-RVMからはセロトニン（5-HT）作動性ニューロンが脊髄後角に投射する（図5）．

NA作動性下行性抑制系：青斑核は痛み刺激などで興奮し，脊髄後角にNAが放出されると，主に脊髄後角のα2受容体を介して鎮痛が起きる．特に神経損傷を起こした状態では，α2受容体を介した鎮痛作用が強まる[19]．抗うつ薬は再取り込み阻害によって脊髄で直接NAを増加させ，Ca^{2+}チャネルα2δリガンドは，青斑核を活性化して脊髄後角でNAを増加させる．痛みが慢性化すると，青斑核の反応性が減弱することから[20]，発症から長期間経過した神経障害性疼痛では，NA作動性下行性抑制系の機能が減弱する．

5-HT作動性下行性抑制系：RVMに存在する大縫線核は，5-HT作動性下行性ニューロンを多く含む核であり，活性化すると脊髄後角で5-HTが放出される．脊髄後角では，抑制性の$5-HT_{1A}$受容体と興奮性の$5-HT_{2A}$，$5-HT_3$および$5-HT_7$受容体が，痛みの修飾に関与する．神経障害性疼痛時には，脊髄後角の$5-HT_3$受容体を介して，痛みの維持と増強が起こる[21]．この現象は下行性促進（descending facilitation）と呼ばれている．図6に，神経障害性疼痛時に起こるさまざまな可塑的変化を示す．

5. 非器質的疼痛

痛みに見合うだけの病変が見出されない，解剖学的に説明のつかない痛みを総称して，非器質的疼痛と呼ぶ．原因の特定できない慢性腰痛症や，線維筋痛症，慢性疲労症候群，過敏性腸症候群，緊張性頭痛，顎関節症，非定型顔面痛，慢性骨盤痛症候群の痛みなども

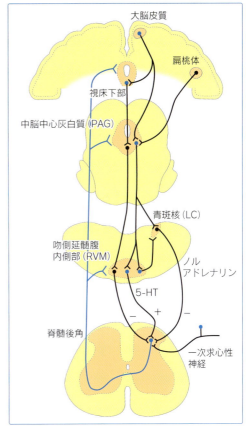

図5 痛みの伝達と下行性抑制（調節）系
痛み刺激が上行性経路で脳まで伝達されると，大脳皮質（前頭葉，前帯状回，島），扁桃体，視床下部などからの下行性ニューロンを活性化させ，中脳中心灰白質（PAG）を経由して，吻側延髄腹内側部（RVM）や青斑核（LC）へ伝わる．LCからはNA作動性ニューロンが，RVMからは5-HT作動性および非5-HT作動性ニューロンが脊髄後角に投射し，痛みの調節（主に抑制）を行う．
青：上行性経路，黒：下行性経路

含まれる．このような痛みをもつ患者では，内因性鎮痛機能が健常人と比較して減弱していると報告されている[22]．

痛みとfasciaの関係

1. fasciaの疼痛学

MPSの起こる正確なメカニズムは未だ解明されていない．我々は，筋膜性疼痛は炎症や虚血が生じた領域においてfasciaおよびfascia周囲の状態に何らかの変化が起こることによって生じる疼痛であると推定している．

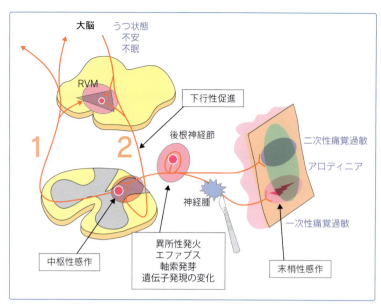

図6 神経障害性疼痛時の可塑的変化

神経損傷によって末梢神経，脊髄後角，脳幹，大脳でさまざまな変化が生じ，異常な痛みが維持される．その際に1) 中枢性感作（上行性経路の過敏化），2) 内因性鎮痛（下行性抑制）の減弱が重要な役割を果たす．

　MPSに罹患している筋外膜間には，痛み物質（サブスタンスP，ブラジキニン）が多くpHが低く[23]，ヒアルロン酸の粘度（viscosity）が上昇していることが報告されている[24]．筋膜自体についても，胸腰筋膜の内層よりも外層に疼痛物質が豊富であり[25]，筋膜にCGRP（カルシトニン遺伝子関連ペプチド），サブスタンスP，peripherinなどの痛み受容を担うと考えられる侵害受容線維が密に分布すること[26]，筋膜に限局した痛み刺激に応答する末梢侵害受容器（Aδ/C線維：Aδの多くは機械刺激にのみ強度依存的に応答する機械的侵害受容器）や脊髄後角ニューロンが存在すること，筋膜からの痛み入力が侵害受容経路である脊髄後角表層に投射していることなどが報告されている[27]．さらに，異常なfasciaでは，組織の伸張性低下と組織同士の滑走性の低下，また水分量の低下が起こっていると考えられている．

2. 各種痛みとfasciaとの関係

　fasciaハイドロリリースは，異常なfasciaを生理食塩水などの薬液でリリースし，鎮痛効果に加えてfasciaの柔軟性の改善を期待する手技である．明らかな侵害受容性疼痛（組織損傷がある場合や，それに準ずる急性期に生じる痛み）に対しては，fasciaハイドロリリースでは鎮痛をすることができないため，局所麻酔薬（Na^+チャネル遮断薬）を使用して神経伝達を抑制する必要がある．fasciaハイドロリリースが適応となるのは，亜急性の痛みや慢性痛の一部である．痛みの原因検索として単純X線やMRI，CTなどの画像検査が行われるが，fasciaの異常は，これらの検査では十分に検出できない．非器質的疼痛の中には，fasciaの異常が関与している痛みが相当数あると想像される．特に，腰痛の85％は原因が特定されない非特異的腰痛とされるが，fasciaハイドロリリースが著効する場合がある．同様に緊張性頭痛，顎関節症，非定型顔面痛のような痛みにもfasciaの異常が関与している可能性がある．また，病歴や検査で神経障害性疼痛が否定的であっても，神経が他の組織によって圧迫・絞扼されている状態においては，神経障害性疼痛"様"の症状が認められることがある．このような場合は，一般的には神経障害性疼痛に準じた薬物治療が行われている場合が多いが，神経自体および神経周囲のハイドロリリース

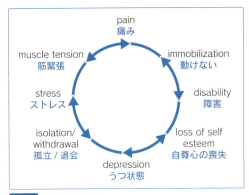

図7 慢性痛サイクル

の有用性が注目されてきている．

　各病態に関するfasciaを基点とした考察は，3章で詳述する．

3. 痛みの悪循環を断ち切る方法

　人は痛みに対して心理・社会的な反応を伴うので，しばしば痛みの悪循環が生じる（図7）．認知行動療法，薬物療法，局所療法など，痛みの悪循環を断ち切るためのさまざまな方法がある．患者が治れば，どのような治療法でもよい．しかし，現実として，薬物療法自体の副作用やヒト・カネ・モノの労力とコストおよび手間を勘案する必要がある．fascia治療の分野が発展するにつれて，適切な局所療法が普及し，「悪循環」から脱出できる患者が急増していると実感している．

文献

1) Fishbain DA, et al：Male and female chronic pain patients categorized by DSM-III psychiatric diagnostic criteria. Pain 26：181-197, 1986
2) Badley EM, et al：The impact of musculoskeletal disorders in the population：are they just aches and pains? Findings from the 1990 Ontario Health Survey. J Rheumatol 22：733-739, 1995
3) Chaiamnuay P, et al：Epidemiology of rheumatic disease in rural Thailand：a WHO-ILAR COP-CORD study. Community Oriented Programme for the Control of Rheumatic Disease. J Rheumatol 25：1382-1387, 1998
4) Alvarez DJ, et al：Trigger points：diagnosis and management. Am Fam Physician 65：653-660, 2002
5) Skootsky SA, et al：Prevalence of myofascial pain in general internal medicine practice. West J Med 151：157-160, 1989
6) Basbaum AI, et al：Cellular and molecular mechanisms of pain. Cell 139：267-284, 2009
7) Tesarz J, et al：Sensory innervation of the thoracolumbar fascia in rats and humans. Neurosciece 194：302-308, 2011
8) Caterina MJ, et al：The capsaicin receptor：a heat-activated ion channel in the pain pathway. Nature 389：816-824, 1997
9) Sugiura T, et al：Bradykinin lowers the threshold temperature for heat activation of vanilloid receptor 1. J Neurophysiol 88：544-548, 2002
10) 日本ペインクリニック学会用語委員会：国際疼痛学会　痛み用語2011年版リスト．https://www.jspc.gr.jp/Contents/public/pdf/yogo_itami2011.pdf（最終閲覧日：2021年4月5日）
11) Matsubayashi Y, et al：Validity and reliability of the Japanese version of the painDETECT questionnaire：a multicenter observational study. PLoS One 8：e68013, 2013
12) Treede RD, et al：Neuropathic pain：redefinition and a grading system for clinical and research purposes. Neurology 70：1630-1635, 2008
13) Finnerup NB, et al：Pharmacotherapy for neuropathic pain in adults：a systematic review and meta-analysis. Lancet Neurol 14：162-173, 2015
14) Devor M：Neuropathic pain and injured nerve：peripheral mechanisms. Br Med Bull 47：619-630, 1991
15) Obata K, et al：Differential activation of extracellular signal-regulated protein kinase in primary afferent neurons regulates brain-derived neurotrophic factor expression after peripheral inflammation and nerve injury. J Neurosci 23：4117-4126, 2003
16) Fukuoka T, et al：Change in mRNAs for neuropeptides and the GABA(A) receptor in dorsal root ganglion neurons in a rat experimental neuropathic pain model. Pain 78：13-26, 1998
17) Ji RR, et al：Central sensitization and LTP：do pain and memory share similar mechanisms? Trends Neurosci 26：696-705, 2003
18) Milligan ED, et al：Pathological and protective roles of glia in chronic pain. Nat Rev Neurosci 10：23-36, 2009
19) Kimura M, et al：Dexmedetomidine decreases hyperalgesia in neuropathic pain by increasing acetylcholine in the spinal cord. Neurosci Lett 529：70-74, 2012
20) Kimura M, et al：Impaired pain-evoked analgesia after nerve injury in rats reflects altered glutamate regulation in the locus coeruleus. Anesthesiology 123：899-908, 2015
21) Suzuki R, et al：Bad news from the brain：descending 5-HT pathways that control spinal pain processing. Trends Pharmacol Sci 25：613-617, 2004

22) Lewis GN, et al：Conditioned pain modulation in populations with chronic pain：a systematic review and meta-analysis. J Pain 13：936-944, 2012
23) Shah JP, et al：An in vivo microanalytical technique for measuring the local biochemical milieu of human skeletal muscle. J Appl Physiol 99：1977-1984, 2005
24) Stecco C, et al：Hyaluronan within fascia in the etiology of myofascial pain. Surg Radiol Anat 33：891-896, 2011
25) Tesarz J, et al：Sensory innervation of the thoracolumbar fascia in rats and humans. Neuroscience 194：302-308, 2011
26) Taguchi T, et al：Nociception originating from the crural fascia in rats. Pain 154：1103-1114, 2013
27) Hoheisel U, et al：Appearance of new receptive fields in rat dorsal horn neurons following noxious stimulation of skeletal muscle：a model for referral of muscle pain? Neurosci Lett 153：9-12, 1993

column

fasciaの発痛源は「神経」か？

　日本語では「神経痛」という言葉が広く使われる．一般用語としての「神経痛」は，「メンタルの不調に伴う痛み」としても使われるが，医学的な「神経痛」は「種々の原因で，特定の神経の走行に沿って起こる痛み」（広辞苑第七版）とされる．本書でも「神経」という言葉は頻出するが，以下の定義に基づき使用している（1章①参照）．
1) 機能としての用語：神経系 nerve system
2) マクロ解剖としての用語：例；末梢神経 peripheral nerve
3) ミクロ解剖としての用語：例；神経線維 nerve fibers
4) コンセプトとしての用語：例；自由神経終末

　2020年現在，日本ではfasciaの議論が運動器疼痛分野で先行しているが，「神経」という言葉の定義を定めない議論が横行しているため，建設的な議論を妨げている．具体的には，システム（機能）としての用語「神経系」，肉眼解剖上の用語「例：末梢神経」，ミクロ解剖上の用語「神経線維」を混同して，「神経」と使われる傾向にある．なお，自由神経終末（神経（受容器）という表現も同じ）が「末梢神経の一部」と表現されている場合もあるが，明らかに不適切である．現状では「自由神経終末」は，構造的に同定されていない，あくまで「機能」としての用語であり，少なくとも電子顕微鏡レベルで見られない自由神経終末はエコーで描出できない（1章①参照：解剖学的な境界は恣意的に決まる）．なお，臨床分野においても運動器分野のエコーでは，一般的に「神経」とはエコーで描出可能なマクロ解剖上の「末梢神経」を意味し，内科領域では一般的に「神経」といえば「神経系」を意味することが多い（1章①参照）．

　1例を挙げる．「fasciaの痛みは神経の痛みである」との意見がある．これは，上記のごとく「神経」の定義次第である．以下に換言するうち，D)の論理で語られていることが多い．
A) fasciaの痛みは神経系の痛みである
B) fasciaの痛みは末梢神経の痛みである
C) fasciaの痛みは神経線維の痛みである
D) fasciaの痛みは自由神経終末の痛みである

また，fasciaを「fascia system」，「a fascia」，「fibrils」で分割できるが（1章①表2参照），臨床医学分野では，以下のように痛みと構造を関係づけて議論される．
・関節痛
　＝関節を構成する組織が発痛源
・靱帯の痛み
　＝靱帯を構成する組織が発痛源
・末梢神経の痛み
　＝末梢神経を構成する組織が発痛源
・心臓の痛み
　＝心臓を構成する組織が発痛源
・肝臓の痛み
　＝肝臓を構成する組織が発痛源

もし，発痛源が「神経（受容器）」という自由神経終末と表現されるならば，上記構造物（関節，靱帯，末梢神経，心臓，肝臓など）はすべて「『神経』の痛み」ということになってしまう．したがって，<u>「a fascia」という解剖学的構造の痛みは，「fasciaを構成する組織が発痛源」と理解し，表現することが妥当である</u>．

参考文献
1) 日本整形内科学研究会ホームページ：2-3-2 Fasciaの異常とは？　https://www.jnos.or.jp/for_medical（最終閲覧日：2021年4月5日）

② fascia と画像評価

■ ポイント
- エコーで描出される「B-mode 画像」（現在の標準的な白黒画像）は，音波の反射強度の差異をソフトウェアで加工・強調したものである．またエラストグラフィ（elastography）は，組織の「硬さ」を計測する方法ではない．
- エコーは高い解像度で動きの評価が可能であり，fascia の高密度化（densification）や伸張性・滑走性の評価が可能である．
- エコー所見としての fascia の重積像（stacking fascia），ストライプサイン（stripe sign）などに注目し，FPS（2章③参照）の基準に組み入れている．

fascia の病態を評価する手法として，エコー，単純 X 線，CT，MRI などの画像評価，触診（触察），動作分析，姿勢評価やアライメント評価など，いくつかの評価方法が挙げられる．その中でもエコーの技術進化は飛躍的で，MRI や CT よりも空間分解能と時間分解能が向上し，より正確な病態評価が可能となった．エコーでは，筋間や筋と骨との間，神経と筋との間，皮下組織などの fascia の病態推測が可能である．以下に，画像評価を行ううえでのポイントや注意点を示す．

画像と解剖の関係

「画像診断装置の画像（投影像）と解剖（実態）は，そもそも一致するのか？」という問いの答えは，1章①を参照してほしい．

エコーで描出される「B-mode 画像」（現在の標準的な白黒画像）は音波の反射強度の差異をソフトウェアで加工したものである．そして高輝度部（画像上の白色部）は，音波の反射強度が高いという物理特性を反映している．

近年，局所の解像度は飛躍的に向上し，筋周膜や神経周膜（多数の神経束の集合体）までが「構造物」としてヒトの目に認識可能となった[1]．ここで「1本の管」のようにあたかも描出される末梢神経構造は，神経線維と fascia で構成される神経周膜レベルの集合体（投影像）として認識される（**図1**）[2]．

筋自体の B-mode の輝度

患者特性によっては，エコーの減衰が強く深部が観察しにくい．減衰とは，超音波がある方向に伝搬するとき，伝搬距離が長くなるに従って音圧が小さくなっていくことである．その主要因としては，1）超音波ビームの広がりによる拡散減衰，2）結晶粒界や微小空隙の反射による散乱減衰，3）内部摩擦などによる粘性減衰などが挙がる．つまり，高周波リニアプローブの場合，その解像度は浅部では高いが深部では低下する．エコー画像のフォーカスの設定に加えて，エコー自体のパワーの出力を上げることなどの工夫で，深部組織の解像度は向上する．コンベックス型プローブはパワーの出力は向上するが，リニア型プローブよりも一般的に解像度は下がる．

上記減衰の特性は，皮下組織から筋組織においても同様である．具体的には，皮下組織の水分，線維成分，脂肪組織の密度や量により減衰の程度は影響される．筋の萎縮や廃用により，筋線維は減少し，これを代償するために筋内の線維成分の増加および脂肪組織の増加が起きる（リモデリングプロセス）[3,4]．Kanamoto らは，エコーを活用した筋自体のエコー輝度分類である Heckmatt score（**図2**）を用いて，筋膜性腰痛に対する L4-5 レ

② fasciaと画像評価

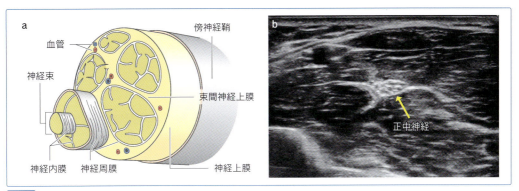

図1 末梢神経の模式図（a）とエコーでみた末梢神経（正中神経）の断面図（b）

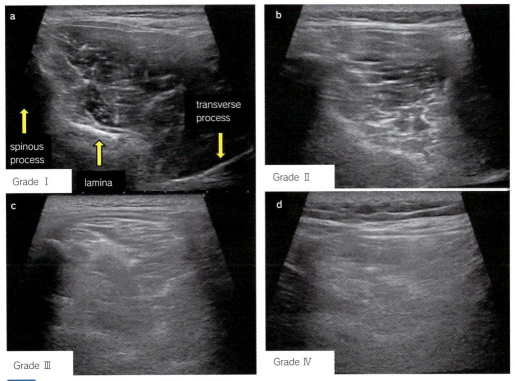

図2 Heckmatt score（筋のエコー輝度による分類）
a：正常のエコー輝度．深部組織がよく観察でき，椎前層（prevertebral lamina）のエコー輝度が強い．
b：筋のエコー輝度が軽度上昇（軽度の減衰）．椎前層のエコー輝度は確認できる．
c：筋のエコー輝度が中度上昇（中度の減衰）．椎前層のエコー輝度は低下するも確認できる．
d：筋のエコー輝度が強い上昇（強い減衰）．椎前層のエコー輝度は確認できない．
(Kanamoto H, et al：Effect of ultrasound-guided hydrorelease of the multifidus muscle on acute low back pain. J Ultrasound Med, 2020 Aug 25 [Online ahead of print], Figure 3)
(CC BY ライセンスにより転載．https://doi.org/10.1002/jum.15473)

ベルの多裂筋へのエコーガイド下ハイドロリリースを実施し，治療前後における疼痛スコア（visual analogue scale：VAS）の改善を確認した．一方，脂肪変性が大きい多裂筋（Heckmatt score Grade Ⅳ）を含め，Heckmatt scoreによる治療効果の差は統計学的に認めなかったと報告した[5]．

しかしながら，次項で述べるfasciaの重

47

2 fasciaの病態

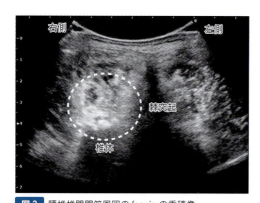

図3 腰椎椎間関節周囲のfasciaの重積像
右側の椎体は描出されており、Heckmatt scoreはGrade I（筋の減衰は小さい）にもかかわらず、局所の高輝度像が確認される。

積像は、Heckmatt scoreのような筋全体の指標ではなく、局所的な画像変化に注目したものである。いずれにしても、超音波という物理特性、およびエコー画像という影絵への理解を深めて、慎重に議論を進める必要がある。

fascia の重積像（stacking fascia/hyperechoic stripe-shaped lesion）

異常なfasciaは、エコー画像において局所的な「帯状の高輝度（白い）」に観察される傾向にあり、これを日本整形内科学研究会では「fasciaの重積（stacking fascia）」と表現している（図3）[6]。そして、FPS（fascial pain syndrome）の分類基準の1つに組み入れている（2章③参照）。図2では、右側の椎前層は描出されており、Heckmatt scoreはGrade I（筋の減衰は小さい）にもかかわらず、局所の高輝度像が確認される。

癒着（組織同士の引き合い［くっつき］）、滑走性（接する組織同士の位置関係の変位しやすさ）、伸張性（組織自体の伸びやすさ）など「動き（時間軸や力学の影響を受ける指標であり、その『程度』は含まない）」の病態用語としての意味を含めないように、エコー画像上の形態表現（投影像の表現）として2016年にstacking fasciaと命名した[7]。2020年

に、末梢神経周りのstacking fasciaを示唆する論文も発表された[8]。この投影像は、水分量の減少、または線維構造の高密度化などの病態の反映と考察しているが、今後の検証を要する。

一方、高輝度に見えるのは「画像処理上の反射特性」であり、異方性の場合は低輝度、また内部密度が均一の状態（一部の線維化）でも低輝度に観察されることがあるため、注意が必要である。

deep fasciaはエコー画像上、高輝度に描出される密性結合組織と、低輝度に描出される疎性結合組織の層構造となっている。慢性頸部痛患者における頸部のdeep fasciaでは、疎性結合組織の低輝度層の厚さが増加していることが確認され、その厚さはVASの数値増加と相関していることも報告されている[9]。また、fasciaの厚さの変化についても報告されており[10, 11]、そのような部位はdeep fasciaの層構造が3〜5層となり[9]、シマウマの模様のように観察されるため、ストライプサインとも称されている（図4）。このように、エコー画像を解釈する場合、エコーの基本原理を十分に理解しておく必要がある。

エコーは波の反射を可視化した物理現象であり、画像上の「白＝反射が強い」、「黒＝反射が弱い」である。音波の反射とは、異なる2つの密度の構造が接している状態（境界面）が存在する時に生じる。つまり、fasciaの密度（densification）が上昇するに従い、「黒の層（低密度：線維成分が少ないため反射が弱い）→白の層（中密度：線維成分が多いため反射が強い）→黒の層（高密度：高密度過ぎるため反射が起きない【例：軟骨のエコー画像に近い】）」という変化が想定できる。したがって、エコーガイド下fasciaハイドロリリース（4章③参照）では、原則として帯状の高エコー部位を治療対象としているが、癒着などが極めて高度な場合は、黒（無構造

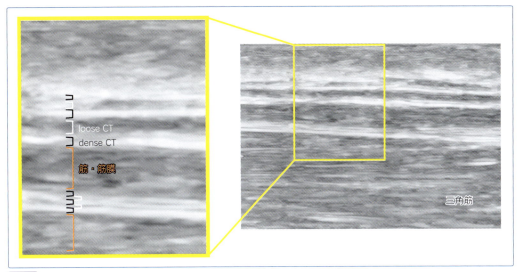

図4 三角筋のストライプサイン
白：loose connective tissue (loose CT), 黒：dense connective tissue (dense CT), オレンジ：筋・筋膜

の帯状の構造物としてエコー画像上描出され，その部位をリリースすることで，白（高密度）の帯状の構造が見えてくるという現象も観察されている[12]．この時の注射の特徴としては，白の層よりも黒の層のほうが，注入時圧が高い（注射していて注入時の抵抗が強い）ことが挙がる．

fasciaの伸張性・滑走性

機能解剖的には，組織の伸張性低下，組織間の滑走性低下が示唆されており，これらはエコーでも評価可能である[2, 13]．fascia同士が癒着 adhesion/cohesion している現象も注目されている（図5，WEB動画）．また，エコーガイド下注射前後で末梢神経とその周囲 fascia との間の滑走性（長軸方向 sliding movement[14]，短軸方向 transversal forces [cross-sectional plane][2]）が改善したという基礎研究の報告もある．

最近では，組織の tracking を活用して筋線維の収縮性を測定する方法[15]や，流体測定で使用される velocimetry fluid measurement software をエコー画像（B-mode）に活用し，筋膜や組織の収縮性・滑走性を評価する方法も報告されている[16]．

エラストグラフィ（elastography）の「硬さ」とは

エラストグラフィ（elastography）は，組織の「硬さ」を計測する方法として注目される．fascia の研究分野でも，慢性腰痛症患者では胸腰筋膜（胸腰腱膜）の肥厚・伸張性・滑走性が低下しているという報告がある（図6）[17]．また，腸脛靱帯の硬さは直下に存在する筋の収縮強度に依存し，腸脛靱帯と筋線維の間で力学的相互作用を形成することがエラストグラフィを用いた計測により示唆されており，deep fascia における周囲組織との滑走性低下は，同部位 deep fascia の弾性低下を誘発する可能性も報告されている[15]．

しかしながら，エラストグラフィにも種類がある．ひずみ strain「ひずみ$[\varepsilon]$＝長さの変位率$[\Delta l/l]$」を利用して相対的な組織弾性（ひずみ変化率 strain ratio）を測定する方法，そして剪断波 shear wave「組織弾性$[kPa]$＝$3 \times$組織密度$[\rho] \times$剪断波伝播速度$[Vs]^2$」を利用して推論値を算出する方法が代表的で

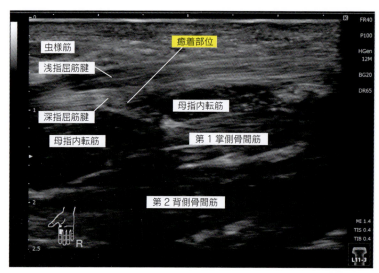

図5 fascia 同士の癒着 🎬WEB動画

深指屈筋腱，母指内転筋，母指内転筋の間に癒着があり，深指屈筋腱の滑走性が低下していることが確認できる．

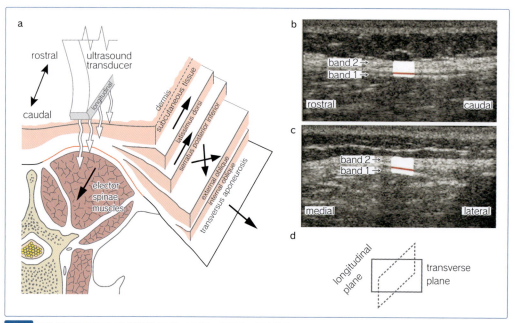

図6 慢性腰痛症患者では胸腰筋膜（TLF）の肥厚・伸張性・滑走性低下

(Langevin HM, et al：Reduced thoracolumbar fascia shear strain in human chronic low back pain. BMC Musculoskelet Disord 12：203, 2011, Figure 3)
(CC-BY ライセンスにより転載．https://www.ncbi.nlm.nih.gov/pmc/articles/PMC3189915/pdf/1471-2474-12-203.pdf，一部改変)

ある[15]．いずれも，エコーでは直接ヤング率や剪断弾性係数を測定していない．そのため，物理における「硬さ（単位：ニュートン$[N = kg \cdot m/s^2]$）」，正確な用語としての弾性・粘性・剛性・ひずみ・速度・圧力，そして一般用語における話し言葉としての「硬さ」を使い分ける必要がある（1章①参照）．

上述のように，エコーを用いてさまざまな側面から fascia の評価が行われている．現時点の我々の理解は，"fascia の凝集（cohesion）による高密度化（densification）が生じ，エコー画像上は deep fascia 部位では「ストライプサイン」として，その他の部分では「fascia の重積像（stacking fascia）」として

描出される．その結果として，fasciaが周囲組織と癒着（adhesion）し，滑走性が低下していく"となる．いずれにしても，エコーガイド下fasciaハイドロリリースで「バラバラに各層構造をリリースしていく」という手技自体は同様である．

　現時点では，エコーだけで異常なfasciaを評価することはできないと考えている．電気生理学的研究，生化学的研究など総合的な研究が期待される．臨床においては，症状，病歴，身体診察なども含めた評価や，画面上見えているものだけでなく，エコーには描出されていない受容器や血管，神経の存在を考慮し，総合的に判断し，治療していくことが必要である．

文献

1) Pirri C, et al：Ultrasound imaging of the fascial layers：you see (only) what you know. J Ultrasound Med 39：827-828, 2020
2) Stecco C, et al：Role of fasciae around the median nerve in pathogenesis of carpal tunnel syndrome：microscopic and ultrasound study. J Anat 236：660-667, 2020
3) Jakobsen JR, et al：Remodeling of muscle fibers approaching the human myotendinous junction. Scand J Med Sci Sports 28：1859-1865, 2018
4) 木村裕明（編集主幹）：肩痛・拘縮肩に対するFasciaリリース，p206，文光堂，東京，2018
5) Kanamoto H, et al：Effect of ultrasound-guided hydrorelease of the multifidus muscle on acute low back pain. J Ultrasound Med, 2020 Aug 25 [Online ahead of print]
6) 日本整形内科学研究会ホームページ：2-7 発痛源 Source of pain としての異常な Fasciaの見つけ方は？　https://www.jnos.or.jp/for_medical
7) 日本整形内科学研究会ホームページ：4-3 生理食塩水注射とエコーガイド下Fasciaリリースの歴史的経緯と国内の普及経緯．https://www.jnos.or.jp/for_medical（最終閲覧日：2021年4月5日）
8) Fan C, et al：Quantitative evaluation of the echo intensity of paraneural area and myofascial structure around median nerve in carpal tunnel syndrome. Diagnostics (Basel) 10：914, 2020
9) Stecco A, et al：Ultrasonography in myofascial neck pain：randomized clinical trial for diagnosis and follow-up. Surg Radiol Anat 36：243-253, 2014
10) Pirri C, et al：An anatomical comparison of the fasciae of the thigh：a macroscopic, microscopic and ultrasound imaging study. J Anat 238：999-1009, 2021
11) Pirri C, et al：Ultrasound imaging of crural fascia and epimysial fascia thicknesses in basketball players with previous ankle sprains versus healthy subjects. Diagnostics (Basel) 11：177, 2021
12) 木村裕明，ほか："Fasciaの肉眼解剖"最新知見とFasciaリリース，日本整形内科学研究会 北海道東北ブロック第1回地方会，2018年8月
13) 松本正知，ほか：エコー所見から見たFasciaの病態．臨スポーツ医37：176-182, 2020
14) Evers S, et al：Ultrasound-guided hydrodissection decreases gliding resistance of the median nerve within the carpal tunnel. Muscle Nerve 57：25-32, 2018
15) Drakonaki EE, et al：Ultrasound elastography for musculoskeletal applications. Br J Radiol 85：1435-1445, 2012
16) Kawanishi K, et al：Relationship between gliding and lateral femoral pain in patients with trochanteric fracture. Arch Phys Med Rehabil 101：457-463, 2020
17) Langevin HM, et al：Reduced thoracolumbar fascia shear strain in human chronic low back pain. BMC Musculoskelet Disord 12：203, 2011

column

エコー技術の発展とfasciaの病態解明

　筋膜などの結合組織の客観的評価には，解剖学的な評価と機能学的な評価（圧痛・硬度・動きの測定）が行われてきた．解剖学的な評価としては，単純Ｘ線，CT，MRIが普及した．機能学的な評価としては，圧痛の評価には圧痛計，局所の硬度には筋硬度計，動きの測定には関節可動域の角度計が一般的であった．圧痛計は圧痛閾値（機械による圧迫で被検者が痛みを自覚した圧）を記録していく方法であるが，皮膚・皮下組織・筋膜・筋の層構造のうちどの部位の圧痛閾値を超えたことによる値であるかの判断は困難である．また，圧迫方向が単一方向であり触診の指の方向は再現できない．また，筋硬度計は圧痛計と同様に圧迫してその硬度を測定する道具であるが，その硬度もまた皮膚・皮下組織・筋などの総和としての数値である．つまり，圧痛閾値計も筋硬度計も生体内の位置情報がわからないという欠点がある．そのため，これらの指標は，トリガーポイント注射や指圧治療などの臨床研究で頻用されてきたが，その精度や研究結果には臨床を反映しきれないジレンマがあった．

　しかし，近年，硬度測定や動きの測定に，エコー（エラストグラフィ）が活用され始めている．例えば，肩こり症の治療前後の比較，あるいは治療による烏口上腕靱帯の伸張性改善もエラストグラフィによる計測が報告されている[1]．

　現在，エラストグラフィの種類は主に4種類（Quasistatic Elastography/Strain Imaging, Acoustic Radiation Force Impulse Imaging（ARFI），Shear Wave Elasticity Imaging（SWEI），Supersonic Shear Imaging（SSI））あるが，これらは皆，同一物理指標としての「硬度」を測定しているわけではない．

　硬度（硬さ）と日本語で十把一絡げに呼ぶが，臨床的にも tension, tone（tonus），stiffness, hardness が混同されている．また，エコーでも，形態変化率（歪みelasticity）や組織に横波が伝わる速さ（剪断波 shear wave）の測定など物理的な測定指標が異なる．多くの場合，その対象組織が均一であるという前提条件のもと，硬度を算出している．そのため，肝臓などの組織密度が比較的均一な場合は大きな誤差は生じないが，筋や腱などの運動器の場合，線維の方向性や重なりなどで，その測定値は容易に変化する．また，Quasistatic Elastography/Strain Imaging の測定方向は，深部方向への歪みの測定であり，横方向の評価はできない．一方，「癒着」は fascia 同士の滑走性（摩擦評価）であり，横方向の測定が必要であるため，現在のエコー技術では客観的な評価は達成できていない．しかし，臨床的には多くの治療家はエコーを使い筋膜や fascia 同士の滑走性（動き・滑りのよさ）を観察し，診断・治療精度の向上を目指している．近年，ベクトルマッピングによる組織伸張性の評価や横方向への歪みを計測する方法[2]が開発され，対象組織の移動率を計算できるようになりつつある．

　エコー技術の発展が，運動器診療の臨床的な有用性だけでなく，fascia の基礎研究にも発展することを期待したい．

文献
1) Wu CH, et al：Elasticity of the coracohumeral ligament in patients with adhesive capsulitis of the shoulder. Radiology 278：458-464, 2016
2) Ellison ME, et al：Reproducibility and feasibility of acoustoelastography in the superficial digital flexor tendons of clinically normal horses. Am J Vet Res 75：581-587, 2014

③ ファシア疼痛症候群（FPS）の提唱

■ポイント　▶ ファシア疼痛症候群（fascial pain syndrome：FPS）とは，「fasciaの異常によって引き起こされる知覚症状，運動症状，および自律神経症状を呈する症候群」である．

ファシア疼痛症候群（fascial pain syndrome：FPS）とは，「fasciaの異常によって引き起こされる知覚症状，運動症状，および自律神経症状を呈する症候群」として，2019年7月に小林らが提唱した[1]．fasciaによる痛みの特徴として，自覚症状的に局在性が乏しく，かつ自律神経症状を伴う傾向がある．侵害受容器の伝達に関わる神経線維の脊髄内終末が，脊髄長軸の2〜3分節と広い範囲で脊髄後角表層に分布しているからである．このため，患者の主訴は一般的な侵害受容性疼痛と比較すると，不定愁訴様に受け止められる危険性が高く，注意が必要である．

従来，筋膜（myofascia）の異常が原因で痛みやしびれを引き起こすものを筋膜性疼痛症候群（myofascial pain syndrome：MPS）と呼び，運動器疾患の原因として注目されてきた．しかし近年，痛みの原因は筋膜だけではなく，靱帯，支帯，腱膜，関節包などの線維性の結合組織を含む「fascia」にあることがわかってきた（1章①参照）．そこで，我々はMPSに代わる新しい概念としてFPSを提唱している[1]．治療においては，これらの症状の原因となっているfasciaを特定する必要がある．

FPSの概念については，今後さらなる議論が必要であるが，現在我々は，FPSの分類基準として表1を提唱している[1]．なお，英語版は日本整形内科学研究会（JNOS）のホームページに掲載してある[2]．

なお，類似の概念であるトリガーポイントとMPSに関して，以下に概説する．詳細は，"Travell, Simons & Simons' Myofascial Pain & Dysfunction, 3rd ed：The Triger Point Manual", および "Bonica's Management

表1 fascial pain syndrome（FPS）の分類基準

FPSの分類基準について
● 少なくとも，1つ以上の明らかなfasciaの異常があり，他の疾患では説明できない患者が，この分類基準の使用対象となる．
● すべての必須基準と1つ以上の参考所見を満たす時に，FPSと分類する．
● FPSと分類後，異常なfasciaを正確に治療（例：エコーガイド下procedure）し，著明な症状改善（以下，注）を認めた時に，確定診断とする． 注）75%以上の疼痛スコアの改善＋ROMの改善（Pain Physician 15：E869-E907, 2012）

FPS分類基準
● 必須所見 ● 鋭敏な圧痛点を触知できる．（注1） ● 圧痛部位に一致して，エコー画像上fasciaの異常を認める．（注2） ● 参考所見 ● エコー画像上，fasciaの重積像に一致した，伸張性・滑走性の低下を認める．（注3） ● fasciaの重積像に針/鍼を刺入すると，肉眼上・触診上・エコー画像上で単収縮反応が生じる． ● fasciaの重積像がリリースされていくと，エコー画像上周囲の血管拍動が強くなる． ● fasciaの重積像に徒手/針/鍼などで刺激が加わると，痛みあるいは患者が感じていた感覚が再現される．（注4）

（注1）深部に骨など硬い組織がない時には，圧痛は評価困難なこともある．支帯など浅い組織では，つまみ圧痛（皮下組織を手指でつまんで圧痛を確認する）も有用である．深部組織では，鍼（dry needling）を用いて発痛源を評価する工夫もできる．
（注2）エコー画像上の異常なfasciaとは，いわゆるfasciaの重積（hyperechoic strip-shaped lesions as stacking fasciae or thickness of fascia on ultrasound images, as pathophysiology of adhesive fascia, cohesive fascia, or high-density fascia）などがある．今後，エコー以外の画像診断装置や電気生理学的検査による検証も進むことが望ましい（詳細は，2章② fasciaと画像評価の項を参照）．
（注3）可動域の制限因子としてfasciaの重積像の部位が確認できる．
（注4）活動性トリガーポイントと同様の概念である．
（日本整形内科学研究会ホームページ：2-11 Facial pain syndrome（FPS）の提唱．https://www.jnos.or.jp/for_medical＃Proposal_of_Fascial_Pain_Syndrome_FPS より許可を得て転載，一部改変）

of Pain, 3rd ed"を参照されたい．

- **トリガーポイント (trigger point：TP)**

TP は，組織学や解剖学的な名称ではない．鋭敏化した侵害受容器という生理学的観点の名称である[3]．したがって，筋硬結 (muscle nodule) でもない．そして TP はどこに存在するのか？　現在は，侵害受容器など痛みのセンサーが高密度に分布している fascia 上に優位に存在している可能性が示唆されている[4]．

- **筋膜性疼痛症候群 (myofascial pain syndrome：MPS)**[5,6]

TP などからの痛みを捉えた脳や脊髄が，反射により交感神経を働かせ，TP および周辺の筋肉に血管収縮・酸素欠乏が発生して悪循環が生じ，疼痛が広がることが病態とされている．線維筋痛症と混同してはならない．MPS は主に末梢性の病変を示唆する疾患であるが，線維筋痛症は「中枢神経系の異常が関与する状態」のことである．

文献

1) 日本整形内科学研究会ホームページ：2-11 Fascial pain syndrome (FPS) の提唱．https://www.jnos.or.jp/for_medical (最終閲覧日：2021 年 4 月 5 日)
2) JNOS global homepage：3-1 FPS (fascial pain syndrome) The classification criteria for fascial pain syndrome (FPS)．https://www.jnos-global.org/for-medical (最終閲覧日：2021 年 4 月 5 日)
3) Anders E：Myofascial pain syndrome, Chapter 29. Bonica's Management of Pain, 3rd ed, Lippincott Williams & Wilkins, Philadelphia, 2001
4) 日本整形内科学研究会ホームページ：2-8 Fascia とトリガーポイントの関係は？　https://www.jnos.or.jp/for_medical (最終閲覧日：2021 年 4 月 5 日)
5) Travell JG, et al：Myofascial Pain and Dysfunction：The Trigger Point Manual, 3rd ed, Lippincott Williams & Wilkins, Philadelphia, 1992
6) 小林　只，ほか：新しい概念「筋膜性疼痛症候群 (MPS)」．白石吉彦，ほか (編)：THE 整形内科，pp37-49，南山堂，東京，2016

④ fasciaの病態に関わる代表的な用語（癒着，柔軟性など）

■ポイント
> 癒着（adhesion）および凝集（cohesion）は，「強度」の概念を含まない．adhesionは「異種組織間の癒着」を，cohesionは「同組織間の癒着・凝集」を意味する．fasciaが凝集（cohesion）した結果，fasciaの高密度状態（densification）が生じる．

> 異常なfasciaの「状態」に対しては"適切な意味"による「癒着 adhesion/cohesion」という言葉の使用が，現時点では妥当である．

> 異常なfasciaの「機能」に関しては「滑走性の低下」・「伸張性の低下」という言葉の使用が，現時点では妥当である．

　解剖用語と臨床用語は，その臨床分野によっても異なることがあり，建設的な議論のためには注意が必要である（1章①参照）．癒着（adhesion）および凝集（cohesion）には，「強度」の概念は含まれないことをはじめ，異常なfasciaの「状態」に対しては"適切な意味"による「癒着 adhesion/cohesion」，そして「機能」に関しては「滑走性の低下」・「伸張性の低下」という言葉の使用が，現時点では妥当といえる[1]．なお，adhesionは「異種組織間の癒着」を，cohesionは「同組織間の癒着・凝集」を意味している．日本国内では「癒着」に対する議論があり，多様な用語が用いられている．日本語と英語は必ずしも，その概念が一致していないことにも注意する必要がある．以下に，主要な用語について概説する．

"くっつき"に関する用語（癒着 adhesion，凝集 cohesion など）

1. adhesionと癒着

　日本語の「癒着」は，英語のadhesionが元とされている．adhesionの定義は「the union of two opposing tissue surfaces」[2]あるいは「adhesions are fibrous bands that form between tissues and organs」[3]といわれている．また，「often used as a result of injury during surgery」のように「scar（瘢痕）」の意味が併記されることもあり，日本語でも瘢痕の意味で使用されることがある．しかし，上記の英語の本来の定義からは，「adhesion 癒着」という言葉には，その「接着強度」という概念は含まれていない．各治療手技の位置づけを整理し多職種連携を進めるためには，この「接着強度」の概念で整理することが重要である（詳細は2章⑤癒着のGrade分類）．

- **adhesion**：「connecting between tissues not normally connected」と前述の通り，「2つの構造をつないでいる状態」を意味し，その癒着の「強度」自体は定義に含まない．「a fibrous band or structure by which parts abnormally adhere」という表現の通り，瘢痕（scar）のニュアンスで使用されることもある．日本語では「癒着」のニュアンスが近い．

- **癒着**：病態用語（「状態」を表す用語）．「癒」の日本語の意味は，「身体や心の傷が『癒える（いえる）』『癒やす（いやす）』」．そこから，傷がくっつく病的状態という意味が付加される．「日本国語大辞典」[4]でも「離れていた皮膚や膜などがくっつくこと」と説明されているように，「くっつく強度」は定義に含まれない「状態」用語である．英語としては，adhesionのニュアンスが近い．

2. cohesion と凝集

- **cohesion**：「molecular attraction by which the particles of a body are united throughout the mass」という表現の通り，「塊を形成するための分子間力」が，cohesion の歴史的な意味である．それが，組織や器官としては「union between similar plant parts or organs」と前述の通り，「1 つの構造内で，同様の，あるいは似ている組織が凝集している状態」を意味するようになった (merriam-webster. com)．その凝集力 (強度) 自体は定義に含まない．日本語では「凝集」のニュアンスが近い．

- **凝集**：正常状態にも異常状態にも使用される．凝集という「状態」と「動き」の両者の意味を表す用語．状態としては「接着，結合，凝集」，動きとしては「接着力，結合力，凝集力」の意味．「日本国語大辞典」[4]では「散らばったり溶けたりしていたもの (同質のものが) 等が『固まり』『集まる』こと」と説明される．英語としては，cohesion のニュアンスに近い．

3. その他の類語：接着，膠着，固着，密着

- **接着**：一般用語 (「状態」を表す用語)．傷や病気などに関係ない中性的な用語．接着の意味は「2 つの物体の表面同士が接触し，離れなくなること．物体表面を構成する分子 (または原子・イオン) 間に分子間力が働くこと」．英語としては，adhesion, cohesion, glueing (接着糊の glue) としての多様な使い分けがされるため，医学用語として使用する場合は，その定義を明確にしたうえで慎重に使う必要がある．

- **膠着**：一般用語 (「程度」の意味を含む「状態」用語)．英語では，「agglutination」が近い．「広辞苑第七版」[5]では「膠 (にかわ) で付けたように，ねばりつくこと．ある状態が固定して，動かないこと」，生物学用語としては「anchylosis」の意味として「物などがねばりつくこと．ぴったりくっついて離れないこと．固着」[6]とも説明されている．つまり，膠のようにくっつくという，比較的強い「癒着」を意味する言葉と判断できる．

- **固着**：物などがしっかり付いて離れないこと．膠着と同義として説明されることが多い．

- **密着**：ぴったりと付くこと．すきまなく付着していること．強度の問題ではなく，「すきま」がないようにくっついているという状態用語．

> "ひっかかり" を意味する用語 (アンカリング，エントラップメント，インピンジメント)

- **アンカリング anchoring**：正常構造物に使用する用語 (機能を表す用語)．日本語では「固定」の意味．船舶を岸につなぎ止めておく碇 (アンカー) というニュアンス．英語でも「Any device that fixes the position of an object with respect to its surroundings.」[7]と同様である．つまり，正常構造が破綻しないための楔 (アンカー) の意味となる．組織間滑走性の観点では，アンカーがないと「組織間がずれてしまい正常な位置関係が保てない」ことを防ぐ生体機能を意味する．したがって，「軽度の癒着」を意味する病態用語としての使用は不適である．

- **エントラップメント entrapment**：病態用語．異常な「引っかかり」の状態を表す用語．英語では「the state of being trapped.」である．組織間では，正常ならスムーズに動く (滑走する) ものが「引っかかり正常に動かない」という病態用語である．

- **インピンジメント impingement**：病態用語．「衝突」という「現象」を表す用語．

④ fascia の病態に関わる代表的な用語（癒着，柔軟性など）

> 状態に関する用語（densification，高密度状態）

- **densification**：「densification indicates an increase in the density of fascia. this is able to modify the mechanical proprieties of fascia, without altering its general structure（densification は，fascia の密度が増加した状態である．一般的な構造変化ではなく，fascia の物理的な性質を変化させる）」[8] と説明されている．つまり，上記の凝集・cohesion に近いイメージである．cohesion が凝集というベクトルを有するニュアンスがあるのに対して，densification は密度が増えた「状態」を純粋に示す用語である．
- **高密度状態**：「密度」とは「物体の単位容積に含まれる質量（物理用語）」，「一定の単位面積や体積の中に含まれる物質の割合．疎密の度合（一般用語）」と定義される．しばしば，densification に対応する言葉として，「高密度化（緻密化）」が和訳として使用されるが，「化」とは「変化」を示す言葉である．つまり「高密度化」とは，「低密度から高密度へ変化すること」という動態変化を意味する用語であり，「状態」を示す densification とは同義ではない．

> fibrosis と線維化

- **fibrosis**：「fibrosis is similar to the process of scarring, with the deposition of excessive amounts of fibrous connective tissue, reflective of a reparative or reactive process.（fibrosis は，瘢痕化のプロセスに似ており，組織の修復・反応プロセスを反映して，過剰な量の線維性の結合組織［線維成分のこと］が沈着するプロセスもしくは状態．あるいはコラーゲン線維の架橋自体が変化した状態」[8] と説明されている．つまり，生体反応によって線維成分自体が組織に増えた状態，あるいは線維構造自体が変化した状態といえる．
- **線維化**：「組織中の結合組織が異常増殖する現象」（実験医学：バイオキーワード[9]）という意味を基本として，「炎症により線維化した組織」など医学分野でも広く使われる．炎症の改善していくフェーズは，炎症の修復期であるが，「炎症の線維化フェーズ」という臨床用語として使用されることも多い．

> 機能に関する用語（柔軟性，伸張性，滑走性）

- **柔軟性 flexibility**：柔軟性の定義は「身体の関節の可動範囲内で身体運動を円滑に，しかも広範囲に動かすことのできる性能のこと」である[10]．柔軟性の影響因子には，解剖学的な骨格配列（アライメント），関節を構成する組織（関節包，靭帯，筋，腱，筋腱複合体など）の伸張性，皮下組織（脂肪など）の量，筋力，神経系の制御，伸張される組織の痛覚受容器の耐性などがある[11]．組織の伸張性を妨げる因子の1つに，各種 fascia の癒着や脱水などがあると考えられる[12]．つまり柔軟性とは，以下に説明する伸張性や滑走性を含む包括的な概念ともいえる．柔軟性には静的柔軟性と動的柔軟性がある．静的柔軟性は可動域（関節が一定条件のもとで可動する角度で表示；ROM），動的柔軟性はスティフネス stiffness（単位当たりの長さ変化に必要な力の大きさ）などで表記される．
- **伸張性 extensibility**：病態用語（「動き」など機能を表す用語）．1つの組織自体の機能を表現する言葉である．筋・腱の伸張性など．伸張性の英語は，性能の意味（-bility）を含む「extensibility」が妥当である．
- **滑走性 gliding**：病態用語（「動き」など機能を表す用語）．肉眼レベルの表現として

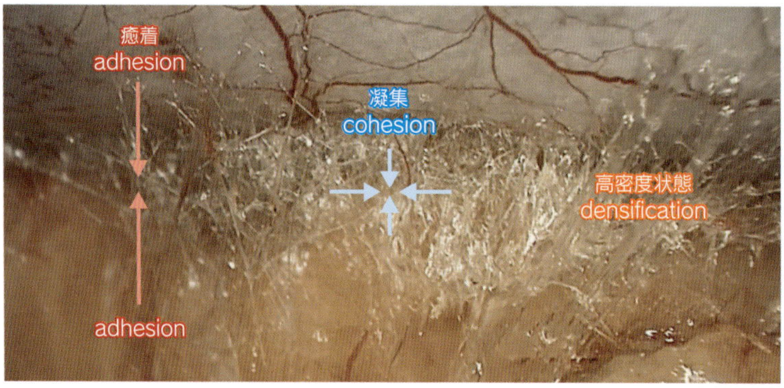

図1 adhesion, cohesion, densification の関係

骨盤腔内の拡大内視鏡写真．fascia 自体が cohesion（凝集）した結果，fascia は densification（高密度状態）になる．cohesion に伴い，隣接する組織・臓器が互いに引き寄せられ，adhesion（癒着）を引き起こす．これは，末梢神経と筋の間，筋と筋の間，靱帯と周囲脂肪組織の間，など多様な場所で生じる．熊谷総合病院泌尿器科医長・川島清隆先生の撮影．

は，「滑走」とは2つの異なる組織間の動きを表現する言葉である．筋と筋の滑走性，腱と脂肪体の滑走など．ミクロの世界では「ミオシンとアクチンの滑走」という言葉も使用される．「滑走」の意味で「sliding」と「gliding」が使用される．前者は「労力なしで滑らかに速く移動すること」であるが，後者は「滑らかに表面の上を触れたまま動く，または動かすこと (to move smoothly over a surface while continuing to touch it, or to make something move in this way)」である．靱帯，腱，筋など組織間の滑走を意味する用語としては「gliding」が妥当である．なお，滑走性の「障害」という言葉も散見されるが，「障害」とは「正常ではない，邪魔されている」の意味としての状態名である．「動きすぎ」ではなく，癒着による「動かなすぎ」を表現したいのであれば，「滑走性の低下」という表現が妥当である．

用語と実態の整合性を検証するために

以上より，adhesion（癒着）は「異種組織間・臓器間」の「くっつき」を意味する．一方，同様の用語である cohesion（凝集）は「同組織間・臓器間」の「くっつき」を意味する．前述のように，細胞外マトリックスの基質（例：ヒアルロン酸など，細胞間に存在し癒着・接着に関わる因子）が fascia と相互作用した結果，癒着する場合もあれば，線維芽細胞の活性化により疎性結合組織が密性結合組織に近づいた局所病態も，しばしば癒着と呼ばれる．

また，高密度状態 densification と線維化 fibrosis も混同されやすい．前者は，fascia の線維構造自体は保たれた状態（密度が増えた状態）である．後者は，線維成分の増加や線維による新たな架橋形成により fascia の線維構造自体が変化している．つまり，両者の差異は「線維構造が保持されているかどうか」といえる．

現時点で cohesion の医学用語は存在しないが，細胞外マトリックスと fascia の関係性を踏まえた，fascia 同士の「癒着」に相当する用語は，凝集 cohesion が適切かもしれない．つまり，筋外膜間の三次元構造物として網目状構造をとる fascia の場合，さらに正確に記せば，<u>fascia の癒着とは「fascia の cohesion（凝集）によって，2つの隣接する筋同士が adhesion（癒着）する」</u>という時系列を伴う病態として理解することができるかもしれない（**図1**）．動物実験や解剖学的研究などを含めた基礎研究による検証が待たれる．

このように，「癒着」に関する用語は，今後新しい用語の作成検討などを含め，協議する必要がある．「言葉の精密さは，適切な現象の記述に大切」であり，「現象の検証は，その言葉と分類および概念を裏打ちし発展」させる．現時点では，リリース治療の対象と

なる構造物として，異常なfasciaの「病態」に対しては"適切な意味"による「癒着adhesion/凝集cohesion」，「構造」に対しては，高密度状態(densification)と線維化状態(fibrosis)，そして「機能」に関しては「滑走性の低下」・「伸張性の低下」という言葉の使用が妥当だと考えている．これらの用語の活用に関しては，一部の臨床家の間で誤認されていることも多く，建設的な議論のためには，その慎重な活用が重要である．

文献

1) 日本整形外科学会ホームページ，https://www.joa.or.jp/index.html（最終閲覧日：2021年2月1日）
2) Webster's New World Medical Dictionary, 3rd ed, Houghton Mifflin Harcourt Publishing Company, Hoboken, 2008
3) Dorland's Pocket Medical Dictionary, 30th ed, Elsevier-Health Sciences Division, Philadelphia, 2018
4) 北原保雄：日本国語大辞典第2版，小学館，東京，2003
5) 新村 出（編）：広辞苑第七版，岩波書店，東京，2018
6) 岩川友太郎（編）：生物学語彙，集英堂，東京，1884
7) THE FREE DICTIONARY BY FARLEX. http://medical-dictionary.thefreedictionary.com/VA（最終閲覧日：2021年4月5日）
8) Pavan PG, et al：Painful connections：densification versus fibrosis of fascia. Curr Pain Headache Rep 18：441, 2014
9) 須田年生（編）：実験医学増刊29(20)がん幹細胞―ステムネス，ニッチ，標的治療への理解，羊土社，東京，2011
10) Alter MJ：Science of Flexibility, 3rd ed, p3, Human Kinetics, 2004
11) Norris CM：The Complete Guide To Stretching, 4th ed, Bloomsbury Sport, 2015
12) 洞口 敬：Fasciaとは―スポーツ診療の見地から．臨スポーツ医37：146-154，2020
13) 木村裕明，ほか：エコーガイド下Fasciaハイドロリリースを実践するための基本．臨スポーツ医37：192-201，2020

⑤癒着のGrade分類

> ■ポイント
> ▶ 癒着(adhesion)および凝集(cohesion)は,「強度」の概念を含まない.
> ▶「癒着のGrade分類」をもとに,手術・注射・鍼・徒手などの多様な治療方法を整理・統合し,多職種連携による治療を進める.

病態			治療方法	治療の特性	
可動域制限	癒着の強さ			侵襲度(治療時の痛みの強さ)	1回の治療範囲
弱い	弱い very weak	Grade 0	他部位(遠隔)の刺激	少ない	広い
	weak	Grade 1	徒手・運動療法で剥離可能なレベル		
	moderate	Grade 2	鍼(dry needling)		
	strong	Grade 3	注射(例:ハイドロリリース)		狭い
	very strong	Grade 4	メスなどを用いた手術や鏡視下手術		
強い	強い			大きい	

図1 癒着のGrade分類と治療方法の特性

癒着の強さ(Grade)と可動域制限・組織の伸張制限は比例傾向にあり,その癒着の程度より治療手段を分類した.
- Grade 0 (very weak):例としては顎関節の治療による,頸部や腰部の可動域の改善などがある.いわゆる筋軟部組織による全身のつながりや,バランスの調整という概念である.歯を食いしばると全身の筋緊張が亢進し,逆に開口状態では重い物を持つのが困難である.
- Grade 1, 2 (weak~moderate):徒手や鍼にもさまざまな技術があり,優しい刺激から注射に匹敵する剥離を実施できる治療家がいるのも事実である.徒手は低侵襲で広い範囲を短時間で治療可能であるが,強い癒着には対応困難である.
- Grade 2, 3 (moderate~strong):エコー下で的確に治療することが可能である.
- Grade 4 (very strong):いわゆる「瘢痕scar」に近い状態.凍結肩(frozen shoulder)や手術後の軟部組織癒着(瘢痕)などで実施される.エコー下で注射針の針先,鉗子,剪刀で剥離する場合もある.

前項でも提示したが,「癒着adhesion」という言葉には本来,「接着強度」という概念は含まれていない.そのため,消化器外科など腹部外科では,腸管の「癒着」と表現する場合,「軽度の癒着だから用手的に剥離した」,「癒着が強いから,慎重に電気メスで剥離した」などと一般的に使用されている.これは,呼吸器外科などの胸部外科,泌尿器科・婦人科でも同様である.しかし不思議なことに,特に整形外科医にとっては"癒着"といえば強固な線維性構造であり,鉗子などで剥離する強度のものというイメージが強いようだ.

「癒着」には,徒手で表皮上から剥離できる程度のものから,外科的操作でなければ剥離不能な程度までが含まれている.したがって,各種資格をもつセラピストが"徒手療法で癒着を剥がして動きを改善した"と説明したとしても,必ずしも非科学的説明とはいえない.これらの状況を整理し,手術・注射・鍼・徒手などの多様な治療方法を整理・統合するために,小林らは2016年に「癒着のGrade分類」を提唱し[1],改変を重ね,最新版を日本語[2],英語[3]ともに公開している(図1).

本分類は,多職種が建設的かつ有機的に連携し,患者を治療していくうえで極めて重要な概念である.

文献
1) 小林 只,ほか:筋膜性疼痛症候群(MPS).白石吉彦,ほか(編):THE整形内科,pp37-49,南山堂,東京,2016
2) 日本整形内科学研究会ホームページ:4-9 手技の名称と目的の関係性~類似名称手技の差異,何を対象とした手技なのか?~(最終閲覧日:2021年4月5日)
3) Japanese Non-surgical Orthopedics Society:5.Therapy of fascia. https://www.jnos-global.org/for-medical

fascia から再考する各種病態 | 3

3 fasciaから再考する各種病態

①診断とは何か？　病名と診断名の再考

■ポイント
> 診断の目的として，統計のためのラベリング，および医学的病態診断（「解剖」と「病態」の同定）がある．
> 「症 symptom」・「症候群 syndrome」・「病 disease」の区別，「〜炎」・「〜症」・「〜障害」（〜sis，〜pathy，〜itis）の区別など，基本用語の差異を意識する．
> 「〜周囲症候群」など「周囲」が示す範囲が不明確なもののように，病名に含まれる構造名や部位が定義されているかを確認する．

「急性腹症」は診断名だろうか？　急性腹症は「急に腹部が"……"となる症状」である．"……"は痛くなると解釈されることが多いため，ここでは，"……"を"痛い"に置き換えることとする．例えば，救急外来に腹痛で受診した患者に，担当医が「あなたの症状の原因は急性腹症です」と告げたとする．患者に告げた医師は「急に腹部に痛みが出る病気」として診断したつもりだが，実際は「あなたは急にお腹が痛くなる症状があります」と，患者の症状を単にオウム返ししたにすぎない．筋緊張性頭痛も同様である．患者は頭痛がつらくて受診したにもかかわらず，「あなたの頭痛の原因は（筋肉が緊張する性質の）頭痛です」と診断したつもりになっていることが多い．そのほか，捻挫，打撲，五十肩なども同様に扱われていることが多い．

診断とは何か？

診断 diagnosis には多様な意味があるが，病名をつける行為，および医学的病態診断の2つに大別される[1]．

1つ目は，統計における labeling（ラベリング）のために病名をつける行為である．これは，ICD-11を含めた医学統計による区分のためである．症候を基礎としてデータを集め，仮の病名でラベリングを行うことで，発生数や患者数を数えることができるようになる．結果，データ収集することで，感染症の流行や公害の発生の発見などに役立つ．さらに病態解明が進めば，以下の医学的診断に至り，疾患として独立する．

2つ目は，医学的診断，つまり病態生理の解明を主旨としたプロセスである．具体的には，「どこに？（解剖 anatomy）」，「何が起きている？（病態 pathophysiology）」を説明できることである．しばしば，「原因は？（因子 etiology）」も加えて3要素とすることもある（図1）．例えば，感冒や風邪（common cold）は，医学的な診断名だろうか？　感冒とは，「身体を寒気にさらしたり濡れたまま放置したりしたときに起こる呼吸器系の炎症性疾患の総称」（広辞苑第七版）である．風邪は「お腹の"かぜ"」などと使われることもあり，総じて「鼻水・のどの痛み・咳などの上気道症状以外にも，寒気がする場合，体調不良などの意味」でも一般用語として使用される．医学的な風邪とは，狭義としては，いわゆる「ウイルス性上気道炎」を指す．これは「上気

道（解剖）×急性炎症（病態）×ウイルス性（原因）」を同定することで診断される．つまり，上気道の解剖学的な位置，急性炎症の状態，ウイルス（細菌ではない）の説明ができない場合は診断できない．

　日本の法律では，「診断をすること」は「病名をつけること」の意味も有する多義語である．医師法により，業務独占（医師にのみ認められた行為）として定められている．ゆえに，看護師，療法士，鍼灸師などの施術者は，日本国内では「評価/アセスメント assessment」という言葉を使用することが多い（なお海外では，diagnosis という言葉は，医師に限定されずに使用されることが多い）．

「症」，「症候群」，「病」の区別

　「病名と診断名」，「症 symptom と症候群 syndrome，そして病 disease」もまた，混同され不適切に使用されていることが多い用語である．

　症 symptom は症状，症候群 syndrome は特定の複数の症状が生じる原因不明の病気群，さらに病 disease は，前述の3要素に対してある程度の西洋医学的な病態仮説が検証された状態（「人名＋病」の名称は除く）である．

　例えば，手根管症候群 carpal tunnel syndrome と示す場合，「正中神経障害」と誤訳されることが多い．実際は「手首より遠位部分で正中神経の支配領域と想定される範囲に（特定の）複数の症状が生じる病気群」であり，原因は正中神経以外（例：屈筋腱，retinaculum，脂肪組織，皮膚）にあることも稀ではない．正中神経の機能低下（例：圧排や虚血による脱髄などに起因）は，あくまでその中の一因である．急性腹症，寝違え，テニス肘，むちうち，手根管症候群，腰部脊柱管狭窄症，不定愁訴などは"症"あるいは"症候群"であり，ある特定の状態を示しているにすぎ

図1 医学的病態診断のフレームワーク

ない．

病名の再考

　従来「診断名」として使用されてきた名称は，医学的病態診断としては不十分である（**図2**）．「損傷」や「炎症」の定義は何だろうか？　身体所見として認識できるものか，神経伝導速度などの機能的確認だろうか．画像診断機器で確認できるものか，具体的には，単純X線，CT，MRI，エコーか？　もちろん，撮影技術や機器性能に依存した画質精度の影響も大きい．組織学的に組織の断裂が認められれば，「損傷」や「炎症」なのだろうか．

「〜炎」，「〜症」，「〜障害」の区別

　「病態」に関する例を挙げる．脳炎と脳症の違いは何だろうか．脳炎は脳実質の炎症で，脳症は中枢神経系の非炎症性の浮腫による機能障害である．臨床的には，髄液所見で細胞数の一定以上の増加があれば急性脳炎，髄液所見がほぼ正常なら急性脳症と判断する．運動器疼痛の分野でも，関節炎に関して，どの程度厳密に評価されているのだろうか．そこを追求せずして，関節腔内へのステロイド薬やヒアルロン酸製剤の注射の治療効果を判定しようとしても，困難な話であろう．一方，osteoarthritis は変形性関節炎，osteoarthropathy は変形性関節障害（pathy は障害，

3 fascia から再考する各種病態

図2 病名を再考する

	解剖		病態		原因
1. 手根管症候群	（ 手根管？ ）	×	（ ? ）	×	（ ? ）
2. 肘内側側副靱帯損傷	（ MCL ）	×	（ ? ）	×	（ ? ）
3. 肩関節周囲炎	（ ? ）	×	（ 炎症？ ）	×	（ ? ）
4. 頸肩腕症候群	（ 頸肩腕？ ）	×	（ ? ）	×	（ ? ）
5. 胸郭出口症候群	（ 解剖用語でもない ）	×	（ ? ）	×	（ ? ）
6. 筋膜性疼痛症候群	（ 筋膜？ ）	×	（ ? ）	×	（ ? ）

病などが選択されることが多い），osteoarthrosis は変形性関節症，が近いわけであるが，日本では osteoarthritis と osteoarthrosis の両者とも「変形性関節症」と和訳されている[2]．この不適切な和訳は，診断名をつけ，対応する治療方法を論じ，選択する際の混乱を招きやすい．言葉の定義は，その人の認識に直結するためである（1章①参照）．

解剖名と病名の不一致

「解剖」に関する例を挙げる．肩関節周囲炎の「周囲」とは，どこを指すのだろうか．腱板，肩峰下滑液包，三角筋までだろうか．これも未定義の病名である．「頸肩腕症候群」とは，頸部から肩，そして腕に症状があると言っているにすぎない．「胸郭出口」とはどこか？ 解剖学用語として，「胸郭上口 thoracic inlet（胸郭の上方側，頸部側）」と「胸郭下口 thoracic outlet（胸郭の下方側，横隔膜側）」はある[3]．thoracic outlet syndrome は胸郭出口症候群と和訳されているが，胸郭上口症候群 thoracic inlet syndrome が対応するのが正確だろう．

本書でも扱っている筋膜性疼痛症候群もまた，症候群にすぎない．myofascial pain syndrome は，「筋筋膜性疼痛症候群」と和訳されている．日本語では筋（myo）・筋膜（fascial）を対応させているが，myofascia が筋膜と同義であり，日本語として矛盾している状態である（詳細は1章①参照）．

次稿からは，fascia とエコーが切り開く「病態」の再構築について，具体的に提案する．初めに，「炎症」という臨床上高頻度の「病態」を切り口に概説し，その後「関節」「末梢神経」などの「構造」に焦点を移していく．

文献

1) 松岡史彦，小林 只：プライマリ・ケア―地域医療の方法，メディカルサイエンス社，東京，2012
2) 日本整形外科学会（編）：整形外科学用語集第8版，南江堂，東京，2016
3) 日本解剖学会（監）：解剖学用語改訂13版，東京，2007

column

不定愁訴とは？　原因不明とは？

　不定愁訴（unidentified complaints）とは，「客観的に同定しにくい訴え」のことである．また臨床用語で，患者からの「頭が重い」，「イライラする」，「疲労感がとれない」，「よく眠れない」などの「なんとなく体調が悪い」という，強く主観的な多岐にわたる自覚症状の訴えがあるものの，検査をしても客観的所見に乏しく，原因となる病気が見つからない状態を指している．なお，「心身医学用語事典第2版」（2009）では，「漠然とした身体的愁訴で，しかもそれに見合うだけの気質的疾患の裏付けがない場合に，その愁訴を不定愁訴と呼ぶ」と記載されている．医療者が使用する不定愁訴という用語は，現在，「愁訴に対する十分な診察や医学的な検査をしても，その原因を医学的に説明ができない症状（medically unexplained symptom：MUS）」とされている．医学的な知見などが及ばず，あるいは，診察している医療者にとって理解が困難なため，愁訴（症状）を説明できない状態である．ただし，"十分"の範囲については定められていない．十分に診察が行われているか（必要なすべての診察が行われているか），十分に医学的な検査が行われているか（客観的に説明可能な検査を網羅しているか），その"十分"の範囲は不明であることが多い．「（あなたの）気のせいですよ」，「メンタルの問題ですね」などの不要なレッテルを患者に貼り，思考停止に陥らないように，不定愁訴という言葉を使いたくなったら，「私にはあなたの症状はわかりません」という意味と自戒することが大切なのである．

表1 不定愁訴の原因検索の例（検査項目）

一般的な疾患
- 内分泌疾患：甲状腺疾患（甲状腺ホルモン），女性更年期障害（エストロゲン），男性更年期障害（テストステロン），低コルチゾール血症（副腎機能低下）
- 電解質異常（Na, K, Ca, P, Mg, Zn など）
- 血液疾患：貧血，白血病（血算）
- 膠原病（赤沈，CRP，MMP-3，抗CCP抗体，抗核抗体，SS-A抗体，SS-B抗体など）
  - リウマチ性多発筋痛症（エコーも活用し肩部の炎症を確認することも重要）
  - 血清陰性の膠原病：例；関節リウマチ，全身性エリテマトーデス（SLE），シェーグレン（Sjögren）症候群，脊椎関節炎（皮疹の有無，性感染症，腸炎の確認など）
- 悪性腫瘍随伴症候群：一般的なスクリーニング（肺，消化管，卵巣など）
- 感染症：結核（インターフェロンγ遊離試験，胸部CT），性感染症：梅毒，HIV，HTLV-1
- 肝炎（AST，ALT），腎炎（尿一般，沈渣）
- 神経障害（末梢神経，脊髄，脳）：特に単純MRI検査で異常検出が難しい，末梢神経炎・脊髄炎・脳炎など

中枢過敏やATP産生不足の原因となる機能的病態
- 睡眠時無呼吸症候群（簡易検査もある）
- 慢性扁桃腺炎・上咽頭炎（喉頭鏡）
- 低フェリチン血症（末血，TIBC，血清鉄，フェリチン）
- 質的栄養障害：例；タンパク質欠乏（BUN［腎機能障害がない場合］，AST・ALT［肝障害がない場合］，LDH［組織崩壊がない場合］など，酵素を測定評価する）
- ビタミン欠乏症：C，B1，B2，B6，B12，D
  → 補充療法以外に，漢方薬も有効（多くは裏寒→温裏剤［真武湯・人参湯など］）

　一方，診察している医療者にとって理解が困難な愁訴が，他の医療者によって診断される場合も稀ではない．また「不明熱」のように，原因不明の条件を定め，「不明熱」と分類された場合の鑑別疾患が提示されている症候名もある．参考までに，不定愁訴・MUSの原因として，筆者らの経験上の高頻度疾患（精神疾患以外）を例示する（**表1**）．

②関節の病態

- **ポイント**
  - 関節＝関節腔 joint space ＋線維性組織 fascia，で再整理できる．
  - 関節炎（滑膜炎），付着部炎など炎症の有無を評価することが重要である．

画像上の変化の程度と臨床症状は一致しない

　エコーガイド下 fascia リリースをさまざまな病態に応用することで，従来は曖昧であった痛みの分類を合理的に再編することもできる．例えば，運動器疾患で椎間板ヘルニアや重度の変形性膝関節症など，明らかに骨や軟部組織の器質的な変化が痛みの原因と判断されている臨床例であっても，手術でその痛みを十分に取り除くことができるとは限らない．また，画像上の変化の程度と臨床症状が一致しない場合もよくみられる．例えば，単純 X 線で膝関節に変化を認める患者のうち，痛みを訴えるのは 25～33 ％程度と報告されている（図1）．

　肩関節や腰椎などを含めても，運動器の器質的な異常と痛みの因果関係は乏しいとの研究報告が多い．同様に，頭痛や術後疼痛でも原因が特定されているものもあるが，はっきりとした原因を指摘できない場合も少なくない．これらに対してエコーガイド下 fascia リリースが，しばしば著効する．

関節＝関節腔 joint space ＋線維性組織 fascia

　さまざまな関節障害は，関節＝joint space（関節腔）＋fascia（線維性組織）で整理できる．発痛源は fascia であり，joint space は，関節液によるクッション性と関節運動性の保持である．

　fascia（線維性組織）は，肉眼解剖上も組織解剖上でも連続しており，分離不可であるとの報告は多い．例えば，肘関節の肘内側靱帯

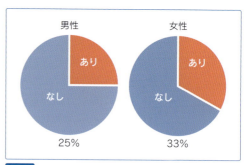

図1 X 線上，膝関節に異常を認める患者のうち痛みを伴う割合

に関する肉眼解剖研究の中で，靱帯と関節包および周辺の各筋の筋膜や筋内腱はすべて連続していることも示された[1]．

　joint space（関節腔）に関して，関節液の増加（例：滑膜炎，感染症）や，関節液の減少によるクッション性および運動性の低下（joint play）は，関節腔 joint space の機能障害と考えられる．関節腔内の炎症は，炎症の波及や内圧上昇により，関節腔の構成組織（fascia）に痛みを起こす．これは，膝関節や肩関節の機能を考えるとイメージしやすい（図2）．なお，肩関節周囲炎への論考は，「肩痛・拘縮肩に対する Fascia リリース」（pp 192-206，文光堂，2018）を参照いただきたい．

　一方，その他の関節も同様に考えられる．仙腸関節は，前方の仙腸関節腔＋後方の仙腸靱帯（fascia）であり，その発痛源は主に靱帯群にある．椎間関節は，椎間関節腔＋関節包構成組織（fascia）である．関節腔内でインピンジメントなどの引っかかりがあったとしても，発痛源としては，あくまでその構成要素である fascia である．多裂筋などの筋群もまた椎間関節包に付着し，発痛源となる．腰

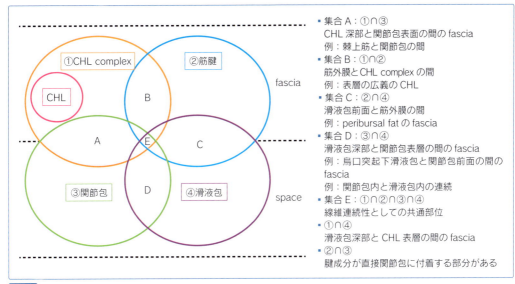

図2 fasciaとspaceで整理した肩の解剖
CHL：coraco-humeral ligament　烏口上腕靱帯

痛症の原因としての椎間関節障害，仙腸関節障害，筋膜性疼痛，椎間板性疼痛などがあるが，fascia（筋膜，仙腸関節構成靱帯，椎間関節構成組織，椎間板）＋joint space（仙腸関節包，椎間関節包，椎間板軟骨成分）で再整理すれば，治療手技もまた，fasciaへの治療（例：fasciaハイドロリリース，鍼や徒手によるリリース）と，その関節機能の治療（例：関節腔内へのヒアルロン酸注射，関節腔内の滑膜炎があればステロイド薬の注射）に整理できるだろう．なお，仙腸関節腔内への注射は，joint spaceへの治療効果に加えて，仙腸関節腔を構成する前方靱帯群への間接的効果（例：joint機能改善による効果，薬液の浸潤効果）があると思われる．

文献

1) Hoshika S, et al：Medial elbow anatomy：a paradigm shift for UCL injury prevention and management. Clin Anat 32：379-389, 2019

column

病名の再区分—thumb pain syndrome

　病名と病態が一致していない例として,頸肩腕症候群,胸郭出口症候群を先に提示した（3章①参照）．これらは,解剖×病態を再検討し,分離していく必要がある病名である．一方で,各症候名が乱立し,より広い観点で再整理が必要と考えられる病名も存在する．その1例として,2019年7月に木村らが提唱した「母指痛症候群 thumb pain syndrome」[1,2]について,その考えに至った経緯とともに紹介する．

　ヒトが物をうまくつかんだりつまんだりするためには,手指の単純な曲げ伸ばしだけでは不十分であり,第1指（母指）が回旋し,他の手指と指腹を対面させる対立運動が必要である．母指の手根中手関節（carpometacarpal joint：CM関節）が鞍関節構造になっているのは旧世界ザルや類人猿,ヒト特有の関節構造であることが知られており[3],母指の対立運動には必要不可欠な構造である．また,短母指伸筋と長母指屈筋はヒトの母指だけに備わっている筋であり[1],これらの筋が同時に作用することで,第1指節間関節（interphalangeal joint：IP関節）のみの屈曲が可能となる．これらのことから,母指の筋骨格構造は霊長類の中でもヒトでより発達し,複雑な構造となっていることがわかる．また,ヒトは小児期の運動発達においても,複雑な手指の巧緻動作を獲得するために,母指の対立運動の学習をする．この運動を獲得することができるのは,発達段階として上肢全体の運動発達の中でも,より遅い段階である．脳卒中片麻痺患者の痙縮では,手指の異常筋緊張亢進状態からの回復ステージにおいて,母指の対立運動はより難易度の高い運動とされている．これらのことから,母指の運動は他の手指の運動と比較して,より複雑で高度な運動であることがいえる．

　このように,進化学,関節学,機能解剖学,発達学,神経生理学など,さまざまな学問の視点からみても,母指の運動はより複雑なものであり,その分,他の手指と比べて負荷がかかりやすく,母指に疼痛を生じるさまざまな疾患が存在する．それぞれの疾患別に治療部位が報告されているが,それ以外にも共通のfascia異常が発痛源となることが多い．

　母指に疼痛を生じる代表的な疾患には,以下が挙がる．
① de Quervain（ドケルバン）病
② 母指CM関節症
③ 手根管症候群
④ intersection syndrome
⑤ 関連痛（前腕・上腕部,肩頸部など）

　その他原因不明の疼痛やしびれも多く,治療に難渋する場合も多い．上記①〜④はすべて,症symptom,症候群syndromeに相当し（人名＋病を含む）,狭義の診断の定義を満たしておらず（3章①参照）,互いに疼痛の原因が関連し合っている．つまり,現在の疾患区分と解釈により患者が治らないのであれば,別の枠組みで整理するか,あえて名称をつけずに解剖学的発痛源を丁寧に記述していくことが必要と考えている．

　そこで我々は,上記①〜⑤の疾患すべてを含む,母指の疼痛・機能障害を有する症

候群に対して，thumb pain syndromeという概念を提唱した．thumb pain syndromeの治療方法は，関節＝関節腔＋線維性組織の通り，A）関節内，B）関節外組織，C）関連痛の治療，に大別した．これらを含む発痛源の評価は，問診・動作分析・圧痛・エコーなどで実施される．関節炎であれば，関節内へのステロイド薬の注射，抗炎症薬の内服，そして安静などが治療となるが，関節外組織の発痛源（多くはfasciaの異常）に対するエコーガイド下fasciaリリースの実施により，効果が得られる．以下に，B）関節外組織に関連した主要な治療部位を示す．

1. 伸筋支帯
2. 短母指伸筋EPB/長母指外転筋APL（第1区）
3. 長母指伸筋EPL（第3区）
4. 長橈側手根伸筋ECRL・短橈側手根伸筋ECRB/長母指外転筋APL・短母指伸筋EPB（第1区/2区）
5. 長橈側手根伸筋ECRL・短橈側手根伸筋ECRB/長母指伸筋EPL（第1区/2区）
6. 正中神経/橈側手根屈筋FCR/長母指屈筋FPL/橈骨動脈
7. 短母指外転筋APB/母指対立筋OP/短母指屈筋FPB/中手骨
8. 第1背側骨間筋/母指内転筋AP/長母指屈筋FPL
9. 母指内転筋AP
10. 中手骨/大菱形骨
11. 正中神経/長母指屈筋FPL
12. deep palmar arch（動脈周囲のfasciaの治療）

文献

1) 木村裕明，ほか：最近のトピックス～アンギオソーム（Angiosome）を活用した発痛源評価と治療，束間神経上膜リリース，母指痛症候群（thumb pain syndrome）～．第2回日本整形内科学研究会学術集会，2019
2) 浅賀亮哉，ほか：Thumb pain syndrome．臨スポーツ医37：214-220，2020
3) Homma T, et al：Hand muscles concerning thumb movement in the primates―significance of the human hand. Primate Res 8：25-31, 1992

注）本稿は「浅賀亮哉，ほか：Thumb pain syndrome．臨スポーツ医37：214-220，2020」をもとに，著者の承諾を得て再編集したものである．

③炎症性疾患との関係

■ポイント
> 炎症性疾患に続発するfasciaの異常は，①炎症の治癒過程の癒着，②痛みによる二次的な不動・誤用・使いすぎ，が多い．
> 関節炎，腱炎，付着部炎，神経炎など炎症性病態は，いずれもfasciaの異常による症状を念頭に診察する必要がある．

癒着性肩関節包炎などの明らかな局所性の炎症性病態とfasciaの異常の合併については，注目が増えてきている[11]．一方で，関節リウマチ（RA）などの炎症性疾患の診断・治療において，膠原病内科や整形外科の医師がfasciaを話題にすることは，まだ少ない．しかし，実臨床においては，炎症性疾患と非炎症性の疼痛，特にfascial pain syndrome（FPS）の合併を多く経験する[1]．FPSを意識して炎症性疾患の診療を始めると，自分がいかにそれまでFPSを無視していたかに気づく．では，なぜ炎症性疾患にFPSが続発するのだろうか？　以下2つの理由が考えられる．

理由①炎症の治癒過程による影響：一般に，炎症が起こると，その後に炎症の収束過程が訪れる．ここにはM2マクロファージが関わっており，線維化（fibrosis）とそれに続いてマトリックスメタロプロテアーゼ（MMP）-3などの作用で線維の溶解（fibrolysis）が起こる[2]．その過程で，fasciaにリモデリング（既存の構造の破壊と再生）が起こることが知られる．このリモデリングが成功すれば，切り傷が跡形もなく消えるように修復が行われる．しかし，リモデリングは失敗しやすい過程であり，切り傷が盛り上がって跡を残すように，しばしばfasciaの癒着（adhesion），高密度化/高密度状態（densification）や線維化/線維化状態（fibrosis）が残る[3]（用語の詳細は2章④参照）．

理由②疼痛による二次的な不動・誤用・使いすぎ：炎症が起こった部位は痛みを生じるため，使わなくなる（disuse），または普段と違った使い方をする（maluse）ことにより，FPSを引き起こす．ときには，痛む部位の代償で使われる他の部位に，過剰に使う（overuse）ことによるFPSが出ることもある[4]．以下，具体例を提示する．

関節炎/滑液包炎

関節や滑液包は炎症を起こしやすい臓器である．その炎症は周囲組織に波及し[5]，上記理由①により，関節/滑液包周囲のFPSが起こる（例：関節リウマチで中足趾節（MTP）関節のFPSにより歩行時の疼痛が残る，リウマチ性多発筋痛症で上腕二頭筋長頭腱の横靱帯のfasciaとの癒着により，肩の屈曲や外転の最終可動域で疼痛が出現する）．また，上記理由②により，関節と離れた部位のFPSが起こる（例：CPPD（ピロリン酸カルシウム二水和物）で肩甲挙筋のFPSによって頸椎の運動制限が残る，関節リウマチで手指屈筋腱のFPSにより指屈曲時の痛みが残る）．特に，関節リウマチでは関節の圧痛＝炎症の残存と理解されているため，FPSに気づかれずに不要な投薬増量が行われるおそれがあり，注意が必要である．具体例は9章⑧で症例を提示した．

環軸椎における偽痛風発作，いわゆるcrowned dens syndrome（CDS）でも，難治例ではC2椎弓板直上より薬液を注入し，神経根周囲腔を経て，石灰沈着部位近傍の硬膜外腔へ安全に薬液を届けることも可能である[6]．

③ 炎症性疾患との関係

肩関節周囲炎（凍結肩）

　詳細は，拙著のシリーズ書籍「肩痛・拘縮肩に対するFasciaリリース」（文光堂，2018）を参照いただきたい．ここでは概要のみ紹介する．

　「凍結肩 frozen shoulder」は，「肩の可動域が受動/能動とも制限を受ける原因不明の状態であり，かつ他の肩疾患を伴わない」という定義が一般的である[7]．臨床現場では，肩関節可動域制限があり，石灰化腱板炎や肩峰下滑液包炎などの明らかな診断が否定された後に，除外診断的にこの病名がついていることがしばしばある．急性期にはステロイド薬の関節内注射が有効なことからも[8]，関節包自体の炎症が引き金になっている可能性は高い．しかし，特に慢性期においては，炎症よりも線維化や癒着が問題になることが多い．FPSの治療的観点からみると，2つの場合に分けて考えるとわかりやすい（2つが混在する場合もある）．上記理由①により，関節包自体の癒着が起こって肩甲上腕関節拘縮が生じる場合（いわゆる狭義の癒着性滑液包炎）と，上記理由②により，その周囲の構造物（肩峰下滑液包，烏口上腕靱帯，棘下筋，三角筋など）のFPSが起こる場合（関節包自体の癒着は著明でない）[9]である．前者では，関節包複合体へのfasciaリリース，腕神経叢ブロック下の授動術（例：サイレント・マニピュレーション），関節鏡視下手術などによる，関節包自体の治療が有効となりうる[10, 11]．後者では，FPSが起こった関節外組織に対する治療が有効なことが多い（数ヵ月以上経過した症例でも有効な例をしばしば経験する）．9章の症例10で具体例を提示した．

腱炎，付着部炎

　疾患名に「炎」とついているため，非ステロイド性抗炎症薬（NSAIDs）や，当該部位へのステロイド薬の注射などが試みられることが多い．しかし，特に「難治性」とされる亜急性〜慢性例では，実のところ炎症性病態を伴っているのは初期だけで[12]，慢性期では炎症が治まった後にFPSが残っているだけのことも多い（例：外側上顆「炎」で回外筋浅層のFPS，de Quervain病（狭窄性腱鞘「炎」）で伸筋腱第1区画，伸筋支帯などのFPS，足底腱膜「炎」で足底腱膜自体のFPS）．これらはfasciaリリースで軽快する病態なので，特に炎症に対するアプローチで効果が出ない場合は，FPSの可能性を考えて診療する．

末梢神経の炎症性疾患

　上記理由①により，例えば末梢神経に炎症が起こった後に，末梢神経を取り囲む神経上膜と周囲のfasciaとの癒着でFPSが起こることがある（例：慢性炎症性脱髄性多発ニューロパチー（CIDP）の炎症軽快後に神経根部にFPSを合併）．また，多発性硬化症ではさまざまな種類の痛みが発生しうるが，少なくともその一部は，不良姿勢による腰痛や四肢の痛み（理由②による）であることが知られる[13]．

　炎症性疾患にFPSは，一般的に考えられているより高確率で合併する．FPSなのに，炎症性疾患の活動性が残存していると誤解されて炎症に対する治療の強化が行われたり，逆に炎症を伴わない痛みは「気のせい」として治療が行われなかったりする．このような不幸な判断を避けるために，炎症性疾患の治療中に非典型的な痛みが出た場合はFPSを疑い，場合によっては診断的治療としてfasciaリリースを試してみていただきたい．

文献
1) Langevin HM：What role does fascia play in

rheumatic diseases? Rheumatologist, March 1, 2014
2) Lech M, et al：Macrophages and fibrosis：how resident and infiltrating mononuclear phagocytes orchestrate all phases of tissue injury and repair. Biochimi Biophys Acta 1832：989-997, 2013
3) Pavan PG, et al：Painful connections：densification versus fibrosis of fascia. Curr Pain Headache Rep 18：441, 2014
4) Chaitow L（ed）：Fascial Dysfunction：Manual Therapy Approaches, 2nd ed, Handspring Publishing, 2018. Chapter 1：The functions of fascia：translating research into clinical relevance
5) Kirchgesner T, et al：Fasciae of the musculoskeletal system：normal anatomy and MR patterns of involvement in autoimmune diseases. Insights Imaging 9：761-771, 2018
6) 小林　只, 木村裕明：急性頚部痛の鑑別とエコーガイド下注射の適応. 整形・災害外科 60：841-851, 2017
7) Zuckerman JD, et al：Frozen shoulder：a consensus definition. J Shoulder Elbow Surg 20：322-325, 2011
8) Prestgaard T, et al：Ultrasound-guided intra-articular and rotator interval corticosteroid injections in adhesive capsulitis of the shoulder：a double-blind, sham-controlled randomized study. Pain 156：1683-1691, 2015
9) Gurudut P, et al：Combined effect of gross and focused myofascial release technique on trigger points and mobility in subjects with frozen shoulder—a pilot study. Int J Health Sci Res 9：52-61, 2019
10) Barnes CP, et al：Short-term outcomes after arthroscopic capsular release for adhesive capsulitis. J Shoulder Elbow Surg 25：e256-e264, 2016
11) 木村裕明（編集主幹）：肩痛・拘縮肩に対するFascia リリース, pp51-53, 文光堂, 東京, 2018
12) Lai WC, et al：Chronic lateral epicondylitis：challenges and solutions. Open Access J Sports Med 9：243-251, 2018
13) Truini A, et al：A mechanism-based classification of pain in multiple sclerosis. J Neurol 260：351-367, 2013

④末梢神経の病態

■ポイント
> 末梢神経＝神経線維（nerve fibers）＋線維性組織（fascia/fibrils）と再整理できる．
> 線維性組織が発痛源となり，神経線維がシグナルを脊髄へ伝える．
> 末梢神経の器質的障害では，神経線維の機能低下症状（感覚鈍麻，筋力低下など）が必須である．

末梢神経とfasciaは連続する

　末梢神経の構造に関して，組織解剖としても肉眼解剖としてもfasciaと神経を構成する線維は連続することが報告されている[1]．さらにミクロの観点でも，グリア細胞と神経細胞は「グリア・神経細胞複合体 glio-neural complex」として融合・連続しており，グリア細胞自体もまた侵害受容の機能を有することが報告された[2]．

　生理食塩水を用いた局所注射（例：fasciaハイドロリリース）が有効なのは侵害受容性疼痛や侵害可塑性疼痛の一部と考えるのが現時点では妥当であるが，神経周囲の癒着では神経障害性様の症状が生じうるため，神経障害性疼痛と思い込みやすい（神経の病変や疾患はないため，少なくとも既存の神経障害性疼痛の範疇ではない）（2章①参照）．なお，末梢神経の結合組織部分の知覚を司る神経（nervi nervorum）や末梢神経を栄養する血管（vasa nervorum）もまた，末梢神経に起因した痛みに関与している可能性もある[3]．これらにもまた，線維性組織としてのfasciaと末梢神経との機能的な役割が隠されているのかもしれない．

fasciaから再考する神経障害性疼痛

　本項では，「末梢神経」の神経障害性疼痛を具体例に挙げる．末梢神経＝神経線維（nerve fibers）＋線維性組織（a fascia/fibrils）ともいえる（末梢神経本幹自体を構成する線維構造，例えば神経束は線維fibrilsという表現のほうが正確である）（詳細は1章①参照）．

　神経線維はあくまで電気信号を伝える電線であり，異常シグナルは神経上膜や神経周囲膜などのfasciaや結合組織から生じるという理解である．圧迫や損傷などによる器質的な神経線維の異常（断裂や浮腫などによる電気活動の途絶）は，神経機能の低下（感覚神経：鈍麻，運動神経：筋力低下・麻痺，深部腱反射低下・振動覚低下，膀胱直腸障害）をきたす．この種の症状は，日内変動・週内変動などの症状変動がなく，24時間一定の強さであることが特徴である[4,5]．

　これに対して，ピリピリやビリビリなどの痛みや異常感覚・知覚過敏の症状は，神経線維周囲のfascia，神経上膜などのfasciaの異常，さらには末梢神経内の線維fibrils（例：束間神経上膜，神経周膜）や動静脈を構成するfasciaからのシグナルを神経線維が受けて生じていると考えられる（図1）．末梢神経「周囲」のfasciaに対するハイドロリリース（ミルフィーユサイン），末梢神経「内」に対するハイドロリリース（フラワーサイン）が適応となる（column 末梢神経内リリース，93頁参照）．

　圧迫や損傷などによる器質的な神経障害の場合でも，その「痛み」の原因としては，1）圧迫している側自体のfasciaの異常，2）圧迫されている側のfasciaの異常，がある．また，末梢神経近傍のfascia異常による機

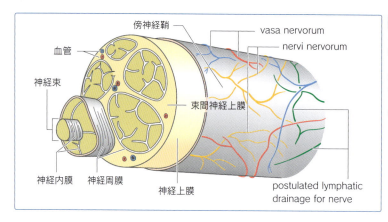

図1 末梢神経の図
それぞれの神経束 fasciculus は神経周膜 perineurium に覆われている．複数の神経束を神経上膜 epineurium が束ねている．神経上膜は各神経束の間にも連続している．さらに，その外層は傍神経鞘で包まれている．

能的な神経障害（末梢性感作：持続的な侵害受容器への刺激による後根神経節［dorsal root ganglion：DRG］の活性化など）の場合でも，その「痛み」の原因は，末梢の侵害受容器に刺激を与えている fascia の異常であることは稀ではない．つまり，神経障害性疼痛は，器質的神経障害と機能的神経障害の2つの分類（神経障害性疼痛 neuropathic pain：神経系の原発性病変もしくは機能障害を契機とし，あるいは原因として生じる痛み[6]も同様）も提唱されているが，両者とも末梢の fascia の問題である可能性がある．なお，神経「障害性」疼痛と表現した場合，この「障害」という言葉の定義が重要である．例えば，neurogenic pain は神経原性疼痛と和訳されるが，これは「一過性の混乱」を含む病態，つまり一時的な症状を含むため，neuropathic pain（神経障害性疼痛）よりも広い概念である．にもかかわらず，臨床現場では安易に「神経障害性疼痛」を意味して「神経障害」という言葉が使用されている現状もある．

特に，末梢神経分布に合わない手指のしびれ感は，fascia の異常による機能的神経障害性疼痛であることが多く，骨間膜や支帯など神経からは少し離れた fascia が影響していることも少なくない．もちろん，神経炎など炎症性の病態が併発していれば，ステロイド薬の局所注射が著効する．

さらに，従来は神経障害性疼痛や侵害可塑性疼痛（以前は非器質的疼痛，さらに昔は心因性疼痛ともいわれていた）と考えられていた慢性疼痛の中にも，相当な割合で筋膜性疼痛や異常な fascia による症状が混在していることが示唆されている．特に，神経障害性疼痛と考えられていた疼痛に対し，詳細なエコー観察下で，末梢神経周囲および末梢神経を構成する結合組織の fascia（神経鞘などの極近傍から，数 cm 以上離れた部位も含む）を正確にリリースすることにより治療ができるという知見は，ハイドロリリースとハイドロダイセクションの差異を認識するうえでも重要である（詳細は4章④参照）．これは，神経障害性疼痛の多くが，筋膜性疼痛を含む fascia の異常とそれ以外で説明できる可能性を示唆している．

文献
1) Stecco C, et al：Role of fasciae around the median nerve in pathogenesis of carpal tunnel syndrome：microscopic and ultrasound study. J Anat 236：660-667, 2020
2) Doan RA, et al：Glia in the skin activate pain responses. Science 365：641-642, 2019
3) Teixeira MJ, et al：Concept of acute neuropathic pain. The role of nervi nervorum in the distinction between acute nociceptive and neuropathic pain. Rev Dor 17（Suppl 1）：S5-S10, 2016
4) 松岡史彦，小林　只：プライマリ・ケア—地域医療の方法，メディカルサイエンス社，東京，2012
5) 植村研一：頭痛・めまい・しびれの臨床—病態生理学的アプローチ，医学書院，東京，1987
6) 日本ペインクリニック学会：ペインクリニック用語集改訂第4版，2015

⑤ 血管の病態（冷え症含む）

■ポイント
- 血管と末梢神経は共通の結合組織でつながれ，その境界は連続している．
- 長引く痛みやしびれ，冷えなどは，血管に関する交感神経の異常が関与している場合が多い．
- 治療に際して，angiosome（動脈血流分布図）や venosome（静脈血流分布図）の概念が重要である．

血管周囲のリリースに注目した発表は，我々が知る限り，2019 年に木村らが発表した「angiosome を活用した発痛源検索と fascia ハイドロリリースによる治療」のみである[1]．アンギオソーム angiosome とは，体組織がどの源血管によって血液供給されているかを表した血流地図である[2]．血管周囲の fascia には，自由神経終末が豊富に存在し，この部位のリリースは，慢性痛や交感神経に関係する疼痛に効果的である可能性がある．アンギオソームを参考に，同定した責任血管周囲の fascia の重積部（stacking fascia）をリリースする．リリース後に，血流改善に伴う反応を患者が自覚することが多い．まだ，十分な臨床研究が行われておらず知見は少ないが，日本国内の学会・研究会を中心に難治性疼痛への治療効果が報告されており，新しい治療部位として注目されている．

血管外層と fascia は連続する

末梢神経と同様に，動脈も層構造を有する．具体的には，動脈は 3 層構造（血管内皮細胞で，内側から，内膜，平滑筋や弾性線維で構成される中膜，膠原線維で構成される外膜）で構成される．末梢神経終末は動脈周囲結合組織から外層に広く分布し，一部は外膜を貫通して，外膜と中膜の間に網目状に広がる（1 章③図 4）．大血管の周囲には交感神経幹（例：腹部大動脈-腹腔神経叢，内頸動脈-頸部交感神経節）が，末梢血管の周囲にも交感神経が分布している．動脈の外膜と末梢神経を含む周囲結合組織の境界は連続しており，分離は困難である．現在，循環器領域において，冠攣縮性狭心症患者の血管外膜に分布する微小血管網（vasa vasorum），血管周囲脂肪組織が注目されている[3]．微小血管網の増生，（病的状態での微小血管網の詳細な評価はなされていないが）動脈硬化性変化への血管外膜と微小血管網の関与が報告されている．

fascia で考察する血管周囲のリリース

血管周囲の fascia 異常は，上述したように，交感神経を介する痛みの入力になると考えられるが，さらに，平滑筋の収縮により末梢血流も低下させている．長引く痛みやしびれ，冷えなどは，交感神経の異常が関与している場合が多い．血管周囲のリリースは，血管外膜との連続性のある，あるいは血管近傍にある異常な fascia をリリースすることにより，この血管周囲にある交感神経や末梢神経への異常入力を改善するものと思われる（4 章②参照）．治療点は，アンギオソーム[2]，ヴェノソーム venosome（angiosome に対して静脈血流分布図）の概念を参考にする（6 章⑦参照）．具体例として，以下が有効である．

頭頸部帯状疱疹に対しての，内頸動脈周囲の fascia リリース（胸鎖乳突筋裏の fascia（194 頁）参照）．乳癌術後，あるいはペースメーカー植え込み術後の頑固な前胸部痛に対する腋窩動脈周囲の fascia リリース（腋窩動

脈周囲のfascia（222頁）参照）．また，血管の圧迫などによる症状と理解されている病気（胸郭出口症候群など）に対しては，圧排部位の血管周囲をリリースする．

四肢の浮腫などには静脈周囲のリリースが実施される．その他，病理では特異的な炎症とされている頸動脈痛（carotidynia），外傷後の血管狭窄による末梢血流低下がもたらす痛み・しびれ感，血管外膜切除術が適応のCREST症候群（calcinosis, Raynaud's phenomenon, esophageal dysmotility, sclerodactyly, telangiectasia），Raynaud症候群などにも経験上，治療効果を認めている．

> 血管周囲のリリースは血流低下に伴うしびれや浮腫，末梢の冷えなどに有効な場合がある

局所の慢性的な交感神経緊張の結果，体温の低下や身体の冷えなどの症状が起こる[4]．冷え感覚は，他覚的な冷え感覚（多くは有所見）を伴う"冷え症"，自覚的な冷え感覚（多くは無所見）のみの"冷え性"の2種類に分類される．両者とも，鍼灸マッサージ・物理療法，いわゆるフットケアなども含め，さまざまな治療法が国内外で実践されている[5]．実際に，皮膚への鍼刺激による脊髄の軸索反射を介して，神経末端からサブスタンスPなどの血管拡張物質が放出され，皮膚血管拡張による皮膚血流増加[6]や，線維筋痛症患者における筋の血流増加[7]をもたらすことも報告されている．

fasciaリリースも，物理療法の1つの側面として，冷え性および冷え症の治療への有効性を確認している．他覚的な冷え感覚（冷え症）であれば，触診して局所の冷感を確認し，浅層の血流低下を評価する．次に，血圧計のマンシェットあるいは用手的な血管の圧排により，深部組織の血流変化による自覚症状の悪化を確認する．動脈を圧迫して症状の増悪があれば動脈性，静脈のみの圧排で症状が増悪すれば静脈性と判断する．動脈性の血流低下が原因であれば，（各種検査での全身評価を行ったうえで）内服治療や動脈周囲のfasciaリリースを行う．静脈性のうっ血が原因であれば，特に，静脈を圧排し，末梢で拡張した静脈自体の圧痛や触診時の過敏性を認める場合は，該当する静脈周囲のリリースを検討する．自覚的な冷え感覚（冷え性）であれば，上記のような触診や血圧計，および用手的な評価で異常を認めないことを確認する．

病態としては，1）冷えに関する受容器（ポリモーダル受容器，温度受容器，高閾値機械受容器など）が何らかの原因により過敏となり，冷えという感覚刺激を中枢に伝えている可能性，2）動脈周囲のfasciaの異常信号が関与する可能性，3）熱産生能力の低下（偏った食生活，運動不足，不適切な靴・靴下・衣類など生活要因）による影響，などが考えられる．結果的に，fasciaリリースの治療部位としては，皮下組織や支帯retinaculumなどの浅い部位，動脈周囲のfasciaを対象とすることが多い．

文献
1) 木村裕明，ほか：アンギオソーム（Angiosome）を活用した発痛源評価と治療．第2回日本整形内科学研究会学術集会，2019
2) Taylor GI, et al：The vascular territories (angiosomes) of the body：experimental study and clinical applications. Br J Plast Surg 40：113-141, 1987
3) Ohyama K, et al：Coronary adventitial and perivascular adipose tissue inflammation in patients with vasospastic angina. J Am Coll Cardiol 71：414-425, 2018
4) Simons DG, et al：Travell & Simons' Myofascial Pain and Dysfunction：The Trigger Point Manual, Vol. 1, Upper Half of Body, 2nd ed, Lippincott Williams & Wilkins, Philadelphia, 1998
5) 川嶋　朗：冷え外来，医歯薬出版，東京，2010
6) Jansen G, et al：Acupuncture and sensory neuropeptides increase cutaneous blood flow in rats. Neurosci Lett 97：305-309, 1989
7) Sandberg M, et al：Peripheral effects of needle stimulation (acupuncture) on skin and muscle blood flow in fibromyalgia. Eur J Pain 8：163-171, 2004

⑥ fascia と自律神経症状

■ ポイント
> 末梢レベルでは，血管周囲の fascia，神経周囲の fascia など，自律神経系の調整に影響している fascia を考慮する．
> 自律神経のバランスを考える際，全身と局所それぞれの交感神経と副交感神経のバランスを考慮する．
> 「局所の交感神経緊張→全身の副交感神経の緊張→全身の交感神経の緊張→交感神経・副交感神経の虚脱」という経過が一般的であり，各病期や病状に応じた治療が必要である．

自律神経症状とは

　自律神経系の機能不全は，種々の不定愁訴を起こすことで医療者の理解を妨げる．医療者は，種々の症状にある共通項から病態解釈を行い診断するが，すべての症状を1つひとつ解釈していくのは現実的でないことが多い．そのため，安易に"自律神経症状"として括り，しばしば「自律神経失調症」と「診断」してしまう（診断については3章①参照）．全身に及ぶ症状があれば全身性疾患があると想定する，局所に限局する症状であれば局所を精査する，など冷静に評価していく必要がある．なお，自律神経失調症とは，「種々の自律神経系の不定愁訴を有し，しかも，臨床検査では器質的病変が認められず，かつ顕著な精神障害のないもの」であり，fascia は考慮されていない（3章① column 参照）．

fascia と自律神経症状

　fascia と自律神経症状の関係性を整理した全身評価と治療にあたり，「全身と局所のバランスを捉える」ことが重要である（図1）．その際，解剖の側面からは「a fascia」，機能の側面からは「fascia system」に加えて「神経系（特に自律神経）」が重要である．
　例えば，末梢からの刺激が，すべて脳へ伝わるわけではない．末梢からの一定の刺激は，その閾値を超える一定の刺激がない限り，脊髄，視床のそれぞれを通過して脳へ伝達されない．この際，末梢に何らかの病態があり，そのために疼痛閾値が下がっている場合（末梢感作）や，全身の疼痛閾値を下げる病態がある場合（脳などで生じている時は中枢感作）は，一定の疼痛でも閾値を超えて脳へ伝達される．また，局所と全身が関連している場合（例：局所の要素が全身の疼痛閾値を下げる）は，脳への伝達に影響を及ぼしやすい．特に，脊髄という関門を通らずに，脳へ直接伝達をしやすい頭頸部（発生学的には鰓弓由来の組織）に生じた発痛源（例：顎関節［9章②］，歯科領域［9章③］で詳述）は，さまざまな症状をきたしやすい．また，末梢においては，「冷え，ほてり」など一般的に自律神経の症状として理解される症状は，動脈などの血管に関連した fascia の異常が原因であることも稀ではない（詳細：3章⑤血管の病態）．もちろん，血管周囲の fascia だけでなく，神経周囲の fascia も自律神経系の調整に密接に関わっている．
　これまで，解剖の側面からの「fascia」が議論されてこなかったため，fascia と自律神経症状の関係性は整理されてこなかった．特に本書に記述された手技は，自律神経症状を誘発する異常な fascia に対する局所療法としての位置づけである．

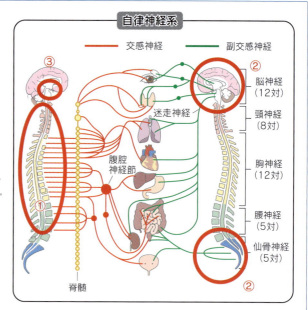

図1 自律神経：局所と全体のバランス

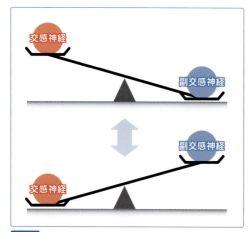

図2 自律神経系のバランス

自律神経の全体と局所のバランスの分析，および対応方法

上述した通り，自律神経系は，交感神経と副交感神経のバランスで成り立っている．一般的には，図2のような天秤にたとえられるが，実際はもっと複雑である．

全体のバランスとして，初めから交感神経と副交感神経がせめぎ合っているわけではない．局所の交感神経緊張の過剰状態から始まる場合が最も多く，以下の❶→❹で進行すると推察している．

❶ 局所の交感神経緊張
❷ 全身の副交感神経の緊張
❸ 全身の交感神経緊張
❹ さらに，他の局所の病変を悪化させる．
　→❶へ戻る．

❶に対する❷の反応の例としては，注射の痛みに対する迷走神経反射 vasovagal reflex（血圧低下，徐脈，嘔気，倦怠感）がある．損傷・外傷による症状が❶の反応のみで軽快すれば，急性痛で終わる．しかし，❶が持続する場合，全身の副交感神経緊張によるさまざまな症状が出てくる傾向にある．自律神経症状を伴いやすい局所の筋膜性疼痛としては，頸長筋が有名である．❶頸長筋の緊張（fasciaの異常）は，星状神経節などの局所の交感神経の過剰緊張を引き起こし，❷の反応の常態化（起立性低血圧，頸動脈過敏症候群，ドライアイなど乾燥症状）を引き起こす．この状

⑥ fascia と自律神経症状

図3 各病期に対応した治療概念（案）

1）局所の交感神経緊張 ← 四肢など脊髄への入力を介する末梢の刺激．中枢の交感神経・副交感神経の虚脱状態でもブラジキニンなど痛み物質の刺激は保持
→痛み（MPS，外傷，炎症）
治療：局所治療，抗炎症治療

2a）全身の副交感神経の緊張 ← 常に緊張しているタイプ．
→血圧低下，徐脈，嘔気，倦怠感，裏寒
治療：温裏剤などの漢方薬
低血圧症，刺激に反射が起きやすいタイプ
→Fe，Mgなど二価イオン不足，裏寒（経験上）

2b）全身の副交感神経の**虚脱** 補酵素の問題の可能性もある

3a）全身の交感神経の緊張 ← 中枢神経の入力は直接，脳からの全身への反射を引き起こす傾向にある．
→動悸，頻脈，発汗，冷え
治療：ベンゾジアゼピン，SSRI，ナイアシン，交感神経ブロック（上頸・下頸神経ブロック，不対神経節ブロック）
例：鰓弓由来の筋群，顎関節，舌咽神経1～11（副神経）までを順番に評価する．
例：ストレス含む

3b）全身の交感神経**虚脱** ← 酵素阻害薬は，タンパク欠乏症では副作用ばかりが出る．栄養療法が必須となる．
→あらゆる刺激に敏感な状態（中枢過敏）
治療：SNRI，交感神経賦活剤（興奮剤）

態に対して，一般的には**2**に対する治療が行われる．しかし，それで治らない場合は大もとの**1**の治療，具体的には頸部交感神経幹に刺激を入力する近傍のfasciaに対する治療により，**2**の反応が生じなくなることは稀ではない．

さらに，**2**が継続していると，全身のバランスをとるために**3**の反応（動悸，頻脈，発汗，冷え性など）が生じやすくなる．この状態は，全身の過度の交感神経緊張を意味する．

緊張しきれなくなった副交感神経および交感神経は，最終的には「虚脱」し，あらゆる刺激に敏感な状態になるとも考えられる．上記病態の進行，加えて，筆者が提唱する各進行期に応じた治療概念を**図3**に提示する．例えば，選択的セロトニン再取り込み阻害薬（SSRI）はセロトニンの局所濃度を上昇させ，副交感神経の緊張を亢進させる．セロトニン・ノルアドレナリン再取り込み阻害薬（SNRI）はセロトニンとノルアドレナリンの局所濃度を上昇させ，副交感神経と交感神経の緊張を亢進させる．両者とも，その材料であるタンパク質やビタミン類が補充されなければ，いずれ局所のセロトニンやノルアドレナリンも枯渇し，著明な虚脱状態となることを提示している．つまり，SSRIやSNRIの投与では，交感神経および副交感神経の緊張と虚脱に関する評価を慎重に行い，栄養療法や運動療法の併用が極めて重要となってくる．

SSRI，SNRI以外にも，古くは三環系抗うつ薬，新薬としてはNaSSA（ノルアドレナリン作動性・特異的セロトニン作動性抗うつ薬）も使用されるが，いずれにしても薬理作用的特性と自律神経の関係性を意識して使い分けることが重要である．

参考文献

1) 小林 只：疼痛・自律神経症状治療のネクストステージ．JNOS第3回九州・沖縄ブロック研修会 in Fukuoka，2019年6月9日．https://www.jnos.or.jp/archives/information/1379
2) 松岡史彦，小林 只：プライマリ・ケア―地域医療の方法，メディカルサイエンス社，東京，2012
3) 小林 只，ほか：痛みに対する新時代の薬物療法！―NSAIDs・漢方薬からトラムセット®，リリカ®，サインバルタ®，そしてワンデュロ®を超えて―．白石吉彦，ほか（編）：THE整形内科，pp22-26，南山堂，東京，2016
4) 日本心身医学会用語委員会（編）：心身医学用語事典第2版，三輪書店，東京，2009

⑦局所と中枢の治療戦略

> ■ ポイント
> ▷ 慢性疼痛では中枢神経の可塑性を考慮した治療が重要である.
> ▷ 具体的手法としては,全身の疼痛閾値を下げる病態への対応,頭頸部fasciaの異常の治療(例:顎関節,頸部筋群)による全身の交感神経の緊張軽減,および局所のfasciaの異常(FPS)の治療により,末梢からの過剰な刺激流入の抑制を集学的に実施する.

疼痛学としての視点(2章①参照)も踏まえつつ,2017年の本書初版では,臨床に直結した,fascia治療を含めた局所と中枢(全身)の新しい治療戦略を提唱した(図1).痛みに対する局所治療が適応となるのは,局所に原因がある時である.その原因は,炎症,外傷,血流低下,浮腫,使いすぎoveruse,誤用 maluse,廃用disuseなど,さまざまである.

全身の疼痛閾値を下げる病態に対しては,その病因に対応した治療方法が選択される.心理的要因が大きいなら認知行動療法,脳梗塞など器質的な神経障害が原因なら神経の興奮性を抑制する薬物療法や手術(電極埋め込み術など),膠原病や慢性炎症性疾患が原因なら抗炎症薬や免疫抑制薬,電解質異常(低K血症,低Ca血症,低Mg血症など)が原因ならば精査して適切な治療を行う.

前述の通り,全身の病態と局所の病態が合併していることも少なくない.一方で,局所の要素自体が,全身の疼痛閾値に関係する病態も報告されている.顎関節(特に翼突筋)・頸長筋・胸鎖関節など頭頸部のfasciaの異常は,全身の姿勢やアライメントにも直接的か間接的かは不明であるが深く関わっている.

要するに,全身の疼痛閾値を下げる病態に適切に対応しつつ,頭頸部fasciaの異常の治療(例:顎関節,頸部筋群,黄色靱帯・背側硬膜複合体(LFD))により全身の交感神経の緊張を軽減させ,さらには局所のfascia異常の治療により,末梢からの過剰な刺激を抑えることが,結果的に慢性疼痛における中枢神経の可塑性の治療に役立つと考えている.

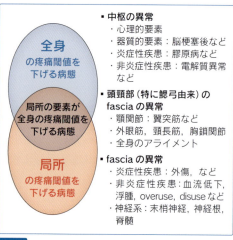

図1 中枢と局所の関係性

これらの実行には,多職種連携による集学的治療が不可欠となる.

筋膜性疼痛は,従来考えられていたよりも,はるかに多くの慢性疼痛を包含する概念であることが示されてきている.もちろん,筋膜性疼痛だけで慢性疼痛のすべてを説明できるわけではないが,エコーガイド下fasciaリリースなど,異常なfascia(筋膜性疼痛を含む)に対する治療は日進月歩であり,従来原因不明とされていた多くの慢性疼痛に悩む患者の福音となるだろう.

参考文献

1) 小林 只:疼痛・自律神経症状治療のネクストステージ. JNOS第3回九州・沖縄ブロック研修会 in Fukuoka, 2019年6月9日. https://www.jnos.or.jp/archives/information/1379
2) 小林 只,ほか:痛みに対する新時代の薬物療法!―NSAIDs・漢方薬からトラムセット®,リリカ®,サインバルタ®,そしてワンデュロ®を超えて―. 白石吉彦,ほか(編):THE整形内科,pp22-26, 南山堂,東京,2016

4 エコーガイド下 fascia リリースとは

4 エコーガイド下 fascia リリースとは

①エコーガイド下 fascia リリースの技術開発，命名の歴史的経緯

ポイント
- 生理食塩水による局所注射の歴史は古い．
- エコー機器の発達は精密な局所注射を可能にし，ブドウ糖・生理食塩水・細胞外液・ヒアルロン酸など非局所麻酔薬を用いて，fascia/神経/血管などに対する精密治療が世界的に普及してきた．
- エコーガイド下 fascia リリースのうち，特に注射で行う手技を「エコーガイド下 fascia ハイドロリリース（US-FHR）」と称し，fascia を対象とした注射手技として世界に発信している．

きっかけは，頸部硬膜外ブロック

頸部帯状疱疹による痛みの治療に頸部硬膜外ブロックを施行する場合がある．この際に抵抗消失法（loss of resistance）という方法が用いられる．この方法により，薬液あるいは空気が入った注射器の内筒に圧をかけながら皮膚，皮下組織，棘上靱帯，棘間靱帯，黄色靱帯とブロック針をゆっくりと進め，黄色靱帯を貫いたところで，抵抗がなくなって硬膜外腔に針先が到達したことがわかる．ここに局所麻酔薬を注入する（**図1**）．

頸部硬膜外ブロックを行う医師であれば経験があると思われるが，黄色靱帯の手前でも硬膜外腔到達時と同じように抵抗がなくなる場合があり，針先の位置の判断に悩むことがある．誤って針を進めすぎると硬膜穿刺，つまり硬膜に穴があいて，髄液が漏れて硬膜穿刺後頭痛（postdural puncture headache）のおそれがある．そこで迷った場合は針先をそれ以上進めずに，局所麻酔薬を注入する場合がある．

ところがある日，明らかに黄色靱帯の手前

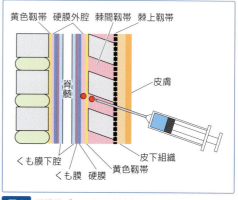

図1 硬膜外ブロックの方法（loss of resistance）の模式図

に薬液を注入しているのにもかかわらず，鎮痛効果が非常に高い症例を経験した．そこで，別の腰痛症の患者で，あえて黄色靱帯の手前で薬液を広げたり，このスペースに薬液が広がらない場合は，多裂筋と椎体の間に薬液を広げたところ，非常に効果的であった．むしろ，硬膜外ブロックを行った時よりも有効な感触を得た．しかも腰痛だけでなく，帯状疱疹による痛みにも効いたことには驚いた．また，下部腰椎や仙骨部で多裂筋と椎体の間に薬液を広げると，特に高齢の人で一時的に足

が動かなくなることが高頻度にみられた．

そこで，詳細を調べるために群馬大学麻酔科の協力を得て，薬液の広がりを調べた．その結果，薬液が予想以上に広範囲に広がっていた．具体的には，黄色靱帯の手前のみならず，多裂筋と椎体の間から神経根の周囲に広がり，硬膜外腔まで広がっていた．また，下部腰椎や仙骨部の多裂筋深部への注射では，後仙骨孔から仙骨部硬膜外にまで薬液が広がっていた．これが，高齢者で一時的に運動麻痺が生じる理由と考えられた．そして，本手技を「筋膜間ブロック（スキマブロック）」と名づけ，2010年4月，雑誌「ペインクリニック」に報告した[1]．

筋膜間ブロック（スキマブロック）

筋膜間ブロックの利点を**表1**に示す．

この内容を，筋膜性疼痛症候群（myofascial pain syndrome：MPS）（**表2**）に対する新しい治療法として，雑誌「ペインクリニック」[1]に投稿し掲載されたが，ほとんど反響はなかった．MPSという概念が，まだ十分に認知されていなかったことが原因と思われる．その後，さまざまな筋膜間（正確には，筋外膜と筋外膜の間）に局所麻酔薬を注入し，その多くに良好な結果を得た．それに伴い，今まで治療困難であった慢性疼痛の症例が改善するようになった．この手技の作用機序としては，局所麻酔薬が筋膜に作用していると考えられる．生理学の研究で，胸腰筋膜の外層に痛み物質（サブスタンスP，CGRP（カルシトニン遺伝子関連ペプチド）など）が多いことが2011年に報告されたことも，筋膜間注入法の有効性を裏づけ，本手技の普及を後押しした[2]．

生理食塩水が局所麻酔薬より有効？

画期的なアイデアは，試行錯誤の末に誕生

表1 筋膜間ブロックの利点

従来の硬膜外ブロックに比較して，
1. 注射針を深く刺さなくてもよい．
2. 合併症が少ない：硬膜外まで針を刺入しないので硬膜外膿瘍や硬膜外血腫が起きにくい．
3. 患者の血圧の変動が小さい．
4. 抗凝固薬・抗血小板薬を服用していても比較的安全に実施できる．
5. 手技が比較的簡単で，実施者の心的ストレスが小さい．
6. 以上の点から，患者や看護師などの医療スタッフも心身ストレスが小さい．

表2 筋膜性疼痛症候群（MPS）の診断基準

必須条件
- 触診可能な筋の場合，そこに触診可能な索状硬結があること
- 索状硬結に鋭い痛みを感じる圧痛点（部位）があること
- 圧痛点を押した時に，患者が周辺部分を含む現在の痛みは圧痛点から来ていると感じること
- 痛みにより体の可動範囲に制限があること

確認すべき観察事項
- 目視可能または，触診でわかる局所的な単収縮（筋肉の収縮）の所見がみられるか？
- 針を圧痛点に刺すことにより，局所的な単収縮の所見がみられるか？
- 圧痛点を圧迫することにより，周辺の筋肉で痛みや痛みではないが何らかの感覚を感じるか？
- 索状硬結の圧痛点における自然状態での電気活動を観測するために，筋電図を取得，観察する

このような条件を満たす部位をトリガーポイントと呼ぶ．

するのではなく，偶然や閃きによることが多い．筆者にも，そのような幸運が訪れた．当院スタッフに緊張型頭痛を時々起こす者がいた．この1年ほど僧帽筋と肩甲挙筋のスキマ（筋膜間）に局所麻酔薬を注入し，有効な治療効果が出ていた．2012年のある日，「局所麻酔薬の濃度の違いによって効果の差があまりない」というMPS研究会での議論が頭の片隅にあったため，生理食塩水であっても効くと予想した．そこで，動画を撮りながら生理食塩水を注入したところ側頭部に関連痛が生じ，その直後に頭痛が消失した．あまりにも劇的な効果に筆者もスタッフも非常に驚いた．

その後，いろいろな筋膜間へ局所麻酔薬の

代わりに生理食塩水の注入を試みたところ，非常に有効であった．また，今まで治療しにくかった神経の近くも治療できるようになった．局所麻酔薬を使わないため，合併症の可能性もほとんどない．

文献を調べてみると，筋膜間注射ではないが，一般的なトリガーポイント注射で生理食塩水が有効であったとする報告が，1950年代からみられた[3]．また，1980年Lancet誌に，生理食塩水と局所麻酔薬のランダム化比較試験（RCT）で「生理食塩水群のほうが明らかに優位に鎮痛効果をもたらした．生理食塩水は安全で，より効果の高い局所注射薬と示唆される」と報告されていた[4]．その後，2008年にさまざまな研究結果をまとめたシステマティック・レビューが報告された．その内容は，「最近の筋膜性疼痛患者に対するトリガーポイント注射の臨床効果を調べた成績は，各種の局所麻酔薬，ステロイド薬，ボツリヌス毒素Aのいずれを用いた注射群も，生理食塩水を注入したプラセボ群以上の効果はなく，また薬液注射群と鍼刺激群との差も認められていない」であった[5]．その結果，あらゆる薬液は生理食塩水や鍼治療と同等に効果は乏しいという否定的な結論が世間で広まった．しかし，研究結果をみれば，「生理食塩水は他薬液と同等程度に有効であり，また鍼刺激も薬液注射と同等程度に有効である」，そして，「生理食塩水はプラセボではない」とも解釈可能である．上記のごとく，生理食塩水注射の有効性を確信していた我々は，2013年には，生理食塩水と局所麻酔薬による筋膜間注入法に関する二重盲検化RCTを行い，「生理食塩水は局所麻酔薬に比べて同等以上の鎮痛効果がある」という結果を得た[6]．

その後も同様の研究が報告されている．2019年には，腰痛などのMPSに対する生理食塩水注射の有効性も報告された[7]．2021年には，Tantanatipらは「肩こりに対する生理食塩水注射と局所麻酔薬注射の二重盲検化RCTでは有意差が認められなかった」と報告した[8]．2021年には，2つのシステマティック・レビューにより，椎間関節性腰痛[9]，股関節痛[10]に対する生理食塩水注射は，局所麻酔薬，ステロイド薬，ヒアルロン酸，PRP（多血小板血漿）などの薬液注射と比較して同程度の有効性であると結論づけられた．生理食塩水は，プラセボではなく「実薬」であったという証拠が増えている．

エコーは生理食塩水注射を進化させた

2011年11月に開催された第8回MPS研究会学術集会にて，エコーガイド下にトリガーポイント注射をする場合，エコー上，白く見える筋膜上にトリガーポイントがある可能性を示唆する報告があった[11]．今まで，触診や認知覚に頼っていたトリガーポイントの可視化という意味で，非常に重要な出来事であった．その後，エコー上白く見える筋膜の特に厚くなっている部分に，トリガーポイントが高率で存在することがわかってきた[12]．厚くなっている部分は，薄い筋膜が重なっているように見える．そのため，この厚くなっている状態を「筋膜の重積（stacking myofascia）」と名づけた．この時点ではエコーで描出していた白い厚い部分という静止画であったため，癒着（adhesion/cohesion）による高密度状態densificationや線維化状態fibrosisという病態表現ではなく，これをエコー画像上に投影した，「重積stacking」という画像上の形態表現を採用した．

2014年7月に，興味深い現象が見られた．大腿筋膜張筋へ針先を微妙にずらしながら生理食塩水を注入すると，エコー画面上，白く厚くなっている筋膜の重積が，薄紙を剥がすようにバラバラと分離していく様子が観察された．この方法によって，注射直後より著明な鎮痛効果があっただけでなく，結合組織の

① エコーガイド下 fascia リリースの技術開発，命名の歴史的経緯

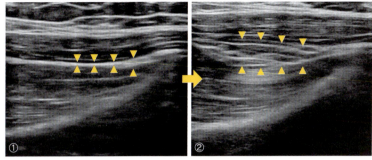

図2 筋膜リリースによる重積の剥離（僧帽筋・棘上筋間）
①治療前：上下から黄矢頭で示した部分が筋膜の重積．肥厚して高輝度である．
②治療後：筋膜リリースにより，この部分が数層に剥がされ肥厚が解消している．

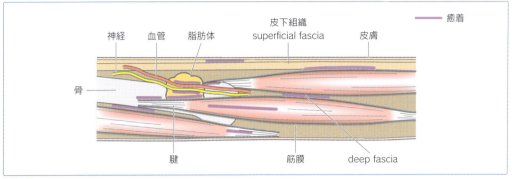

図3 さまざまな組織間の癒着
いわゆる筋膜は fascia の一形態に過ぎない．fascia には皮膚，皮下組織，筋膜，腱，靱帯，脂肪体，腹膜，髄膜，骨膜など多くが含まれる．これらの組織は互いに癒着することがある．癒着が起きると，疼痛が生じやすくなり，組織間の滑走性が損なわれて可動域が制限される．特に関節包周囲での癒着は可動域に重大な制限をもたらす（凍結肩など）．図に示すように筋膜と筋膜，筋膜と骨膜，皮下組織と筋膜，腱と骨膜など，さまざまな組織の間で癒着が生じる．

柔軟性（例：筋外膜と筋外膜の滑走性）の改善も確認された．これは非常に興味深い現象で，新たな治療方法の発見につながった．この手技を「（生理食塩水注射による）エコーガイド下筋膜リリース®」（図2）と名づけた[13]．

正確な機序は不明であるが，癒着した筋膜間に生理食塩水を注射して「剥がす」ことによって，これらの効果が生まれていると推察し，臨床研究を進めることになった．

筋膜リリースから fascia リリースへ

トリガーポイントは主として筋膜にあるが，それ以外にも腱や靱帯，脂肪などの結合組織＝fascia にもあることが以前より知られている．2014年から2015年にかけて，筋膜以外の靱帯，腱，支帯，腱膜などの結合組織（fascia）に対しても，生理食塩水によるリリースが有効なことがわかってきた（図3）．手や足の支帯（retinaculum）のリリースは，手根管症候群，肘部管症候群，Guyon 管症候群，足根管症候群，de Quervain 病，ばね指などの疾患に有効であった．さらには，凍結肩，顎関節症，帯状疱疹後神経痛，脳卒中後のしびれ感，糖尿病の下肢のしびれ感，術後の創部痛，頸性めまい，本態性振戦，パーキンソン病の痛みなどにも応用できることがわかってきた．治療方法の発展は加速度的で，神経根症状の治療において，神経上膜（epineurium）や傍神経鞘（paraneural sheath），さらに神経根近傍の重積した fascia のリリースも効果的なことがわかった（2019年には，末梢神経内の束間神経上膜へのリリースの有効性も注目されることとなる）．今まで神経障害性疼痛と考えられていた症状の一部が，fascia の異常である可能性

が高まってきた．そして2015年6月に，これまでのエコーガイド下筋膜リリースから「エコーガイド下fasciaリリース®」へと名称を変更した[14]．同時に，エコーガイド下fasciaリリースを，手法（鍼，徒手，注射，手術）と癒着度（「癒着adhesion」という言葉自体には「その強さ」に関する意味を含まないこと，それゆえ"軽度，中等度，重度などの「程度」が存在する"こと）で示した．加えて，"瘢痕scarとは，このうちで最重度のものである"などの整理を行った[15]（2章④参照）．

　2015年7月，椎間関節症の関連痛と考えられている痛みも，どうやらfasciaの異常に起因することに気づいた．頸部の場合では，関節柱のくびれ（waisted articular pillar，この部位には脊髄神経の後枝内側枝が通る）近傍のfascia重積部のリリースが特に効果的で，腰の場合も同様であった．

　2015年11月には，仙腸関節の中に生理食塩水を注入すると，仙腸関節の関連痛と考えられる部分の痛みが改善することもわかった．仙腸関節は後部の靱帯群と前部の関節腔で構成されており，痛みの原因としては後部靱帯群の影響が大きいことが示唆されていた．そのため，仙腸関節を構成しているfasciaである靱帯に作用しているものと考えられた．

　以上のような事象を考え合わせると，今まで個々に語られていた関連痛が，どれもfasciaの異常によるものと考えられる．つまり，MPSにおけるトリガーポイントと関連痛，椎間関節症の関連痛，仙腸関節障害の関連痛，さらには，神経障害性疼痛におけるデルマトームの痛みも神経上膜あるいは神経鞘などのfascia異常と考えることができる．したがって，これらの痛みは，「エコーガイド下fasciaリリース」で安全に治療できる可能性が浮上した．

　また，2015年末には，頸部交感神経（上・中・下神経節）近傍のfascia（椎前葉など）のリリースは，星状神経節ブロック様の効果が

あることが認められた．これは，交感神経近傍のfasciaの異常が改善されたことによって，交感神経への異常入力が改善されたものと考えられる．生理食塩水の注入によって直接的にfasciaの重積が改善するので，局所麻酔薬による神経ブロックよりも長時間効果的である可能性がある．同様のことが，坐骨神経近傍のfascia異常にも当てはまる．坐骨神経痛様の下肢痛が，近傍のfasciaへの介入で改善する場合が多いことがわかった．

　2016年1月には，椎間関節包をはじめ，さまざまな関節包のリリースが有効であることがわかってきた．また，黄色靱帯・背側硬膜複合体（ligamentum flavum/dura complex：LFD）もfasciaの1つとして捉えることができ，この部分，特に黄色靱帯のリリースが，腰部正中の痛みなどに有効なこともわかってきた．従来の硬膜外ブロックは，硬膜とLFDというfasciaのリリースとも考えられる．一部の麻酔科医の間では，生理食塩水による仙骨部や腰部における硬膜外注入の有効性は古くから知られていたが，公表されることはなかった．同年には，deep fasciaを対象としたエコーガイド下fasciaリリース注射（その後のエコーガイド下fasciaハイドロリリース［US-FHR］と同義）に使用する薬液（生理食塩水，局所麻酔薬，重炭酸リンゲル液）を比較する2つの二重盲検化RCTが報告された[6]．その中には2つのことが示され，1つ目として，生理食塩水が局所麻酔薬よりも鎮痛効果に優れる一方で，注入時痛も大きいことが示された．2つ目として，重炭酸リンゲル液は生理食塩水と鎮痛効果は同等だったが，注入時痛は小さいことが示された．

　2016年4月には，腋窩動脈，膝窩動脈など動脈周囲のfasciaリリースは，血管周囲にある交感神経への異常な入力を改善させる可能性があることもわかった．

　炎症性疾患，変性疾患，神経疾患，腫瘍性疾患などについては，fasciaリリースは直

① エコーガイド下fasciaリリースの技術開発，命名の歴史的経緯

接的な治療方法としては適応外であるが，これらの疾患にもfascia異常による病態が合併していることは非常に多い．従来の治療方法に「エコーガイド下fasciaリリース」を加えることで，その治療効果を安全に向上させることができると期待された．

エコーガイド下fasciaハイドロリリースの誕生

2017年，エコーガイド下fasciaリリースのうち，特に注射で行う手技を「エコーガイド下fasciaハイドロリリース™(US-FHR)」と命名した（木村裕明・小林只・白石吉彦・皆川洋至：五十音順）．ultrasound-guided fascia hydrorelease（エコーガイド下fasciaハイドロリリース）とは，fasciaを生理食塩水などの薬液でリリース（剥離 separation＋弛緩 relaxation：エコー画像上では"白く厚い帯状のfascia"をバラバラにするように薬液を注入）し，鎮痛効果に加えてfasciaの伸張性・滑走性の改善を期待する手技である．本手技は国内学会における症例報告が急速に増え，その臨床的効果を感じた医師たちを中心に急速に広がった．以後，総合診療領域，ペインクリニック領域，整形外科領域などの各種学会や各種セミナーで本分野の発表が増えてきた．2017年3月には，本書の初版「Fasciaリリースの基本と臨床」（文光堂，2017）[15]が，2017年5月には書籍「無刀流整形外科」（日本医事新報社，2017）と「離島発とって隠岐の外来超音波診療─動画でわかる運動器エコー入門」（中山書店，2017），2018年7月には「肩痛・拘縮肩に対するFasciaリリース」（文光堂，2018）が発刊され，fasciaの臨床的認知は急進した．

2018年に入り，日本国内の学会の保険審査委員会などでも，fasciaリリースという手技に関する保険診療上の扱いが前向きに議論されるようになった（例：局所麻酔薬ありの場合「トリガーポイント注射」，局所麻酔薬なしの場合「皮内，皮下及び筋肉内注射」）．諸外国（アジア，北米，EUなど）でも，5％ブドウ糖，生理食塩水，ヒアルロン酸など多様な液体を用いた，fascia/末梢神経/末梢血管などへのエコーガイド下治療の実践は広がってきている．同年6月に世界保健機関（WHO）が公表した国際疾病分類の第11回改訂版（ICD-11）に，fasciaという用語が正式な体組織の用語として記載された．2019年7月に，日本整形内科学研究会（2018年4月に発足）によりfascial pain syndrome（FPS）が提唱された（2章③参照）．そして，2020年11月には第1回日本ファシア会議が日本整形内科学研究会主催で開催された[16]．2021年冬には，fasciaの国際的バイブルである英語書籍の「Fascia：the Tensional Network of the Human Body」第2版に，小林らが執筆した「Hydrorelease of fascia」が掲載される予定である．

こうした歴史的変遷を経ながら，fasciaに関する建設的な議論とfasciaリリースの治療技術，疾患への応用は，まさに日進月歩で進化している．

文献

1) 松岡宏晃，ほか：筋・筋膜性疼痛症候群（Myofascial Pain Syndrome：MPS）に対する新しい神経ブロック：筋膜間ブロック（スキマブロック）．ペインクリニック 31：497-500，2010
2) Schleip R, et al：Fascia：the Tensional Network of the Human Body, Churchill Livingstone Elsevier, London, 2012
3) Sola AE, et al：Myofascial trigger point pain in the neck and shoulder girdle；report of 100 cases treated by injection of normal saline. Northwest Med 54：980-984, 1955
4) Frost FA, et al：A control, double-blind comparison of mepivacaine injection versus saline injection for myofascial pain. Lancet 1(8167)：499-500, 1980
5) Staal JB, et al：Injection therapy for subacute and chronic low-back pain. Cochrane Database Syst Rev 2008(3)：CD001824, 2008
6) Kobayashi T, et al：Effects of interfascial injection of bicarbonated Ringer's solution, physiological saline and local anesthetic under ultrasonography for myofascial pain syndrome ─ Two pro-

spective, randomized, double-blinded trials ―. J Juzen Med Soc 125：40-49, 2016
7) Kongsagul S, et al：Ultrasound-guided physiological saline injection for patients with myofascial pain. J Med Ultrasound 28：99-103, 2019
8) Tantanatip A, et al：Comparison of the effects of physiologic saline interfascial and lidocaine trigger point injections in treatment of myofascial pain syndrome：a double-blind randomized controlled trial. Arch Rehabil Res Clin Transl 3：100119, 2021
9) Nopsopon T, et al：The therapeutic effect of intra-articular facet joint injection with normal saline as a comparator for chronic low back pain：a systematic review and meta-analysis. medRxiv, 2021
10) Gazendam A, et al：Intra-articular saline injection is as effective as corticosteroids, platelet-rich plasma and hyaluronic acid for hip osteoarthritis pain：a systematic review and network meta-analysis of randomised controlled trials. Br J Sports Med 55：256-261, 2021
11) 小林　只：エラストグラフィー超音波診断装置による MPS 可視化への挑戦，第 8 回 MPS 研究会学術集会，2011
12) 小林　只，ほか：筋筋膜性疼痛症候群の病態と形態学的特徴　エラストグラフィー超音波診断装置による検討，第 119 回日本解剖学会総会・全国学術集会，2014
13) 木村裕明：エコーガイド下筋膜リリース法，第 14 回 MPS 研究会学術集会，2014
14) 木村裕明：筋膜リリースから Fascia リリース，第 15 回 MPS 研究会学術集会，2015
15) 木村裕明（編集主幹）：解剖・動作・エコーで導く Fascia リリースの基本と臨床―筋膜リリースから Fascia リリースへ，文光堂，東京，2017
16) 日本整形内科学研究会：第 1 回日本ファシア会議，2020．https://www.jnos.or.jp/archives/information/3258

② fascia リリースの種類と適応

- ポイント
  - fascia リリースは筋膜（myofascia）だけではなく，多種・多様な fascia に応用できる．
  - fascia リリースは侵害受容性疼痛，侵害可塑性疼痛の一部，そして神経障害性疼痛と誤認されている痛みに有効な場合がある．
  - fascia リリースは血流低下に伴うしびれや浮腫，末梢の冷えなどに有効な場合がある．

　fascial pain syndrome (FPS) の治療で重要なのは，原因となっている異常な fascia（発痛源）を見つけることである．患者は自覚症状部位のみを訴えるが，そこに発痛源は必ずしもない．発痛源の検索は，触診，整形外科的検査，動作分析，末梢神経分布，関連痛パターン[1]，デルマトーム，ファシアトーム (fasciatome：同じ神経根から支配された deep fascia の分布領域)[2]，アンギオソーム (angiosome：組織がどの源血管によって血液供給されているかを表した血流分布図)[3] などにより総合的に評価する．発痛源が同定された後，エコーガイド下 fascia リリースが考慮される．それゆえ，エコーガイド下 fascia リリースが治療対象とするのは，筋と筋の間にある筋膜 myofascia だけではない．日本語訳の「筋膜」は，どうしても筋に関連した組織という印象が強いが，もとの言葉である fascia は，このような狭い意味ではなく，「筋膜」以外の靱帯，腱，支帯，腱膜，脂肪組織，血管，神経をも含む結合組織のシステムと定義されるようになってきている（1章参照）．生理食塩水注射によるリリースは，これらいずれの fascia に対しても有効性が検証されつつある．例えば，手や足の支帯 retinaculum のリリースは，手根管症候群・肘部管症候群・Guyon 管症候群・足根管症候群・de Quervain 病に，腱鞘のリリースはばね指に，神経（傍神経鞘 paraneural sheath）のリリースは従来の神経障害性疼痛とみなされてきた疼痛に有効であり，新しい疼痛の概念と治療体系の可能性を切り開きつつある．このように，fascia リリースの発展は加速度的であり，今後もさまざまな方法が次々と開発されていくであろう．以下に，2020年9月時点までに開発された，さまざまな fascia のリリースを示す（図1）．

筋膜 myofascia

　myofascia は，筋全体および筋線維を包む結合組織であり，筋外膜，筋周膜，筋内膜を合わせた総称である（図2）．実際に筋膜をリリースする場合とは，これらの myofascia そのものというより，筋膜間 (interfascial space：筋またはそれに続く腱の外側の空間［皮下，筋外膜間，骨膜と筋膜の間，腱の周囲など］) のリリースであり，主として筋外膜とそれに連続する deep fascia のリリースを意味する．この部分には，多くの神経や血管が走行している．本法は，fascia リリースの基本となるリリース法である．筋性疼痛，筋の伸張性，筋同士の滑走性の改善に優れている．

▶ 例
　C 上肢帯① 僧帽筋/棘上筋（218頁）
　C 上肢帯② 棘下筋（220頁）

4 エコーガイド下 fascia リリースとは

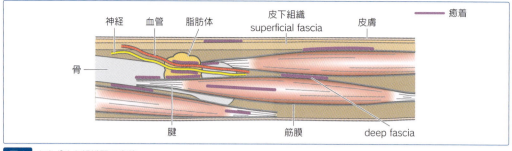

図1 さまざまな組織間の癒着

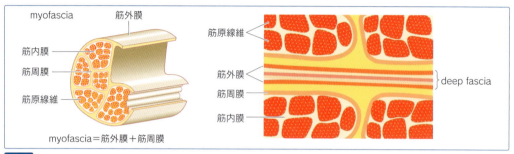

図2 myofascia と deep fascia

支帯 retinaculum

　支帯は四肢の関節付近に存在し，deep fascia を補強する薄くて柔軟な fascia である．多くのアトラスでは独立した組織として描かれているが，実際は deep fascia が局所的に肥厚したものと推察されている．支帯は，関節運動時に腱を関節に引き付けておくプーリーシステム pully system として働くが，関節の構造的安定に対する寄与は大きくない．周囲の骨・筋・腱などに多くの線維的結合を有し，安定した位置を保つことと同時に，力のさまざまな方向への伝達を媒介する．固有感覚受容器に富み，固有感覚においても大きな役割をもつと考えられている．支帯のリリースによって，末梢の循環やしびれ，むくみ，支帯の下を走る筋群の滑動性などが改善することが多い．圧痛は検出できないことが多く，皮膚をつまんだ時の痛み(つまみ圧痛124頁)を参考にして，エコー画面上で fascia 重積が強い部分に施行する．浅部にあるため，通常は短針(13 mm あるいは 19 mm 長など)を使い，皮膚に対して平行となるように鋭角で穿刺する．

🔊 例
　D 上肢⑤ 手関節部の伸筋支帯(232頁)
　D 上肢⑥ 手関節部の屈筋支帯(235頁)

靱帯 ligament

　靱帯はコラーゲン線維を主成分とするが，エラスチン線維も豊富に含む．強靱な密性結合組織であり，骨と骨を結び付けて関節を安定させる働きがある．注入時の痛みも強く，抵抗も比較的強いため，患者への十分な配慮が必要である．また上達してくると，エコー画面上で判断が難しい靱帯の状態を，針先の"感触"で判別できるようになってくる．

🔊 例
　B 肩関節② 烏口上腕靱帯(210頁)

腱 tendon

　腱はコラーゲン線維を主成分とするが，エラスチン線維はごくわずかしか含まない．強靱な密性結合組織で筋と骨を結び付ける．アキレス腱や膝蓋腱，上腕二頭筋長頭腱などがある．刺入時の痛みや注入時の抵抗が強い場合が多く，局所麻酔薬でリリースする場合もある．痛みだけでなく関節可動域も改善する．

◉ 例：大腿四頭筋腱
　B 肩関節③　三角筋筋内腱（213 頁）

腱鞘 tendon sheath

　指の屈筋腱のように，細やかな機能に加えて，外力からの耐久性が必要とされる腱組織は，細長い筒状の腱鞘という組織に包まれている．腱鞘は 2 層構造になっていて，内側の滑液包，外側の線維性組織から構成される．一般的な腱鞘炎への局所注射では，この腱鞘内にステロイド薬を注入する場合が多い．fascia リリースの観点からは，この腱鞘自体も同時にリリースすることが大事である．また，ばね指の場合は，掌側板も同時にリリースすると，さらに有効である．腱鞘は画像上，薄い低エコー像を示す．注入時の抵抗はやや強い．腱鞘の両側にある固有掌側指動静脈・神経に注意して，慎重に進める．非常に薄い組織なので刺入点を正確に決める．エコーを当てながら，楊枝で皮膚を押して穿刺点を決めるという工夫も推奨する．適切にリリースできると高エコー像に変化する．

関節包 articular capsule

　関節包は関節を包む結合組織で，外側は線維性の膜，内側は滑膜の二重構造になっている．膝関節包や肩関節包など部位によって構造と機能に違いがある．この違いを理解してリリースすることが重要である．注入時の痛みや注入時の抵抗も強く，局所麻酔薬を使用して治療を行うことが多い．握力を鍛え，できる限り細い針で施行するようにする．特に重症の凍結肩に有効で，適切に行うと可動域が驚くほど改善する．

◉ 例：肩甲上腕関節背側
　B 肩関節④　小円筋/上腕三頭筋（長頭）/腋窩神経，下後方関節包複合体（216 頁）

脂肪体の fascia (fascia of fat pad)

　脂肪体には，1）神経血管の保護，2）周辺組織との滑動機能の維持，などの他に"痛覚センサー"としての機能が注目されている．解剖学的には，靱帯・腱にも匹敵する強固なもの（dense）から，柔らかいクッションのようなもの（loose）まであり，1 つの脂肪体内に混在している．ここに癒着が起こると，関節の可動域制限や疼痛が生じる．注入時の抵抗は低いことが多いが，膝蓋下脂肪体内の強固な膜様の fascia は非常に固く，注入時抵抗も高い．

◉ 例：膝蓋下脂肪体

末梢神経の fascia (neural fascia)

　末梢神経を構成する線維性の組織（傍神経鞘 paraneural sheath や神経上膜 epineurium などの神経の外層部，多数の神経束を包む構造である神経周膜 perineurium，神経周膜と神経周膜の間である束間神経上膜 interfascicular epineurium，および神経内膜 endoneurium）のすべてが，fascia として治療対象となる．病態に関しては 3 章④を参照されたい．以下に，代表的な神経リリースとして，1）傍神経鞘リリース，および 2）末梢神経内リリースを示す．

◉ **1．傍神経鞘リリース**
　肉眼解剖学でいう橈骨神経，尺骨神経，坐

骨神経などの神経の最外層がこの傍神経鞘であり，神経上膜で包まれた複数の神経線維束，および神経束間にある血管や脂肪組織をさらに束ねて包むfasciaである（3章④図1参照）．筋膜と同様に，この部位のリリースは，傍神経鞘およびそれに連続するdeep fasciaのリリースを意味する．これにより，末梢神経の滑走性が改善する[4,5]．神経のエコー画像は，部位により異なること（例：近位では太く，遠位では細い），解剖学的亜型が多いことから，事前に十分な確認をしてから施行することが重要である．刺入時は，神経線維を損傷しないように，少し離れた場所から刺入する．そして，神経鞘周囲が周囲結合組織から剝がれるようなイメージで注入する（ミルフィーユサイン）．局所麻酔薬による神経ブロックでは，いわゆるドーナツサインを目標に実施されるが，傍神経鞘のfasciaリリースでは，あくまで神経周囲のfasciaのリリースが目標のため，必ずしもドーナツサインを目指す必要はない．なお，傍神経鞘と神経上膜の間のスペースに薬液が注入されると，結果的にドーナツサインを形成する．

2. 末梢神経内リリース

傍神経鞘へのリリースで症状が十分に改善しない場合は，神経上膜より内部へ針先を刺入し，束間神経上膜のfascia（正確には，マクロ解剖としてのa fasciaではなく，ミクロ解剖としてのfibrils）をリリースする．ハイドロリリースの場合には，神経線維（エコー画像としては神経束レベルの構造物）を損傷しないように，生理食塩水などを少しずつ注入しながら神経上膜自体を十分にリリースした後，神経上膜内へ刺入し，束間神経上膜を少しずつリリースしていく（フラワーサイン）（詳細は「column 末梢神経内リリース」を参照）．神経内膜はエコー画像上，描出困難であり，エコーガイド下注射では安全のためにも，束間神経上膜のリリースまでに留めるとよい．我々は従来，神経障害性疼痛といわれていた痛みの多くが，実際は傍神経鞘およびその周囲のfasciaの異常であると推測しており，しびれ，冷え，浮腫，知覚過敏，アロディニアなどについても目下，整理を行っている．

なお，末梢神経に対する注射手技には，局所麻酔薬を用いたブロック注射，生理食塩水などを用いたハイドロリリースやハイドロダイセクション，ブドウ糖などを用いたプロロセラピーなどが挙がるが，詳細は4章④で述べる．

3. 例

D 上肢⑦ 正中神経（束間神経上膜）（237頁）

脳髄膜系のfascia（meningeal fascia）

主に棘突起に沿った正中部の頑固な痛みの場合，脳髄膜系のfasciaとして特に，硬膜・黄色靱帯複合体（ligamentum flavum/dura complex：LFD）の治療を検討する．しかし，この部位の治療は難易度・リスクともに高いため，初学者は施行するべきでない．硬膜穿刺を避けるために，LFDの表層からリリースする（8章A-⑥参照）．従来の硬膜外ブロックは，主に硬膜というfasciaのリリースと捉えることもできる．

血管のfascia（vascular fascia）：動脈artery，静脈vein

動脈は内膜，中膜，外膜の3層構造であり，外膜と周囲のfasciaの境界は連続して，はっきりと区分できない．動脈リリースは，外膜および外膜に連続するfasciaのリリースである．血流の低下による末梢の冷え，しびれ，浮腫などに効果がある．さらに，血管周囲には交感神経が存在し，この部位のfasciaリリースは，交感神経への異常入力を改善させる可能性がある．つまり，交感神経の関与する慢性疼痛に有効である可能性が高い．

治療点は，上記症状に加えて，動作分析や可動域評価による症状変化が乏しいこと，圧痛と一致した血管およびその周囲のfasciaの重積像のエコーによる確認，動脈と周囲結合組織の滑走性低下のエコーによる確認，などで判断される．治療点をエコーで確認しながら動脈穿刺にならないように，やや離れた場所から刺入し，薬液を重積したfasciaまで広げる．針先を微妙にずらして，層状に重なった重積部分をバラバラにリリースする．

例

C 上肢帯③ 腋窩動脈周囲のfascia（腋窩鞘）（222頁）

G 下肢④ 膝窩動脈周囲のfascia（264頁）

創部・瘢痕

開腹術後，開胸術後，開頭術後，四肢の術後など，さまざまな外科領域の術後創部が適応となる．術後の瘢痕や周囲組織との癒着は，皮膚・皮下組織の可動性を低下させ，全身の可動域制限に影響していることも多い．また，長年原因が不明であった術後創部の癒着が，fasciaのリリースによって改善することも稀ではない．創部にプローブを当てて，fasciaの重積（瘢痕部を含む）の有無を確認する．瘢痕部のfasciaリリースで症状が改善しない場合は，近傍の末梢神経や血管周囲のfasciaリリースを追加することが多い．

例：乳癌術後瘢痕

E 体幹⑤ 術後創部痛（247頁）

文献

1) Donnelly JM, et al：Travell, Simons & Simons' Myofascial Pain and Dysfunction, 3rd ed, Lippincott Williams & Wilkins, Philadelphia, 2018
2) Stecco C, et al：Dermatome and fasciatome. Clin Anat 32：896-902, 2019
3) Taylor GI, et al：The vascular territories (angiosomes) of the body：experimental study and clinical applications. Br J Plast Surg 40：113-141, 1987
4) Evers S, et al：Ultrasound-guided hydrodissection decreases gliding resistance of the median nerve within the carpal tunnel. Muscle Nerve 57：25-32, 2018
5) Stecco C, et al：Role of fasciae around the median nerve in pathogenesis of carpal tunnel syndrome：microscopic and ultrasound study. J Anat 236：660-667, 2020

column

末梢神経内リリース

末梢神経内，つまり末梢神経実質（肉眼解剖上の構造としての「末梢神経」のうち，神経上膜より内部を意味する）への注射は，上述してきた「a fascia（肉眼解剖上の用語）」への注射には該当しない．一方で，神経上膜と束間神経上膜は組織として連続性がある．これは，筋外膜に対する筋周膜の関係と同様である．筋周膜，筋内膜はfascia systemの1つだが，a fasciaには含まれない．このレベルでは，fibrils（線維）という別の構造的名称が必要だろうと提示してきた（1章①表2）．

末梢神経内組織の治療は，注射と鍼が選択肢に挙がる．徒手では，末梢神経周囲のリリースまでは可能と解釈している．注射も鍼も末梢神経内への刺入であり，神経上膜を穿刺し，束間神経上膜を含むfascia（正確にはfibrils）の治療を目的とする．そして，注射であれば，神経上膜内に注射した薬液は放射状に広がり，末梢神経内全体に一瞬（数ミリ秒）にして薬液が「フワッ」と広がる様子が観察できる．その様子が「花

が開く様子に似ている」ことから，「フラワーサイン flower sign」と命名した（2020年7月，木村裕明，小林只）[1]．非常に細い鍼を用いれば，先端がペンシル型で鈍であるため，ゆっくりと慎重に神経上膜を刺鍼し末梢神経内に刺入しても「ビリッ」などの放電痛は生じない場合もあり，末梢神経内のfibrilsを治療することも可能である（参照：5章 column 鍼は本当に神経や血管を避けるのか？）．

　末梢神経内への注射と末梢神経周囲への注射では，前者のほうが短期的有効性は高く，合併症などは変わらなかったとする報告もあるが[2]，本手技には神経損傷のリスクがあり，麻酔科領域では安易な実施は忌避されている．そのため，本手技は他の治療を実施しても改善しない難治例に限定して，慎重に適応を判断したうえで実施を考慮する必要がある．過去には，エコーを利用しないブラインドの末梢神経ブロックでは，ブロック針先端が神経に接触することにより生じる「放散痛」を1つの指標にブロック注射を実施してきたが，必ずしも「放散痛＝神経損傷（臨床的な後遺症としての神経損傷）」が生じるわけではなかった．ブラインドよりも精密な注射手技である，エコーガイド下による末梢神経内への局所麻酔薬による注射を実施しても，必ずしも神経損傷が起きないとも報告された[3]．しかしながら，実施のリスクを下げるに越したことはない．我々は，本手技（fibrilsに対するハイドロリリース）を目的に末梢神経内注射を実施する場合，局所麻酔薬の使用は避けることが望ましいと考えている．なぜならば，「ブロック」が目的の手技ではないからである（4章④参照）．そして，末梢神経「周囲」への局所麻酔薬の持続投与による神経毒性は，2015年のシステマティック・レビューでは「明確な因果関係はない」と報告されていたとしても[4]，末梢神経「内」への注射への臨床上の懸念は，やはり残る．

　実施する場合，30ゲージ（G）や32Gなどのできるだけ細い注射針を用い，刺入時のベベルの向きにも配慮することが重要である．具体的には，神経鞘の線維方向とベベルの向きを合わせて，線維を切断せずに，線維間にベベルを通すように刺入する（硬膜外ブロックにおける工夫と似ている）．加えて，注射針の種類にも配慮する必要がある．例えば，神経根などへの実施に関しては，注射針の種類として「Quincke type」よりも「pencil point type」のほうが安全であることが示唆されている[5]．これらの配慮をした場合，神経上膜内に刺針しても放電痛は生じさせずに実施できることも稀ではない．末梢神経自体に浮腫を認める場合は，慎重にごく少量のステロイド薬を使用することもあるが，極めて慎重に適応を選ぶ必要があるのはいうまでもない．

文献
1) 日本整形内科学研究会ホームページ：4-9-3 fibrilsに対するハイドロリリース〜末梢神経内注射の適応は？ https://www.jnos.or.jp/for_medical（最終閲覧日：2021年4月5日）
2) Pfirrmann CW, et al：Selective nerve root blocks for the treatment of sciatica：evaluation of injection site and effectiveness—a study with patients and cadavers. Radiology 221：704-711, 2001
3) Bigeleisen PE：Nerve puncture and apparent intraneural injection during ultrasound-guided axillary block does not invariably result in neurologic injury. Anesthesiology 105：779-783, 2006
4) Albrecht E, et al：A systematic review and meta-analysis of perineural dexamethasone for peripheral nerve blocks. Anaesthesia 70：71-83, 2015
5) 高橋巌太郎，ほか：Pencil point typeとQuincke typeの神経ブロック針を用いた神経根ブロック効果の解剖学的比較．ペインクリニック 31：1485-1490, 2010

③エコーガイド下ハイドロリリースとは？

■ポイント
- ハイドロリリース hydrorelease（HR）は，hydro（液体）で release（剥離・緩める）ことを意味する．
- fascia を対象とすれば fascia hydrorelease，末梢神経を対象とすれば peripheral nerve hydrorelease（末梢神経ハイドロリリース）と，その対象に係る語と組み合わせて使用する．
- エコーガイド下 fascia ハイドロリリース（ultrasound-guided fascia hydrorelease）とは，fascia を生理食塩水などの薬液でリリース（剥離 separation＋弛緩 relaxation：エコー画像上では"白く厚い帯状の fascia"をバラバラにするように薬液を注入）し，鎮痛効果に加えて，fascia の柔軟性（伸張性・滑走性）の改善を期待する手技である．

ハイドロリリースという言葉の意味と定義

2017年3月，日本においては前述のエコーガイド下 fascia リリースへの注目が増えるなか，「エコーガイド下に，液体の注射でリリース」する手技を指すエコーガイド下ハイドロリリース ultrasound-guided hydrorelease という名称が，木村裕明・小林只・白石吉彦・皆川洋至ら（五十音順）の協議により命名された[1]．その主たる意図は，社会で誤用される「筋膜リリース」という用語との差別化，および fascia ハイドロリリース（液体注射による fascia リリース）は，鍼や徒手による fascia リリースとその有効性などに関わるメカニズムなどが異なる可能性を示唆することにあった．

ハイドロリリース hydrorelease（HR）という用語自体は，hydro（液体）で release（間接法としての「緩める」＋直接法としての「剥離」の両者の意味をもつ）を意味する（詳細は次の column 参照）．世界的には，生理食塩水（生理食塩水から高濃度食塩水まで），局所麻酔薬（低濃度～高濃度を含む），ブドウ糖（5～10％：プロロセラピーと同義），細胞外液（例：重炭酸リンゲル），ヒアルロン酸（低分子～高分子），蒸留水などの多様な液体が研究レベルを含めて使用されているが，その優劣の検証は今後の課題である．

日本国内では，ハイドロリリースは「生理食塩水注射」の意味で使用される傾向がある．一般的に，手技名は「A（対象）を，B（例：道具）を用いて，C（現象・手技）する」という要素で構成される．つまり，fascia（A）を液体で（B）リリースする（C）ことが fascia hydrorelease（ファシア・ハイドロリリース）となる．そのため，ハイドロリリースという用語自体は，その対象までを含む言葉ではない．すなわち，fascia を対象とした場合は fascia hydrorelease，あるいは末梢神経を対象とした場合は peripheral nerve hydrorelease（末梢神経ハイドロリリース），靱帯を対象とした場合は ligament hydrorelease（靱帯ハイドロリリース）などと，その対象に係る語と組み合わせて使用することが基本となる．エコーガイド下 fascia ハイドロリリース（fascia に対するエコーガイド下ハイドロリリース）[注] とは，超音波診断装置（エコー）を用いて，fascia を生理食塩水などの薬液でリリース（剥離 separation＋弛緩 relaxation：エコー画像上では"白く厚い帯状の fascia"をバラバラにするように薬液を注

4 エコーガイド下 fascia リリースとは

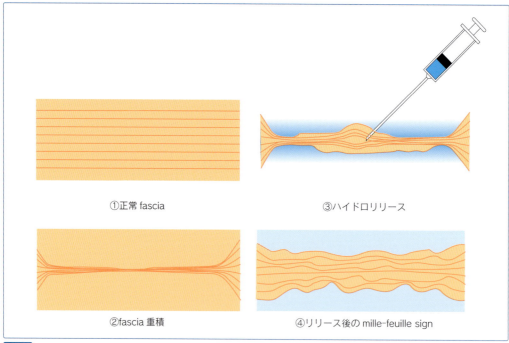

図1 fascia ハイドロリリースのイメージ

① 正常 fascia
② fascia 重積
③ ハイドロリリース
④ リリース後の mille-feuille sign

入）し，鎮痛効果に加えて fascia の柔軟性（伸張性・滑走性）の改善を期待する手技である[1]（図1）．

時に，ハイドロリリースは「エコーガイド下に結合組織に対して薬液を注入して痛みを改善させる手技」と記載されることもあるが，不正確である．その理由は，以下である．

- ハイドロリリース自体に「エコーガイド下」という表現は含まれない．この意味を含むのであれば，「エコーガイド下ハイドロリリース」という表現になる．
- 「結合組織に対して」という目的語は前述の通り，ハイドロリリースという言葉には含まれない．さらに，結合組織は特殊結合組織（血液や骨・軟骨など）を含む表現のため不適切となる．

注）用語：超音波ガイド下 fascia ハイドロリリースとエコーガイド下 fascia ハイドロリリース™ は同義である．英語表記は，ultrasound-guided hydrorelease of fascia もしくは ultrasound-guided fascia hydrorelease となる．

- 「痛みを改善させる手技」に関しては，「痛みを改善させる」は手技の目的としての表現であるため，「痛みの改善を目的とした」と表記することが妥当である．また，リリースとは「剥離（構造的）と弛緩（機能的）」により，「鎮痛効果」と「組織の柔軟性（伸張性・滑走性）の改善」を期待する手技であり，そのため関節可動域改善や伸張性改善が重要な治療評価項目である．鎮痛だけが目的であれば，局所麻酔薬を用いた末梢神経ブロックと類意となる．

ハイドロリリースのメカニズム

fascia ハイドロリリースを含む fascia リリースによる治療効果のメカニズムも，十分には解明されていない．我々の数多くの経験では，エコー画像上，白く厚く「重積した」fascia をリリースすると効果が高いことが多い．注射の場合は，1) fascia 同士の癒着を剥離することで，組織自体の伸張性，組織同

士の滑走性が改善する，2）液体を注入することによる局所補液効果による鎮痛効果（例：発痛物質の洗い流し効果），3）lubricant adipofascial system（LAFS）機能の改善，4）鍼刺激や液体注入自体による物理的刺激などのメカニズムで効果が現れると考えられる．

文献
1）日本整形内科学研究会ホームページ：4-5 エコーガイド下ハイドロリリース ultrasound-guided hydrorelease（HR）とは？ 手技名称の基本要素からみた HR の定義（最終閲覧日：2021 年 4 月 5 日）

column

ハイドロリリースという言葉が生まれた背景

1 液体に相当する語「ハイドロ hydro」が決まるまでの経緯

2017 年 4 月に，fascia リリースのうち注射手技の命名検討を進めるなか，小林らは水に関わる多様な語（H^+，H_2O，水 water/aqua，流体 fluid，液体 liquid など）を検討した．

1．water；英語

主に，以下の 3 つの意味で使用される．
1) 化合物名：気体，液体，固体の形態をとる．H_2O のこと．
2) 地球生態学で論じる時「transparent and nearly colorless chemical substance」，地球は水で覆われている，という意味．
3) 純粋な水素分子 H^+ を示し，生理食塩水という溶解液は含まない．

以上から，生理食塩水ほか多様な液体を用いた注射を表す語としては不適と判断した．

2．aqua；ラテン語

water とほぼ同義であるため，water と同様の理由で不適と判断した．

3．fluid；英語

流れというベクトルを含み，「流体」を意味する．固まる前のコンクリートのように，砂礫が混じった水のように，固体と液体の混合物でも，気体でも fluid である．したがって，「液体」の定義に合わないため不適と判断した．

4．liquid；英語

いわゆる気体，液体，固体の「液体」を指す．liquid release の場合，liquid は形容詞になる．形容詞の liquid は，「液体の，液状の，液化した，不安定な」，つまり，液体自体よりも「液状の物体の」や「何かが液化した物体の」というニュアンスとなる．

5．hydro-；英語

接頭語として広く使用される．以下の主な 4 つの活用がある．
1) ギリシャ語 Gr.hudor/hydor としての「水」．<u>ギリシャ語から来ている hydro は，産業革命以降に新しい技術を表す語の接頭語に使われる傾向にあり，主に専門用語で使用されてきた</u>．
2) 流体力学のうち，aerodynamics（the study of air and other gases in motion）あるいは hydrodynamics（the study of liquids in motion）を意味する．
3) hydrodynamics の意味の hydro- は使用されているが，分子学で hydro は「H^+」を，熱力学では「H_2O」を意味する．

4) 「H^+，H_2O，水 water/aqua，流体 fluid，液体 liquid」をいずれも意味しうる．これを象徴するのが hydrology であり，環境学のうちの惑星の「水」を研究する学問という語である[1,2]．

以上より，生理食塩水など溶液を含む「液体」を示せるのは，liquid release あるいは hydrorelease とした．そのうち，<u>新しい技術を表す語</u>としての意味を付加できる hydro-（ハイドロ）を選択した．

2 リリース release の定義を決めた経緯

「リリース」という用語に関連し，fascia release（ファシアリリース）という用語が徒手療法家を中心に世界中で広く使用されている．しかし，"リリース release" という用語の厳密な定義は不明確であった．そのため 2017 年 4 月に，fascia リリースのうち注射手技の命名検討を進めるなか，小林らは再度「リリース」という言葉の定義を検討した[3]．

release の一般的な医学用語としての定義は，以下である．
1) put it off（解き放つ）
2) surgical incision or cutting of soft tissue to bring about relaxation（軟部組織をリラクゼーションさせるための外科的な切開あるいは切り込み）

一方，"リリース" という日本語は "剥離" のニュアンスが強いが，英語の release は，組織の柔軟性改善（リラクゼーション）の意味も含む．したがって，我々はリリースという言葉を以下の 2 つを包括する用語として定義した．
1) リラクゼーション relaxation（あるいは "緩める loosening"）：治療手技としての間接法の意
2) 分離 separation（あるいは "剥離 dissection"）：治療手技としての直接法の意

なお，ハイドロダイセクション hydrodissection（4 章④参照）のダイセクション dissection は直接法としての「剥離」，リラクゼーション relaxation/リフレックス reflex は間接法としての「緩める」のみを意味する．

文献
1) Wikipedia ホームページ：Hydrology. https://en.wikipedia.org/wiki/Hydrology（最終閲覧日：2021 年 4 月 5 日）
2) USGS ホームページ：What is Hydrology. https://www.usgs.gov/special-topic/water-science-school/science/what-hydrology?qt-science_center_objects=0#qt-science_center_objects（最終閲覧日：2021 年 4 月 5 日）
3) 日本整形内科学研究会：4-8 ハイドロリリース命名に至った言語選択プロセス．https://www.jnos.or.jp/for_medical#4-8（最終閲覧日：2021 年 3 月 30 日）

④ hydrorelease と hydrodissection およびブロックの違い

エコーガイド下で実施される以下の3手技，ultrasound-guided fascia hydrorelease (US-FHR)，hydrodissection (HD)，神経ブロックは，末梢神経周囲に薬液を注射するという行為の部分が共通であり，いずれも同じ手技と理解してしまいやすい．これらの違いを適切に認識することが，本分野の病態や手技の正確な理解につながる[1]．

US-FHR と神経ブロック

US-FHR と神経ブロックとの主な差異は，使用する薬液（局所麻酔薬のみ），目的（麻酔薬による神経伝導ブロック），施行部位（末梢神経を構成する fascia 自体を治療対象とするか）などである（図1，表1）．神経ブロックは，局所麻酔薬により神経伝導（送電線）をブロックし，神経の興奮を抑制することが目的である．したがって，手術前や処置前の除痛目的（麻酔効果が目的）で利用される．一方で，US-FHR は痛み物質の washout などにより，神経終末を刺激する痛み物質やコラーゲン線維など（発電所）の興奮を抑制することが目的である．したがって，手術前の麻酔には利用できない．また，コンパートメントブロック（直接末梢神経を目標とせず，末梢神経を含んだ間隙/区画の中に局所麻酔薬を注入して目的の神経を遮断する手技）は，fascia の治療という側面も有するが，多重層構造の fascia を「バラバラにするように」実施する US-FHR と異なり，1つの層間に薬液を流し込み，対象とした間隙/区画（コンパートメント）に局所麻酔薬を浸透させる手技である．局所麻酔薬の薬効に依存しない鎮痛メカニズムである US-FHR は，「ブロック」とは原理も効果も異なる．

hydrorelease と hydrodissection

HD は末梢神経を，hydrorelease (HR) は fascia を対象にした生理食塩水などを用いた注射療法である．局所麻酔薬を使用せず実施されるという点は似るが，概念（HR：リリース＝剥離＋弛緩，HD：dissection＝切離），対象（HR：あらゆる fascia，HD：主に肉眼解剖上描出できる末梢神経），薬液の種類（HR：多様，国内では生理食塩水や希釈した局所麻酔薬が多い．HD：ブドウ糖液や生理食塩水が多い），薬液量（HR：数 mL，HD：数十 mL），手技自体も含め，多くの点が異なる（表1）．

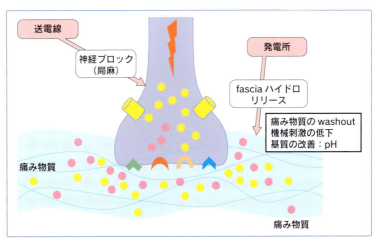

図1 US-FHR と神経ブロックの差異の模式図
（埼玉医科大学総合医療センター麻酔科 小幡英章先生よりご提供，一部改変）

4 エコーガイド下 fascia リリースとは

表 1 fascia ハイドロリリースとハイドロダイセクション, 神経ブロックの使用目的の比較

		fascia (fibrils 含む)/末梢神経 血管に対するハイドロリリース			hydrodissection (of nerve)	神経ブロック
手技の名称						
代表的な症状・病態		痛み・しびれ感	知覚過敏(痛み・しびれ感)	知覚過敏 アロディニア	痛み・しびれ感 (冷え感・むくみ)	神経機能低下 (知覚鈍麻・麻痺) entrapment syndrome	神経機能低下 (知覚鈍麻・麻痺) entrapment syndrome	手術・処置時
エコー所見		stacking fascia	束間神経上膜	浮腫	stacking fascia	stacking fascia	fasciae, ligaments, tendons など	傍神経鞘・神経上膜
		stacking fascia が神経より離れた, または神経と接する. 神経と周囲組織の滑走性の低下	末梢神経内に stacking fascia があり, 末梢神経は楕円形である	末梢神経に stacking fascia, かつ神経自体の浮腫で末梢神経自体が正円に近づいている	stacking fascia が神経より離れた, または神経と接する. 神経と周囲組織の滑走性の低下	骨など硬い構造物と stacking fascia に圧排・絞扼された末梢神経が楕円形にひしゃげている	骨など硬い構造物と stacking fascia に圧排・絞扼された末梢神経が楕円形にひしゃげている	特になし
注射手技	注射前の様子 治療点=矢印の先端							
	注射後の様子							
	サイン名称	ミルフィーユサイン mille-feuille sign	フラワーサイン flower sign	フラワーサイン flower sign	ミルフィーユサイン mille-feuille sign	ミルフィーユサイン mille-feuille sign	ドーナツサイン donut sign	ドーナツサイン donut sign
薬液	主な種類	生理食塩水など	生理食塩水など	生理食塩水など	生理食塩水など	生理食塩水など	生理食塩水など	局所麻酔薬
	使用量	1〜5 mL	0.5〜1 mL	0.5〜1 mL	1〜5 mL	1〜5 mL	10〜50 mL (high-volume HD)	1〜5 mL
	ステロイド薬	−	−	−	−	+	−	−

→:注射針　　　:stacking fascia　　　:切離対象としての結合組織　　N:nerve エコーで確認できる末梢神経　　V:vessel エコーで確認できる血管 (動脈・静脈)
(日本整形内科学研究会ホームページ:4-9-2エコーガイド下fasciaハイドロリリース US-FHR, ハイドロダイセクション (HD), 神経ブロックの差異より転載, 一部改変　https://www.jnos.or.jp/for_medical)

④ hydrorelease と hydrodissection およびブロックの違い

1. 対象部位・メカニズム

US-FHR の施行部位は，末梢神経を直接取り巻く fascia にとどまらない．理由は，発痛源となる fascia が末梢神経に接する場合，または末梢神経から離れている場合もあるからである．これは，血管でも同様である．血管周囲の異常な fascia (fascia の重積像: stacking fascia) が冷え，しびれの原因となる場合も，その fascia が血管に接していることもあるが，血管から離れた部位にあることも多い．血管近傍に異常な fascia がある場合，冷え，浮腫が症状となることも臨床上経験する．特に慢性痛の場合，血管周囲のfascia ハイドロリリースが有効な場合が多い．これは，動脈の周りには交感神経が豊富に存在し，その部位の fascia ハイドロリリースは交感神経への異常入力を正常化すると考えられるからである．この場合は，アンギオソーム (angiosome) の利用が有効である．同様に，慢性痛と浮腫が併存する場合は，静脈周囲の fascia ハイドロリリースが有効である．

基本的に，神経線維は痛みを伝える「電線」であり，痛みの受容体は fascia に存在する．末梢神経周囲の fascia 異常が神経の圧迫をもたらす場合は，知覚低下あるいは運動神経麻痺などの末梢神経機能低下・消失が生ずる．それゆえ機能低下・消失があれば，神経線維自体に問題があることが多い．また，末梢神経周囲の fascia 異常により神経が圧迫された結果として生じる，知覚鈍麻などの感覚神経の機能低下，麻痺など運動神経の機能低下が生じている (entrapment neuropathy) 場合もある．この場合は，圧排している組織の切離 (dissection)，および周囲の fascia のリリース (切離＋弛緩) を実施する．一方，末梢神経機能低下・消失を示す症候がない場合でエコー画像上も fascia の重積像 stacking fascia が判然としない場合は，末梢神経内に注目するとよい．末梢神経内に stacking fascia を認める場合は，末梢神経へのハイドロリリースも考慮する．

US-FHR は fascia 自体を治療対象と考えているのである．つまり，異常な状態の fascia を物理的，生理的に正常な状態に戻すことが目的であり，その推察されるメカニズムは，「補液 (水分，電解質 [NaCl])，fascia の電気的変化，自由神経終末への刺激，組織の伸張性・滑走性改善，物理的刺激など」である．これに対して，HD は末梢神経を絞扼させている「邪魔な fascia」を切離・除去することを目的とする (その推察されるメカニズムは「補液 (水分)，末梢神経の剝離・切離，異常血管の物理的剝離など」である)[2]．

2. 手技 (図2)

HD と HR の手技自体も同一ではない．HD が，エコー画像上見えるレベルの末梢神経を周囲組織から全周性に薬液で分離していく (ドーナツサイン donut sign) のに対して，HR は，神経周囲の fascia の層構造をエコー画像上あたかもバラバラにするように薬液を注入していく (ミルフィーユサイン mille-feuille sign)．HR では，fascia の重積を末梢神経の全周に認めない場合には，必ずしも全周性に薬液を注入する必要はない．fascia の重積が全周性に認められる (疑われる) 場合は，結果的にドーナツサインとなる (図2)．

HR では，神経障害性疼痛様の症状に対して，末梢神経の内部への治療が有効な場合も多く経験する．これは，神経上膜内の束間神経上膜などの fibrils への治療という位置づけである．この際，末梢神経内部が，エコー画像上，花開くように見えることから「フラワーサイン flower sign」と表現している．なお，末梢神経内への注射は，神経損傷 (軸索損傷) のリスクもあるため 30G や 32G などの細い注射針を用い，刺入時のベベルの向きにも配慮し実施することが重要である (詳細は4章 column 末梢神経内リリース)．

3. 薬液の種類と量 (表1)

海外の HD で使用する薬液量は，日本の

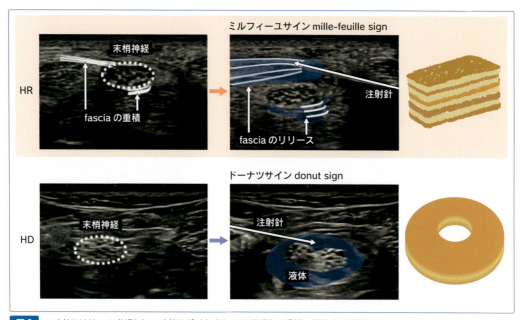

図2 ハイドロリリース（HR）とハイドロダイセクション（HD）の手技の基本的な差異
（日本整形内科学研究会ホームページ：「4-6 ハイドロダイセクション Hydrodissection（HD）とは？Hydrorelease（HR）の差異」の図を許諾により転載．https://www.jnos.or.jp/for_medical#4-6_HydrodissectionHDHydroreleaseHR）

HRに比べて非常に多い傾向にある．例えば，アキレス腱や膝蓋腱などに対するhigh-volume HDでは40〜50 mL程度，神経周りでも20〜40 mLが使用されることがある．他方で，HRでは1〜5 mL程度を使用して発痛源がどの組織（例：神経，靱帯，筋，fascia）なのかを評価し，より精緻な治療を目指している．献体の研究では，僧帽筋と菱形筋の間に注入した1 mLのペリカンインクが約20〜25 cm²と広範囲に広がることが確認されている[3]．なお，神経周囲fasciaに炎症所見を認める場合，もしくは末梢神経自体に浮腫を認める場合は，知覚過敏やアロディニアを呈することもあり，ステロイド薬の使用も慎重に検討する[4]．

4. 言葉の印象

dissectionという言葉は「解剖（剖検）」を容易に連想させることから，患者など一般人や解剖学者にとっては，手技以外のイメージを印象づけてしまう傾向にあり，臨床的な使用には注意も必要である．海外でも，一般的にはHDという名称が，末梢神経の絞扼部に対する治療手技と認識されている．そして国内でも，末梢神経への生理食塩水注射が，単に「ハイドロリリース」と表現されている場合もあり，注意が必要である．

文献

1) 日本整形内科学研究会ホームページ：4-6 ハイドロダイセクション Hydrodissectionとは？Hydrorelease（HR）の差異．https://www.jnos.or.jp/for_medical（最終閲覧日：2021年4月3日）
2) Lam KHS, et al：Ultrasound-guided nerve hydrodissection for pain management：rationale, methods, current literature, and theoretical mechanisms. J Pain Res 13：1957-1968, 2020
3) Kimura H, et al：Expansion of 1 mL of solution by ultrasound-guided injection between the trapezius and rhomboid muscles：a cadaver study. Pain Med 21：1018-1024, 2020
4) Pfirrmann CW, et al：Selective nerve root blocks for the treatment of sciatica：evaluation of injection site and effectiveness-a study with patients and cadavers. Radiology 221：704-711, 2001

fasciaリリース 評価と治療概論 | 5

5 fasciaリリース評価と治療概論

①さまざまなfasciaリリース（注射，鍼，徒手など）の方法とその組み合わせ方

■ポイント
- fasciaリリースにはさまざまな手法があるが，直接法と間接法に大別される．
- fasciaの癒着のGrade分類（癒着の強度，治療法の侵襲度，1回の治療範囲）と治療手技の関係性を理解する．
- 各治療法（手術，注射，鍼，徒手など）の長所短所を踏まえて，多職種で協力して治療を進める．

　異常なfasciaを含む結合組織の治療は，原因となっている癒着部位を直接的に剥離する直接法としてのfasciaリリース（例：手術，注射，鍼，物理療法，徒手療法）と，癒着部位周囲の結合組織の伸張性や柔軟性を改善させることで癒着部（発痛源）へのストレスを減らす間接法としての手技（例：経絡注射・鍼，物理療法，徒手療法）がある．

　注射自体も，癒着部位をリリースする直接法の効果と，注射刺激による筋の弛緩反射（リラクゼーション）を引き起こす間接法としての効果の両者がある．

　fasciaリリースには，注射以外にもさまざまな方法がある．本書では，7章より注射手技を中心に記載するが，民間療法を含めれば，その膨大な数ゆえ，すべての手技を紹介・解説することはできない．本稿では，注射以外の代表的な治療方法として，鍼，物理療法，徒手療法に関して概説する．

癒着の"程度"という概念による整理

　英語のreleaseには，1) リラクゼーション（弛緩），2) 接する面をずらす（剥離）という2つの意味がある．

　日本語の"リリース"は後者の意味合いが強いため，fasciaリリースは"癒着剥離"とも表現されることがあり，療法士などが徒手療法で癒着を剥離したと表現することがある．ところが，一般的な医師にとっては"癒着"といえば強固な線維性構造であり，鉗子などで剥離する強度のものというイメージが強いため，徒手による癒着剥離に対しては懐疑的な反応が一般的であった．また，鍼治療の分野でも，一部の鍼治療の流派は深部の"癒着"を解きほぐす手法で成果を挙げていた．一方，浅い部位へのゆっくりとした優しい徒手治療で深部の"癒着"剥離にも十分対応できるという流派もあった．そのため，医師と徒手療法家，また鍼灸師における各流派の間でも，癒着に対するイメージが全く異なっていた．この課題を解消するための1つの提案として，癒着の程度と各治療方法の特性（手技の侵襲度と1回の治療の範囲との関係性）を図1に示す．

　癒着を剥がすのに要する強度は，侵襲性と比例する傾向にある．注射は危険，徒手・物理療法は安全と言われることもあるが，どのような代替療法でも副事象があることを認識する必要がある[1]．今後は，治療を効率的かつ安全に施行するために，各治療法の利点・不利点を理解し，多職種・多手法の連携が重

① さまざまなfasciaリリース（注射，鍼，徒手など）の方法とその組み合わせ方

病態			治療方法	治療の特性	
可動域制限	癒着の強さ			侵襲度（治療時の痛みの強さ）	1回の治療範囲
弱い	弱い very weak	Grade 0	他部位（遠隔）の刺激	少ない	広い
	weak	Grade 1	徒手・運動療法で剝離可能なレベル		
	moderate	Grade 2	鍼（dry needling）		
	strong	Grade 3	注射（例：ハイドロリリース）		狭い
	very strong	Grade 4	メスなどを用いた手術や鏡視下手術		
強い		強い		大きい	

図1 癒着のGrade分類と治療方法の特性

癒着の強さ（Grade）と可動域制限・組織の伸張制限は比例傾向にあり，その癒着の程度より治療手段を分類した．
- Grade 0（very weak）：例としては顎関節の治療による，頸部や腰部の可動域の改善などがある．いわゆる筋軟部組織による全身のつながりや，バランスの調整という概念である．歯を食いしばると全身の筋緊張が亢進し，逆に開口状態では重い物を持つのが困難である．
- Grade 1，2（weak〜moderate）：徒手や鍼にもさまざまな技術があり，優しい刺激から注射に匹敵する剝離を実施できる治療家がいるのも事実である．徒手は低侵襲で広い範囲を短時間で治療可能であるが，強い癒着には対応困難である．
- Grade 2，3（moderate〜strong）：エコー下で的確に治療することが可能である．
- Grade 4（very strong）：いわゆる「瘢痕scar」に近い状態．凍結肩（frozen shoulder）や手術後の軟部組織癒着（瘢痕）などで実施される．エコー下で注射針の針先，鉗子，剪刀で剝離する場合もある．

要になる．**表1**に，主な治療方法の推察されるメカニズムに関してまとめる．また，これまで西洋医学的にはそのメカニズムが不明とされていたさまざまな方法も，fasciaを起点とした考え方で整理できる可能性がある．以下，侵襲性が高い手技から順に，手術，注射，鍼，徒手について，その概要を紹介する．

手術

手術には，開胸術や開腹術など大きく切開するopen surgeryと，関節鏡などで実施する手術がある．その他，徒手療法に近いが拘縮肩や拘縮肘などに対する授動術（マニピュレーション）も含まれる．近年，fasciaに注目した手術療法は，泌尿器科や婦人科において，フルHD 3CCD内視鏡や4K内視鏡などを活用した腹腔鏡下手術で進歩が著しい（詳細は11章を参照）．

注射

fascia自体を治療対象として捉えた手技と

表1 代表的な治療手技のfascia治療に関して推察されるメカニズム

物理療法	1）貼付剤：テーピング，湿布，ソマセプト®：皮膚・皮下組織のfascia刺激 2）超音波治療器，赤外線治療器など：深部への振動・温熱によるfascia刺激
徒手	1）物理刺激によるfasciaの癒着剝離 2）皮膚を治療家が触ることによる接触刺激（"手当て"のようなもの） ＊道具を使用することもある
灸	1）皮膚・皮下組織への温熱刺激 2）灸の痕による皮膚運動性の変化 3）灸自体の接触刺激 4）モグサなどを利用した場合，嗅覚を介した脳への影響
鍼	1）物理刺激によるfasciaの癒着剝離 2）鍼に対する異物反応（ヒスタミン放出）や神経性炎症（軸索反射や脊髄反射）による局所補液効果（血管透過性が亢進し，局所の組織液が増加する）
注射	1）fasciaの癒着剝離 2）液体注入による局所補液効果 3）lubricant adipofascial system（LAFS）の機能改善
手術	1）器具や用手的に実施されるfasciaの癒着剝離 2）剝離後の生理食塩水の洗浄効果（補液とLAFS機能改善を含む）

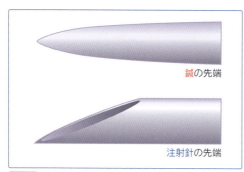

図2 鍼と注射針の違い

しては，エコーガイド下fasciaハイドロリリース(US-FHR)が代表である．これは「エコーを用いて，fasciaを生理食塩水などの薬液でリリース(剥離separation＋弛緩relaxation：エコー画像上では"白く厚い帯状のfascia"をバラバラにするように薬液を注入)し，鎮痛効果に加えてfasciaの柔軟性(伸張性・滑走性)の改善を期待する手技」である．混同されやすい手技としては，ハイドロダイセクション(HD)がある．これは，末梢神経を周囲結合組織(fascia含む)から剥離する手技であり，fasciaは除去されるべき対象と理解される．また「ブロック」は，局所麻酔薬を組織に浸潤させることで神経伝達を「ブロック」する意味で使用される(詳細は4章を参照)．

鍼

直接法として，鍼 dry needle を使用した治療方法である(英語におけるacupunctureは，間接法としての鍼による経穴治療の意味が強い)．その特性を以下に示す．

1. 刺鍼時の痛み(切皮痛)が少ない，あるいは無痛

鍼管(鍼を入れる筒)を用いて刺鍼すると，鍼管の接触刺激と指先による皮膚の緊張増加により，切皮痛をなくすことができる．チクっとした，いわゆる注射針の痛みがないため，患者はリラックスして施術を受けられる．

2. 深部への直接的なアプローチが可能

鍼は，体表からピンポイントで深部の病変部にアプローチできる．そのため，医師が深部病変の圧痛確認のために，触診の代わりとして鍼を使用することもある(column 医師が鍼を使う意義(130頁)参照)．

3. 鍼が細く鍼先が鈍のため組織侵襲性が注射針よりも小さい

注射針は針先がカットされた刃物構造であるが，鍼の先端は鈍なペンシル型の形状である(図2)．そのため，鍼は組織を切らずに，押し分けて深部へ進むことができるため組織侵襲性が低いと推察されている(column 針・鍼の先端の形状と組織侵襲性を参照)．また，細い鍼は，刺鍼しても動脈や神経を避けるという経験則が知られている．我々は，エコーガイド下刺鍼により検証を進めている(column 鍼は本当に神経や血管を避けるのか？参照)．

4. 局所血流改善

鍼という異物に対する局所反応(ヒスタミン遊離など)，軸索反射による影響が考察されている．

5. 物理刺激によるfasciaの治療

エコーを用いると，鍼の物理的な刺激によってfasciaの重積した部分がリリースされる様子が観察される．

6. 下行抑制系の賦活化

鍼刺激が，下行抑制系などの内因性オピオイドに関与することが報告されている[2]．

物理療法

物理的に生体に刺激を与えることによる効果という意味では，鍼と機序が共通の治療法である．刺激部位により直接法にも間接法にもなる．具体例を以下に提示する．

近赤外線治療器(スーパーライザー)：温かい赤い光(近赤外線)で対象軟部組織の加温を行う．fasciaへの血流増加による治療効果

① さまざまなfasciaリリース（注射，鍼，徒手など）の方法とその組み合わせ方

が期待される．星状神経節，上頸神経節など交感神経近傍のfasciaへも，注射・鍼・徒手と比較しても，より安全に実施可能である．

超音波治療器：低出力超音波パルスという弱い超音波を利用した方法．超音波画像診断装置とは，その周波数などの特性が異なる．非常に微弱な超音波を，患部に断続的に当てることで，骨折後の骨癒合促進を図る．また，最近では結合組織の治療促進効果も期待した研究が進行している[3]．

振動刺激：物理療法の1つとしてバイブレーターなどを利用した方法．伸張性が低下した筋への伸張性改善効果が報告されている[4]．

ソマセプト®：プラスチック製のマイクロコーンでつくられた微細突起の集合体のシールであり，刺さない鍼とも表現できる．軽微な持続的接触刺激により末梢神経を刺激するソマセプト®（押す刺激：Aδ線維），ソマレゾン®（擦る刺激：C線維），ソマセプト®・ミオ（押しずらす刺激：fasciaリリース），ソマセプト®・ヘム（柔らかく撫でる刺激）の4種類がある．肩では，肩甲棘上，胸鎖関節上，肩峰上などへのソマセプト®・ミオの貼付が頻用される．鍼施術の一法である運動鍼（鍼を刺した状態での運動療法）に似た効果を期待して，ソマセプト®を対象部位に貼付しながらの徒手療法が行われる[5]．

徒手療法

徒手療法にはさまざまな方法があり，流派を含めた類似的方法，あるいはそれらの別名称も多い．本項では，徒手療法に関する機能解剖学的な整理を試みる．まず，頻用される

---

column

針・鍼の先端の形状と組織侵襲性

注射針（直径0.50mm：25ゲージ（G）針に相当），太い鍼（直径0.28mm：5～6番鍼に相当），細い鍼（直径0.20mm：3番鍼に相当）の組織侵襲度を評価した研究では，その直径に応じた組織損傷を認めた[1]．一方，医師が行う硬膜外ブロック時は，針先がペンシル型では針を回すことは硬膜外ブロック後頭痛の予防にはならないが，Quincke-tip needle（いわゆる注射針）では27Gの細い針でさえもベベルの向きを調整・回旋させて硬膜の線維を切断しないように穿刺したほうが硬膜外ブロック後頭痛を優位に予防すると報告されている[2,3]．そのため，現在硬膜外ブロックではペンシル型の注射針の使用が推奨されている[4]．また，より安全な神経ブロックのために，針先のベベルの向きを神経に刺さらないように工夫する方法が普及してきている[5]．

文献

1) 米山榮，ほか：微小組織損傷としての鍼刺激—病理組織学的検討．全日鍼灸会誌45：192-197，1995
2) Mihic DN：Postspinal headache and relationship of needle bevel to longitudinal dural fibers. Reg Anesth Pain Med 10：76-81, 1985
3) Flaatten H, et al：Puncture technique and postural postdural puncture headache. A randomised, double-blind study comparing transverse and parallel puncture. Acta Anaesthesiol Scand 42：1209-1214, 1998
4) Cook TM：Combined spinal-epidural techniques. Anaesthesia 55：42-64, 2000
5) 仲西康顕：うまくいく！超音波でさがす末梢神経100％効く四肢伝達麻酔のために，メジカルビュー社，東京，2015

言葉の定義を確認する．次に，手技を直接法と間接法に分類し，具体例を挙げながら概説する．

1．言葉の定義

マニピュレーション manipulation：医学用語としての意味は「触診，徒手操作による手技」である．凍結肩に対する manipulation は"授動術"とも翻訳される．そのため，凍結肩への関節鏡下授動術は arthroscopic manipulation on frozen shoulders，腕神経叢ブロック後に外来診療でしばしば実施される凍結肩への非観血的関節授動術は，サイレント・マニピュレーション silent manipulation と表現される．一方，療法士やカイロプラクターなどの徒手療法家にとってのマニピュレーションでは，ファシア・マニピュレーション fascial manipulation，関節マニピュレーション joint manipulation，神経マニピュレーション spinal manipulation，内臓マニピュレーション visceral manipulation，筋膜マニピュレーション myofascial manipulation などの用語が使用されているが，総じて関節/神経/内臓/筋膜への徒手療法全般を示す．つまり，以下に記載するリリース，モビライゼーションなど，直接法とリラクゼーションなどの間接法のすべてを含む概念である．

モビライゼーション mobilization：mobilize とは「他動的に動かす」ことを意味する．つまり，患者の自動運動を使わず，患者は脱力状態で行う他動的徒手療法を指す．関節モビライゼーション，AKA-博田法などがある．

2．具体的な手技

a）直接的な病変部へのアプローチ（直接法）

骨操作による刺激法：例えば，前腕であれば，橈骨と尺骨の遠位側と近位側を検者が保持し，骨間を狭めるように交互に刺激することで，骨間膜に付着する深部筋群への刺激が可能になる．また，肩であれば，上腕を検者が保持し，上腕骨に回旋ストレスをかけることで，肩関節周囲結合組織に剪断力などの物理刺激を加えるなどの方法がある．

---

column

鍼は本当に神経や血管を避けるのか？

筆者らは，血管や神経への刺鍼による影響について，1）鍼が血管・神経を避けるのか，2）鍼が血管・神経に刺さるが臨床的に合併症（出血，神経障害など）が起きにくいのか，を試験的に検討した．

対象部位	腕神経叢，尺骨神経，正中神経，坐骨神経．
方法	エコーで対象となる神経を同定し，セイリン製 J Type の太さの異なる2種類の鍼（A：直径 0.14 mm（1番），B：直径 0.20 mm（3番）でエコーガイド下に刺鍼した．また，エコーで神経鞘と周囲 fascia の癒着を評価した（例：手指の屈伸動作で正中神経と周囲筋群との滑走性評価）．
結果考察	【神経】鍼 A では神経に刺さらず，神経を避けて進んでいく．鍼 B では，ゆっくり刺入（5mm/sec 程度）すると神経を避けるが WEB動画 ，速く刺入（20mm/sec 程度）すると神経に刺さった．神経鞘に鍼先が当たる時点では放電痛は生じなかったが，神経鞘を貫通し神経上膜まで到達すると放電痛が生じることが多かった．一方，雀啄術を行っても自覚症状が生じない患者もいた WEB動画 ．神経鞘と周囲 fascia が癒着している場合は，周囲 fascia への刺鍼で放電痛の自覚症状が生じる場合もあった．そのため，神経周囲の鍼治療では，神経鞘とその近傍の fascia の雀啄術を行った WEB動画 ． 【動脈】神経と同程度に動脈を避ける傾向にある．また，動脈壁に鍼先が当たる（血管壁をかすめるように刺鍼）と関連痛（チクー，ギュー，ジクーなどの自覚症状）が生じ，末梢の体温感覚の変化が生じた． 【静脈】静脈は，鍼の太さに関係なく容易に刺さった．動脈刺鍼よりも静脈刺鍼後のほうが出血量は多かった．

① さまざまなfasciaリリース（注射，鍼，徒手など）の方法とその組み合わせ方

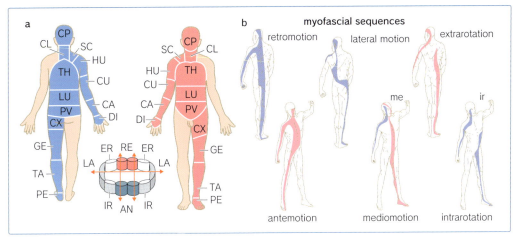

図3 fascial manipulationの概説
a：fascial manipulationにおいて区別される14の分節
DI：digiti，CA：carpus，CU：cubitus，HU：humerus，SC：scapula，CP：caput，CL：collum，TH：thorax，LU：lumbi，PV：pelvis，CX：coxa，GE：genu，TA：talus，PE：pes
b：他分節にわたり関係し合うmyofasciaのつながり
(Stecco L：Fascial Manipulation for Musculoskeletal Pain, Piccin Nuova Libraria S.p.A, Padova, 2004を参考に筆者らが作図)

- ファシア・マニピュレーション fascial manipulation（FM）：イタリアの理学療法士Luigi Steccoは，筋と筋膜myofasciaの関係に注目し，これらが原因となる運動制限や筋力低下，疼痛分布を考慮した筋骨格系機能障害に対するアプローチを開発した．本手技では，身体を14分節に区別する（図3a）．各分節の運動は，筋収縮とともにmyofasciaの張力伝達によりコントロールされると考えられており，この張力伝達は他分節にわたり関係し合っている（図3b）．myofasciaの異常は，問診，動作分析，触診から得た情報をもとに評価し治療する．治療には徒手を用いる．施術者の指や肘頭でmyofasciaの異常部位を正確に触知し，摩擦と局所温熱を加える．既往歴や手術歴のある部位など，主訴から離れた部位が治療対象となる場合もある．
- 関節モビライゼーション joint mobilization（JM）：低速度かつさまざまな振幅で反復的に関節を多方向に動かす手技
- AKA-博田法：関節運動学に基づき関節包内運動の異常を補正する手技

指圧：fasciaに直接的に物理刺激を加えることで，治療効果を図る．棒状の道具もしばしば利用されるが，強刺激による組織損傷（二次的な炎症・筋断裂）を引き起こしやすいので要注意である．強い刺激ほど，fasciaのリリースや筋緊張低下を促すわけではない．治療時の痛みが強いと，患者は緊張のため力んでしまう．そのため，結合組織同士が他動的刺激により十分に動かせなくなり，fasciaリリースが困難になる．また，皮下組織をゆっくりとずらす刺激でも，予想以上に深部の組織に動きが伝わることはエコーでも確認できる（column エラストグラフィを活用したエコーガイド下触診教育（135頁）参照）．患者の脱力状態を促し，患者に不快感を与えずに，適切な刺激を局所に加えることが大事となる．

fasciaリリース（徒手）[注]：結合組織に直接的にゆっくりとした刺激を加えることで，コ

注）世間では，「筋膜リリース」という用語が頻用されているが，本書で解説する手技は筋膜（myofascia）のみならず筋膜を含む結合組織全般（fascia）をリリースの対象とするため，「fasciaリリース」と呼ぶ．なお，fasciaにあたる日本語は定義されていない．JNOSでは「ファシア」と表記している．

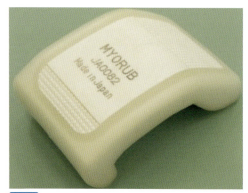

図4 ミオラブ®の外観

ラーゲン配列や組織間のヒアルロン酸などの粘度を変化させ，fasciaの伸張性（例：靱帯自体の伸張性）およびfascia間の滑走性（例：筋同士の滑走性）の改善を目的とする．具体的には，筋膜を主な対象とした筋膜リリース（myofascial release），組織間の疎性結合組織のリリースを主な目的とした組織間リリース®（inter-structural release：ISR®）がある．以下に，fasciaリリースに有益な道具としてミオラブ®を紹介する．

ミオラブ（MYORUB）®（図4）：fasciaリリースの治療効率を向上させることを目的とした道具の1つ．一般的な指圧では，点の治療のため治療面積が広いと時間がかかる．また，手掌を使用した方法では，皮下組織に十分な"ずらし"刺激を伝えようとすると，深部方向への圧刺激が強くなりすぎる傾向がある．それらに対して，ミオラブ®は，皮膚面との摩擦係数が高いため，素手よりも深部方向への圧迫が弱いまま，水平方向への強い圧（剪断力・ずり応力）を負荷できること，注射・鍼よりも広い面積を直接的に短時間で治療できること，さらに骨表面のfasciaでも低侵襲で治療可能であること，などの特徴がある．

いずれの方法も長所短所があり，組み合わせと連携が重要である．「特定の手技・方法ですべてに対応できる」と言ってしまうと，それは宗教であり科学的態度ではない．組織の癒着度の客観的な評価指標について，現時点では共通のコンセンサスはないが，エコーにはその構築を大きく推進する可能性があると思われる（column エコー技術の発展とfasciaの病態解明（52頁）参照）．

b）筋の伸張や反射を利用したアプローチ（間接法）

ストレッチ：起始部と停止部を単純に牽引するだけの方法は，組織損傷を招くリスクが高いため推奨されない．基本的には，治療対象とする主動筋および拮抗筋の等尺性収縮を利用する．

- ポスト・アイソメトリック・リラクゼーション post isometric relaxation（PIR）：従来のストレッチのように最大可動域まで筋肉を伸張するのではなく，筋肉を伸張していった際に抵抗を感じた部分で，3～10秒ほど軽度の等尺性収縮を行う（例：伸展制限であれば，最大伸展位で屈曲方向へ軽く収縮を入れた状態を保持する）．筋腱移行部のIb線維群の興奮と，収縮に関与している筋のα運動線維の抑制により，筋の伸張性を改善させる．

リラクゼーション：強い筋緊張によりミオクローヌスや痙縮が起きている筋に利用する．方法の1つとしては，他動的に伸張位にした状態で，軽い力で自動介助運動をリズミカルに実施させる．リズミカルに収縮と弛緩を反復することで，拮抗筋関係を含めて，正常な筋緊張による動作を促進する．

- ストレイン・カウンターストレイン strain & counter strain®（SCS）（ポジショナルリリース positional releaseという名称も使用されている）：対象の筋の圧痛点に軽く指圧を行いながら，起始部と停止部を近づけて短縮位を維持させることで，反射を利用して筋弛緩を図る．
- マッスルペインリリーフ muscle pain relief（MPR）：圧痛点ではなくfasciaの協調中心（center of coordination：CC）を

① さまざまなfasciaリリース（注射，鍼，徒手など）の方法とその組み合わせ方

刺激するという点が，SCSと異なる．

各手法の組み合わせ方

各手法の利点，欠点を考慮し適切に組み合わせる．そのためには多職種による連携も必要となる．以下に具体例を示す．

例1：整形外科医/麻酔医＋理学療法士の外来診療

医師が見立てを行い，癒着の強い部位を注射でリリースする．その後，理学療法士が他部位の細かい癒着や注射部位の剝離の追加を行う．また，癒着が強くなった部位に関する考察を行い，その原因に介入する．具体的には，炎症反応が基礎にあれば，抗炎症薬の投与や膠原病の精査などを行う．また，使いすぎoveruseや廃用disuseおよび誤用maluseについて，生活動作の視点で理学療法士がサポート・指導する．注射でも剝離できず，病変として機能障害をきたしている場合は，授動術や鏡視下手術などの手術療法の適応が検討される．

例2：総合診療医/内科医＋理学療法士の外来診療

運動器疼痛であり，MPSと医師が診断する．理学療法士が徒手で軽度の癒着を剝離する．徒手で十分に剝離できない部位を医師に伝えて，医師がエコーガイド下で注射する．再度，理学療法士がケアする．

例3：医師＋鍼灸師（癒着を剝離する剛の治療家）＋理学療法士

医師がMPSと診断する．理学療法士が全身の軽度の癒着を剝離する．徒手で困難な部位を，鍼灸師が鍼でアプローチする．鍼でも十分に剝離できない時は，医師が注射する．

例4：医師＋鍼灸師（経絡鍼などの柔の治療家）

医師がMPSと診断する．鍼灸師が経穴鍼なども利用して全身の治療を行う．局所の強い癒着は医師が注射する．

例5：医師一人

痛みを訴える部位が多い場合には，徒手療法で広い範囲をまず治療する．次に，少なくなった治療部位に注射を実施する．

徒手療法は，広い範囲をある程度剝離（筋を緩めるなど）できる．鍼はその手法によって，全身の広い範囲の治療から局所の癒着剝離まで対応できる．注射は，局所の強い癒着を剝離できる．医師が徒手療法と鍼および注射を組み合わせて診療してもよいが，多職種で協力することで，その治療効率性は格段に向上する．

文献

1) Niggemann B, et al：Side-effects of complementary and alternative medicine. Allergy 58：707-716, 2003
2) Dorsher PT：Acupuncture for chronic pain. Tech Reg Anesth Pain Manag 15：55-63, 2011
3) 超音波骨折治療研究会（監）：骨折に対する低出力超音波パルス治療の基礎と臨床，メディカルレビュー社，東京，2008
4) 沖田 実（編）：関節可動域制限第2版―病態の理解と治療の考え方，三輪書店，東京，2013
5) 白石吉彦，ほか（編）：THE整形内科，南山堂，東京，2016

column

注射療法＋徒手療法
(passive manipulation with hydrorelease)

　運動器エコーは，静的な観察だけでなく関節運動を伴う動的な観察も可能である．動的観察の主な利点は，以下である．
1) fascia の伸張性・滑走性を評価し，癒着の程度および治療前後の変化を観察できること
2) 関節運動時の筋の滑走方向や収縮時の厚さを観察できること
3) 筋収縮を可視化することで，筋やその周囲組織の解剖学的検証に役立つこと

　tight fascia sign とは，動的な観察によってエコー画像上で，つっぱるような動きを明らかにすることのできる徴候であり，2018年に木村らが命名した．可動域制限が起こる場合には，tight fascia sign を確認することで fascia の伸張性低下，滑走性低下，または短縮状態を評価できるため，治療部位の選択に役立つ（6章⑥図2参照）．

　tight fascia sign が認められた状態で注射を行うことにより，徒手治療と注射治療を別々に実施するのとは異なる治療効果を挙げることができる．passive manipulation with hydrorelease とは，「他動的に緊張させた状態の fascia（組織部位）へ hydrorelease をすること」であり，2019年に木村らが命名した．これは，「注射療法＋徒手療法」である．特に，可動域改善を目的とした場合，弛緩した状態の fascia に注射するよりも，緊張させた状態の fascia へ注射したほうが，その改善度が大きい傾向にある．具体的には，他動的関節運動を行う介助者は，可動域の最終域を保ちながら，注射（hydrorelease）によって緊張状態の fascia の切離および周囲組織の剥離をするとともに，組織を弛緩させていく．徐々に広がっていく可動域に合わせて，fascia の緊張度が保たれるように，介助者は患者の関節可動域をコントロールすることが重要である．

参考文献
1) 日本整形内科学研究会ホームページ：4-2-1 注射療法＋徒手療法（Passive manipulation with hydrorelease）（最終閲覧日：2021年4月3日）

②注射手技と効果判定の全体像

■ポイント
> 病歴，関連痛パターン，動作分析，エコーなどから発痛源を検索する．
> 発痛源と推定されたエコー画面上白く重積した fascia に注射する．
> 注射後は，自覚症状・可動域の改善など複数の方法で評価する．

次稿から，注射手技，効果判定に関してより具体的に述べるが，ここではその全体像を提示する．

リリースするポイント（発痛源・治療対象部位）の推察

患者の自覚症状は関連部痛であり，そこに発痛源はないことが多い．そのため，病歴や関連痛のパターン，構造上負荷のかかりやすい解剖学的な部位，可動域評価・動作分析，エコー評価などから，リリースするポイントを推察する．推察したポイントを丁寧に触診し，圧痛の強い場所にプローブを当てる．筋，結合組織，神経，血管などの軟部組織とともに，白く重積した fascia を確認する．プローブを平行移動し，近傍で一番重積の強い部分に固定する．その部分をもう一度詳細に触診し，圧痛を確認する．

注射針の刺入

術者が右利きの場合，左手でプローブをしっかり固定する．白く重積した fascia が目標となる．針の進入ルートに，血管，神経などがないことを確認する．血管，神経などがある場合は，プローブをずらして進入ルートを変更する．皮膚からリリースするポイントまでが最短距離となることが望ましい．熟練者はほとんどの場合，交差法を用いる（詳細は7章①参照）．

生理食塩水，あるいは細胞外液の注入

針先が白く重積する fascia に到達したら，その白く厚く重なった fascia が，エコー画面上バラバラになるように（層構造が分離するように）薬液を注入しながら，針先をわずかに移動する．fascia の重積が強いほど薬液を注入する際の抵抗が強い．

治療効果の判定・評価

患者の自覚症状の変化，可動域評価，圧痛の変化，エコー上の所見などから，その治療効果を判断する．治療効果を，セルフケア・リハビリテーション指導のための情報としても有効活用する．

③注射の治療効果判定

> ■ポイント
> ▷ 痛みなどの自覚症状の改善（主観的指標）と可動域の改善（客観的指標）の両者を整合性をもって評価する．
> ▷ 注射効果の持続時間が短い時は，治療部位の選択を誤っていることが多い．MPSを悪化させる内科疾患や心因的要素を考慮する必要がある．

注射の治療効果を適切に判定する技術は，治療技術向上のためにも，治療の方向性を決定するためにも重要である．注射して数日は痛みが和らぐが，また痛くなるという患者は少なくない．このような場合にも適切な治療効果判定が必要である．本稿では，治療効果判定の指標，および注射の治療効果の持続時間と治療手段の考え方に関して述べる．

改善の指標

患者の自覚している痛みが減少することは，患者の治療満足度を高めるためにも重要である．一方で，治療後に痛みの程度が変化しないと訴えていても関節可動域は明らかに改善しているということも稀ではない．単純X線画像上で骨折は治ってきているが痛みは変わらないという患者と同様に，エコー上の所見がよくなってきていても痛みは変わらないという患者もいる．つまり，痛みという自覚症状のみを改善の指標とすることは適切でない．痛みの評価と可動域診察・動作評価を同時に行うことが重要である．

治療前の痛みを10/10として，治療後にX/10に改善したかを確認する方法（最も単純なpain intensity scale：PIS）も臨床現場ではしばしば使用されるが，痛みのスケールとしては，主に以下の4種類が有名である[1]（図1a）．

Visual Analogue Scale（VAS）：100 mmの水平な直線上に，痛みの程度について患者に印をつけてもらい，その長さをもって痛みの程度を数値化する方法．被検者に認知能力の著しい低下がある場合には本法による評価が難しく，ある程度の理解力が必要である．

Numerical Rating Scale（NRS）：最もよく使用されている評価法で，0から10までの11段階の数字を用いて，患者自身に痛みのレベルを数字で示してもらう方法．患者間の再現性が比較的よく，患者自身による評価の再現性も高く，自覚症状を自宅で経過観察する際にも有用である．

Verbal Rating Scale（VRS）：数段階の痛みの強さを表す言葉を直線上に記載し，患者に選択させる方法．言語への理解度に依存する．

Faces Pain Scale（FPS）：言葉で痛みを表現する代わりに人間の表情で示したもので，痛みのない顔から非常に痛みが強い顔まで数段階で痛みの状態を示す方法．小児で頻用されるが，文化による差が出やすい．

それぞれ一長一短であるが，患者の自己評価精度が高いNRSが簡便で利用しやすい．

一方，痛みを和らげることが治療のゴールになるのはもちろんであるが，生活で困っている動作・内容を解消することも非常に重要である（多くの場合，患者は痛いから医療機関を受診するのではなく，痛みのために生活に支障が出た，あるいは支障が出そうという危惧から受診するものである）．多元的な痛みの評価方法としては，痛みの評価における心理的な影響を考慮して作成された方法であるMcGill痛みの質問票（McGill Pain Questionnaire：MPQ）が有名であるが，実施に非常に時間がかかるため，臨床では簡易型

③ 注射の治療効果判定

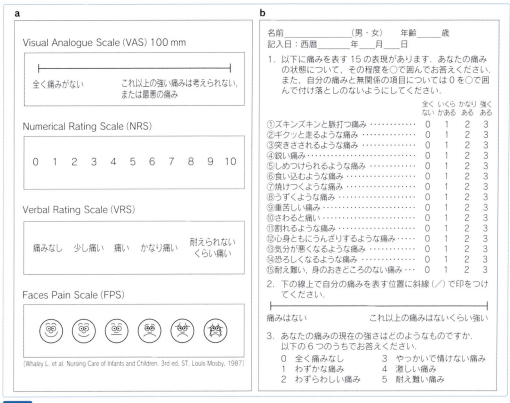

図1 痛みのスケールと特徴
a：VAS, NRS, VRS, FPS, b：簡易型 McGill 痛みの質問票（SF-MPQ）

McGill 痛みの質問票（SF-MPQ）（**図1b**）が主に使用される[2]．

一方で，SF-MPQ は神経障害性疼痛を表す痛みの表現が質問項目に含まれていなかったため，最近では Short-From McGill Pain Questionnaire 2（SF-MPQ-2）[3] も活用されるが，36 頁から論じたように，痛みの分類自体が未だに議論中であり，画一的な正解は存在しない．いずれにしても，臨床医または研究者が「何を」測定したいのかを明確にして利用することが重要である．

その他にも，遅発性筋痛症（DOMS）に特異的な指標の1つとして1973年に Talag が報告した Talag scale[4] などのように疾患特異的な評価，そして痛みによる活動性の評価や心理的な評価などがある．痛みは，多元的に評価する必要があるが，主観的な要素が大きく，これを完璧に客観的に評価する方法は確立されていない．日本では，さまざまな疾患に使われる包括的健康尺度である SF-36, SF-12, SF-8[5] などが頻用されている．

注射の治療効果の持続時間と治療方法

以下の内容は筆者らの経験則であるが，参考にされたい．

局所麻酔薬（メピバカイン）を局所注射して，3時間で痛みが完全に戻った場合，当然「麻酔薬の効果が切れた」と判断される．その原因として，MPS ではなく骨折や強い炎症の存在を考えるだろう．それでは，3時間も外来で経過観察できるだろうか？ 診療の流れを考慮すれば，できれば早く判断したいところである．これに比べて，生理食塩水による注射は速やかに判断が可能である．MPS で注射部位が適切であれば注射直後から可動

域・動作の改善とともに痛みが軽減し，半日以上は効果があることがほとんどである．しかし骨折や強い炎症があれば，全く鎮痛効果がない．

生理食塩水注射の効果が12時間程度で切れた場合，一番多いのは注射部位の選定ミスであるため，もう一度，注射部位の選定を行うほうがよい．

効果の持続時間の解釈で注意が必要なのは，24時間程度で効果が切れてしまう場合である．たとえ注射部位が適切であっても，全身性の内科疾患（例：膠原病などの炎症性疾患，電解質異常，薬剤の影響，錐体外路症状）や，不安やストレスなどの心理的要素が非常に強い場合には，「注射して半日は最高によかったが，翌朝目が覚めたら全く同じに戻っていた」というパターンをとることが多い．下記に，24時間で効果が切れてしまう治療例を列挙する．これらの場合は「悪化因子」（6章①参照）を突き止め，原因となっている根本の病態自体を改善することが重要である．

- 炎症性疾患を基礎としたMPSやfasciaへの治療（3章③参照）
- 低K血症・低Ca血症・低Mg血症・低フェリチン血症などの電解質関係の異常で筋緊張異常をきたしている場合での治療（3章⑦参照）
- 薬剤性のパーキンソニズムや錐体外路症状がある場合（例：ベンゾジアゼピン，抗うつ薬，セロトニン・ノルアドレナリン再取り込み阻害薬）の治療（286頁column参照）
- 強い不安・ストレスにより全身の筋緊張を亢進させる（例：手が震える，こわばる）状態がある場合の治療（3章⑥・⑦参照）
- 深部静脈血栓症や静脈瘤によるうっ滞性虚血や動脈硬化による動脈性血流低下などがある場合の治療（3章⑤参照）

1回の注射の治療効果が3日以上持続しない場合，2つの可能性がある．1つ目は，発痛源である異常なfasciaを十分にリリースできていない場合である．この場合は，針の選択，針先のベベルの向き，注射手技の工夫など，より精密な注射手技が重要となる（7章①参照）．

2つ目は，悪化因子の治療が不十分な場合である．この場合，患者の日常生活の動作にその答えがあることが多い．デスクワークの姿勢，メガネが合わない，農業の道具の使い方，体操不足などがある．患者に，「心当たりはありませんか？」と尋ねて解決できることは稀である．ほとんどの場合，自覚していても改善方法がわからない，あるいは悪い生活習慣や動作に気がついていないからである．特定の部位のMPSやoveruse，炎症などであれば，原因部位から具体的に確認することがポイントである．例えば，肩関節の水平屈曲動作の痛みがみられる場合には，「洗車や掃除など身体の前で腕を回す作業をしていませんか？」と尋ねる．その場で思い出せなくても，次回受診時に約2〜3割の患者は教えてくれる傾向にある．具体的な生活動作を知るためには，患者の職業や日常生活動作を聞き，痛みによって生活で一番困っていることを確認することが第一歩である．そして，その患者への興味・関心があれば自ずと診療している地域に詳しくなっていき，生活指導の技術も上達していく（10章参照）．

文献
1) Ferreira-Valente MA, et al：Validity of four pain intensity rating scales. Pain 152：2399-2404, 2011
2) Wright KD, et al：Factorial validity of the short-form McGill pain questionnaire (SF-MPQ). Eur J Pain 5：279-284, 2001
3) Dworkin RH, et al：Development and initial validation of an expanded and revised version of the Short-form McGill Pain Questionnaire (SF-MPQ-2). Pain 144：35-42, 2009
4) Talag TS：Residual muscular soreness as influenced by concentric, eccentric, and static contractions. Res Q 44：458-469, 1973
5) 福原俊一，ほか：健康関連QOL尺度—SF-8とSF-36．医学のあゆみ 213：133-136, 2005

column
リリースで悪化する場合
（圧痛による治療部位選定のピットフォール）

　動作分析や関節および組織の柔軟性評価をせずに，痛みなどの自覚症状や圧痛所見のみに依存した治療部位選定のピットフォールの1つとして，「結合組織に脆弱性や不安定性が認められる部位へのリリースによる，疼痛などの症状悪化」がある．これは，いわば"緩めすぎ（ルーズな状態）"であり，その不安定性から，関節周囲への機械的負荷上昇や，関節周囲筋の過用 overuse，誤用 maluse などが誘発される．あるいは，過用，誤用の結果として「不安定性が増強」している場合もある．

　したがって，治療部位の選択時には，訴えのある疼痛部位や圧痛部位のみを指標に，ブロック注射やハイドロリリースなどの柔軟性を高める介入治療を安易に継続し続けるべきではない．対象となる治療部位の柔軟性が「高いのか？　低いのか？」について，整形外科的テスト，姿勢・動作分析，エコーなどを活用し判断することが重要である．何よりも，結合組織の脆弱性，不安定性に対する介入としては，対象組織を"緩める"ことよりも機能的な安定性を向上させるほうが好ましい場合が多い．

　以下に2種類の例を提示する．1つ目は，関節の不安定性 joint instability である．例えば，足関節捻挫後の足関節不安定症 ankle instability は，断裂もしくは弛緩した靱帯により関節の静的安定機構が破綻した状態である．その不安定性から，靱帯やその周囲筋に運動時痛や圧痛が生じる場合がある．その際，運動時痛や圧痛という所見だけで，弛緩した靱帯への治療部位を決定しリリースを実施すると，不安定性や疼痛を悪化させることになる．このような場合には，発痛源自体が靱帯であっても靱帯自体へ直接介入せずに，柔軟性が低下し不安定部位自体の悪化因子となっている周囲の筋・fascia のリリース，そして隣接関節の機能向上や患部の動作指導，必要に応じた装具（例：サポーター）着用の提案などを考慮する．肩関節，股関節，仙腸関節など他の関節でも同様である．例えば不安定性を呈する仙腸関節において，仙腸関節内へのブロックにより不安定性が増加し，治療後に歩行困難（荷重がうまくかけられなくなる）となる場合がある．このような場合は，仙腸関節の安定性向上のため大殿筋上部線維の筋力増強訓練を行うことや，股関節や脊柱の可動域改善，姿勢・動作指導，骨盤ベルトなどの装具・サポーターなどを適切に実施していく必要がある．このような関節不安定症では，稀に固定術などの手術が奏効する場合もあるが，手術という高侵襲の治療を実施する前に，せめて仙腸関節の不安定性の悪化因子である股関節の伸展制限，腰椎の過前彎・過後彎の治療を実施していただきたい．

　2つ目は，結合組織の脆弱性が生じる遺伝性疾患である．例えば，古典型 Ehlers-Danlos 症候群（皮膚，血管，関節など全身の結合組織の脆弱性に基づく遺伝性疾患）は，広い関節可動域が特徴的であり，肩関節，指関節，股関節，膝蓋大腿関節の脱臼なども反復的に生じる傾向にある．したがって，関節の不安定性や，それに起因する変形性関節症，顎関節機能障害などが問題視されている[1〜3]．この場合も，脆弱

で不安定性のある結合組織自体への直接的なリリースは症状を悪化させる場合がある.悪化因子としての柔軟性低下部位へのリリース,不安定性自体には装具着用による関節保護,運動療法による動的安定機構の改善,症状に合わせた生活様式への変更などを検討する.

文献
1) De Coster PJ, et al：Generalized joint hypermobility and temporomandibular disorders：inherited connective tissue disease as a model with maximum expression. J Orofac Pain 19：47-57, 2005
2) De Coster PJ, et al：Oral health in prevalent types of Ehlers-Danlos syndromes. J Oral Pathol Med 34：298-307, 2005
3) Hagberg C, et al：Ehlers-Danlos Syndrome (EDS) focusing on oral symptoms：a questionnaire study. Orthod Craniofac Res 7：178-185, 2004

治療部位・発痛源の評価 | 6

6 治療部位・発痛源の評価

① fascia リリースのための診察の流れ

> ■ ポイント
> - 痛みを起こす要素には，発痛源と悪化因子がある．
> - 患者の自覚症状部位は関連痛であり，そこに発痛源はないことが多い．
> - 適切な発痛源・悪化因子の検索には，触診，動作分析・可動域評価，エコーの総合力が必要である．
> - すべての評価を円滑かつ短時間で実施するには，多職種連携が重要である．

痛みを起こす2つの要素

痛みの治療を行うためには，痛みの直接的な原因部位（発痛源）と，これを誘発しかつ悪化させる因子（悪化因子）の2つを考慮する必要がある（**図1**）．この2つを以下のように定義する．

- 発痛源 source of pain：患者の現在の症状自体の直接的な原因部位
- 悪化因子 complicating factors：発痛源を悪化させる原因因子（身体，心理，生活）：姿勢や代償動作として「身体」，精神的緊張による中枢の疼痛閾値低下による全身の疼痛過敏や筋緊張亢進として「心理」，生活動作や動作の工夫という観点として「生活」

具体的に提示する．痛みにより疼痛部位を使わないことは，局所の筋力低下を悪化させ（廃用 disuse），多部位の代償動作を誘発する．この代償動作が身体要素（アライメント，協調運動など）として，生活動作を維持するために，身体にとって不自然な動作（誤用 maluse）であれば，二次的な過負荷（使いすぎ overuse）による悪影響も起きる．痛みが

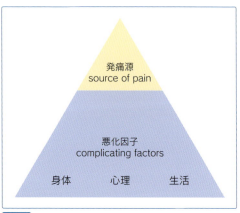

図1 発痛源と悪化因子の関係

悪化因子には3つある．姿勢や代償動作として「身体」，精神的緊張による中枢の疼痛閾値低下がもたらす全身の疼痛過敏や筋緊張亢進として「心理」，生活動作や動作の工夫という観点として「生活」である．

長く続けば心理的影響も伴い，痛みは全身に広がり，痛みの悪循環に入る．

例えば鵞足部痛を挙げる．鵞足部痛の直接の原因は鵞足部の fascia の異常であることが多い．ここに局所注射を行って直後は有効であっても，数日で再燃することも多い．これは多くの場合，悪化因子へのケア・介入がされていないことが原因である．

縫工筋などの鵞足が overuse（使いすぎ）となる原因としては，仙腸関節の counter nutation（後傾）や内転筋筋力低下などによ

① fascia リリースのための診察の流れ

1. 問診		受傷機転や発症状況から発痛源を推測する
2. 動作分析・可動域評価		「どこが痛いか」よりも「どうすると痛いか？」が重要
3. 触診・圧痛評価		筋硬結の触知にこだわらない．一番強い圧痛点で判断
4. エコー評価		圧痛点の深部に厚みのある fascia を確認 fascia 同士の滑走性・伸張性を観察
5. 治療的評価		自覚症状（問診）や関節可動域・筋伸張性（診察・エコー）の改善を確認
6. 治療に反応しない時		FPS の診断根拠の確認．他の治療家やチーム（療法士など）とも相談．実際は，治療部位選択の間違いが多い→再度，治療部位検討

図2 発痛源の検索方法

る股関節外旋位による歩行（通常は股関節内転動作として機能している鵞足筋群が，股関節屈曲という maluse（誤用）の結果として overuse となる）などのアライメント異常や代償動作がある．

加えて，悪化因子となっている部位にも局所の fascia 異常があることも稀ではない．経過が長い患者ほど，代償動作（アライメントの変化，局所の maluse や overuse など）によって，別部位にも fascia の異常が生じる．また，それに伴う自律神経系の異常や，歩きにくいことによる外出頻度低下，自宅内生活への悪影響などにより，心理的悪影響（不安，ストレスなど）が生じる．結果，痛みの悪循環に入り，全身性の慢性疼痛に進展していく傾向にある．

発痛源・悪化因子評価のための具体的な方法

fascia 病変の特徴は疼痛閾値の低下と伸張性の低下である．正常部位と比べて，疼痛閾値が低いため外部からの圧迫刺激に対して強い痛みを生じやすく，また動作によって力学的ストレスがかかった場合にも，より強い痛みが生じる．動作時痛によって可動域制限が生じるが，fascia 自体の伸張性低下によっても可動域制限が生じる．以下に発痛源を見つけるために行う一般的な診察を説明する（図2）．

1. 問診

内科症候学でも定番の症状の OPQRST を確認する[1,2]．

O：Onset：発症様式（外傷？　きっかけは？）．

P：Palliative/Provocative：寛解因子/増悪因子（運動痛は？　動作による変化は？）．

Q：Quality：性状（つっぱり感，ズーンと重い感じ，一瞬のズキン？）．

R：Region/Radiation：場所/放散（指1本で指すとどこ？　前腕や頸部の症状は？）．

S：related Symptoms/Severity：随伴症状/重篤度（しびれ感・麻痺は？　睡眠障害？　仕事や生活への支障は？）．

T：Time course：時間経過（日の単位で悪化傾向＝急性炎症，月の単位で悪化傾向＝炎症の遷延化あるいは MPS，日内変動や週内変動が明確＝遅発性筋痛症あるいは MPS）．また，必ず「その痛みで

生活や仕事で困っていることはありますか？」と確認する．それが，運動器疼痛の治療におけるリハビリテーション・生活動作指導・治療目標の確認にもつながる[1]．痛みを生じる生活動作を確認することで，その発痛源の同定にも非常に役立つ．

2. 動作分析・可動域評価

動作分析・可動域評価は煩雑で時間がかかるため圧痛で治療部位を探す治療者も多い．しかし，多くの圧痛点がある場合はどれを治療すべきかの判断が難しい．また，関連痛の場合にはそもそも痛みを訴える部位に圧痛がない可能性がある．このような場合でも，動作分析と可動域検査により確実に発痛源を見つけることができる．具体的な方法については後述（④動作分析と可動域評価（136頁））する．

なお，発痛源検索と動作評価の総論における最も重要なポイントとしては，「一般的に力学的負荷がかかりやすい部位（異構造接合部）が発痛源になることが多い」が挙がる．例えば以下である．

- 油断して引っ張られた場合→付着部
- 緊張状態で引っ張られた場合→筋腹・筋腱移行部

3. 触診・圧痛評価

従来のトリガーポイント注射は，"圧痛点注射"や"局注"とも称される．しかし，圧痛部位＝病変とは限らない．正常部位への過剰な刺激（強すぎる圧迫刺激による圧痛）もまた痛みを生じさせる．また，関連痛の部位にも圧痛（関連圧痛）があることは少なくない．熟練者はともかく，初学者が圧痛のみで評価すると適切な発痛源がうまく見つからず，治療がうまくいかない可能性が高い．触診方法のコツに関しては124頁を参照．

4. エコー評価

圧痛部位にある重積したfasciaを確認し，筋・腱・靱帯などの伸張性と滑走性を評価する．同時に，炎症所見（fluidの有無，ドプラ信号の亢進など）を評価し，注射であればステロイド薬の適応を考慮し，鍼治療であれば炎症部位へのアプローチ自体を慎重に検討する．

5. 治療的評価（治療的診断）

FPS（2章③参照）であれば，異常なfasciaを正確に治療（例：エコーガイド下注射）し，著明な改善（75％以上の疼痛スコアの改善[3]＋ROMの改善）を認めた時に確定診断とする．しばしば，圧痛は明確でなくても注射してみると非常に強い関連痛と鈍痛が生じ，十分な効果があることもある．その主な原因は，触診技術が低いため圧痛を検出できていない場合，病変が触診では届かない部位（深部など）にある場合，靱帯や腱など病変部位の圧痛閾値が高い場合である．それぞれの対応としては，1）エコーも用いながら体表解剖学を学習，2）詳細な動作分析による評価，3）鍼などによる深部病変検索（127頁の図9参照），などを利用する．

最後に，発痛源と悪化因子が初診時にすべて判明することは稀である．上記プロセスを反復し続けることで，徐々に患者の痛みの原因がわかってくることが多い．これらのプロセスに従ってすべての評価を円滑かつ短時間で実施するには，多職種連携が重要である．

文献
1) 松岡史彦，小林 只：プライマリ・ケア—地域医療の方法，メディカルサイエンス社，東京，2012
2) 白石吉彦，ほか（編）：THE 整形内科，南山堂，東京，2016
3) Falco FJE, et al：An update of the systematic assessment of the diagnostic accuracy of lumbar facet joint nerve blocks. Pain Physician 15：E869-E907, 2012

column

fascia 治療に関する適切な用語は？

痛みの原因を意味する"発痛源"に相当する用語は，origin of pain と source of pain の2種類がある．origin の意味は「起源，発端，はじまり，原因，出身」，source の意味は「水源，原因，出所」である．両者のうち，症状の直接的な原因部位というニュアンスをもつ source of pain を発痛源に相当する用語として本書では用いており，その検索を発痛源評価 evaluation for source of pain と呼んでいる．その理由は，従来 MPS や fascia リリースの分野で使用されてきた以下の用語（罹患筋診断，トリガーポイントの検索）が，現在では適切ではないためである．

- **罹患筋診断 diagnosis of MPS-affected muscle**：筋膜・腱・靱帯・硬膜・神経鞘など，筋よりも広い fascia という概念の治療部位を指す言葉として，罹患筋は適切ではない．また，罹患筋診断の診断 diagnosis は，日本では医師法に規定された医行為となる．多職種で使用できる用語としては，評価 evaluation が適切である．

- **トリガーポイント trigger point（TrP）の検索**：TrP はあくまで生理学的に定義された用語（過敏となった侵害受容器）であり，治療"部位"検索としての解剖学的な位置を示す用語としては適切ではない．TrP が存在する場所は基本的に fascia であると想定しているため，治療部位検索のうえで TrP という用語は本書では用いていない．さらに，fascia の異常（例：炎症性，mechanically-insensitive afferents による機械的痛覚過敏，滑走性・伸張性障害）による症状を包括するための概念としても TrP だけでは不十分である．

②触診—触診方法のコツ

■ポイント
- 圧痛部とは，圧刺激が組織の疼痛閾値を超えた時に患者が痛みを自覚する部位である．
- 指先でピンポイントに圧痛部を確認することが大事である．
- 浅部と深部の病変を適切に検出する技術を学ぶことで，治療速度が飛躍的に上昇する．
- エコーガイド下触診 sonopalpation を有効活用し，精密な触診による発痛源評価を意識する．

的確な触診によって治療部位を絞ることは，効果的，効率的に治療を行うために非常に重要である．以下に，適切な指の使い方，浅部と深部の触診法を紹介する．この際に，エコーで確認しながら，圧痛点の深さを体感することで，学習のスピードは飛躍的に向上する．エコーを用いた触診の学習方法は，別途記載する（6章③column 参照）．触診技術が向上すれば，皮膚・皮下組織・筋膜・筋腱移行部・腱・付着部・靱帯・神経・血管などを，mm単位で精密に触診できるようになる．

適切な圧痛検出のための指の使い方

指の使い方の原則は，可能な限りピンポイントで刺激を加えることである．刺激範囲が広いほど，正常構造物の圧痛閾値を超えたことによる痛みを検出しやすくなり，圧痛の偽陽性の可能性が上がる．特に，深部の圧痛評価の際は注意が必要である．母指の腹，母指の先，示指・中指の先，注射・鍼の順番で，より狭い範囲の刺激に対する反応を調べることができる（図1）．

浅部の病変を検出する工夫

意識せずに圧迫すると，浅部と深部の反応を区別できない．浅部のみを刺激し深部を刺激しないようにすると，浅部病変を特異的に検出することができる．その方法として，軽い圧迫刺激（図2，3），つまみ圧痛（図4），皮膚・皮下組織の誘導（ずらす）の3つがある（図5， WEB動画 ）．

軽い圧迫刺激は，浅部の病変に対する特異度は高いが感度は低い．つまり，圧痛が陰性であっても浅部の病変の存在は否定できない．

つまみ圧痛は，強くつまめば多くの患者は痛いため，浅部の病変に対する感度は高いが特異度は低い．そのため，健側と比較した評価が重要である．

治療的評価を兼ねた方法として皮膚・皮下組織の誘導がある．可動域の動作方向に皮膚・皮下組織を徒手でずらすことで，可動域が改善するかを評価する．ずらす方向がわかりにくい時は，上下左右斜めなど，さまざまな方向にずらしてみる必要がある．浅部の病変に対する感度は比較的高く（上下左右斜めなど，さまざまな方向に誘導することで感度を向上させることができる），特異度も高い．

深部の病変を検出する工夫

強い圧迫刺激で痛みが生じた場合でも，病変部位は深部ではなく浅部にあることがあるため，注意を要する（図6，7）．特に，皮膚の弾性が高い場合（例：アトピー性皮膚炎，慢性湿疹，強皮症，創部）は，深部を探るために，より強い圧迫が必要となる．そのため，

② 触診―触診方法のコツ

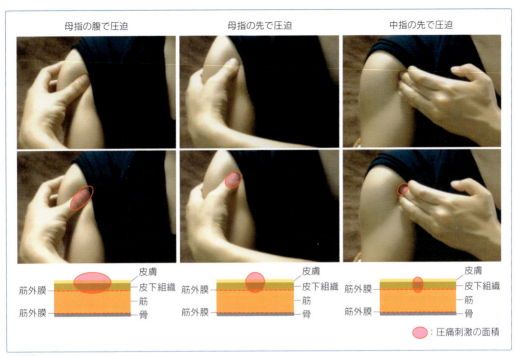

図1 圧痛確認時の指の使い方

図2 浅部の圧痛のイメージ

軽い圧迫刺激で患者が痛みを感じれば，病変部位は浅部にあることが確認できる．
a：指圧による組織の歪み
b：指圧による周囲組織への外力の伝達
c：軽い指圧のイメージ（外観）

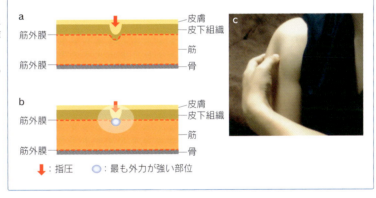

図3 エコー下触診：浅部

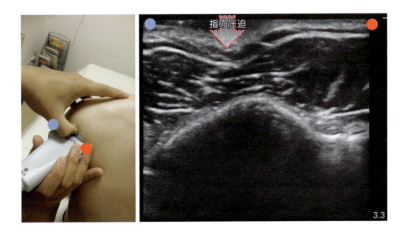

6 治療部位・発痛源の評価

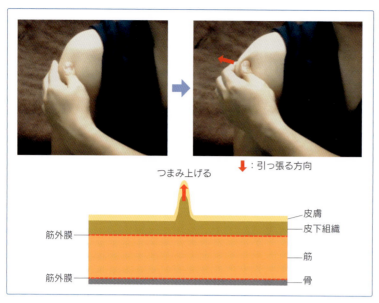

図4 つまみ圧痛の方法

つまみ圧痛は，筋膜（筋外膜）へ刺激を与えずに，皮膚と皮下組織にのみ刺激を与えることで，浅部病変を検出するための方法の1つである．

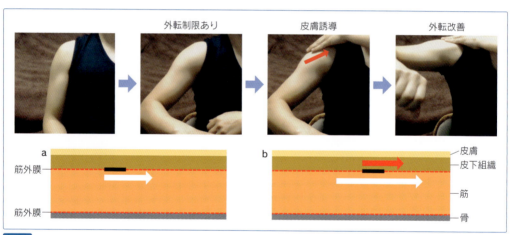

図5 皮膚・皮下組織の誘導（ずらし）による外転改善
a：三角筋の筋外膜浅層と皮下組織に癒着（■■■）があり，外転動作時に癒着部の影響で筋が十分に収縮できない．
b：皮膚を近位方向（→）に誘導する（ずらす）ことで，癒着部による外転動作制限がなくなり，外転可動域が改善する．この現象を確認した場合，浅部の癒着を疑う．

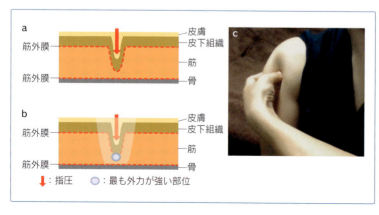

図6 深部の圧痛のイメージ

強い圧迫刺激で患者が痛みを感じた場合でも，病変部位は深部にあるとは限らない．
正常の皮膚・皮下組織・筋膜の圧痛閾値を超えた時の痛みか，病変部の圧痛かを判断する必要がある．
a：指圧による組織の歪み
b：指圧による周囲組織への外力の伝達
c：強い指圧のイメージ（外観）

② 触診―触診方法のコツ

図7 エコー下触診：深部

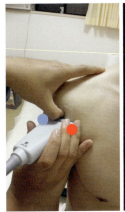
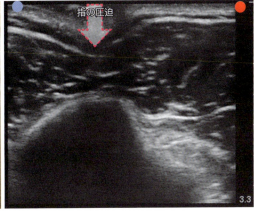

図8 深部圧痛の確認方法

1方向からでは，正常の皮膚・皮下組織・筋膜の圧痛閾値を超えた時の痛みか，病変部の圧痛かの判断ができない．そのため，複数方向から疑う病変部位の圧痛を確認する必要がある．

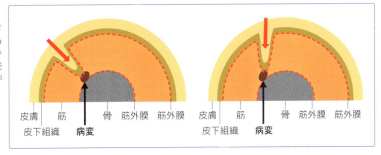

図9 鍼による深部病変の評価

鍼を使用することで，浅部組織に大きな外力を与えずに深部を刺激できる．一方，鍼操作であっても，皮膚・皮下組織・筋外膜の浅部の痛み閾値を超えれば，患者は痛みを感じる．2方向から実施することで，確実に病変部位の確認が可能である．

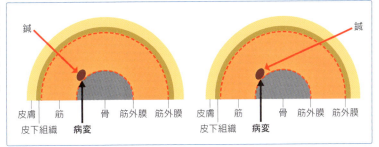

皮下組織などの浅部の病変を見逃しやすい．

深部の病変を検出するためには，深部のみを刺激し浅部を刺激しない方法が理想的であるが，難しい．複数方向から圧迫して，深部の同じ位置に圧痛があるかを確認する（図8）．また，鍼を使い浅部をできるだけ刺激しないようにして深部を刺激する方法もある（図9）．

深部の病変のための代償動作により浅部の病変が生じていることも多く，浅深両者の適切な評価が大切である．

圧痛が明確でない部位への治療的評価の意味

圧痛は明確でないが，注射時に強い関連痛を生じて症状が改善する場合もある．

その主な原因は3つある．1）触診技術が低いため圧痛を検出できない，2）病変が触診では届かない部位（深部など）にある，3）靱帯，腱など病変部位の圧痛閾値が高く指圧では痛みを生じない場合，である．

対応として，1）の場合はエコーも用いながら体表解剖学を学習，2）と3）の場合は

6 治療部位・発痛源の評価

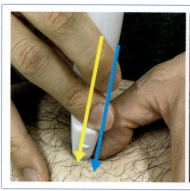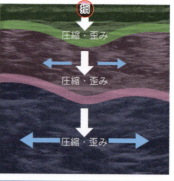

図10 プローブの横から触診する

圧迫し，各組織の層構造の歪み・圧縮状態を観察することで，現在どの組織を触診しているのかをリアルタイムで知ることができる．
圧痛所見がある場合に，どの層が発痛源となっているか評価できる．

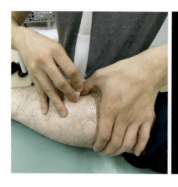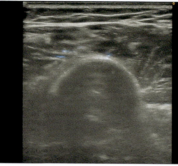

図11 プローブ横からの触診の練習ポイント WEB動画

骨の直上で触診すると圧縮度がわかりやすい．
プローブの幅の分だけ，触診部位がずれる傾向にあることを念頭に置く必要がある．
プローブと平行に圧を加えることで，エコー画面が途切れることなく描出できるが，この場合は，プローブ自体の圧痛も考慮する必要がある．

詳細な動作分析による診断やエコー画像上の評価，鍼などを有効利用するとよい．

圧痛の評価方法の注意点

圧痛部位＝病変とは限らない．正常部位でも過剰に刺激すれば痛む．また，関連痛が出現する部位にも圧痛（関連圧痛）があることが多いが，ここだけを治療しても症状はなくならない．

エコーガイド下触診の活用

エコーガイド下触診（sonopalpation/ultrasound-guided palpation）は，触診の深さの評価（前述）を含む精密触診に役立つ．さまざまなエコーガイド下触診の手法があるが，ここでは主に3方法を紹介する．これらは，目的の構造物に合わせて使い分けることが重要である．

1) プローブの横から触診する（図10, 11, WEB動画 ）．
2) 目的の構造物を描出した後，プローブを離し徒手のみで触診する（図12, WEB動画 ）．
3) 目的の構造物を描出した後，プローブの端で構造物を圧迫する（図13, WEB動画 ）．

② 触診—触診方法のコツ

図12 プローブを離した徒手のみによる触診の練習ポイント WEB動画

エコー画像より触診部位の解剖の理解を深める.
プローブの横から触診の練習を繰り返すことで,目的の層を触診する指の感覚を習得する.
プローブと指の位置がずれないように注意が必要.
指の沈み込みを視覚的な目安にするとよい.

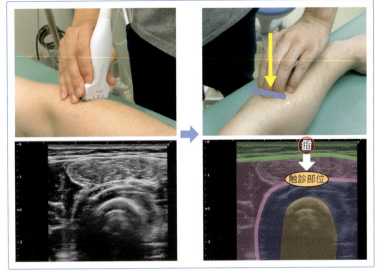

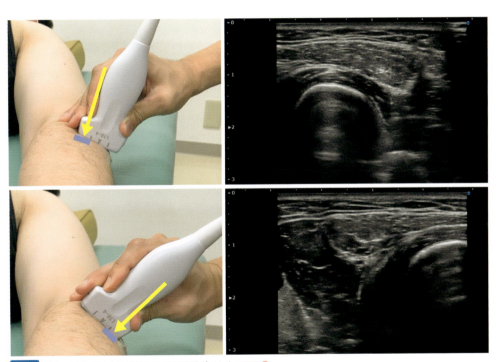

図13 プローブの端による構造物圧迫の練習ポイント WEB動画

骨の直上で触診すると圧縮度がわかりやすい.
体表から触知できる骨隆起(茎状突起など)や彎曲部位では描出が難しいため,比較的大きな組織の観察に向いている.
基本的には端で圧迫するが,彎曲部分では端をさらに立てるなどの工夫が必要となる.
プローブの両端で行うと,さらに広範囲を確認することができる.

6 治療部位・発痛源の評価

column

医師が鍼を使う意義

　日本では，法律上，医師も鍼治療が実施可能である．鍼治療は置鍼などで長い治療時間を要するという先入観があり，臨床で鍼を利用している医師は少ない．利用している場合でも，経絡・経穴としての使用がほとんどである．fascia を対象として鍼を利用する意義は，治療目的だけでなく，治療的診断・判断のための局所病変の評価にある．

　深部病変の場合，触診では圧痛点を的確に探し当てるのは難しい．しかし鍼を用いると，深部にある圧痛点（発痛源）も正確に探すことができ，鍼先を指先と考えることができる．さらに，その鍼先をガイドとして注射を行うこともできる．

　鍼は，その細さ・先端の形状などの特徴から，注射針に比べて侵襲性が低い．そのため，鍼先で病変部位を探る（抜き刺しする）行為でも，組織内の出血などの損傷行為になりにくい．

　このように，鍼は，深部病変の検出のための診察の補完ツールとして有効利用できる．また，注射刺激に敏感な患者に対する軽刺激の治療としても有用である．

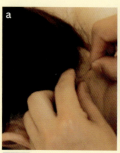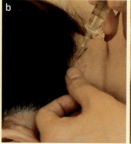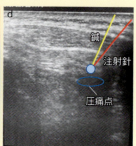

図1 鍼で対象物を捕捉して，注射する方法 WEB動画

a：鍼で対象物を捕捉
b：鍼をガイドにして注射している様子
c：エコーガイド下に鍼先端を確認しながら注射している様子
d：cの手技のエコー画像

③触診—触診の学習方法

■ポイント
> 触診の学習は，体表解剖に基づく方法と，エコー解剖に基づく方法がある．
> 多職種の共通言語としての解剖学を学ぶためには，両者を融合したエコー下触診が学習方法として推奨される．

fasciaに対する治療を行うための触診は，1) 骨軟部組織の解剖の評価，2) 皮下組織・筋・腱・靱帯などの動き・伸張性の評価を目的とするが，まずは基本となる解剖を学ぶ必要がある．解剖の学習方法には，以下の2通りの方法がある．

A) 体表解剖学 surface anatomy：生きている人体の安静時および動作時の体表面を見る(視診)・触る(触診)ことにより，その構造や機能を理解しようとする学問領域．

B) 画像解剖学 digital imaging anatomy：X線，超音波(エコー)，磁気共鳴などの画像診断機器を用いた人体の画像解剖学．
  ① 単純X線解剖：二次元の広い範囲の主に骨解剖(静止画)
  ② CT解剖：三次元の主に骨軟部組織解剖(静止画)
  ③ MRI解剖：三次元の主に軟部組織解剖(静止画，一部動画)
  ④ エコー解剖：二次元および三次元の骨軟部組織の局所解剖(静止画，動画)

体表解剖の学習では，同定した構造を体表面にマーキングする(線で書く)方法が一般的である．そして，マーキングの指標の違いによって，2種類の方法がある．

1. 体表から触れる所見の投影(図1)：体表解剖学としての投影

視診・触診で直接同定した構造をマーキングする．

- メリット：実際の圧痛点検索の方法と近似しており，即治療(徒手・鍼・注射)につながる．
- デメリット：体表からは触知できない構造物(深部など)にアプローチできない．触知した構造物と検者の指の間に軟部組織があるため，深部の構造物は触知困難である．対象物までの軟部組織の厚さ分の距離があるため，患者の体型(皮下脂肪の厚さ)などの影響を受ける結果，投影像のサイズは投影しようとする骨軟部組織よりも大きくマーキングされる傾向にある．解剖学に基づいた考え方をする職種との議論がしにくい．

2. エコーを用いた解剖学的所見の投影(図2)：画像解剖学としての投影

画像診断機器の中で，エコーは被曝がなく容易に施行できるため，触診の学習に適している．

エコーを用いて実際の内部構造をマーキングする．

- メリット：実際の解剖構造に近い情報をマーキングでき，深部構造も描出できる．解剖の学習方法としては適切である．骨のマーキングは変曲点を用いることが多い．
- デメリット：臨床における圧痛点検索に直結しないため，治療に直結しにくい傾向にある．

現場の治療家にとって前者(図1)の方法は，直ちに治療につながるため現実的といえるが，実際の解剖学的構造と同一ではないため，同じトレーニングを受けた者同士としか議論ができない．一方，学問や共通言語形成のためには後者(図2)の方法が望ましいが，現場の治療に直ちに結びつかない．

6 治療部位・発痛源の評価

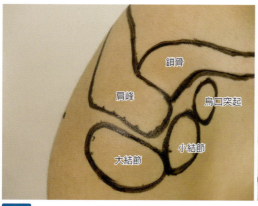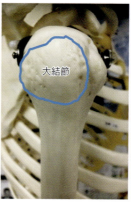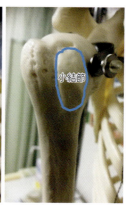

図1 体表から軟部組織を介して触れる所見の投影
体表面から軟部組織を介した骨隆起の角を触知した点でマーキング（投影像）した．結節間溝は上腕二頭筋長頭腱を介して触知しているため，大結節・小結節の間が狭い．また，触診上，骨を触知できない部位でマーキングしているため，大結節・小結節・烏口突起ともに全周がマーキングされている．右図の骨模型上の青線に相当する．

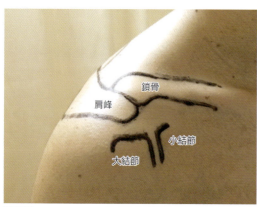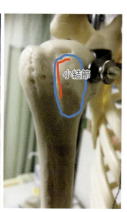

図2 エコーを用いた解剖学的所見の投影
エコーで骨の変曲点（平面上の曲線で曲がる方向が変わる点）を確認しながら体表にマーキングした．大結節は大結節稜，小結節は小結節稜を含むマーキング（投影像）である．マーキングの部位は，大結節稜・小結節稜ともに変曲点で実施．右図の骨模型上の青線は図1と同じ．赤線がエコー解剖所見の投影．

エコーガイド下触診による両者の統合

両者を建設的に統合するために，まず，エコーで指標（例：骨の接線など）をマーキングし，次に触診でどのように触知するかを検討する方法を我々は推奨する．その理由は，単純X線やCTなどの画像解剖学に基づくトレーニングを基礎にしたこの方法は，触診技術の標準化により適していると考えられるためである．以下に具体的な方法を記載する．

1. エコー解剖による体表へのマーキングを利用した触診解剖の学習

初めに，エコーを用いて体表へのマーキングを行う（図3）．次に，触診で骨の突出部を触知し，軟部組織を介したマーキングを行う．通常，指と骨の間に軟部組織が入るために，エコー下でのマーキングよりも軟部組織を介したマーキングのほうが大きく（外側へ）投影される（図4）．

2. エコーを用いた浅い触診と深い触診の学習

浅く圧迫する触診と，深く圧迫する触診の学習は臨床上重要である．局所圧迫による圧

③ 触診―触診の学習方法

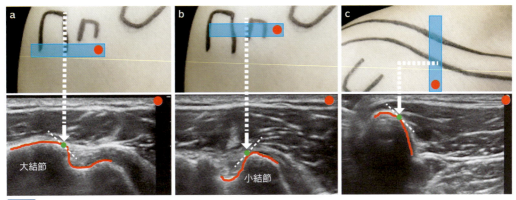

図3 エコー下触診マーキングの基準の取り方
骨の変曲点（●）を体表にマーキングする．
a：大結節，b：小結節，c：肩峰内側縁
■：プローブ，●：プローブの向き

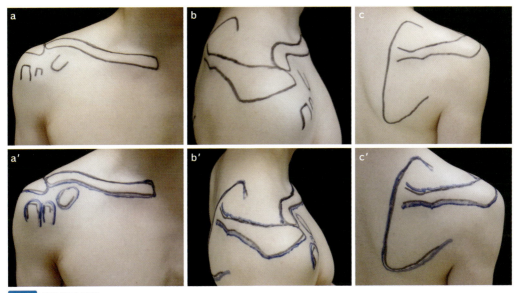

図4 触診投影の違い
a・b・c：エコー解剖によるマーキング
a'・b'・c'：黒：エコー解剖によるマーキング，青：触診解剖によるマーキング
aとa'，bとb'，cとc'が対応している．
すべてのライン（鎖骨・肩峰・大結節・小結節・烏口突起）で黒よりも青がやや広くマーキングされている．また，烏口突起では，黒は基部のラインが引けないが，青は触診上の落ち込んだ部位のためマーキングされている．

痛閾値を計測する圧痛計（例：圧痛 PEK，高精度圧痛計 TAM-1）などを用いて圧を客観的に測定しながらの触診学習方法もあるが，圧痛計では皮膚を垂直に圧迫することしかできず，斜めから押す・ずらす・押して指を曲げるなど，臨床における三次元的な触診を再現できない．触診方法のコツ（124頁）でも詳述したが，エコーを用いると，どの程度圧迫すると組織が歪む（影響を受ける）のかを目で確認しながら学習することが可能である（図5，6）．もちろん，肩など比較的浅い部位でも，浅層と深層の圧痛部位の鑑別に役立つが，腰など深部の圧痛を評価する時，あるいは圧痛点がはっきりしない時など，エコー

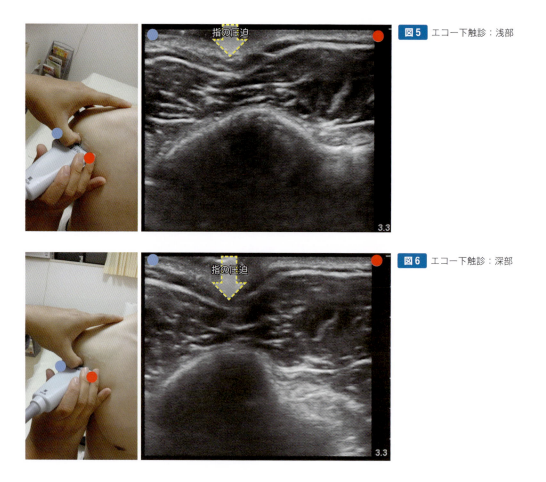

図5　エコー下触診：浅部

図6　エコー下触診：深部

で評価することで圧迫刺激がどの解剖学的部位まで波及しているかを可視化できる．また，近年エコーによる弾性評価技術エラストグラフィelastographyを触診に応用する試みも始まっている（135頁参照）．

column
エラストグラフィを活用したエコーガイド下触診教育

図1のように，エコーを当てながら触診を行うと，軽い圧迫でも想像以上にその力は深部まで伝わっていることがわかる．深さ5mmほど体表を凹ませる強さの圧迫でも，深さ4cm付近の組織までが動く（力が伝わる）ことが確認できる．一方，2cm程度の強い圧迫では，深部の組織も動くが，強い圧迫により深部が圧縮・固定される傾向にある．

エコーガイド下触診によって，従来学習が難しかった圧迫の強さを客観的にフィードバックできる．また，病変部位にどの程度の刺激が加わった時に痛むかも検討できる．

徒手的なfascia治療の技術として，押す刺激・ずらす刺激・剝がす刺激・リズミカルな刺激・ゆっくりとした刺激などがある．どのような方法（徒手・物理療法・押す・ずらす）で，どの程度の量で刺激することによって，より適切な治療効果が得られるかは今後の研究課題である．

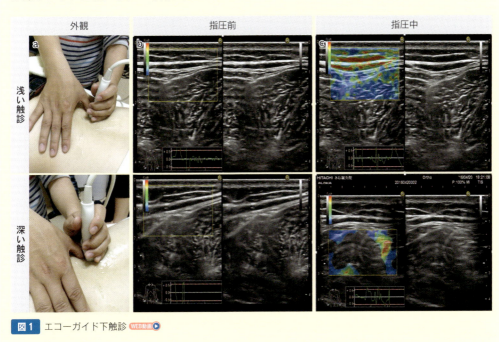

図1　エコーガイド下触診　WEB動画

④動作分析と可動域評価

■ポイント
- 症状の原因となっている部位(発痛源)を見つけ出す.
- 治療前後の可動域を患者に示して,リハビリテーションやセルフケアへの意欲を引き出す."痛みは変わらない"と訴える患者にも,可動域の改善を示して治療効果を理解させる.
- 動作分析は,触診所見に比較して検者間再現性が高いため,患者の症状を機能解剖学的に正確に表現でき,多職種の連携を円滑にする.

基本的な流れ

1. 症状の原因となる領域を推定する

通常は訴えのある部分,例えば膝痛であれば膝関節周囲を評価する.しかし,関連痛など主訴のある領域と離れた部分が原因の場合もあるので,注意が必要である(図1).

2. 患者の痛みを誘発する動作の確認

まず,「どんな時に痛むのか」を尋ねる.この疼痛誘発動作(注) WEB動画 が明確な場合は,これを再現して評価する.わからない場合には,その領域の可動域検査を系統的に行って疼痛誘発動作を見つけ出す.

肘関節や膝関節では伸展と屈曲のみであるが,肩関節ではさらに外転・内転,外旋・内旋を評価する必要がある.痛みを誘発する動作を起こす筋群(主動筋)と伸展される筋群(拮抗筋)や結合組織を評価して,原因となる部分を推測する.

評価にあたっては以下のようなコツがある(さらなる詳細は10章参照).

- 筋の緊張と収縮を触る:起始停止の解剖学的亜型variationや動作の癖などから,特定の動作に使用する筋は,人によってさまざまである.すべて覚えるよりも,実際に触ったほうが早く適切に理解できる.
- 自分で真似をする:できるだけ忠実に真似する.その際,どの部分が収縮あるいは伸張するかを治療者自身が体験することで,

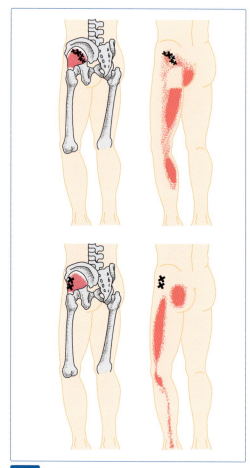

図1 小殿筋の関連痛

注)疼痛誘発動作:患者の自覚できる疼痛を誘発できる自動運動ないし他動運動のこと.
各関節運動に関する動画と資料として,日本整形内科学研究会ホームページの会員向けページに学習資料が公開されている.
https://members.jmps.jp/modules/forum/index.php?topic_id=1490

④ 動作分析と可動域評価

発痛源の特定に役立つ（患者の満足度も上がる）．

また，同じ動作でも，人により使用される筋は異なることを十分に認識する．

例えば，肩甲上腕関節の水平屈曲動作の場合，前腕の回内/回外の程度によっても，肩周辺の筋の使用は異なる．

3. その動作に関連する筋や結合組織の中で原因となるものを見つけ出す

その動作に関連する発痛源を見つけ出すには，いくつかの基本的な事項の理解が必要である．

以下に，具体的な鑑別方法の基本となる考え方を提示する．

動作分析に関する基本事項

1. 収縮痛・短縮痛・伸張痛（表1）

収縮痛：患者が筋を自分で収縮させた時の疼痛．患者の自覚症状としては，ズーン，ギューといった筋収縮関係の鈍痛が多い．筋や結合組織の滑走障害，筋トーヌスを調整している筋腱移行部近傍の発痛源を疑う．短縮痛よりも負荷が大きく，刺激量が多いため，異常の検出感度は高い．また，収縮時は患者によっては代償動作（maluse）が行われるため，どの筋の収縮刺激かに注意する．より診察感度を上げるために，拮抗運動などの等張性収縮で評価（徒手筋力テスト manual muscle test：MMT の評価方法に似る）することもある．

短縮痛：他動的に筋の起始停止を近づけることで，発痛源の存在する筋線維の収縮を誘発，あるいは隣接する fascia 同士の滑走性低下による局所刺激に誘発されることで生じる疼痛である．患者の自覚症状としては，ズーン，ギューといった筋収縮関係の鈍痛が多い．自動収縮に比べて小さい刺激による反応であり，発痛源の検出に対する特異度は高いが感度は低い．筋トーヌスを調整している筋腱移行部

表1 収縮痛・短縮痛・伸張痛の解釈

治療部位	その理由
動作筋・収縮する筋	pROM制限よりaROM制限が大きい時，収縮痛（ズーン，ギューなどの自覚症状）の時
伸張される組織（拮抗筋や靱帯など）	pROM制限とaROM制限が同程度の時，伸張痛（つっぱり感，一瞬のズキンなどの自覚症状）の時

aROM：active range of motion, pROM：passive range of motion

近傍の異常病変を疑う．診察上は，passive ROM の診察中に短縮側の筋がミオクローヌスのような"ビクビクッ"とした細かい反応を認める（例：患者腹臥位での他動的膝関節屈曲時の大腿二頭筋の収縮反応）．

伸張痛：筋や結合組織を伸張させた時の痛み．患者の自覚症状としては，"つっぱった感じ"や"引っ張られる感じ"など，引き伸ばされているような感覚が多い．組織同士の綱引きのようなものであり，伸張刺激量が痛み閾値の小さい部位を超えた時に，痛みとして自覚される．病態としては，筋の付着部・靱帯の伸張不全，結合組織の滑走性低下を疑う．

可動域評価に関する基本事項

関節可動域は，過用（overuse）や誤用（maluse），廃用（disuse）が何らかの原因で起こった場合に制限される．一部の関節を使いすぎる（overuse）ことによって関節可動域制限が起こり，それが原因で代償動作が起こるため，動作に関連する多関節への負荷がかかる（maluse）．また，傷病が原因で関節運動の低下した場合も，筋収縮力低下による関節可動域制限は認められる（disuse）．拘縮（関節可動域が制限されている状態）の原因には，皮膚，皮下組織，筋，靱帯，関節包，腱，末梢神経，血管などの軟部組織に由来するものと，骨・軟骨などの変形に由来するものがある．変形性関節症による骨変形が著明

表2 aROMとpROM

種類	意味
aROM	患者自身による運動を評価
pROM	検者による診察・評価

表3 具体的な鑑別方法の基本

		痛み		可動域
		aROM	pROM	
収縮痛		＋	−	aROM＜pROM
伸張痛	筋	＋	＋	aROM＜pROM
	関節包・靱帯	＋	＋	aROM＝pROM

痛みの性質の違い
伸張痛：つっぱり感など
収縮痛：ズーンとした痛み，重だるさ

でも，周囲軟部組織の治療により，関節のアライメントが改善し，関節可動域制限が改善する例もあり，両者の相互関係を踏まえて評価・治療することが重要である．

1. active ROM と passive ROM（表2）

自動関節可動域 active ROM（aROM）：患者自身が動かすことによる関節可動域検査．筋の収縮力や拮抗筋の緊張性，および伸張性を総合的に判断できる．運動方向の収縮痛（求心性収縮）と拮抗筋の収縮痛兼伸張時痛（遠心性収縮）および結合組織の伸張性の総合的評価となる．例：適切な膝関節伸展運動には，大腿四頭筋の収縮と大腿二頭筋など後面の筋群の遠心性収縮，および膝窩関節包や靱帯群の伸張性が必要である．また，膝蓋骨の可動性および大腿骨と脛骨の前後方向の可動性が膝伸展運動には関与している．このように aROM は，複合動作としての全体の機能評価となる．

他動関節可動域 passive ROM（pROM）：患者は脱力状態で検者が実施する関節可動域検査．純粋に牽引される組織（皮膚，皮下組織，筋，靱帯，腱，神経，血管）全体の伸張性を評価しており，これらの組織のうち何が主要な可動域制限の因子であるかどうかは，「動きの足し算・引き算」（次項），触診（6章②参照），エコー（6章⑥参照）などで総合的に評価する．pROM の評価で注意すべき点は，患者が十分にリラックスし脱力できていないと，短縮痛を同時に評価しやすいことを念頭に入れることである．aROM が複合動作の評価である一方，pROM は診察方法により各関節や部位の評価か複合評価かを検者が意識して実施する必要がある．

2. aROMとpROMの関係

- aROM＜pROM（自動運動による可動域が他動運動による可動域よりも狭い）：主に筋の影響を考える．力を入れることに恐怖感がある時；リラックスを促して診察する．筋の収縮運動障害がある時；収縮側の筋膜などの結合組織の異常を疑う状態．筋断裂のため収縮ができない時；腱板断裂，腓腹筋断裂など．

- aROM＞pROM（自動運動による可動域が他動運動による可動域より広い）：稀な現象．代償動作が大きく，きちんと pROM が測定できていないことが多い．

- aROM＝pROM（自動運動による可動域と他動運動による可動域に差がない）：収縮痛の要素が大きくない．関節包や靱帯などの伸張性・滑走性低下を疑う状態．

上記をまとめる．動作時の痛みの性状，aROM と pROM の評価などをもとに，1）収縮痛または伸張痛，2）筋または関節包・靱帯，を判断していくことが，どの部位でも基本となる（表3）．

以下に具体例として，肩痛患者で1st内旋制限がある場合を考える．1st内旋では，肩前面の収縮（大胸筋，肩甲下筋など）と肩後面の伸張性・滑走性（棘下筋・棘下筋窩脂肪体など）が必要である．

- aROM＜pROM：患者が肩につっぱり感[注]を自覚；肩後面（棘下筋付着部・棘下筋窩脂肪体）の伸張性低下を疑う．

- aROM ＞ pROM：1st 内旋動作時に脇が開いてしまうなどの代償動作が起きていることがほとんどである．
- aROM ＝ pROM：肩甲上腕関節の関節包・靱帯などの伸張性・滑走性低下，つまり凍結肩 frozen shoulder などを疑う状態である．

動きの足し算・引き算

手関節を背屈させる筋には，長短橈側手根伸筋など手関節のみを背屈させる筋群と，総指伸筋のように手関節背屈と手指伸展を生じる筋群がある．この時，手関節屈曲時の手関節背側部の伸張痛と pROM 制限を認めた場合，以下のように考えることができる．

1) 手をグーに握った状態（手指屈曲状態）＋手関節屈曲
2) 手をパーにした状態（手指伸展状態）＋手関節屈曲

上記 1) と 2) の手関節屈曲が同程度制限されている場合（1 ＝ 2）は，長短橈側手根伸筋など手関節のみを背屈させる筋群の影響が大きいと判断できる．これに対して，上記 1) が 2) よりも屈曲制限が強い場合（1 ＞ 2）は，総指伸筋のような手指に関連した筋群の影響が大きいと判断できる．このような考え方を「動きの足し算・引き算」と称する．

動作分析・可動域評価の実際

上記の診察の流れをまとめると，以下になる．

例）肘伸展障害（肘が伸びない）と痛み
Q1) aROM の可動域と，pROM の可動域は同じか？
A1) aROM と pROM に差があれば筋，差がなければ靱帯や腱を考える．
Q2) 筋の問題であれば，屈筋もしくは伸筋？
A2) つっぱり感ならば伸筋群（上腕二頭筋など），ギューという感じならば屈筋群（上腕三頭筋など）を考える．
Q3) 伸筋の場合，上腕二頭筋？上腕筋？はどう鑑別するか？
A3) 肩伸展や前腕回外動作でつっぱり感が悪化すれば上腕二頭筋を，変化しなければ上腕筋などを考える（動きの足し算・引き算）．

まとめ：動作分析と可動域評価の学習手順（初学者向け）

以下の手順で初学者は学習を重ねることを推奨する．

1) 患者の痛みが誘発される動作を見つける：病歴確認．起床時？　具体的には？
2) 筋収縮と緊張度を実際に触る：起始停止の variation や動作の癖などから，肩関節を筆頭に動作に使用する筋肉は，さまざまである．すべて覚えるよりも，実際に触ったほうが，早く適切に理解できる．
3) 自分で真似をする：できるだけ忠実に真似をする．その際，どの部分が収縮するか伸張するか？などを治療者自身が体験することで，発痛源の特定に役立つ（患者の満足度も上がる）．
4) 動きの足し算・引き算の感覚をつかむ！

注）このつっぱり感は患者の自覚症状（関連痛）であるため，肩の後面に感じることが多いものの，肩の前面に自覚することも稀ではない．肩の前面の症状＝肩前部の原因ではない．
患者が肩に鈍痛を自覚する場合は，肩周囲（大胸筋・肩甲下筋・棘下筋の筋腹・筋腱移行部）の収縮痛を疑う．

column

pROMの全身評価の方法：real anatomy train

　発痛源を悪化させる悪化因子のうち全身のアライメント・姿勢・結合組織の連続性を評価する方法として，ROM評価，疼痛誘発動作分析，姿勢・アライメント評価，全身の結合組織のつながりの評価がある．全身の結合組織のつながりは，近年anatomy trainとして知られており，さまざまな評価方法が提案されている．例えば，anatomy trainに沿った圧痛点を確認していく方法は一般的であるが，評価に時間がかかるという欠点もある．我々は，anatomy trainについて，pROM診察による全身の結合組織緊張度が高いラインを評価していく「real anatomy train」という手法を提唱している（図1）．

図1 real anatomy trainの評価（上肢） WEB動画

　例えば，上肢を牽引する各方向によって体の動き（反応）を確認し，その連続性を検者が視診・触診で評価する，また患者が自覚するつっぱり感を評価する．全身のつながりを患者も容易に実感できるため，生活指導へもつながりやすい．

　また，上肢の内旋外旋や手関節の屈曲伸展などを組み合わせて，動きの「足し算・引き算」により評価していくことで，患者の痛みが出るfasciaの緊張度を確認できる．例えば，頸部痛の患者で上肢牽引時に症状が悪化，肘屈曲状態での牽引と肘伸展状態での牽引で，その症状が変化した場合は，前腕のfasciaの緊張度と頸部症状の関連を疑う．

　より詳細には，指・手関節・肘・肩・顎・舌・眼球運動・呼吸・体幹・骨盤・下肢などの屈曲伸展・回旋などを加減しながら，最も緊張度が高い結合組織のラインを評価し，そのラインのうち最も緊張度が強い部位（治療部位）を見つけていく．実際の治療点は，最も症状に関係した緊張度を確認した身体のライン上の解剖学的に負荷がかかりやすい部位（停止部，起始部，筋腱移行部など）であることが多い．

　浅部と深部の緊張度の分離評価も以下の方法で可能である．
1) 角度：症状が最も増悪あるいは軽快する方向を調べる．上肢の場合，屈曲や伸展を強くするとその分，皮膚・皮下組織が引っ張られる（＝表層fascia）．中間位では深層fascia，可動域制限を感じるのに皮膚はつっぱっていない時はdeep fasciaの傾向がある．
2) 浅層の結合組織は全身を包んでいる．上肢を引っ張りながら，皮膚面を対側の手で触診して浅層の結合組織の動きを制限あるいは誘導することで，症状や可動域の変化を確認する．動画では両手で牽引しているが，臨床では片手で牽引して対側の手で皮膚の張力を調整することにより，可動域や伸展性の変化を評価する．

参考文献
1) 小林　只：real anatomy trainによる原因Fasciaの検索方法，第14回MPS研究会学術集会，2014

⑤ pROM と nerve tension test

可動域制限には，前述した aROM と pROM に関係する筋や靱帯，関節包によるもの以外に，神経および神経周囲の fascia による伸張制限によるものがある．これらは，神経の走行に合わせて伸張させることで動的に評価することができる．

例えば，肩関節で 2nd 外旋肢位は，尺骨神経の nerve tension test の姿勢と似る．仰臥位で下肢挙上（膝伸展＋股関節屈曲）させる動きは，大腿後面ハムストリングスの緊張と，坐骨神経の nerve tension test（下肢挙上伸展テスト［SLR］と一般的に称される）の両者の鑑別が必要である．このように，筋を主体に可動域評価を行い，制限方向を見つけたとしても，その制限要素として末梢神経自体のことを念頭に置く必要がある．

以下で提示する nerve tension test が陽性の場合は，対象となる末梢神経に対する fascia リリース（4 章② column 参照）を実施する．本稿では，臨床的に頻用する上肢の nerve tension test と，下肢の nerve tension test の代表例，および神経リリースが頻用される臨床例を提示する．

上肢の nerve tension test

有名な橈骨神経（図 1）・正中神経（図 2）・尺骨神経（図 3）の nerve tension test 以外に，肩甲上神経（図 4，5），腋窩神経（図 5，6），肩甲背神経（図 7）の nerve tension test を提示する．次に，頸肩部に関する神経リリースの治療について，経験上頻用されるパターンを紹介する．

1. 肩関節 2nd 外旋動作で痛みが残る場合

頸部対側の側屈を加えて悪化すれば，尺骨神経の nerve tention test 陽性として，肘部管などの上肢部はもちろん，頸神経根リリース（特に C5 神経根と C6 神経根の間，C7 神経根と C8 神経根の間の fascia 治療が多く，圧痛とエコー画像で評価する．また，神経根リリースの場合はデルマトームも考慮する）も重要となる．

2. 肩関節外転動作で収縮痛が残る場合

上腕骨の橈骨神経溝の圧痛を確認して，橈骨神経リリースを実施する．橈骨神経の nerve tention test の陽性も確認する．

3. 棘上筋の伸張動作（結帯動作）で痛みが残る場合

頸部対側の側屈を加えて悪化すれば，肩甲上神経リリース（棘上筋）を実施する（図 4）．

4. 棘下筋の伸張動作（水平屈曲）で痛みが残る場合

肩甲上神経リリース（棘下筋）および腋窩神経リリースを検討する（quadrilateral space：QLS）（図 5）．さらに，結髪動作による腋窩神経 nerve tention test が陽性ならば，より QLS の治療を優先するとよい．

5. 肩甲挙筋の伸張制限が十分改善しない場合

対側側屈で悪化すれば，肩甲背神経リリースを実施する（図 7）．

6. 各末梢神経の解剖

腕神経叢：C5 から T1 の神経根に由来し，上・中・下神経幹から外側・後・内側神経束へ分岐する．脊髄神経から分岐し斜角筋間，鎖骨下を経由して，各末梢神経に至る．

肩甲上神経：C5，6 腕神経叢の上神経幹に由来し，棘上筋の深層に潜り込み，肩甲上切痕を通過し棘下筋深層に至る．棘上筋と棘下筋を支配する運動神経，および肩関節包と肩鎖関節包の知覚枝を出す．

腋窩神経：C5 から T1 の神経根に由来し，上・中・下神経幹から後神経束を経由して腋

6 治療部位・発痛源の評価

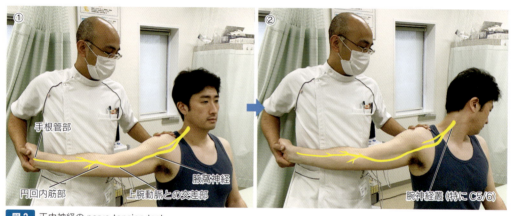

図1 橈骨神経の nerve tension test
ステップ1：母指の掌側外転＋手関節掌屈・尺屈＋前腕回内位
ステップ2：肘関節伸展
ステップ3：肩関節90°外転
ステップ4：頸部の対側側屈

図2 正中神経の nerve tension test
ステップ1：手関節背屈＋前腕回外位
ステップ2：肘関節伸展
ステップ3：肩関節90°外転
ステップ4：頸部の対側側屈

窩に至る．腋窩部では上腕動静脈，正中神経，尺骨神経の背側を走行し，後上腕回旋動脈とともに四辺形間隙（quadrilateral space：QLS）を通って，上腕の後面に達し，三角筋への筋枝を出す．上腕外側の近位部分の皮膚知覚を支配する．

橈骨神経：C5からT1の神経根に由来し，上・中・下神経幹から後神経束を経由して腋窩に至る．腋窩部では上腕動静脈，正中神経，尺骨神経の背側を走行し，上腕骨の橈骨神経溝に接してらせん状に周り，上腕の遠位1/3付近で腕橈骨筋と上腕筋の間を通って，肘関節の外側に達し，浅枝と深枝に分かれる．浅枝は腕橈骨筋の内側面を下行し，深枝は回外筋を貫いて多数の筋枝を出して手関節に至る．上腕から前腕の後面および第1～3指橈側の皮膚知覚を支配する．

正中神経：C6からT1の神経根に由来し，内側神経束，外側神経束が合わさり腋窩に至る．腋窩から肘関節にかけて上腕動脈と伴走した後，円回内筋の深層と浅層の間を通過して前腕に達し，浅指屈筋と深指屈筋の間を走

⑤ pROMとnerve tension test

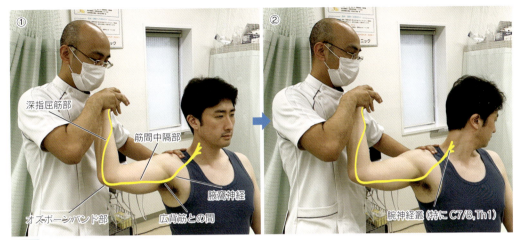

図3 尺骨神経のnerve tension test
ステップ1：手関節橈屈・背屈＋前腕回内位
ステップ2：肘関節伸展
ステップ3：肩関節90°外転
ステップ4：頸部の対側側屈

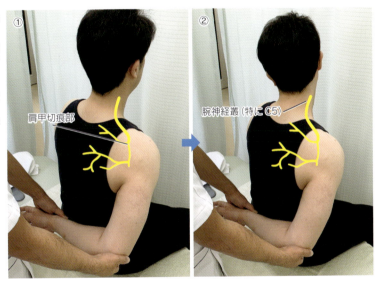

図4 肩甲上神経のnerve tension test（棘上筋）

肩甲上神経は棘上筋，または棘下筋のどちらの筋で絞扼されているかでテスト法が変わる．
臨床上，棘上筋のパターンが多く，その場合，肩甲切痕と棘上筋の間で絞扼されていることが多い．
ステップ1：肩関節の伸展＋内転（結帯動作の肢位）
ステップ2：頸部の対側側屈

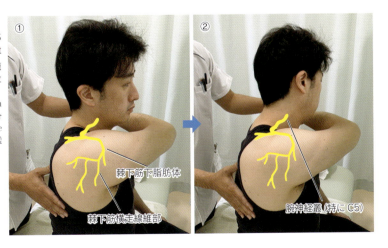

図5 肩甲上神経（棘下筋部）および腋窩神経（QLS部）のnerve tension test

棘下筋の場合，横走線維の下で絞扼されていることが多いため，同部位を伸張してテストを行う．
QLS部の腋窩神経にnerve tension testも関係するが，QLS部の場合は，図6の腋窩神経自体のnerve tension testが陽性になることで鑑別できる．
ステップ1：肩関節の水平屈曲
ステップ2：頸部の対側側屈

6 治療部位・発痛源の評価

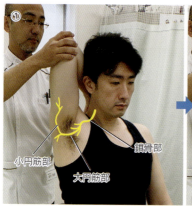
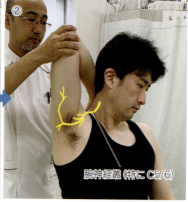

図6 腋窩神経のnerve tension test（大円筋）

腋窩神経は，上腕三頭筋と大円筋の短縮や緊張が高まった時に，上腕骨頭との間で絞扼される．肩の可動域制限を起こしている場合，この部分は絞扼を起こしやすい．
ステップ1：肩関節の外転＋外旋＋屈曲（結髪動作の肢位）
ステップ2：頸部の対側側屈

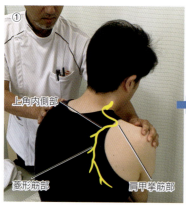
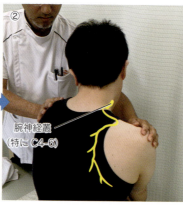

図7 肩甲背神経のnerve tension test（大円筋）

ステップ1：頸部・胸部の屈曲＋肩甲骨外転
ステップ2：肩甲骨外転
ステップ3：頸部の対側屈曲

行して手関節掌側中央に至り，手根管を通って手掌に達する．手関節掌側，手掌および第1～4指（橈側），手背では第2～4指の中節・末節の皮膚知覚を支配する．

尺骨神経：C8，T1の神経根に由来し，内側神経束を経由し腋窩に至る．腋窩部では正中神経，橈骨神経とともに上腕動脈と伴走し，上腕骨内側上顆の尺骨神経溝を通り，肘部管を通って前腕尺側に至る．前腕部では尺側手根屈筋の上腕頭と尺骨頭の間を走行して手関節に至り，Guyon管部で浅枝と深枝に分かれる．手掌および手背部の尺側の皮膚知覚を支配する．

下肢のnerve tension test

有名な坐骨神経（図8）のnerve tension test（いわゆるSLR）以外に，後大腿皮神経（図9），脛骨神経（図10），総腓骨神経（図11）のnerve tension testを提示する．次に，下肢痛に関する神経リリースの治療について，経験上頻用されるパターンを紹介する．

1. 下腿外側部の痛みやしびれが残る場合

総腓骨神経のnerve tension testが陽性であれば，末梢神経上の圧痛点を確認のうえ，神経リリースを実施する．

2. 足底部の痛みやしびれが残る場合

脛骨神経のnerve tension testが陽性であれば，末梢神経上の圧痛点を確認のうえ，神経リリースを実施する．

3. 殿部痛が残る場合

仙腸関節に関連した組織へのfasciaリリースをまず実施したうえで，仙結節靱帯上の後大腿皮神経の圧痛を確認のうえ，神経リリースを実施する．

⑤ pROM と nerve tension test

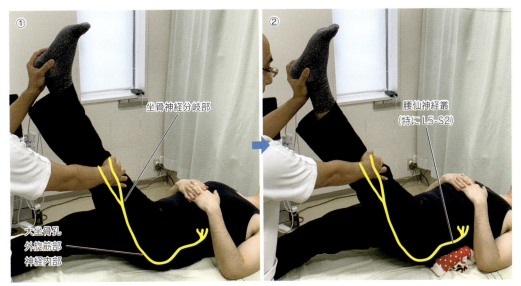

図8 坐骨神経の nerve tension test
ステップ1：膝関節伸展
ステップ2：股関節屈曲
ステップ3：股関節内旋または外旋
ステップ4：上半身の対側側屈（腰神経叢の伸張ストレス）

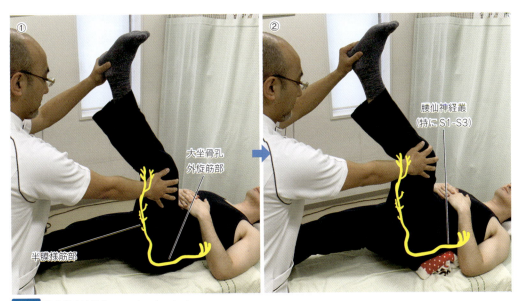

図9 後大腿皮神経の nerve tension test
ステップ1：膝関節伸展
ステップ2：股関節屈曲
ステップ3：股関節内旋または外旋
ステップ4：腰椎の前彎を強くする

4. 各末梢神経の解剖

坐骨神経：L4からS3の神経根に由来し，腰仙骨神経叢から大坐骨孔を経て，梨状筋の前方部より骨盤外へ出る．梨状筋を含む深層外旋六筋を横断し，大腿後面へと走行して，膝窩上方で総腓骨神経と脛骨神経に分岐する．坐骨神経の支配筋はハムストリングス（大腿二頭筋，半腱様筋，半膜様筋）と大内転筋

145

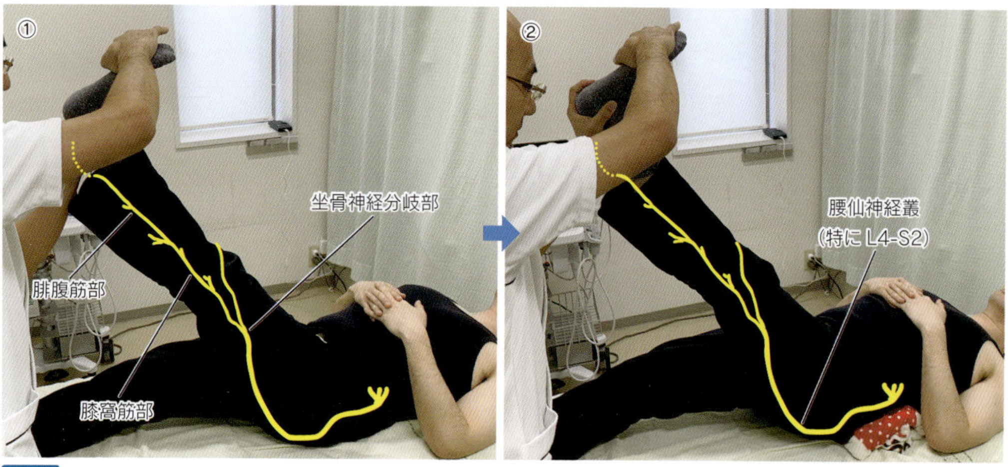

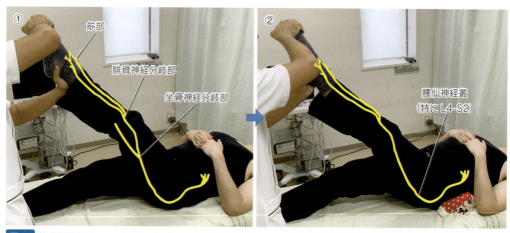

図10 脛骨神経の nerve tension test
ステップ1：膝関節伸展
ステップ2：股関節屈曲
ステップ3：股関節外旋
ステップ4：上半身の対側側屈（腰神経叢の伸張ストレス）

図11 総腓骨神経の nerve tension test
ステップ1：膝関節伸展
ステップ2：股関節屈曲
ステップ3：股関節内旋または外旋
ステップ4：上半身の対側側屈（腰神経叢の伸張ストレス）

である．

脛骨神経：L4からS3の神経根に由来し，膝窩上方で坐骨神経より分岐後，膝窩で内側腓腹皮神経を分岐，膝窩動静脈，後脛骨動脈とともにヒラメ筋腱弓を通過した後，下腿屈筋群に筋枝，下腿後面に皮枝を出して，後脛骨筋の後方を下行する．足関節内果では，外側足底神経と内側足底神経に分岐し，足底の皮膚知覚，足底筋群に至る．

総腓骨神経：L4からS3の神経根に由来し，膝窩上方で坐骨神経より分岐後，腓骨頭の後下方より前下方へ長腓骨筋深部を通過する．その後，長腓骨筋と長趾伸筋の間を下行する．

後大腿皮神経：後大腿皮神経は知覚枝として，S1からS3の神経根に由来し，坐骨神経に並走して梨状筋下孔を通過する（坐骨神経からの分枝位置には個体差がある）．会陰部と下殿部に皮枝を出し，大腿二頭筋の表層を下降し，大腿部から膝部後面に皮枝を出す．

column

エコーを用いた坐骨神経の滑走評価 nerve gliding test

背景：一般的に使われる"坐骨神経痛"という言葉は，正確には「坐骨神経痛様症状」である（より正確にいえば，「下肢痛」くらいのニュアンスで臨床現場において使用されることもあり，注意が必要である）．この坐骨神経痛様症状の原因は多様であるが，坐骨神経周囲の fascia 異常（坐骨神経自体が発痛源である「坐骨神経痛」），椎間関節，仙腸関節，殿筋の筋膜性疼痛などが代表的である．これらのうち坐骨神経痛や梨状筋症候群など，坐骨神経周囲の fascia が発痛源となっている場合は多い．近年，神経滑走改善が神経緊張を改善させ，筋痙攣を軽減させたという報告[1]もあり，坐骨神経周囲の fascia へのアプローチの可能性は広がっている（3章④参照）．nerve tension test（6章⑤参照）など，身体診察による手法の画像化という位置づけとして，今回エコーを用いた坐骨神経の滑走評価（"seesaw sign" という名称で2004年に報告もされた[2]．我々は nerve gliding test と表現している）の1例を紹介する．動的な観察は，これらの原因の鑑別なり，エコーでの視覚的フィードバックに役立つ．

方法：患者を側臥位で股関節屈曲位とし，殿部より坐骨神経を長軸で描出する．さらに，他動的に膝関節を屈曲位から伸展させ，その時の坐骨神経の滑走を観察する（Lasègue（ラセーグ）徴候の変法に近い）（**図1**，WEB動画▶）[3]．梨状筋の裏，坐骨あるいは内閉鎖筋の上での坐骨神経の動き，つっぱり感を評価する．坐骨神経周囲に癒着を起こしている場合，坐骨神経の滑走性は低下し，同時に膝の伸展制限，疼痛の増悪を確認できる．

解釈：所見の解釈は以下の通りである．

1) 坐骨神経が滑走しているが，ピンポイントのつっぱり感や再現痛がない場合：坐骨神経周囲ではなく，facet や仙腸関節が発痛源であることが経験上多い．

2) 坐骨神経が滑走しているが，坐骨神経領域（下肢に広く，または下肢遠位側）に再現痛がある場合：神経根や硬膜などが発痛源である場合もある．

3) 坐骨神経の滑走性が低下し，ピンポイントのつっぱり感や再現痛がある場合：梨状筋より尾側の坐骨神経の滑走性低下を認める場合が多い．この場合は，坐骨神経痛と呼ばれるものに相当する．坐骨神経周囲の fascia に原因がある場合は，坐骨神経周囲へのエコーガイド下 fascia ハイドロリリースを実施し，診察上およびエコー上で，坐骨神経の滑走性改善，診察上の可動域改善，症状改善を確認する．なお，難治例では坐骨神経の末梢神経内へのハイドロリリースを実施することもある（4章② column 参照）．

文献

1) Lam SKH, et al：Loss of the "seesaw sign" of the sciatic nerve in a marathon runner complaining of hamstring cramping. Pain Med 21：e247-e248, 2020
2) Schafhalter-Zoppoth I, et al：The "seesaw" sign：improved sonographic identification of the sciatic nerve. Anesthesiology 101：808-809, 2004
3) 木村裕明：下肢への関連痛に対する Fascia リリース．第18回 MPS 研究会学術集会，2016

6 治療部位・発痛源の評価

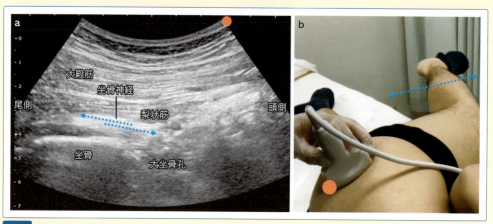

図1 坐骨神経の滑走性評価 nerve gliding test　WEB動画
a：エコー画像，b：外観

⑥ fascia 治療におけるエコーの活用法

■ポイント
- 抗炎症薬の併用が必要な炎症性病態を評価する．
- 骨棘の有無，fasciaの伸張性・滑走性評価から異常なfasciaを検索する．
- エコーガイド下注射は穿刺による合併症を最小限にすることができる．

fasciaと画像評価については，2章②を参照いただきたい．本稿では，fasciaを含めた診療における運動器エコーの活用と限界について紹介する．

運動器エコーを用いる場合は，まず，動作分析・可動域検査で筋・靱帯単位などの大まかな治療部位を決定し，次にエコーによる評価を行う．ただし，エコー操作や解釈の技術向上に伴い，エコーを先に使用することで，診療全体が効率的になる場合もある．例えば，上腕二頭筋長頭腱炎や完全腱板断裂，膝関節の液体貯留などは，その他の検査よりもエコーのほうが診断が的確で早い．足関節捻挫の場合でも，圧痛点だけでは踵骨前方突起骨折や腓骨頭の裂離骨折，前下脛腓靱帯損傷などを見逃しやすいが，エコーでは診断が的確かつ迅速である．以下に，MPSやfasciaの異常検出にエコーを役立てる主な方法を示す．

炎症の急性期の所見確認

発赤・熱感・腫脹など，いわゆる炎症の急性期の所見を認めた場合は，生理食塩水によるfasciaリリースは直接的な適応とはならない．非ステロイド性抗炎症薬（NSAIDs）やステロイド薬などの抗炎症作用の内服薬や注射薬の使用が望ましい．具体例として，膝内側側副靱帯の炎症（血流増加）（**図1**）が挙げられる．

骨・軟部組織の構造異常の評価

構造異常と症状は比例しないという研究報告も多いが（無症候性の神経圧迫[1]や膝半月

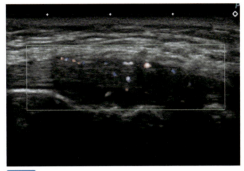

図1 膝（内側側副靱帯）の血流増加

板損傷[2]および変形性膝関節症[3]などは珍しくはない），構造異常がわかると，どの軟部組織に負荷がかかっているのかを推察することができる．

例えば，膝内側半月板亜脱臼がある場合，その構造異常を支えるために内側側副靱帯と鵞足に代償的な負荷がかかる．治療は，内側側副靱帯の浅層と深層（半月板と連続）の間のリリースと，内側側副靱帯浅層と鵞足の間のリリースが基本となる．また，同部位に物理的なストレスがかかり続けるような運動パターン（股関節外旋位による膝外旋傾向のため鵞足筋群が従来の股関節内転作用ではなく股関節屈曲作用となり，鵞足筋群に過負荷がかかる）を認める場合には，骨盤と姿勢の指導も大事となる．

前距腓靱帯損傷後であれば，代償作用による長腓骨筋や短腓骨筋などの腓骨筋群のMPSを合併しやすい．

棘上筋断裂の患者では，肩関節の外転の代償作用としての棘下筋や上腕二頭筋のmaluseが生じる．腱板完全断裂では，外転作用は三角筋のみで実施される傾向にある．

6 治療部位・発痛源の評価

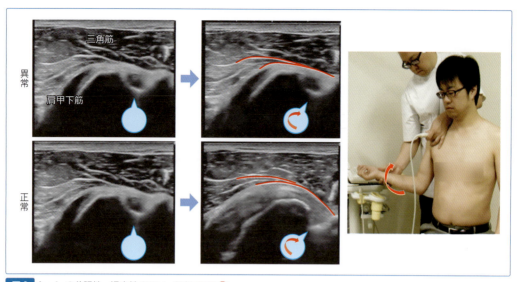

図2 fasciaの伸張性・滑走性のエコー評価 WEB動画
三角筋と肩甲下筋の滑走性の正常と異常(筋膜が外旋運動時につっぱっている．関節可動域制限と画像上のつっぱりが一致している時，可動域制限の原因部位と判断する)．

ストレートネックでは，前頸部の筋緊張が高く，頸長筋・頭長筋・斜角筋のMPSの合併が多い．そもそも，MPSによる筋緊張の結果としてストレートネックというアライメントになっている可能性もある．

骨棘の存在もまた重要なヒントとなる．骨棘は筋，腱，靱帯など長年の物理的ストレスの結果として形成される(裂離骨折後の骨片や種子骨との鑑別は必要)．そのため，骨棘を認める時は，その骨棘につながる筋，腱，靱帯のoveruseとMPSを考慮する WEB動画．これらの情報を得るためには，単純X線，CTの情報も有用である．

腰椎分離症(疲労骨折)では，周囲の脊柱起立筋や横突棘筋のMPSを合併しやすい．また，骨折治癒後の骨棘や横突棘筋付着部の癒着による腰痛症は稀ではない．

fasciaの伸張性・滑走性および筋収縮性の評価

ある関節に可動域制限がある場合，その原因は収縮障害と伸張制限に大別される(収縮痛と伸張痛の違いは137頁参照)．エコーでも両者を評価することが可能である．収縮痛の場合，エコー画像上の筋収縮に比例して患者の自覚症状が起きることで確認する．伸張痛の場合，エコー画像上で，最終可動域における結合組織のつっぱり感を確認する．

例えば，肩甲上腕関節の1st外旋制限がある患者の場合，その原因は三角筋と肩甲下筋の滑走性低下，烏口上腕靱帯の伸張性低下など，さまざまである．1st外旋動作の最終可動域の時点で，最も結合組織の緊張度が高い部位が原因と判断できる(図2, WEB動画)．

また，斜角筋停止部(第1肋骨)と前鋸筋上部線維停止部(第2肋骨)の治療部位判断もエコーで可能である．患者に深呼吸をさせて，呼吸に伴う肋骨の運動をエコーで確認する．肋骨周囲の結合組織の伸張性低下あるいは筋の収縮性低下を観察する．通常は，深吸気時に肋骨が上方に動かないことを異常と判断する(図3, WEB動画)．深吸気時に第1肋骨が挙上しない(時に下方移動)場合は斜角筋の治療，第2肋骨が挙上しない(時に下方移動)場合は前鋸筋上部線維の治療を考慮する．

⑥ fascia 治療におけるエコーの活用法

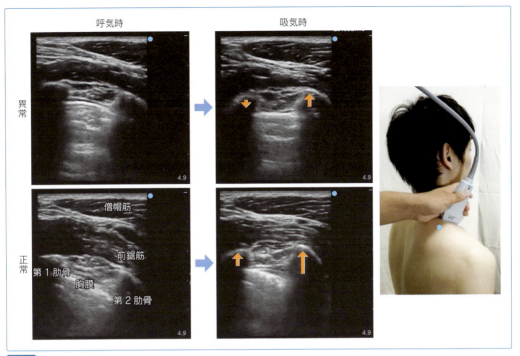

図3 深吸気時の肋骨可動性のエコー評価 WEB動画▶
正常では，深吸気時に第1肋骨，第2肋骨ともに十分に挙上（画像上は上方移動）する．異常では，深呼吸時に，第1肋骨が挙上しない（時に下方移動）場合は斜角筋の治療，第2肋骨が挙上しない（時に下方移動）場合は前鋸筋上部線維の治療を考慮する．

fascia 重積の位置（主に深さ）の確認

　圧痛部位を同定した場合，異常な fascia がどの深さにあるかは，針先の抵抗による経験則で判断されてきた．筋膜を貫く際は針先にプツンといった抵抗があり，多くの場合，この部位で関連痛や響きを患者が自覚する．しかし，液体注入量が増えるに従い，針先の位置が適切でなくなってくる場合が多い．また，多くの医師は「抵抗が少ないところに注入する＝良いこと」と認識している傾向にある．fascia リリースの場合はむしろ逆で，抵抗が強い部位こそ，針先の緻密なコントロールとともにリリースしていく必要がある（166頁参照）．そのため，fascia の重積部や筋外膜などの対象部位の位置と深さをエコーで確認しながら治療することが重要である（図4）．

安全な注射ルートの探索

　神経・肺・動脈の近傍で，ブラインドで注射するにはリスクが高い部位でも，エコーガイド下ならば安全に注射可能である．特に，前鋸筋と肋骨の間は，fascia が重積することが多い．従来この部分は，肺が近いために安全に治療することができなかった．しかし，エコーガイド下では確実に注射することができる（図5）．

合併症の評価

　注射に伴うさまざまな合併症（例：血管穿刺による内出血や血腫，気胸）をエコーで評価できる．多くの場合，内出血は体表からの圧迫止血で問題ないが，深部や腹部および頸部など血腫が拡大しやすいような部位では，致命的になる場合もある．また，注射でも鍼でも気胸の合併症対策は極めて重要である．

図4 エコーによるfasciaの重積像の確認
椎体の横突起の浅層側に2つのfasciaの重積像を認める．同部位を確認しながら注射する．

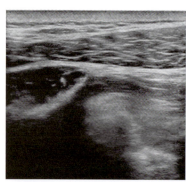
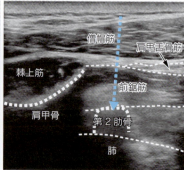

図5 安全な注射ルートの探索
前鋸筋の上部線維は肩こり・頸部痛・肩甲骨可動性・肩痛など幅広い治療適応となる部位である．しかし，斜角筋の停止部同様に肺が近いため，肋骨に針を当てることがポイントであるが，ブラインド注射はリスクがある．エコーガイド下で確実に第2肋骨に針先を当てることが重要である．

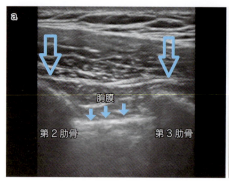
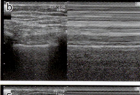

図6 合併症の評価（気胸）
胸膜が動いていることが確認できれば，100％その部位に気胸はないといえる．Bモードで判断に悩む時は，Mモードやドプラを利用した方法もある．
a：Bモード，b：Mモード（正常），c：Mモード（異常＝気胸）

エコーで呼吸による胸膜運動を確認できれば，その部位に関しては気胸なしと断言できる（別の肺葉の気胸は否定できない）．Bモードで判断が難しい場合は，Mモードやドプラも有効な手段である．Mモードでは肺実質は呼吸性変動で砂嵐様になる．これは，波が打ち寄せる砂浜のようにも見えることからseashore signとも呼ばれる．気胸の場合，seashore signの特徴である砂嵐様のパターンが消失する（図6）．

文献
1) el Barzouhi A, et al：Magnetic resonance imaging in follow-up assessment of sciatica. N Engl J Med 368：999-1007, 2013
2) Katz JN, et al：Surgery versus physical therapy for a meniscal tear and osteoarthritis. N Engl J Med 368：1675-1684, 2013
3) Guermazi A, et al：Prevalence of abnormalities in knees detected by MRI in adults without knee osteoarthritis：population based observational study（Framingham Osteoarthritis Study）．BMJ 345：e5339, 2012

⑦ 多様な関連痛マップ（dermatome, myotome, fasciatome, angiosome, venosome, osteotome）

発痛源評価では，整形外科的検査，姿勢・動作分析，末梢神経分布，その他さまざまな視点から痛みの解剖学的部位を検索していく．しかし，患者の症状には，従来の評価に当てはまらないものや，発痛源が症状と離れた部位にある場合も多い．そのような際には，より視野を広げた発痛源評価が必要となる．

例えば，神経学的異常所見に対する皮膚レベルの知覚の評価には，dermatomeの分布図を参考にする場合が多くある．しかし，臨床において症状は必ずしも正確に，この分布図に沿って出現しているとは限らない（下記に提示するようにdermatomeも複数の報告がある）．そのため，発痛源評価としては，筋出力に問題があればmyotome，deep fasciaの関連痛を考慮する時はfasciatome，冷え・しびれ感など血流に関連した症状を疑う時はangiosome，venosome（vasosomeと称される場合もある），骨膜に関連した症状を疑う時はosteotomeなど，視野を広げて評価する必要がある．これらは，神経学的異常所見の評価にのみ用いるのではなく，慢性痛の発痛源評価すべてに適応となる．以下に，それぞれを概説する．

デルマトーム dermatome

各脊髄分節が支配する皮膚感覚領域の分布図（図1）．深部腱反射や筋力評価とともに，脊髄疾患での病巣高位を診断するのに有用となる．

しかしdermatomeにはさまざまな種類の報告があり，検証法もさまざまで，その分布のバリエーションも多い．Edinger[1]，Keegan & Garrett[2]，Haymaker & Woodhall[3]らが作成したものが古典であり，それ以降に作成されたものは，これらを修正したものがほとんどである．

神経根障害では，dermatomeの分布に沿った感覚障害が出現する場合があるが，神経根周囲のfascia（椎間関節腔＋関節包靱帯＋多裂筋付着部＋筋外膜間のfascia＋黄色靱帯・背側硬膜複合体と神経根につながるfascia）に異常が生じた場合にも，dermatomeの分布に沿った疼痛やしびれが出現する場合がある．

ミオトーム myotome

各脊髄分節が支配する運動神経の分布（図2）．脊髄分節が支配する筋の筋力低下や筋萎縮の有無から，脊髄疾患や神経根症状の病巣高位を診断するのに有用となる．神経根周囲のfasciaに異常が生じた場合，dermatomeの分布に沿った疼痛やしびれとともに，myotomeの分布に沿った筋力低下や筋萎縮が出現する場合もある[4]．

ファシアトーム fasciatome

Carla Steccoらが提唱した概念[5]で，deep fasciaの感覚は各脊髄分節が支配しており，dermatomeにおける表在の皮膚感覚とは異なる分布を示しているというもの（図3）．

さらに，fasciatomeでの神経支配分布は，四肢の分節間（上肢の場合，肩部-上腕-前腕-手部など）をつなぐfasciaの張力伝達と密接に関わり合うとされている．例えば，第5頸髄分節に入る第5頸髄神経根は，上肢の前方挙上運動（肘関節伸展位＋手関節中間位での肩関節屈曲運動）で張力伝達を行うdeep fasciaの感覚を担当している．一方で，上肢の側方挙上運動（肘関節伸展位＋手関節

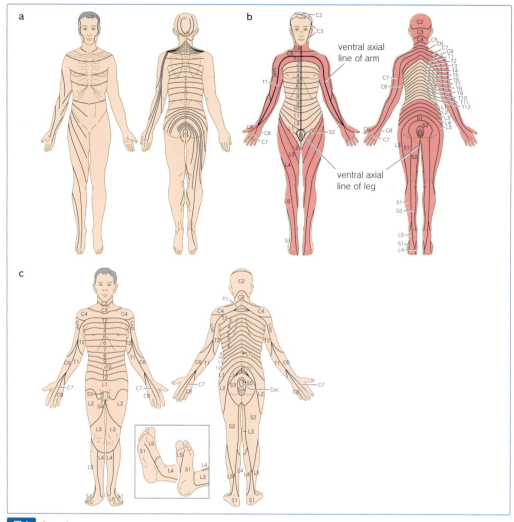

図1 dermatome

皮膚の感覚神経分布．dermatomeは異なる種類のものが30種類以上存在する．ここでは代表的な3種類を紹介する．
a：Edinger (1904) を参照して筆者らが作図
b：Keegan & Garrett (1948) を参照して筆者らが作図
c：Haymaker & Woodhall (1953) を参照して筆者らが作図

回外位での肩関節外転運動) で張力伝達を行う deep fascia は，第6頸髄神経根レベルの感覚神経が担当している．このように，すべての運動方向に担当の脊髄分節が存在している．したがって，四肢に疼痛症状が認められる場合には deep fascia の神経支配も考慮する必要がある．

アンギオソーム angiosome

Ian Taylor らが提唱した概念で，体組織がどの源血管によって血液供給されているかを表した血流地図であり，形成外科医の皮弁形成術に用いられていたもの (**図4**)[6]．

血管の外膜と呼ばれている部分は，コラーゲンやエラスチンを含む線維成分で構成されているため[7]，単なる膜ではなく，周囲組織

⑦ 多様な関連痛マップ（dermatome, myotome, fasciatome, angiosome, venosome, osteotome）

図2 myotome

各脊髄分節が支配する運動神経の分布.
a：肩関節と股関節における内転外転，内旋外旋，手関節の回内回外
b：肘関節の屈曲伸展と手関節の掌屈背屈
c：肩関節の屈曲伸展
d：股関節と膝関節の屈曲伸展と足関節の底屈背屈
(NYSORA：Functional Regional Anesthesia Anatomy. https://www.nysora.com/foundations-of-regional-anesthesia/anatomy/functional-regional-anesthesia-anatomy/ より許諾を得て転載)

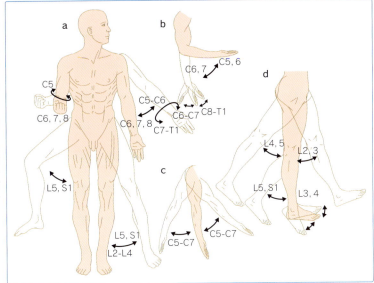

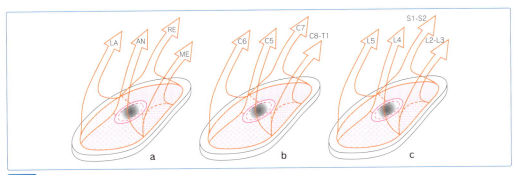

図3 fasciatome

運動方向 AN：前方運動，RE：後方運動，ME：内方運動，LA：外方運動
a：deep fascia の感覚神経分布
b：上肢の神経分布
c：下肢の神経分布
四肢における deep fascia の感覚は，各区画ごとに脊髄分節高位が時計回りとなるよう神経支配されている．上肢では ME がより下位の神経支配を受け，下肢では ME がより高位の神経支配を受ける．
(Stecco C, et al：Dermatome and Fasciatome. Crin Anat 32：896-902, 2019 を参照して筆者らが作図)

とのネットワーク機能を有するための fascia であると考えられる．よって，血管外膜は発痛源となりうる．

angiosome は動脈の血流地図であり，以下が確認できる場合に対象血管を治療部位として選択する（3章⑤参照）．
①従来の発痛源評価により普段の痛みが再現されない，または一定しない．
② angiosome の領域に一致した症状が認められる．
③ angiosome での担当血管周囲にエコーで重積が認められる．
④その血管のドプラ反応に左右差がある．

angiosome では，分布図上で隣り合った部位を栄養する血管同士も互いに関係し合っている．そのため，疼痛部位の栄養血管だけでなく，隣り合って分布する栄養血管が発痛源となる可能性もある．

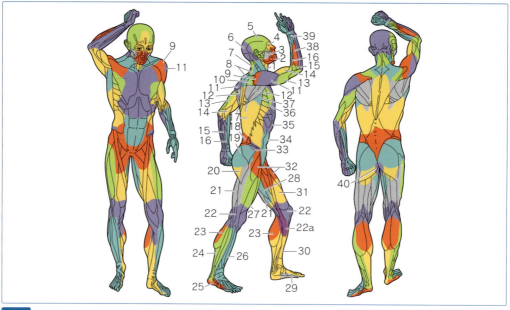

図4 angiosome

(1)甲状腺動脈，(2)顔面動脈，(3)上顎動脈，(4)眼動脈，(5)浅側頭動脈，(6)後頭動脈，(7)深頸動脈，(8)頸横動脈，(9)胸肩峰動脈，(10)肩甲上動脈，(11)後上腕回旋動脈，(12)肩甲回旋動脈，(13)上腕深動脈，(14)上腕動脈，(15)尺骨動脈，(16)橈骨動脈，(17)後肋間動脈，(18)腰動脈，(19)上殿動脈，(20)下殿動脈，(21)深大腿動脈，(22)膝窩動脈，(23)腓腹動脈，(24)腓骨動脈，(25)外側足底動脈，(26)前脛骨動脈，(27)外側大腿回旋動脈，(28)深内転筋動脈，(29)内側足底動脈，(30)後脛骨動脈，(31)浅大腿動脈，(32)総大腿動脈，(33)深腸骨回旋動脈，(34)下腹壁動脈，(35)内胸動脈，(36)外側胸動脈，(37)胸背動脈，(38)後骨間動脈，(39)前骨間動脈，(40)内陰部動脈

(Taylor GI, et al：The vascular territories (angiosomes) of the body：experimental study and clinical applications. Br J Plast Surg 40：113-141, 1987 を参照して筆者らが作図)

ヴェノソーム venosome

angiosomeと同様にIan Taylorらが提唱した概念．venosomeは静脈の血流地図(**図5**)[8]であり，以下が確認できる場合に対象血管を治療部位として選択する(3章⑤参照)．
①従来の発痛源評価により普段の痛みが再現されない，または一定しない．
②venosomeの領域に一致した症状が認められる．
③venosomeでの対象血管周囲にエコーで重積が認められる．
④その血管のドプラ反応に左右差がある．
⑤息み(バルサルバ法)で症状に増減が認められる．
⑥四肢末端の症状の場合には，近位に駆血帯を巻き症状に増減が認められる．

venosomeにおいても，隣り合った部位の栄養血管が発痛源となる可能性もある．

オステオトーム osteotome

Joseph Jules Dejerineが提唱した概念で，各脊髄分節が支配する骨膜の感覚領域と固有神経支配領域の分布図であり，dermatomeにおける皮膚感覚の分布や，fasciatomeで提唱されたdeep fasciaの感覚分布とは異なる分布を示す(**図6**)[9]．

坐骨神経痛と診断される患者の多くで，殿部と下腿前外側の疼痛を主訴として訴える場合がある．この際，大腿部に疼痛がない場合も多く，dermatomeの分布とは感覚領域が一致しない．しかし，osteotomeに当てはめて考えると，殿部と下腿前外側の骨膜は第5腰髄神経根の支配領域として当てはまる．

⑦ 多様な関連痛マップ（dermatome, myotome, fasciatome, angiosome, venosome, osteotome）

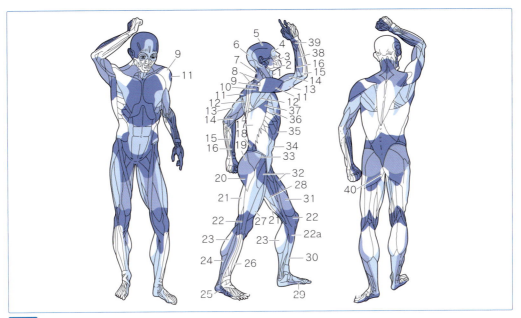

図5 venosome
(1) 甲状腺静脈，(2) 顔面静脈，(3) 上顎静脈，(4) 眼静脈，(5) 浅側頭静脈，(6) 後頭静脈，(7) 深頸静脈，(8) 頸横静脈，(9) 胸肩峰静脈，(10) 肩甲上静脈，(11) 後上腕回旋静脈，(12) 肩甲回旋静脈，(13) 上腕深静脈，(14) 上腕静脈，(15) 尺骨静脈，(16) 橈骨静脈，(17) 後肋間静脈，(18) 腰静脈，(19) 上殿静脈，(20) 下殿静脈，(21) 深大腿静脈，(22) 膝窩静脈，(23) 腓腹静脈，(24) 腓骨静脈，(25) 外側足底静脈，(26) 前脛骨静脈，(27) 外側大腿回旋静脈，(28) 深内転筋静脈，(29) 内側足底静脈，(30) 後脛骨静脈，(31) 浅大腿静脈，(32) 総大腿静脈，(33) 深腸骨回旋静脈，(34) 下腹壁静脈，(35) 内胸静脈，(36) 外側胸静脈，(37) 胸背静脈，(38) 後骨間静脈，(39) 前骨間静脈，(40) 内陰部静脈
(Taylor GI, et al：The venous territories (venosomes) of the human body：experimental study and clinical implications. Plast Reconstr Surg 86：185-213, 1990 を参照して筆者らが作図)

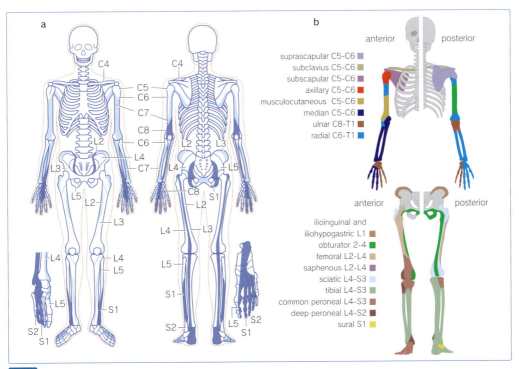

図6 osteotome
骨膜の感覚神経分布. Djerine S によって1914年に提唱された概念. a は脊髄の支配分節高位を示し, b は固有神経支配領域を示している.
(Djerine S：Semoidologie du System Nerveux, Masson, Paris, 1914 を参照して筆者らが作図)

文献

1) Edinger L：Neue Darstellung der Segmentinnervation des menschlichen Körpers. Zeitschr F Klin Med 53：52-57, 1904
2) Keegan JJ, et al：The segmental distribution of the cutaneous nerves in the limbs of man. Anat Rec 102：409-437, 1948
3) Haymaker W, et al：Peripheral Nerve Injuries：Principles of Diagnosis, 2nd ed, pp17-30, WB Saunders, Philadelphia, 1953
4) NYSORA：Functional Regional Anesthesia Anatomy. https://www.nysora.com/foundations-of-regional-anesthesia/anatomy/functional-regional-anesthesia-anatomy/
5) Stecco C, et al：Dermatome and Fasciatome. Clin Anat 32：896-902, 2019
6) Taylor GI, et al：The vascular territories (angiosomes) of the body：experimental study and clinical applications. Br J Plast Surg 40：113-141, 1987
7) Chelladurai P, et al：Matrix metalloproteinases and their inhibitors in pulmonary hypertension. Eur Respir J 40：766-782, 2012
8) Taylor GI, et al：The venous territories (venosomes) of the human body：experimental study and clinical implications. Plast Reconstr Surg 86：185-213, 1990
9) Dejerine J：Sémoidologie du Système Nerveux, Masson, Paris, 1914

エコーガイド下 fascia ハイドロリリースの方法 | 7

7 エコーガイド下 fascia ハイドロリリースの方法

①穿刺および注射針の操作技術—注射針・シリンジ・薬液の選択

■ポイント

▷ fascia ハイドロリリースに用いる注射針の基本は，27G 19mm 針と，27G 38mm 針である．細い針は穿刺痛が小さいが，エコーでの描出難易度は上がる．

▷ 注射液は，炎症性病態があれば，ステロイド薬などの抗炎症薬の併用も考慮するが，漫然と使い続けず，病態解釈を慎重に繰り返す．

▷ 注射針の太さやベベルの向きを考慮して fascia ハイドロリリースを行う．

▷ 針をしならせることで，より精密な fascia ハイドロリリースを実施できる．

注射針とシリンジの選択

医療機関で一般的に採血や注射に用いられる注射針は 18～23G（**図1**）である．ところが，これらはエコーガイド下 fascia ハイドロリリース（US-FHR）に用いるのには，やや不便である．この手技では，身体の浅層から深層までさまざまな位置にある fascia に針先を届かせて中に入れ，圧力をかけて液体を注入することで癒着を剝がす．そこで，針はある程度の長さが必要であり，薄い fascia 内に入れるためには針先は小さいほうがよい．つまり，長くて細い針が望ましい．経験的に最も頻用するのは 38mm の針であり，太さは 25G より細いものがよい．

◉1. 注射針の種類と特徴に応じた注射手技のコツ

「圧力をかけて fascia を剝がす」という

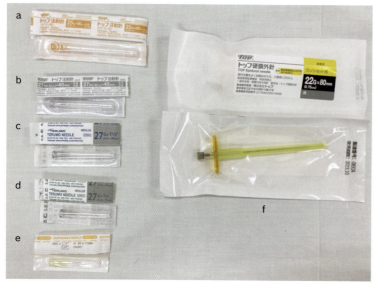

図1 さまざまな注射針
a：25G 60mm トップ注射針，
b：27G 40mm トップ注射針，
c：27G 38mm テルモ注射針，
d：27G 19mm テルモ注射針，
e：30G 12mm デントロニクス注射針，
f：22G 80mm トップ硬膜外針

① 穿刺および注射針の操作技術—注射針・シリンジ・薬液の選択

fasciaリリースの特徴から，用いる注射針とシリンジの選択および組み合わせは重要である．針の口径およびシリンジの大きさとfasciaの「剝がしやすさ」には，次のような関係がある（表1）．

針は太ければ太いほど，シリンジは小さければ小さいほど，注入に必要な力は少なくて済むのでリリースしやすい．しかし，針が太いと痛みは強く組織への侵襲性は高くなり，シリンジが小さいと十分な量の液体が注入できない場合が多くなる．一方，エコーによる視認性は，当然ながら針が太いほうが高い．

頻用される針の種類の一覧表を示す（表2）．US-FHRにおける針とシリンジの組み合わせで最も頻繁に用いられるのは，27G 38mmの針と5〜10 mLのシリンジの組み合わせである（表3）．この組み合わせで，注射手技全体の7〜8割をカバーできる．これに加えて深部のポイントを狙う場合には，60〜70mmのカテラン針が必要となり，浅いポイントの場合には19mmを選択する．また，手指など穿刺痛が強く注入量が少なくて済む部位では，30G 19mmの針と2.5 mLのシリンジを組み合わせる．27G針はエコーでやや確認しにくく，また曲がりやすくて初心者には操作しにくいので，まずは25G針から試みることを勧める．

以下に，針とシリンジの応用例を紹介する．
1) リリースに強い力が必要になる部位（関節包など）
- 23〜25G針を用い，シリンジは5 mLを用いる．痛みが強くなるので注入には局所麻酔薬を用いる．表皮もしっかり麻酔をする．また，ロック付きシリンジを利用する（後述）．
2) 深い部位にあるポイント（小殿筋の深部，仙腸関節など）
- 曲がりにくい23〜25Gのカテラン針を用いる．深い部位はエコーで鮮明な画像を得にくいので視認性でもメリットがある．

3) 深層に損傷しやすい構造物がある部位（肩甲骨間の腸肋筋，C2胸鎖乳突筋裏など）
- 19mm針を用いて，意図しない深い穿刺を予防する（針先は常に視認しつつ行うのが大原則である）．

2. シリンジの選択：ロック付きシリンジ

腱鞘内や小関節など注入に高い圧力が必要となる場合，通常のシリンジでは針が外れて薬液が噴き出してしまうことがある．これを

表1 各針とシリンジの長所と短所

		長所	短所
針	太い	エコーで視認しやすい 注入が容易．比較的軽い力でよい	穿刺痛が強い 神経，血管，肺などの誤穿刺でダメージが大きい
	細い	比較的痛みが弱い 誤穿刺時のダメージが少ない	エコーで視認しにくい 注入が困難で強い力をかけなくてはならない
シリンジ	容量が大きい	1回の充填でより多くの注入，あるいは複数箇所のリリースが可能	注入に比較的強い力が必要
	容量が小さい	比較的弱い力で注入が可能	十分な量の注入がしにくい．あるいは，複数回に分けて注入しなくてはならない

表2 頻用される注射針の種類と特徴

	針の長さ 短 ←→ 長		
30G	19mm		
27G	19mm	38mm	
25G		38mm	カテラン60mm
23G		32mm	カテラン60mm, 70mm
22G		32mm	
21G		38mm	

表3 初めに揃えたい針の種類

基本：27G 19mm　27G 38mm 　　　（初心者は25G 38mm）
深部のポイントを狙う場合：23Gカテラン60〜70mm
手指など：30G 19mm

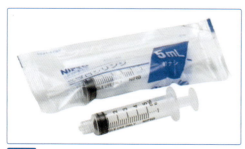

図2 ロック付きシリンジ

防ぐためには，針をネジで固定できるロック付きシリンジが非常に有効である（図2）．

3. 注射針の選択：ベベルの種類

ベベル（bevel）とは，注射器の針先の斜めになった切り口のことである．針には，R/BやS/Bといった表記がされている（表4）．これはベベルの種類であり，針先のカット角を示す．一般的には，regular bevel（R/B）は皮下注射や筋肉注射に用い，short bevel（S/B）は血管損傷や神経損傷を避けるために，注射や採血，神経ブロックなどに用いるとされている．

薬液の選択

関節内注射と関節外注射では，基本的に薬剤選択に対する考え方が異なる．一般的に，関節内では炎症の程度に応じて，ステロイド薬などの抗炎症薬の使用が検討される．一方で関節外では炎症の有無に加えて，筋，靱帯，末梢神経，血管など，fasciaを含む線維構成体の治療が重要となる．

関節内注射について概説する．2017年にMcAlindonらは，変形性膝関節症（論文では変形性膝関節炎 osteoarthritis［3章①参照］）に対する膝関節内注射において，ステロイド薬（トリアムシノロン40 mg）と生理食塩水のランダム化比較試験を報告した[1]．両者間で鎮痛効果は変わらなかったが，ステロイド薬では関節軟骨体積の大幅な減少を認めた．一方で，高度な変形性膝関節症であっても，関節外組織の治療で良好な疼痛コントロールができたという報告も増えている[2,3]．

他の関節に関しても同様の報告が続く．2020年にGazendamらは，変形性股関節症（本研究では，正確には変形性股関節炎 osteoarthritis）に対する，股関節内注射における11のランダム化比較試験の結果をまとめたシステマティック・レビューを報告した[4]．生理食塩水は，ステロイド薬・多血小板血漿（PRP）・ヒアルロン酸と同程度に効果的であると結論づけられた．一方でKayaは，鼠径部痛に対する股関節前面の関節外組織への介入（内視鏡手術）が除痛に有用だったとも報告している[5]．

上記研究を含め，関節の変形度ではなく，滑膜炎の程度で関節内へのステロイド薬投与を検討した報告が少ないことも課題である．臨床的には，結晶誘発性関節炎（例：痛風，偽痛風），血清陰性多関節炎（例：関節リウマチ，全身性エリテマトーデス）が適切に診断されず，単純X線写真で軟骨が減っていることから「変形性関節症」として診断されている場合も稀ではない．つまり，関節内へのステロイド薬の注射が著効した患者は，実は「変形性膝関節症」ではなく，「未診断の炎症性関節炎」として診断を再考する必要がある（3章③参照）．

関節外組織への治療という観点では，トリガーポイント注射を例に挙げる．トリガーポイント注射には実にさまざまな種類の液体が使用されて，その効果が比較検討されてきた．亜急性および慢性の腰痛患者に対するトリガーポイント注射の効果を調べた研究では，各種の局所麻酔薬，ステロイド薬，ボツリヌス毒素Aのいずれを用いた注射群も生理食塩水を注入したプラセボ群以上の効果はなく，また薬液注射群と鍼刺激群との差も認められていない[6]．

従来の研究は，炎症の原因として筋膜性疼痛症候群（MPS）を考慮していないものがほとんどである．MPSにより筋伸張性が低下したため，付着部や周囲組織がoveruseと

① 穿刺および注射針の操作技術—注射針・シリンジ・薬液の選択

表4 針の種類とベベル

30G R/B 19mm（ニプロ）	25G カテラン R/B 60mm（トップ）	23G R/B 32mm
27G S/B 19mm	23G カテラン S/B 60mm（ニプロ）	23G S/B 32mm
27G R/B 38mm（テルモ）	23G カテラン R/B 70mm（ニプロ）	21G S/B 38mm
25G R/B 38mm		18G S/B 38mm

R/B (regular bevel)：針先のカット角12°，S/B (short bevel)：針先のカット角18°．2017年2月現在，国内で単一企業でのみ販売されている種類は（企業名）を併記した．

なり炎症が起きている現象は，臨床ではしばしば観察される．この場合は，筋自体の伸張性改善を目的とした治療を併用しなくては，十分な治療効果が上がらないことは明白であろう．ストレッチが併用されている研究もあるが，起始部と停止部を引っ張るという一般的な方法は，筋膜・筋の伸張性改善にはあまり寄与せず，むしろ損傷など悪化させるリスクも知られている．一方，適切なMPSへの治療のみで，付着部炎の炎症が改善されていく例もしばしば経験する．対して，炎症性疾患により二次的に周囲fasciaの異常が生じていることも多い（3章③参照）．

各種病態と適切な薬剤選択については，まだ議論が残るが，より安全・低侵襲・有効な薬液選択が臨床では求められている．以下に，各薬液のメリット・デメリットを挙げながら，具体的な薬液の概論を提示する．

1. 局所麻酔薬・生理食塩水・重炭酸リンゲル液

US-FHRにおいても，必ずしも局所麻酔薬を使用する必要はない．US-FHRの治療効果は，局所麻酔薬による効果ではない可能性が高い．生理食塩水が局所麻酔薬よりも安全で治療効果が高いことを，1980年にFrostらは報告した[7]．しかし，注入時痛が強いというデメリットがあった．一方で，pH 7.4に近い重炭酸リンゲル液を用いた場合には生理食塩水に比較して注入時痛が小さいが，その効果は生理食塩水と同等程度との小規模なRCTをKobayashiらは報告した[8]．現時点では保険診療などの法的な制限があるものの，US-FHRに最適な液体は重炭酸リンゲル液と考えられる．なお，局所麻酔薬を使用する場合は，使い慣れたものを適宜使用すればよい．長時間型の局所麻酔薬は，麻痺・転倒など合併症のリスクも上昇するため，リドカインやメピバカインなどの安全性が高く，半減期が短いものを推奨する．

2. ヒアルロン酸

ヒアルロン酸（hyaluronan）の関節内注射のエビデンスは世界中で報告されている．膝関節内注射に関しては推奨されないというrecommendationが2014年に公表されたことも記憶に新しい[9]．しかし，足関節・肩関節・仙腸関節などでは，関節内投与よりも関節外の靱帯など結合組織へヒアルロン酸を注射治療したほうがより効果的という報告がある[10]．そのため，従来の関節注射（関節腔内注射）のエビデンス＝局所注射のエビデンスでは決してない．生理食塩水よりも局所に長く保持されるその特徴と，MPSの筋間の結合組織の構造維持や水分保持などにも関わるため，その有用性も期待されるが，US-FHRにおけるヒアルロン酸の有効性はまだ検証されていない．一方，関節腔内へのヒアルロン酸投与は，分子量が大きいものほどより効果的といわれているが，分子量が大きいほど関節腔外に注射となった場合は，その浸透圧から注入時痛が大きいことに留意する必要がある．加えて，高分子量ヒアルロン酸は癌細胞を不活性化するが，高分子量ヒアルロン酸の分解によって生じる低分子量ヒアルロン酸は癌細胞を活性化させるとの報告など，ヒアルロン酸と発癌性の関係についての報告もある[11]．このように，関節腔外へのヒア

7 エコーガイド下 fascia ハイドロリリースの方法

表5 針の種類と修練度

針の種類	初学者	中級者	上級者	握力が強い上級者
32G R/B 13mm	×	×	◎	◎
30G R/B 19mm	△	○	◎	◎
27G S/B 19mm	◎	◎	◎	◎
27G R/B 38mm	○	◎	◎	◎
25G R/B 38mm	◎	○	×	×
25G カテラン R/B 60mm	△	◎	◎	◎
23G カテラン S/B 60mm	△	◎	△	×
23G カテラン R/B 70mm	×	○	◎	◎
23G R/B 32mm	×	×	×	×
23G S/B 32mm	△	△	×	×
21G S/B 38mm	×	△	○	×
18G S/B 38mm	×	×	△	×

◎：推奨，○：注意して使用，△：できるだけ使用しない，×：使用しない

表6 初学者に推奨する針とシリンジ

針の種類	初学者	シリンジ
27G S/B 19mm	◎	5mL
27G R/B 38mm	○	5mL
25G R/B 38mm	◎	5/10mL
23G カテラン S/B 60mm	△	10mL
23G S/B 32mm	△	5/10mL

- US-FHR の基本的な手技：赤文字のものを推奨．
- エコーで針の描出が困難な場合：23G 32mm の使用も考慮．
- 深部病変に実施する場合は，23G カテラン針 60mm の使用を推奨する．70mm は誤穿刺のリスクが上がる．
- 25G でのエコー描出に慣れてきたら，27G 38mm も使用→中級者へステップアップ．
- 27G で10mLシリンジだと，相応の握力が必要となる．
- 圧が高い場合は，ロック付きシリンジの使用も検討する．

ルロン酸注射には警鐘を鳴らす報告も増えている．

3. ステロイド薬

運動器疾患に対するステロイド薬の注射についてはさまざまな見解がある．関節内への投与は前述の通りだが，関節外への投与に関する詳細は，「column fascia ハイドロリリースにおけるステロイド薬の適応」を参照．

> 熟練度に応じた物品選択と注射技術

次に，注射針・シリンジの具体的な使い方を概説していく．習熟度により，使いやすい針の種類は変化していくことが多い（表5）．また，初学者（表6），中級者（表7），上級者（表8）に推奨する注射針とシリンジを示す．

初学者は平行法で，エコー画像の中で確実に注射針を描出しながら実施することを推奨する．中級者では，患者への侵襲性（痛みなど）を下げるため，そして短時間で注射を実施するために，交差法での実施を推奨する．上級者は，注射針をしならせる技術の習得を推奨する．

中級者以上になり，針先のコントロール力が向上してくると，高密度な fascia や強い癒着部を効率的にリリースするための工夫が

① 穿刺および注射針の操作技術—注射針・シリンジ・薬液の選択

表7 中級者に推奨する針とシリンジ

針の種類	中級者	シリンジ	備考
30G R/B 19mm	○	2.5mL	
27G S/B 19mm	◎	5mL	
27G R/B 38mm	◎	5mL	
25G R/B 38mm	○	10mL	5mLシリンジ（ヒアルロン酸注射）
25G カテラン R/B 60mm	◎	10mL	
23G カテラン S/B 60mm	◎	10mL	2.5/5mLシリンジ（仙腸関節ブロック）
23G カテラン R/B 70mm	○	10mL	
21G S/B 38mm	△	10mL	
18G S/B 38mm	×	5mL	

- US-FHRの基本的な手技：赤文字のものを推奨．
- 深部病変に実施する場合は，25Gカテラン針60mmが基本．届かない場合，23Gカテラン針70mmの使用を考慮する．
- 手指などには30Gを使用．
- 靱帯など圧が大きい部位への治療は，小さいシリンジを使用する．例：仙腸関節ブロックでは，2.5/5mLシリンジ＋23Gカテラン針．
- ヒアルロン酸の注入の場合は，注入圧が高いため27Gでは難しい．25Gを推奨する．

表8 上級者に推奨する針とシリンジ

針の種類	上級者	握力が強い上級者	シリンジ	備考
32G R/B 13mm	◎	◎	2.5mL	
30G R/B 19mm	◎	◎	5mL	ケナコルト®使用時は1つ細いシリンジを使用
27G S/B 19mm	◎	◎	10mL	
27G R/B 38mm	◎	◎	10mL	
25G カテラン R/B 60mm	◎	◎	10mL	2.5/5mLシリンジ（仙腸関節ブロック）
23G カテラン R/B 70mm	◎	◎	10mL	
21G S/B 38mm	○	×	10mL	頑固な癒着をリリースする時
18G S/B 38mm	△	×	10mL	

- US-FHRの基本的な手技：赤文字のものを推奨．基本は27G．手指：30G．
- 深部病変に実施する場合は，23Gカテラン針70mm．届かない場合：ルンバール針，鍼使用など．
- 靱帯など圧が大きい部位への治療は，小さいシリンジを使用する．例：仙腸関節ブロックでは，2.5/5mLシリンジ＋23Gカテラン針．
- ケナコルト®を使用する際は，シリンジを1つ小さくする（注入時圧が高いため）．
- ①ベベルの角度を意識したリリース手技，②27Gの針の弾力性を活かして，針先を曲げて注射を実施，③握力を鍛える，④太い針を最低限使用，などの工夫も適宜行う．

重要となる．針の太さとリリースの関係は表1で詳述したが，ここでは主にベベルの種類とリリースの関係を図3に示す．

23G以上の太い針は，針先の開口部が大きいためリリースしたい重積部位の内部に液体が入りにくい（図4）．この点では，細い針のほうが有利である．しかし，細い針では注入時抵抗が高いため，強靱な握力とロック付きシリンジが必要になる．何より治療者の手が疲れる．そのため，太めの針をより鋭角に刺す方法がある（図5）．しかし，この方法では穿刺ルートが長いため，侵襲性も上がる．

細い針を使用すると，交差法を用いて，より鈍角で穿刺しても，fasciaの重積部をリリースしやすい．なお，一般的には平行法のほうが注射精度が高いと理解されているが，木村らは，熟練者であれば交差法であっても平行法に遜色なく，エコーガイド下注射が高精度に実施できることを報告している[12]．

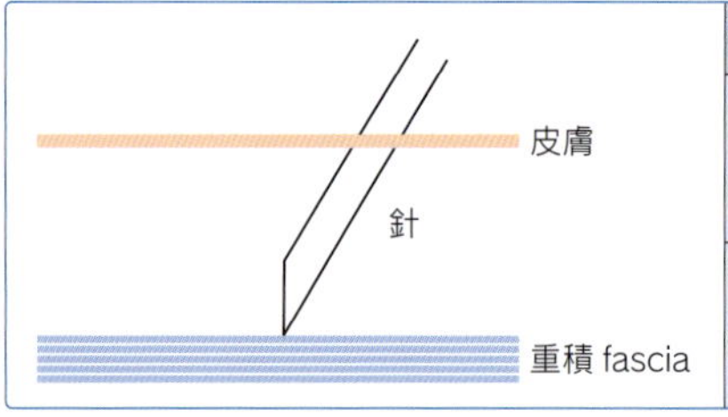

7 エコーガイド下 fascia ハイドロリリースの方法

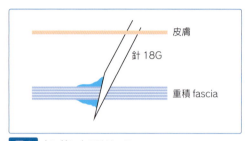

まとめ	太い針	細い針
メリット	・注入圧が低い ・長い針が多い	・穿刺時痛が小さい ・薄くて強い癒着 fascia もリリース可能
デメリット	・穿刺時痛が強い ・薄くて強い癒着 fascia のリリースが難しい	・注入圧が高い ・短い針が多い

図3 fascia に使う針の特性

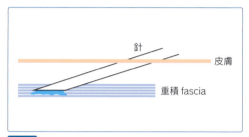

図4 太い針によるリリース
太い針では，ベベルの開口部も大きいため，fascia 内部に液体が入らず，リリースできない．

図5 太い針で効果的にリリースを行う工夫
太い針でも，ベベルの開口部の傾きを考慮して斜めに刺せば fascia 内部に液体が入る．
メリット：注入圧が細い針よりも小さい．深部病変にも届く．
デメリット：太い針で，穿刺ルートも長いため侵襲性が強い．

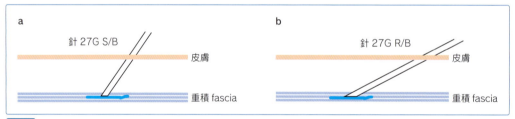

図6 S/B と R/B の最適な穿刺角度
a：S/B，b：R/B．針先のカット角度が異なるので，カット面を fascia に平行にするための穿刺角度も異なる．

　末梢神経周囲の US-FHR では，末梢神経をできるだけ刺さないように，また癒着の強い fascia をリリースする時には癒着部位になるべく液体が入りやすくなるように，ベベルの断面が fascia と平行に近い角度になるように工夫する．この場合も，S/B と R/B では最適な穿刺角度が異なることに注意が必要である（図6）．30 G ではベベルの向きまで考慮する必要は臨床上，稀である．25 G ではベベルの向きには十分に注意する．27 G ではそこまで神経質にならなくてもよいが，神経近傍を治療する時にピリッという刺激が非常に苦手な患者の場合，できるだけ注意す

る（それよりも患者のリラックスを演出するほうが大事である）．
　エコー画像に慣れてきた治療者であれば，穿刺はエコープローブの際から実施"しない"方法も有用である（図7）．例えば，膝関節穿刺では，針刺入点とプローブを離すことで，清潔操作がより適切に実施でき，かつプローブに平行に注射針が進むため，針自体も描出しやすくなる．また，プローブと反対側から注射する方法もある．例えば，足底や手掌に注射する時，足底や手掌自体に注射するのは穿刺時痛が極めて大きい．そのため，プローブを手掌/足底部に置き，穿刺は手背/足背か

① 穿刺および注射針の操作技術—注射針・シリンジ・薬液の選択

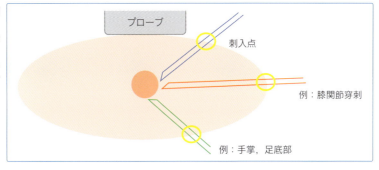

図7 プローブの際から穿刺しない注射方法
(小林 只, ほか：エコーガイド下fasciaハイドロリリースの注射技術. 日本整形内科学研究会エキスパートセミナー2020年2月より転載, 一部改変)

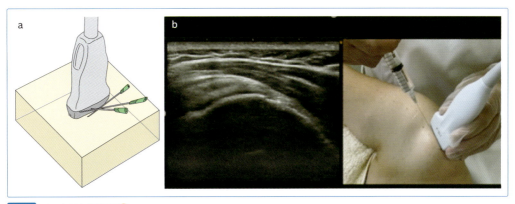

図8 斜め穿刺法 WEB動画
a：模式図, b：実際の注射の様子

ら実施することで, 穿刺時痛を軽減できる.

上級者には, 「斜め穿刺法(平行法と交差法の間)」を推奨する. この利点として, 必ず針先がエコー画面上に見えること, 複数部位を1回の穿刺で治療できることが挙がる. これにより, 患者は何度も針を皮膚に刺されず, 医師も複数部位をまとめて治療できるため, 治療効率が格段に向上する(図8, WEB動画).

さらに上級者には, 27G 38mmや25G 60mmでは針の弾力性を活かして"しならせながら"針先を誘導する技術を紹介する. 針を曲げているためエコーの描出難易度は上がるが, これができるようになると, 自由自在に角度や注射部位を調整することができ, より繊細なリリース手技が可能になる. 平行法であれば, 針の抜き差しを最低限にしながら, 対象物の上面や下面を丁寧にリリースすることが可能となる(図9). 交差法であれば,

プローブと刺入点が近くなり, かつ注射針がエコーの断面に映りやすくなる(図10). さらに, 構造物を避けながら治療対象部位に注射針先端を届けることも可能になる.

これら穿刺技術「斜め穿刺法＋しならせながら注射する技術」を組み合わせることで, 精密かつ自由度の高いUS-FHRが可能となる(図8, WEB動画).

物品の準備(注射針, シリンジなど)

最後に, シリンジの準備方法の例を提示する(図11：その1 総合診療医の外来・看護師の外来立会なし, 図12：その2 ペインクリニシャンの外来・看護師の外来立会あり). 各自の診療の場で, より効率的かつ効果的にfasciaリリース注射を実施するための参考になれば幸いである.

7 エコーガイド下 fascia ハイドロリリースの方法

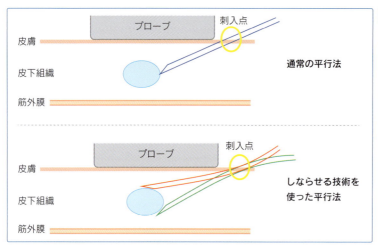

図9 注射針をしならせる技術（平行法）

（小林 只，ほか：エコーガイド下 fascia ハイドロリリースの注射技術．日本整形内科学研究会エキスパートセミナー2020年2月より引用，一部改変）

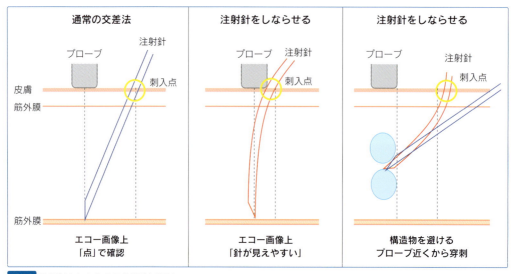

図10 注射針をしならせる技術（交差法）

（小林 只，ほか：エコーガイド下 fascia ハイドロリリースの注射技術．日本整形内科学研究会エキスパートセミナー2020年2月より転載，一部改変）

文献

1) McAlindon TE, et al：Effect of intra-articular triamcinolone vs saline on knee cartilage volume and pain in patients with knee osteoarthritis：a randomized clinical trial. JAMA 317：1967-1975, 2017
2) Henry R, et al：Myofascial pain in patients waitlisted for total knee arthroplasty. Pain Res Manag 17：321-327, 2012
3) Katz JN, et al：Surgery versus physical therapy for a meniscal tear and osteoarthritis. N Engl J Med 368：1675-1684, 2013
4) Gazendam A, et al：Intra-articular saline injection is as effective as corticosteroids, platelet-rich plasma and hyaluronic acid for hip osteoarthritis pain：a systematic review and network meta-analysis of randomised controlled trials. Br J Sports Med 55：256-261, 2021
5) Kaya M：Impact of extra-articular pathologies on groin pain：an arthroscopic evaluation. PLoS One 13：e0191091, 2018
6) Staal JB, et al：Injection therapy for subacute and chronic low-back pain. Cochrane Database Syst Rev（3）：CD001824, 2008
7) Frost FA, et al：A control, double-blind comparison of mepivacaine injection versus saline injection for myofascial pain. Lancet 1（8167）：499-500, 1980
8) Kobayashi T, et al：Effects of interfascial injection of bicarbonated Ringer's solution, physiological saline and local anesthetic under ultrasonography for myofascial pain syndrome — Two pro-

① 穿刺および注射針の操作技術―注射針・シリンジ・薬液の選択

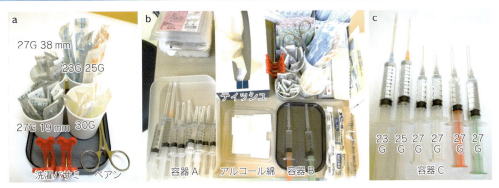

- 容器A
  - 27G 19 mm＋5 mL シリンジ（透明）：生理食塩水/細胞外液
  - 27G 38 mm＋5 mL シリンジ（透明）：生理食塩水/細胞外液
  - 25G 60 mm＋10 mL シリンジ（透明）：生理食塩水/細胞外液
  - 23G 70 mm＋10 mL シリンジ（透明）：生理食塩水/細胞外液
- 容器B：27G 38 mm＋5 mL シリンジ（赤）：0.5％メピバカイン
- 容器C：27G 38 mm＋5 mL シリンジ（緑）：0.5％メピバカイン＋デキサメタゾン 1A（0.5 mL）
- それ以外，使用時に適宜作成．
  - 30G 19 mm＋2.5 mL シリンジ（透明）

図11 外来注射セット その1
a：処置ベッドごとに置いてある簡易準備，b：フルセット，c：各注射器の外観．
外来に看護師の同席はなく，医師一人で実施している環境．容器Aのように，生理食塩水/細胞外液は大量に事前に準備しておいてもらう．診療の合間にシリンジを補充してもらう．ペアンは針先を外す時や付け替え時などに使用．洗濯バサミは注射器の保持や，衣服や頭髪を留める時などに使用．局所麻酔薬やステロイド薬など薬液のシリンジは色を変えておく．

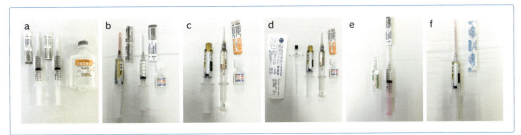

図12 外来注射セット その2
a：27G 19 mm 針＋10 mL シリンジ（左），27G 38 mm 針＋10 mL シリンジ（右）と生理食塩水/細胞外液
b：22G 38 mm 針＋生理食塩水/細胞外液 10 mL（左），1％リドカイン 5 mL（右）
c：10 mL 生理食塩水/細胞外液（左），25G 38 mm 針＋1％リドカイン 5 mL（右）
d：硬膜外針（左），生理食塩水/細胞外液 10 mL（中），25G 38 mm 針＋1％リドカイン 5 mL（右）
e：27G 38 mm 針＋0.5％メピバカイン 5 mL
f：25G 60 mm 針＋生理食塩水/細胞外液 10 mL

spective, randomized, double-blinded trials ― . J Juzen Med Soc 125：40-49, 2016
9) McAlindon TE, et al：OARSI guidelines for the non-surgical management of knee osteoarthritis. Osteoarthritis Cartilage 22：363-388, 2014
10) Ertürk C, et al：Will a single periarticular lidocaine-corticosteroid injection improve the clinical efficacy of intraarticular hyaluronic acid treatment of symptomatic knee osteoarthritis? Knee Surg Sports Traumatol Arthrosc 24：3653-3660, 2016
11) Ooki T, et al：High-molecular-weight hyaluronan is a Hippo pathway ligand directing cell density-dependent growth inhibition via PAR1b. Dev Cell 49：590-604.e9, 2019
12) Kimura H, et al：Expansion of 1 mL of solution by ultrasound-guided injection between the trapezius and rhomboid muscles：a cadaver study. Pain Med 21：1018-1024, 2020

column

fascia ハイドロリリースにおけるステロイド薬の適応

　MPSと判断される病態への安易なステロイド薬注射は厳に慎むべきである．特に，トリアムシノロンアセトニド（ケナコルト®）などは，数ヵ月にわたってその効果が持続するため，持続的な抗炎症効果というメリットだけでなく，局所の軟部組織の萎縮，腱や腱膜の脆弱化と断裂，骨粗鬆症などの他，糖尿病の増悪，副腎機能低下などの生命にも関わるデメリットがある．デキサメタゾン（デカドロン®）などの水溶性ステロイド薬は，数日しか効果が持続しないため，ケナコルト®と比べてより安易に使用される傾向にあるが，漫然と投与を続けると同様の副作用を起こす可能性があることに注意が必要である．その副作用を十分に理解し，かつ患者に説明してから用いるべき薬剤である．

1　MPSと炎症性病態の合併

　肩関節周囲炎，腱鞘炎，足底腱膜炎などの整形外科疾患で炎症が強い部位へのステロイド薬投与がしばしば著効するのを経験する．2010年に報告されたシステマティック・レビューでは，腱鞘炎に対するステロイド薬の局所注射の効果は短期的にはヒアルロン酸やボツリヌス毒素に勝るが，中長期的には非ステロイド薬の注射のベネフィットが勝る可能性があると結論づけている[1]．また，局所のステロイド薬の投与と筋伸張性改善を目的とした，ストレッチを併用した足底腱膜炎に関する2件の小規模なRCT[2,3]がある．Porter[2]らはステロイド薬の注射群が，体外衝撃波群とストレッチ単独群に比較して，3ヵ月後の疼痛スコア（VAS）は有意に低く，さらに12ヵ月後の疼痛スコアはステロイド薬の注射群と体外衝撃波群がストレッチ単独群より有意に低いと報告した．

注）多くの研究では，付着部炎の原因としてMPSは考慮されていない．MPSにより筋伸張性が低下したため，付着部がoveruseとなり炎症が起きていることは多く，この場合は筋自体の伸張性改善を目的とした治療を併用しなくては，付着部炎の根本的な治療とはならない．しかし，起始部と停止部を引っ張るという，一般的に認識されているストレッチ方法は，筋膜・筋の伸張性改善にはあまり寄与せず，むしろ損傷など悪化させるリスクも知られている．一方，MPSへの適切な治療のみで，付着部炎の炎症が改善されていく例もしばしば経験する．

　運動器疾患へのステロイド薬の注射で危惧されている合併症の1つに，腱や腱膜の断裂がある．例として足底腱膜炎へのステロイド薬の局所注射に関する2つの観察研究[5,6]があるが，足底腱膜断裂にステロイド薬の局所注射が関与するリスクは十分に評価できていない．このように，ステロイド薬の短期・長期の効果，合併症を起こすリスクなどについてのエビデンスは未だ不十分である．

　繰り返すが，炎症性の病態とMPSが合併する頻度は高い．肩関節周囲炎でも，腱板の炎症と瘢痕化（癒着）が混合して進行していくことが多い．未だ，MPS治療と炎症部位へのステロイド薬の注射を併用した研究の報告はない．炎症とMPSが合併した病態に対する適切なステロイド薬治療のガイドライン構築が期待される．

2 ステロイド薬の副作用である脂肪萎縮を応用した方法

運動器では，膝蓋下脂肪体 infrapatellar fat pad（Hoffa's fat pad ともいわれる）など，脂肪体内の膜様の結合組織（fascia）が痛みの原因となっている場合は少なくない．例えば，従来 anterior knee pain（AKP）とも称されていた病態に対して，膝蓋下脂肪体への治療が注目されている．変形性膝関節症などに伴う関節裂隙の狭小化による膝蓋下脂肪体の圧排と，外力に反応した膝蓋下脂肪体の増大は，膝蓋大腿関節を含む正常な膝関節の運動を妨げる．また，炎症によって膝蓋下脂肪体に血管が増殖し，その近位に痛みに関係する神経が増えることも報告されている[7]．治療法も，徒手的なアプローチ，注射療法（局所麻酔薬，ヒアルロン酸など），手術療法の効果に関して報告されている[8]．しばしば，創部の肥厚性瘢痕にケナコルト®を注射してこれを萎縮させる治療が行われているが，膝蓋下脂肪体の病態に対しても，ステロイド薬を使用することで，膝蓋下脂肪体内の抗炎症作用と脂肪体自体の萎縮作用により関節運動が改善する例が多い．しかし，この使用方法はまだ十分に検証されていないため，慎重な実施検討が必要である．

文献

1) Coombes BK, et al：Efficacy and safety of corticosteroid injections and other injections for management of tendinopathy：a systematic review of randomised controlled trials. Lancet 376：1751-1767, 2010
2) Porter MD, et al：Intralesional corticosteroid injection versus extracorporeal shock wave therapy for plantar fasciopathy. Clin J Sport Med 15：119-124, 2005
3) Lee TG, et al：Intralesional autologous blood injection compared to corticosteroid injection for treatment of chronic plantar fasciitis. A prospective, randomized, controlled trial. Foot Ankle Int 28：984-990, 2007
4) Uden H, et al：Plantar fasciitis-to jab or to support? A systematic review of the current best evidence. J Multidiscip Healthc 4：155-164, 2011
5) Sellman JR：Plantar fascia rupture associated with corticosteroid injection. Foot Ankle Int 15：376-381, 1994
6) Acevedo JI, et al：Complications of plantar fascia rupture associated with corticosteroid injection. Foot Ankle Int 19：91-97, 1998
7) Dye SF, et al：Conscious neurosensory mapping of the internal structures of the human knee without intraarticular anesthesia. Am J Sports Med 26：773-777, 1998
8) Mace J, et al：Infrapatellar fat pad syndrome：a review of anatomy, function, treatment and dynamics. Acta Orthop Belg 82：94-101, 2016

② fascia ハイドロリリースに伴う合併症

> ■ポイント
> ▷ fascia ハイドロリリースは侵襲を伴う治療である．
> ▷ 治療手技だけではなく合併症に関しても学び，対策を講じる必要がある．

体に針を刺すことは，程度の差こそあれ何らかの組織損傷を伴う．fascia ハイドロリリースも穿刺である以上，合併症や不可逆的な組織障害を残す可能性もあり，常に注意を怠らないようにすべきである．

一般的に初学者は合併症を起こしやすい．上達すればその頻度は下がっていくが，同時に，上達するに従って施療回数が増える傾向があるため，実際に合併症に遭遇する頻度が下がるとは限らない．

重大な合併症を起こすと，自分一人で対応することが難しく，他の医療機関も巻き込む可能性がある．また，患者への保障などの問題も発生する可能性がある．そのため，治療手技を学ぶと同時に，それに伴う合併症への対策を講じる必要がある．本稿では，遭遇しやすい合併症を紹介する．

遭遇しやすい合併症

1. 血管穿刺による出血・血腫

極めて高頻度に起こる合併症である．細い針（主に 27 G）を用い，治療前にエコーのドプラ機能で血流を確認することにより，その頻度も程度も軽減できる．また，抗血小板薬・抗凝固薬などの内服や，易出血性がある場合は，適応をよく考慮する．出血を認めたら，しばらく圧迫する．易出血性がある場合のリリースでは，遅発性の出血，血腫形成についても十分に配慮する．特に，血管周囲のリリース後は，5 分以上の圧迫を行い，圧迫後に，腫脹，違和感などがないことを必ず確認する．特に頸部交感神経周囲（頸動脈周囲）のリリースは，重篤な合併症となりうる頸動脈周囲の遅発性血腫に注意する．その他，特に顔面や頸部など外から見える部分については，皮下出血による美容面への影響も考慮する．

2. 穿刺部からの感染

まず，感染を起こしやすい状態（例：免疫不全患者，癌末期の衰弱患者，重度のアトピー性皮膚炎，既感染状態）の有無を必ず確認する．細い針を用いる場合，消毒の種類によらず，感染の発生は極めて稀であるが，リスクがある場合は患者によく説明し，治療者と患者の双方が納得した状態で治療を行う（初学者のための Q & A 集 Q4（329 頁）参照）．

3. 注射後の穿刺部痛

合併症の中でも比較的見逃されるのが，注射後の穿刺部痛である．注入時痛の強い場合に多く，感染や血腫がない場合は，注射刺激で生じるリバウンド反応（遅発性筋痛の一種）であるため，2〜3 日で改善することが多い．リバウンドの症状が強い場合は，刺入部痛周囲の重積した fascia を局所麻酔薬でリリースすると改善することが多い．

4. 遅発性筋痛 delayed onset muscle soreness (DOMS)

遅発性筋痛は，いわゆる"筋肉痛"：局所性の重だるさや痛みである．注射の刺激が強すぎた場合，注射による組織損傷（内出血など）が大きい場合，既存の主たる発痛源が患者に認知されてきた場合などで，二次的な炎症反応により数時間から 1 日後に生じることがある．「注射行為が痛くてつらい！」と患者が表現した時に注射を止めれば，ほとんど出現しない（初学者のための Q & A 集 Q8（331 頁）参照）．

② fascia ハイドロリリースに伴う合併症

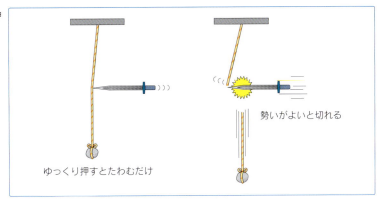

図1 刃先を進める速さと神経損傷

ゆっくり押すとたわむだけ　　勢いがよいと切れる

5. 局所麻酔薬中毒，アレルギー反応

fasciaハイドロリリースでは，基本的に局所麻酔薬は使用しないので，局所麻酔薬に起因する合併症は起こらない．しかし，肩関節包などの深部にある組織をリリースする場合で，患者の痛みが強い場合は，（主に0.5%メピバカインなど低濃度の）局所麻酔薬を使用する場合がある．また，炎症が強い場合は，ステロイド薬も併用する場合がある．このような場合に，局所麻酔薬やステロイド薬が稀に，血管内へ入ることがある（fasciaには脈管が豊富）．特にリスクの高い状況では，薬液注入前に血液の逆流がないか確認する．局所麻酔薬の過量投与（局所麻酔薬中毒）が疑われるめまい感，不快感，脱力感などがあれば，直ちにバイタル測定，ベッド上安静などの適切な対応を行う．局所麻酔薬に対するアレルギー反応については，使用量にかかわらず十分な配慮を行うべきである．皮膚症状（例：皮膚発疹），呼吸器症状（例：喘鳴），腹部症状（例：腹痛）などのアレルギー反応があれば，直ちに対応する．

6. 迷走神経反射

注射による疼痛や治療に対する心理的負担など，局所あるいは全身の交感神経緊張が強い場合に治療を行うと，迷走神経反射が生じやすい（78頁参照）．座位では転倒，転落などの危険があるため，治療時の体位は基本的に臥位で，患者に声をかけながら行う．安静で改善する場合が多いが，血圧低下などが続くような場合は，点滴などの適切な処置を行う．

7. 神経損傷

神経損傷は，脊髄などの中枢神経や，四肢などの末梢神経に注射針を直接穿刺した場合に生じることが多い（血腫による二次性もありうるが）．末梢神経周囲への，特に末梢神経内（末梢神経実質）へのfasciaハイドロリリースでは（4章② column参照），末梢神経を穿刺し神経線維を損傷させることで，感覚鈍麻・感覚消失など不可逆的な神経機能低下を起こしうる重大な合併症をもたらしうる．これを避けるために，まず，初学者で針先のコントロールに自信がもてない場合は，末梢神経内はもちろんのこと，神経周囲のリリースは施行しない．そして，事前に解剖などを十分に確認したうえで，できるだけ細い針を使用し，針をゆっくりと進め，治療を行う．神経は，ある程度の"ゆるみ"を保って組織内を走行しているので，針先の移動がゆっくりであれば，神経が動くことで損傷を避けられる（図1）．患者が急に痛がる，ビクッと動く，ビリッとしびれる，などの反応がみられた場合は，直ちに治療を中止する．頸部や腰部神経根周囲，膝窩部など，治療部位が神経周囲である場合，患者の体動で神経損傷を起こしやすいため，治療体位にも留意が必要である．神経の直下に骨などの硬い構造物が

ある場合（神経根など）は，急速な針先の侵入が起こるリスクが高い．

8. 硬膜穿刺

黄色靱帯・背側硬膜複合体 ligamentum flavum/dura complex (LFD) などの硬膜近傍のリリースでは，特に硬膜穿刺に注意する．硬膜外腔にある静脈叢の損傷による硬膜外血腫，髄液漏出による頭痛も重大な合併症であるが，特に局所麻酔薬による脊髄麻酔では，急性循環不全性ショック（末梢血管の拡張→血圧低下→循環不全）などの致死的合併症が起こりうる．患者が灼熱感や「ぽかぽかする」などの症状を訴えた時は，治療後の十分な対応を行うべきである．初学者は硬膜近傍のリリースを行ってはならない．上級者が施行する場合でも，局所麻酔薬をできるだけ使用しないことが重要である．

9. 胸腔・腹腔内への誤穿刺・注入（気胸・血胸・腹腔内出血・腹膜炎など）

胸腹部（および下頸部）の治療の際に配慮すべき重大な合併症である．特に，やせた患者で胸部の皮下から，わずか2～3cmに胸膜が観察される場合（胸背部から脊柱起立筋・横突棘筋などにアプローチする場合）もあり，38mmの針で針先を見失うと簡単に気胸を起こす．気胸であれば突然の咳嗽が出現し，血胸であれば遅発性の呼吸困難感（中心静脈ライン留置に用いるような太い針を用いて生じた血胸は，しばしば medical emergency となる）などが出現する．また，腹腔内への誤穿刺では，腎損傷，腹腔内出血，腹膜炎を起こす．腹腔内出血であれば腹部違和感や腹痛などの症状を呈する．また，腹膜炎は腹腔内感染の進行に伴って，発熱，腹膜刺激症状を伴う腹痛などの症状が出現する．

これらの合併症が疑われた場合は，直ちに適切な対応（例：検査・入院可能な施設への紹介など）をとる必要がある．

③ 安全で確実に注射するための工夫と学び方

■ ポイント
- 穿刺部位の解剖を十分に理解する.
- リリース法の実例に示したエコー画像を描出し, 各組織を同定する.
- 穿刺目標の位置と深さを把握して穿刺の位置, 角度, 針の太さや長さを検討する.
- 気胸や血管・神経の損傷などの起こりうる合併症を把握する.

はじめに

初学者は, 目標とする治療部位へ速やかに針先を到達させることが難しい. 穿刺にあたっては, まず最低条件としてその部位の解剖を十分に理解する. 次に, 各リリース法に掲載したエコー解剖図と同様の画像を描出し, 各組織を同定する. その際, エコーできれいに描出できない領域にリスクが潜んでいる場合 (例えば頸椎の横突起の影にある椎骨動脈, 椎体の椎弓板の内側深層にある硬膜など) がある. その上で目標の構造の位置と深さを確認し, 穿刺の位置, 穿刺の角度, 用いる針の長さを検討して, 確実に安全にリリースが行えるように計画を立てる. また, 治療を行う各部位でどのような合併症を起こしうるか, アセスメントする.

以下に, 安全で確実に注射を行うための工夫 (目標確認と物品選択, 刺入時の三平方の定理の活用, インラインの遵守, 針先を見失った場合の対処, 針刺入中の注意点, 穿刺の練習法) について, 具体例として頸腸肋筋のリリースを取り上げながら説明する.

目標確認と物品選択

頸腸肋筋は, 肩甲骨内側縁付近で僧帽筋と肋骨の間に挟まれた薄い筋層として描出される (図1, 2). この例では深さは1.6〜1.8 cmにある. 胸膜は3 cm付近にあるため, リ

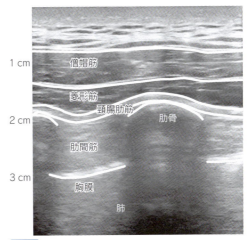

図1 頸腸肋筋の超音波解剖 (長軸像)

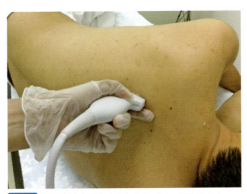

図2 頸腸肋筋を描出するためのプローブの当て方

リースで頻用される27 G 38 mmの針を用いると, 垂直に近い角度の穿刺では肺を誤穿刺し気胸をしてしまう可能性がある (図3). これを回避するために, 注射針は短い針 (27 G 19 mm, 30 G 19 mmなど) を選択する. また, シリンジは非ロック式・薬液は重炭酸リンゲル液を選択した (7章①参照).

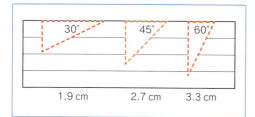

図3 38 mmの針を根元まで穿刺した場合に達する深さ

刺入時の三平方の定理の活用

穿刺角度によって，目標直上の皮膚からどれほど離れた部位から穿刺するのかが決まる（この距離をxとする）（図3）．図1の例では，目標の深さは1.6〜1.8 cmである．例えば45°で穿刺するなら，xも1.6〜1.8 cmになり，穿刺される針の長さは約2.2〜2.6 cmとなる．誤って38 mmの針をすべて刺しても，体表からの深さは約2.7 cmにしかならず，針先が胸膜を越えることはない．

次に，60°で穿刺するならxは1 cm前後とするとよい．これで概ね2 cm穿刺すると目標に達する．この角度では，38 mmの針を根元まで穿刺すると表皮からの深さは3.3 cmに達し，気胸を起こしてしまう可能性がある．

30°で穿刺するならxは2.8〜3.1 cmにもなり，かなり遠くなる．針を根元まで刺入してもおよそ1.9 cmの深さにしか達せず，肋骨にも当たらず安全である．しかしながら，針の全長をエコーで視認するのは必ずしも容易ではなく，針先を見失う可能性がやや高くなる．このように，穿刺目標の位置によって，刺入時の角度を選ぶように工夫する（図4）．本例では，「平行法で45°の穿刺角で針を2.8 cm程度進めると肋骨に達する」というプランを立てておくとよい（図5）．なお，本例は，交差法による刺入では針の一断面が描出されるにすぎない（図6）ため，初学者が行いやすい平行法で行った（交差法では針の一部分しか見えず，エコーで描出された途中の針管を針先と間違えると，実際には針先はより深い部分まで達していることもしばしばである（図7））．

インラインの遵守

注射器と穿刺部位とモニターが一直線になるように（インライン）位置をセッティングする（図8）．注射時に，初めはモニターを見ず，手元のプローブ側面中央を正確に穿刺し，正確にプローブの長軸方向に針を進める．すると，モニターには自然と針が見えてくる．正確にプローブの中心から直角に穿刺することが重要である（図9）．

針先を見失った場合の対処

大切なことは，針先を見失ってしまった場合には，それ以上深くは絶対に針を進めないことである．その前提で，見失ってしまった場合には次の方法を試みる．

1) 針先を細かく揺らす．これにより周囲の組織が揺れるので，見つける手がかりとなる（図10a）．

2) 薬液を注入してみる．針先が描出されていないと注入の様子がわかりにくいが，注入された薬液を頼りに針先を探す（図10b）．なお，局所麻酔薬，ステロイド薬，ヒアルロン酸などでは，注入後の合併症に留意する（7章①参照）．

3) プローブと針の方向および穿刺の深さを確認して，プローブの描出する断面の方向と想定される針先の位置が合うようにプローブの角度を変える．あるいは，交差法の場合は針と垂直方向に平行移動する．

③ 安全で確実に注射するための工夫と学び方

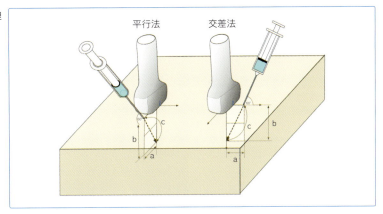

図4 穿刺への三平方の定理の応用

角度＝45°		
a	b	c
0.5	0.5	0.7
1.0	1.0	1.4
1.5	1.5	2.1
2.0	2.0	2.8

角度＝30°		
a	b	c
0.5	0.29	0.25
1.0	0.58	0.5
1.5	0.87	0.75
2.0	1.16	1.0

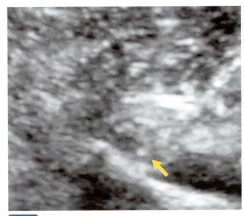

図6 交差法で描出された針先（矢印）
動きがないと同定するのは困難．

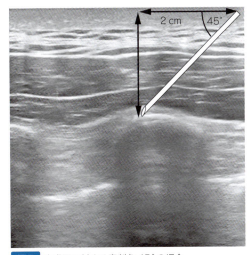

図5 皮膚面に対する穿刺角45°の場合

針穿刺中の注意点

1. 針先が変形したことで起こる組織損傷

骨の近傍にfasciaの重積がある場合，深部への誤刺入を避けるため，針先を隣接する骨へ近づけて"予防壁"として薬液を注入することがある．しかし，針先がほんの少しでもその予防壁である骨に当たると先端が大きく曲がってしまう．針先の変形に伴う周囲組織への損傷が大きくなると，局所での出血や筋断裂が生じる可能性が増大する．骨に当たった針は，別の針への交換を行う．

2. 神経・脈管へ向けない針先のマネジメント

針先を末梢神経・脈管に向けないことが重要である．交差法ならば，末梢神経・脈管の側面に平行になるように刺入する．平行法なら，末梢神経・脈管の上面か下面に平行になるように刺入する．また，ベベルのカット面を末梢神経・脈管側に向けて，万が一に針が末梢神経・脈管に当たっても，末梢神経・脈管穿刺にならないようにする．このマネジメントは，動脈周囲のfasciaハイドロリリー

7 エコーガイド下 fascia ハイドロリリースの方法

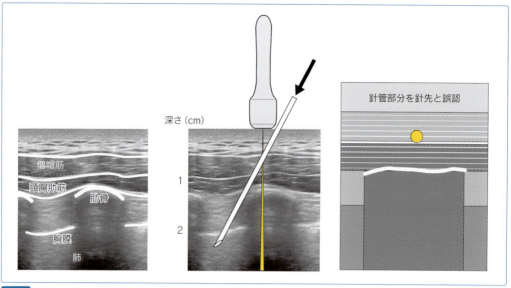

図7 交差法における誤穿刺のパターン

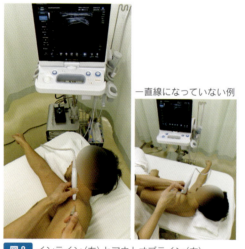

図8 インライン（左）とアウトオブライン（右）

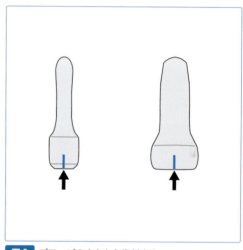

図9 プローブの中心から穿刺する

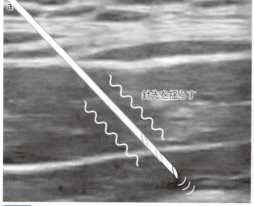

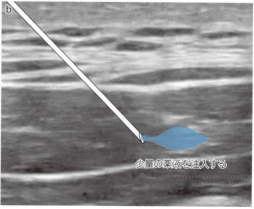

図10 針先を見失った場合の対処
a：針先を揺らす，b：少量の薬液を注入する

③ 安全で確実に注射するための工夫と学び方

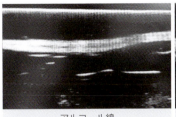
アルコール綿

ガーゼ

ワセリンの塊

図11 寒天を用いたダミーの作成
- 粉寒天は安価で使いやすい．常温で固まって腐敗しにくく，溶かし直せば再利用できる．
- アルコール綿，乾綿球，ガーゼ，重ねたティッシュペーパーなどを入れるとエコー画像では fascia のように見える．これを用いて練習すると非常に実践的である．異物摘出の練習にもよい．

図12 作成用の容器

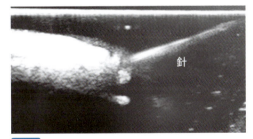

図13 ガーゼを筋膜に見立ててリリースの練習！

スや，末梢神経・神経周囲 fascia ハイドロリリース手技の時に重要である．

穿刺の練習法

初学者は，初めから人間の体を用いて練習するのではなく，モデルを利用するのがよい．この目的で用いられるのは，主に次の3つがある．

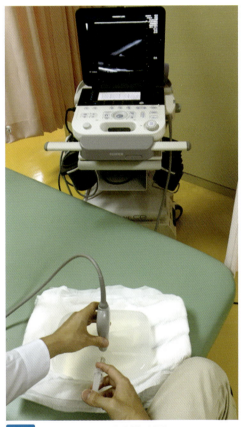

図14 寒天モデルを用いた穿刺の練習

1．既製品

人体の組織（特に軟部組織）に近いエコー画像が得られ，長期間の使用に耐える．目標物が埋め込まれているタイプもある．海外ではCAEブルーファントム（CAE Blue Phantom®）が代表例である．日本国内のものでは，超音波下穿刺トレーニングパッドであるリア

179

ルベッセル（京都科学）もある．最近は，エコーガイド下interventionの普及により，各社が類似品を販売している．しかしながら，他の練習法に比べ，高価である．

🔊 2. コンニャク

入手しやすく穿刺の感触や見え方も実物に近い．しかし，長持ちしないうえに臭いが強い．「エコー　コンニャク」でネット検索すると，さまざまな情報が入手できる．

🔊 3. 寒天（図11～14）

＜つくり方＞

1) 水に粉寒天を入れ，火にかける．粉寒天1 gに対して水100～120 mL程度．全体で500～600 mL程度にすると使いやすい．
2) 細かな泡が立ち，沸騰してきたら，吹きこぼれないように火加減に注意して，さらに1～2分ほど沸騰させて寒天をよく煮溶かす．
3) 適当な容器に入れて冷まして固める．途中で組織の代わりになる目標物を入れる．
4) 常温で保存できる．表面が乾燥しすぎないように注意する．少なくとも1週間は使用できる．
5) 再び煮溶かして再利用することも可能である．そのまま弱火で火にかけてよい．

＊水平方向にストローで穴を開けると，血管穿刺の練習もできる．

④ 安全確実な fascia ハイドロリリースのための教え方（気胸を克服する）

④安全確実な fascia ハイドロリリースのための教え方（気胸を克服する）

上盛先生
　地域医療に力を尽くす総合診療医．患者からニーズの高いさまざまな痛みの治療に，いち早くエコーガイド下 fascia ハイドロリリースを導入，熟練の域に達している．

泡田先生
　総合診療医を目指す若き研修医．都会の大病院から僻地研修で上盛先生の診療所に赴任している．

　今日は肩こりの治療に有効な第1，第2肋骨付近の肩甲挙筋，頸腸肋筋などの fascia ハイドロリリースに挑戦してみよう．この場所で一番気をつけなければいけないのは誤穿刺による気胸だね．

　肩こりの注射くらいで気胸を起こしたら，患者さんにも言い訳できませんね．

　そうだね．だから，絶対に起こさないように十分注意しなければならないね．まず，位置関係をエコーで見てみよう．目標の位置と深さを説明してみてください．

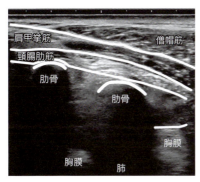

　はい．僧帽筋の下に深さ5～8mmくらいに肩甲挙筋があり，頸腸肋筋は8～12mmくらいにあります．肋骨は15mmくらいです．深さ25～30mmくらいに呼吸に伴って肺の胸膜が動くのが見えます．

　いいね．では，次にどのようにすれば安全に注射できるか計画を立ててみて．

　治療部位に届かせるためには27G 38mmの針がよいと思います．直角に近い角度で刺入すると，気胸を起こす可能性があります．

　それを避けて安全に注射するためのプランは？

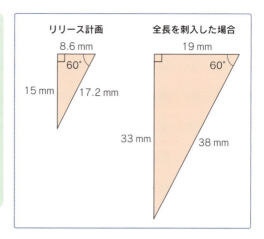

　15mm＋αの深さに届けば十分なので，60°の刺入角度を用います．肩甲挙筋と頸腸肋筋の間のfascia，および頸腸肋筋と肋骨の間を狙います．15mm強の深さですから，プローブの中心から10mm弱離れたところから交差法で刺入して17mmほど進めると，目標に達するはずです．穿刺を20mm以内にすれば安全ですが，針の全長の38mm刺入してしまうと深さは33mmに達するので，気胸を起こすリスクがあります．

　そうやってきちんとリスクを把握して，しっかりと対策を立てておくことはとても大事です．でも，臨床では予想外のことも起こるんだ．角度や穿刺位置がずれることもあるから，やっぱり必ず針先を画像で確認しながら穿刺しなければいけないよ．安全な計画を立てたとしても，針先を見失ったら絶対にそれ以上進めてはいけない．これは，特に初心者では鉄則として守って欲しい．
　では，患者さんにプローブを当てて目標を確認しよう．プローブがずれないように，しっかり固定するように．

これでよいですか．

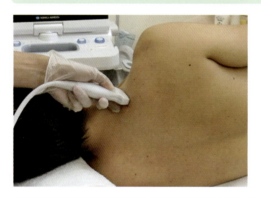

　いいね．そこでドプラモードに切り替えて，大きな血管がないかどうか確認して…，うん，いいようだね．もしもあったらアプローチを変えなくちゃならない．
　では，始めてください．針は一気に刺したほうが患者さんによけいな痛みを感じさせずに済むけど，自信がないうちは皮膚にいったん針を置いてから刺したほうが確実だ．

針を置きました．

それではうまくいかないな．針を皮膚から少し離して位置関係を確認してごらん．

④ 安全確実なfasciaハイドロリリースのための教え方（気胸を克服する）

あっ！プローブが少し傾いてる！それに，刺入方向がプローブに対して正しく垂直になってないや．

その通り．ではそれを修正してやり直して．うん，今度はいいね．治療を始めて．

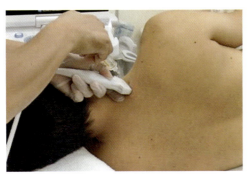

10 mm…，15 mmまで針を進めましたが，まだ針先は見えません．

プランではもう見えているはずだよね．何かが予定通りにできていないんだ．でも，見当をつけることはできる．針を前後に細かく揺らしてみて．

あっ，目標のあたりの組織がゆらゆら揺れているのが見えます．

では，次に少し薬液を注入して．

今度は，画面に少しだけ液体が見えてきました．

これで目標のすぐ近くに針があることがわかったね．では，針をもう少しゆっくり慎重に進めて．

おお！針先がきれいに見えました．ターゲットに針先を合わせて注入します．まず，肩甲挙筋と頸腸肋筋，次に頸腸肋筋と肋骨の間♫

うん，うん．fasciaが上手にパラパラと剥がれていくね．それでいいよ．はい，終了．

どうも，ご指導ありがとうございました．

8 エコーガイド下 fascia ハイドロリリース（US-FHR）の実践

8 エコーガイド下 fascia ハイドロリリース（US-FHR）の実践

①エコーガイド下 fascia ハイドロリリースの学習法

■ポイント
- US-FHR は，知識，注射技術だけでは習得できない．一歩一歩，段階を踏み，さまざまな経験を積みながら上達していくことが必要である．
- US-FHR の習得には知識・技術と多くの経験も必要である．

本稿では，筆者らの経験を踏まえて，初学者が一歩一歩，段階を踏んで上達していくための学習法を述べる．安全，確実に熟達していくために，以下を参考にして十分に学習していただきたい．

US-FHR の段階ごとの学習法

＜初学者＞

知識を十分に蓄えていても目の前の患者に適用する技術がなければ効果は出ず，注射の技術が優れていても適切な評価ができなければ上達は望めない．US-FHR では知識と技術をともに習得していく必要がある．

fascia についての体系的な学習は初学者の重要な課題である．fascia とは何か，US-FHR とはどういうものか？を理解し，他の医師やスタッフ，そして患者に説明できるようになる必要がある．まず，本書の1～7章をよく読んで理解し，同時に fascia に関する書籍（推奨文献欄参照）や日本整形内科学研究会の資料などを用いて学習してほしい．

初学者の多くは，1日1～2例の経験を積み上げ，次いで週に10例程度の治療を行えば，およそ数ヵ月で1日4～5例の治療が行えるようになっていく．

また，初学者は，次の4つの壁を乗り越える必要がある．

1つ目の壁は，基本的な可動域評価・動作分析である．整形外科・リハビリテーションなどの専門科での経験がある場合を除き，ほとんどの場合は可動域評価・動作分析を学んだことがない．初学者が基本的な可動域評価・動作分析に基づいて診断するには，かなりの時間が必要である．本書の6章で解説したが，それぞれの関節の詳細な評価については紙面の関係で触れていない．本シリーズの続刊としては，2018年に「肩痛・拘縮肩に対するFascia リリース」を刊行した．今後，腰殿部，膝，肘の領域などを詳細に解説する予定である．Web 上の日本整形内科学研究会のフォーラムでは，各関節の可動域評価や治療手技についてのパンフレットや学習動画を入手できる．

2つ目の壁は，触診と圧痛の評価である．これについては6章②，③において概説した．しかし，テキストを読みながら独学するだけでは限界があり，実際に触診を指導してもらう必要がある．機会があれば医師だけではなく療法士・鍼灸師などの治療家から学ぶと得るものは大きい．

3つ目の壁は，注射の手技である．これについては7章で解説している．片手でエコーを持ちながら反対側の手で注射器を扱うこと（右利きの医師の場合，右手で注射器，左手でエコー操作を行う）に慣れるだけでも，な

かなか大変である．初めはエコーで針先を描出することさえ容易ではない．針先の確認が難しく，方向のコントロールが不安定であれば合併症を起こすリスクも高い．初学者のうちは，針先を見失ったら針をそれ以上進めないこと，難しい手技に挑戦することは絶対に控えることを鉄則とすべきである．実際に患者の治療を行う前に，さまざまなモデルを用いて練習しておくとよい．通常，初学者が安定して目標部位に針先をコントロールできるようになるには3～6ヵ月を要する．

4つ目の壁は，解剖学的知識とエコーの技術習得である．全く経験がない場合，初めは何を見ているか，ほとんど理解できない．毎日のようにエコーの練習を行い，目を慣らすだけでも1ヵ月前後はかかるだろう．解剖学，エコー解剖，CT・MRIなどの断層画像の解説書などを参考にしながら，時間をかけて「解剖学」を地道に学習する必要がある．長い道のりであるが，救急，整形外科など各科の診療，訪問診療などにおいての日常的なエコーの利用が普及しつつある現状を考えると，近い将来，多くの医師にとって必須の技術になると思われ，かつ，臨床能力の向上においても実りの多い勉強になる．

＜中級者＞

中級者の条件とは，患者の訴えに対し可動域評価・動作分析と触診で的確に発痛源を推定し，さらにエコーで手際よく超音波解剖を把握しつつfasciaの状態を評価し，適切な薬液，注射針とシリンジを選択して，リスクを理解して対策をとりながら安全確実に治療（リリース）を行えることである．この段階に至れば診断・治療に要する時間も短くなり，しかも治療効果が高くなる．中級者と呼ばれるには，おおむね数ヵ月以上の期間と約300例の治療経験が必要であろう．

以下に中級者の条件と考えられる項目を示す．

- 問診で患者の訴えを評価して適切な鑑別診断のリストを挙げられる．
- 重大な疾患を除外しつつ筋膜性疼痛症候群（MPS）の診断が行える．
- 主要な部位の機能解剖学を理解している．
- 可動域評価と動作分析にて発痛源と思われる解剖学的部位を推定できる．
- 触診で発痛源付近を適切に評価できる．
- 主要な部位の超音波解剖を理解している．
- エコーで目的とする組織を描出し周囲の組織を同定できる．
- 治療に用いる薬液，注射針，シリンジを的確に選択できる．
- 治療手技に伴うリスクを把握して安全に施行するためのプランを立てられる．
- 針先を確認しつつ目標部位に確実に穿刺できる．
- エコーを用いて治療内容を患者に説明できる．
- 多職種と情報を共有できる．

＜上級者＞

中級者が上級者になるためには，順調にいっても約1～2年を要する．そして，上級者になるためには「本分野で得た経験を他の実践者と共有し，他の実践者を指導できること」を心がける必要がある．上級者の多くが，「患者のことをよく知ろうとしている」「治療手技に関しても発想豊か」「他の治療家と協働している」などの特徴があるが，自分への省察が優れている点も見逃してはならない．

以下に上級者の条件と考えられる項目を示す．

- 複合的な可動域評価・動作分析を実践している．
- 可動域制限から患者の生活背景や地域性を推測する．
- 1回の穿刺で複数箇所の治療ができる．
- 患者に応じた刺激量で治療ができる．
- 多職種・他の治療家と情報を共有し，適切なアドバイスができる．

推奨文献

<総論的内容>
- 白石吉彦，ほか（編）：THE 整形内科，南山堂，東京，2016
- 柏口新二（編）：無刀流整形外科，日本医事新報社，東京，2017
- 洞口　敬：大会長講演「整形外科学と整形内科学（2020 And yet, it moves～それでも地球は動いている～）」，2020年日本整形内科学研究会（JNOS）第3回学術集会/第1回日本ファシア会議，2020年11月．https://www.youtube.com/watch?v=L5YgGaQ3aYo & feature=youtu.be

<総論的内容（特に fascia［ファシア］について）>
- 小林　只：講演「Fascia に対する実態・言語・歴史」，2020年日本整形内科学研究会（JNOS）第3回学術集会/第1回日本ファシア会議，2020年11月．https://www.youtube.com/watch?v=xwLrM2-k0GQ & feature=youtu.be
- ファシア総論．柏口新二（編）：無刀流整形外科，pp28-49，日本医事新報社，東京，2017
- David Lesondak（著），小林　只（監訳）：ファシアーその存在と知られざる役割，医道の日本社，神奈川，2020
- 熊井　司（編）：特集 Fascia を考える―基礎から臨床応用まで―．臨床スポーツ医学 2020年2月号（37巻2号）

<診察全体の流れ>
- 白石吉彦（著・出演），一般社団法人日本整形内科学研究会（JNOS）（監修）：CareNet Dr.白石のLet's エコー運動器編，ケアネット，東京，2019
- 白石吉彦：離島発とって隠岐の外来超音波診療―動画でわかる運動器エコー入門，中山書店，東京，2017
- 小林　只（監）：特集 肩こり・腰痛・膝痛患者に対する整形内科的生活指導，日本医事新報 4987：19-42，2019

<問診・症候学，患者とのコミュニケーション技術>
- 小林　只（監）：特集 肩こり・腰痛・膝痛患者に対する整形内科的生活指導，日本医事新報 4987：19-42，2019
- 松岡史彦，小林　只：プライマリケア―地域医療の方法，メディカルサイエンス社，東京，2012
- 須田万勢（著），小林只（監）：痛み探偵の事件簿．日本医事新報 2019年5月～2020年3月

<発痛源評価>
- 白石吉彦（著・出演），一般社団法人日本整形内科学研究会（JNOS）（監修）：CareNet Dr.白石のLet's エコー運動器編，ケアネット，東京，2019

<局所治療の技術（ファシアリリース［ハイドロリリース含む］，ブロック注射，鍼，徒手など）―部位別を含む―>

【頸部痛】
- 木村裕明，ほか：頸部，頸椎周囲への注射療法．後藤英之（編）：迷わず打てる関節注射・神経ブロック，pp47-69，羊土社，東京，2019

【歯科領域】
- 肩こり症の診断と治療．白石吉彦，ほか（編）：THE 整形内科，pp180-189，南山堂，東京，2016

【めまい】
- 井野辺純一：一般演題 最優秀賞「後頸部圧痛，複視，めまいを呈し後頸部のハイドロリリースにて改善する症候群」，2020年日本整形内科学研究会（JNOS）第3回学術集会，2020年11月．https://www.youtube.com/watch?v=edaIIAtkS2Q
- 木村裕明（編集主幹）：肩痛・拘縮肩に対するFasciaリリース―肩関節周囲炎を中心に，文光堂，東京，2018

【手関節・手指痛】
- 熊井　司（編）：特集 Fascia を考える―基礎から臨床応用まで―．臨床スポーツ医学 2020年2月号（37巻2号）

【腰殿部痛・股関節部痛】
- 腰殿部痛．柏口新二（編）：無刀流整形外科，pp70-132，日本医事新報社，東京，2017
- 村上栄一（編）：長引く腰痛はこうして治せ！，日本医事新報社，東京，2020

<運動器エコー・解剖学>
- 髙橋　周：みるみる見える超入門 Dr.髙橋の運動器エコー技塾，新興医学出版社，東京，2019
- 皆川洋至：超音波でわかる運動器疾患―診断のテクニック，メジカルビュー社，東京，2010
- 仲西康顕：うまくいく！ 超音波でさがす末梢神経―100％効く四肢伝達麻酔のために，メジカルビュー社，東京，2015
- 林　典雄：運動療法のための運動器超音波機能解剖―拘縮治療との接点，文光堂，東京，2015
- 工藤慎太郎（編著）：運動療法の「なぜ？」がわかる超音波解剖，医学書院，東京，2014
- 河上敬介，ほか（編）：骨格筋の形と触察法 改訂第2版，大峰閣，2013
- 中瀬順介：膝エコーのすべて―解剖・診断・インターベンション，日本医事新報社，東京，2020

<解剖アプリ>
Essential Anatomy
Complete Anatomy
Visible Body

<生活指導・セルフケア>
- 白石吉彦，ほか（編）：THE 整形内科，南山堂，東京，2016
- 小林　只（監）：特集 肩こり・腰痛・膝痛患者に対する整形内科的生活指導，日本医事新報 4987：19-42，2019

②エコーガイド下fasciaハイドロリリースの難易度一覧

■ポイント
> 初学者はまず，合併症の起こりづらいランクAの手技から始めるべきである．
> 経験を積むまでは，ランクCの手技は行うべきでない．

ランクA

エコー解剖が同定しやすい場所で，かつ，注射による重大な合併症が起こりにくい手技を「ランクA」とした．初学者はまず，これらに挑戦して修練を積むのがよい．基本的なエコーの扱いやシリンジの把持，針先の描出が行えるようになるまで少なくとも3ヵ月は訓練したうえで行うべきである．

ランクB

胸腔・腹腔内穿刺，重大な神経・血管損傷，過剰な組織損傷などの合併症が起こり得る手技を「ランクB」とした．血管・神経周囲，脂肪体，関節包，支帯などへの手技も一部含まれており，術者はエコー解剖をよく理解してリスクを確実に把握したうえで治療を行うべきである．また，治療部位の解剖やリスクをよく理解し事前の対策をとれる，針先の十分なコントロールを行える，針先をほぼ見失った場合にも適切に対処できる，といった安全かつ確実な手技が必須である．これができない場合はランクBの手技を行うべきではない．1つの目安は「治療経験が3ヵ月以上かつ300例」を満たすことである．

ランクC

エコー画像でも組織の十分な判別が難しく，術者の洗練された技術だけではなく，手先の感覚や豊富な経験に支えられた確実な手技を必要とするものを「ランクC」とした．具体的には，針先を見失うことなく1回の穿刺で目標部位に到達，あるいは，針先を適切にコントロールすることで複数箇所の治療を同時に行えること，などが挙げられる．もはや針先を見失うことも，目標から外れることも全くないレベルである．「治療経験が1年以上かつ1,000例」がランクCを行う目安である．

表1 注射手技の難易度

A 頸部	
① 頭半棘筋/大後頭神経/下頭斜筋	ランクA
② 中斜角筋/後斜角筋/第1肋骨	ランクC
③ 胸鎖乳突筋裏（C2～3レベル）	ランクB
④ C8神経根周囲のfascia	ランクC
⑤ 側頭筋/外側翼突筋	ランクC
⑥ C1/2のLFD	ランクC
B 肩関節	
① 肩峰下滑液包と三角筋下滑液包	ランクA
② 烏口上腕靱帯	ランクA
③ 三角筋筋内腱	ランクA
④ 小円筋/上腕三頭筋（長頭）/腋窩神経，下後方関節包複合体	ランクC
C 上肢帯	
① 僧帽筋/棘上筋	ランクA
② 棘下筋（横走線維/斜走線維）	ランクA
③ 腋窩動脈周囲のfascia（腋窩鞘）	ランクC
D 上肢	
① 橈骨神経周囲のfascia（上腕遠位部）	ランクB
② 尺骨神経周囲のfascia（Struthers腱弓）	ランクB
③ オズボーンバンド	ランクB
④ 長短橈側手根伸筋・総指伸筋/回外筋	ランクA
⑤ 手関節部の伸筋支帯	ランクB
⑥ 手関節部の屈筋支帯	ランクB
⑦ 正中神経（束間神経上膜）	ランクC
E 体幹	
① 胸腰筋膜	ランクA
② 腰部多裂筋	ランクA
③ 腰椎横突起腹側（腰方形筋付着部）	ランクA
④ 腰椎椎間関節包	ランクB
⑤ 術後創部痛	ランクB
F 下肢帯	
①-1. 中殿筋/小殿筋/腸骨	ランクA
①-2. 中殿筋/小殿筋/股関節包	ランクA
② 梨状筋	ランクB
③ S1後仙骨孔	ランクC
④ 坐骨神経	ランクC
G 下肢	
① 鵞足/内側側副靱帯	ランクA
② 伏在神経周囲のfascia（膝関節周囲）	ランクB
③ 半腱様筋/半膜様筋	ランクA
④ 膝窩動脈周囲のfascia	ランクC
⑤ 総腓骨神経周囲のfascia	ランクB
⑥ 足関節部の上伸筋支帯	ランクB
⑦ 足根洞	ランクA

8 エコーガイド下fasciaハイドロリリース (US-FHR) の実践

A 頭部

①頭半棘筋/大後頭神経/下頭斜筋（ランクA）

- **ポイント**
  - ▶ 後頭部を中心とする頭痛の原因として頻度が高い．
  - ▶ 大後頭神経近傍のfasciaの重積をリリースする．

当手技は後頭部から頭頂部に放散する頭痛に有効な場合が多い．眼球運動性めまいに対する効果も報告されている[1]．触診ではこの部分に強い圧痛を認めることが多く，また前頭部や眼窩部への関連痛を伴う場合もある．効果不十分の場合は，胸鎖乳突筋裏のリリースあるいは後頭動脈周囲のfasciaハイドロリリースを併用する．

解剖

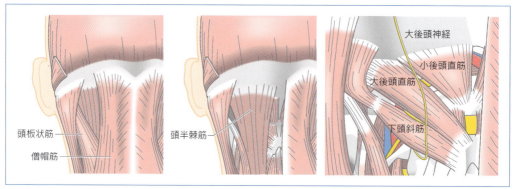

僧帽筋と頭板状筋の下層に頭半棘筋がある．これを取り除くと後頭下筋群が現れる．大後頭神経が下頭斜筋から反回して後頭部を上方へと走行している．後頭動脈の位置もドプラ機能を用いて確認しておくとよい．

体位・穿刺位置

側臥位にて，C2棘突起とC1横突起を結んだ線上にプローブを当て，C2棘突起のやや外側にある圧痛部位から穿刺する．

A 頸部／① 頭半棘筋/大後頭神経/下頭斜筋（ランクA）

エコー解剖

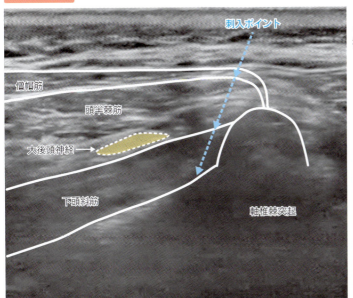

頭半棘筋と下頭斜筋の間にある大後頭神経近傍のfasciaの重積像を確認する．

リリースの手順 WEB動画

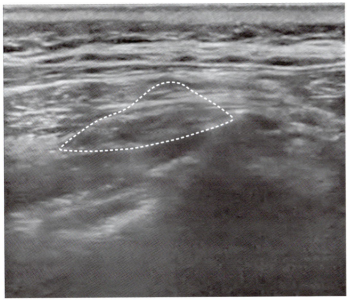

大後頭神経を直接穿刺しないように，棘突起外側から針先を進め，神経近傍のfasciaをリリースする．動画では僧帽筋と頭半棘筋の間，下頭斜筋の裏も同時にリリースしている．頸椎の場合は，針先が骨膜に触れると強く響くことがあり，十分な配慮が必要である．

起こり得る合併症

・血管穿刺による出血・血腫
・穿刺部からの感染
・注射後の穿刺部痛
・遅発性筋痛
・迷走神経反射
・神経損傷（大後頭神経）

文献
1) 井野辺純一：後頸部圧痛，複視，めまいを呈し後頭部のハイドロリリースにて改善する症候群，日本整形内科学研究会（JNOS）第3回学術集会，2020年11月

②中斜角筋/後斜角筋/第1肋骨（ランクC）

> **ポイント**
> - 頸部痛，頑固な肩こり，胸郭出口症候群などに有効.
> - 腕神経叢，鎖骨下動脈，肺尖部などが近くにあるので，初学者が行うべき手技ではない.

解剖

中斜角筋はC2〜C7の頸椎横突起後結節に起始し，主に第1肋骨の鎖骨下動脈溝の後方に停止する（一部は第2肋骨まで付着する）．吸気時に肋骨を引き上げて胸郭を広げる．両側が同時に作用すれば頸部屈曲，片側のみ働くと同側への側屈などの作用がある．

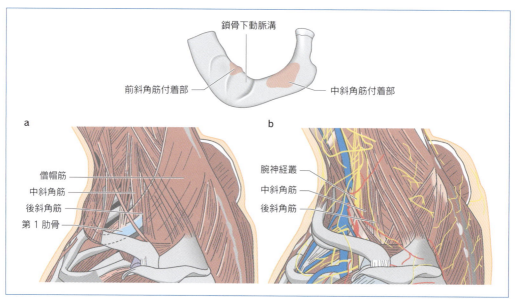

左頸部を側面より見た，中斜角筋と第1肋骨，腕神経叢，鎖骨下動脈の位置関係．a：僧帽筋を半透明化し，第1肋骨を青色で表示．b：aと同じ図で広頸筋，胸鎖乳突筋，僧帽筋を取り除き，神経・血管を表示した．中斜角筋の前方を腕神経叢や鎖骨下動脈が走行する．

体位・穿刺位置

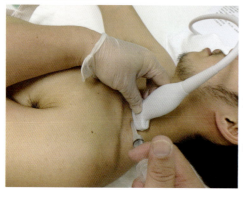

患側を上とした側臥位で，まず鎖骨上にプローブを当てる．腕神経叢ブロック（鎖骨上アプローチ）実施時のポジションである．この位置では，第1肋骨上に，内側に鎖骨下動脈，外側に腕神経叢が確認できる．プローブを，第1肋骨を画面の中央にしたまま，上方へ平行移動させる．第1肋骨上に確認できた鎖骨下動脈，腕神経叢は，その内側に移動し，中斜角筋と第1肋骨の間に後斜角筋が見えてくる．この部分に圧痛があることが多い（本章A-④C8神経根周囲のfascia参照）．

A 頸部／② 中斜角筋/後斜角筋/第1肋骨（ランクC）

エコー解剖 WEB動画

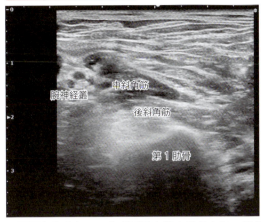
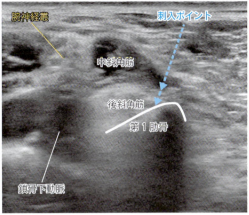

画面中央くらいにある扁平な第1肋骨上に，後斜角筋の短軸像が確認できる．その浅層に中斜角筋が併走している（図左）．その内側には鎖骨下動脈，その浅層には腕神経叢がみられる．なお，日本人における後斜角筋の解剖学的位置関係は多様であるため，個体差を意識した慎重な評価が重要である[1]．

リリースの手順 WEB動画

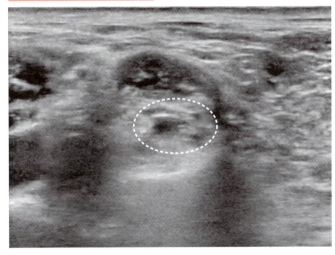

腕神経叢や血管を避けるために，外側から針をゆっくり刺入する．気胸を起こさないために，常に針先は第1肋骨へ向けておく．中斜角筋と後斜角筋の隙間，後斜角筋内，後斜角筋と第1肋骨の隙間をリリースする．神経・血管が豊富な部位なので，ドプラを適宜用いながら安全な刺入ルートを工夫する．

起こり得る合併症

・血管穿刺による出血・血腫
・穿刺部からの感染
・注射後の穿刺部痛
・神経損傷（腕神経叢）
・胸腔内への誤穿刺（気胸・血胸）

文献
1) Mori M：Statistics on the musculature of the Japanese. Okajimas Folia Anat Jpn 40：195-300, 1964

③胸鎖乳突筋裏（C2〜3レベル）（ランクB）

■ポイント
- 頸動脈周囲にある上頸神経節への異常入力を低下させることにより，頸部の交感神経系が関与したさまざまな症状に有効である．
- 内頸動脈の周りにある上頸神経節近傍の重積したfasciaをリリースすることにより，異常入力を低下させる．

　星状神経節ブロックにおける最大の合併症は，血管の誤穿刺に伴う遅発性血腫であり，気管を圧迫して窒息を起こす可能性がある．本法はこの合併症を回避するために，刺入点を内頸動静脈，椎骨動脈から十分に離れた胸鎖乳突筋と肩甲挙筋の間とする．この刺入部位は皮膚から数mmと浅く，ここから深部にある内頸動脈近傍の重積したfasciaをリリースする．本法を正しく行えれば合併症は非常に少ない．しかし，本手技は，中級者以上で，針先を十分コントロールできるようになってから施行すべきである．

解剖

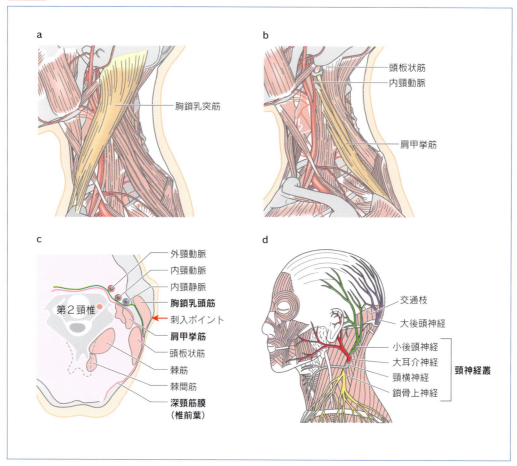

　a：広頸筋を除いた左頸部．b：胸鎖乳突筋を除いた図．両図ともに神経，静脈は除いている．c：水平断面図．d：頸神経叢解剖図．

A 頸部／③ 胸鎖乳突筋裏（C2～3レベル）（ランクB）

効果

本法は胸鎖乳突筋の深層で，比較的浅い部分から薬液を内頸動脈近傍まで広げることによって，その周りにある上頸神経節への異常入力を低下させることを目的としている．さらに，薬液が尾側に広がると，頸神経叢（小後頭神経，大耳介神経，頸横神経，鎖骨上神経）への異常入力も低下し，各分布区域の症状に有効である．この治療は上頸神経節ブロックと同様の効果があるが，局所麻酔薬による一時的なブロックと比べて周囲のfasciaがリリースされるので，より長時間効果が持続すると考えられる．上頸神経節ブロックは，脳底動脈や脳幹への血流を改善させ，自律神経失調症や脳神経由来のさまざまな症状を改善させると考えられている．

本法の適応症としては以下のようなものがある．

1) 頭頸部の疼痛：交感神経の過興奮により増悪したさまざまな疼痛；
   頭頸部のMPS，頭頸部の帯状疱疹，三叉神経痛など．
2) 第Ⅰ～Ⅻ脳神経に基づく症状の緩和：
   嗅覚障害，顔面神経麻痺，咽喉頭違和感，嚥下障害，頸性めまい，耳鳴りなど．

体位・穿刺位置

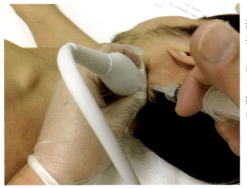

患側を上にした側臥位として背側から施行する（頸部に注射をすると血圧が下がる場合がある．特に若い男性に多い）．座位での施行はしない．

まず第2頸椎（C2）の位置を確認する．外後頭隆起に触れて，指を下方に滑らせると，最初に触れる大きな突起がC2の棘突起である．C2～C4レベルの胸鎖乳突筋で最も圧痛の強い部分を確認する．この部分にプローブを当て，胸鎖乳突筋の後部から刺入する．

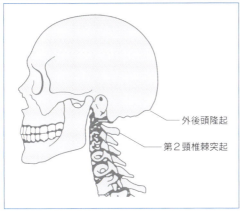

第1頸椎（環椎）の棘突起は短く頭蓋底に近いため触診は困難．

8 エコーガイド下 fascia ハイドロリリース (US-FHR) の実践

エコー解剖

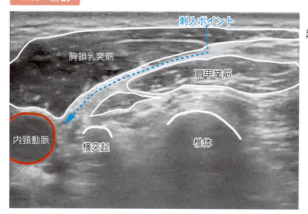

胸鎖乳突筋，肩甲挙筋，内頸動静脈を描出する．

リリースの手順 WEB動画 ▶

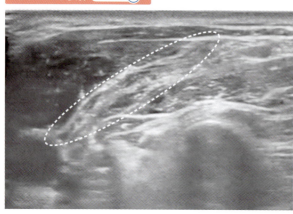

　胸鎖乳突筋の後方で，肩甲挙筋との間の fascia に薬液を注入して内頸動脈近傍まで到達させる．適切な fascia の層に注入しないとうまく広がらず，針先の周囲に薬液が貯留してしまう．このような場合は針先を微妙にずらしながら最適の層を探す．この方法は針先を深く刺入する必要がないので合併症のリスクはほとんどない．fascia の重積をリリースしながら薬液を内頸動脈近傍まで広げるには，比較的強い注入圧が必要である．また，手元のワーキングスペースを確保するために 27G 38mm 針を使用することが多い．施行後は，念のため刺入点を 5 分程度圧迫する．

起こり得る合併症
・血管穿刺による出血・血腫
・穿刺部からの感染
・迷走神経反射
・神経損傷（頸神経叢）
・注射後の穿刺部痛

④ C8 神経根周囲の fascia（ランク C）

■ポイント
> C8 デルマトームの痛みやしびれ，および肩甲骨内側の痛みがあり，C8 神経根に圧痛がある場合に有効．
> 神経障害性疼痛は，神経根周囲の fascia 異常による可能性がある．
> C8 神経根の内側にある下頸神経節（星状神経節），第 1 胸神経節へ薬液を広げることもできる．

描出法

C8 神経根周囲の解剖は複雑である．そこで以下のように 3 段階に分けて，それぞれの部位での解剖を確認し，C8 神経周囲の重積した fascia を描出する．

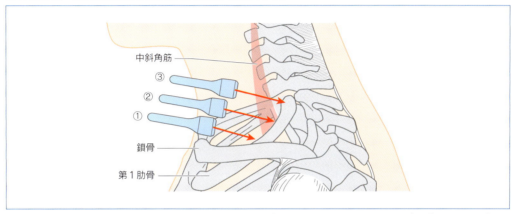

本法の目標を描出するためには段階を追ってプローブを操作する必要がある．まず，①鎖骨上にプローブを当て，次に，②中斜角筋停止部，最後に目標である③肋骨頸付近を描出していく．中斜角筋/後斜角筋/第 1 肋骨（192 頁）も参照．

① 鎖骨上部での腕神経叢の描出

解剖

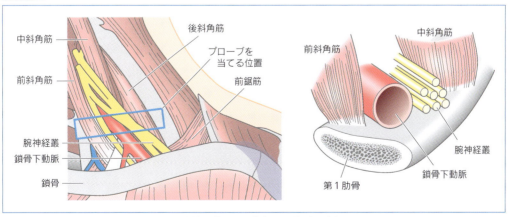

鎖骨上部では，第 1 肋骨の上面を腕神経叢および鎖骨下動脈が走行している．

8 エコーガイド下fasciaハイドロリリース（US-FHR）の実践

体位

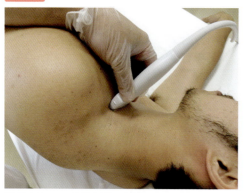

エコー解剖

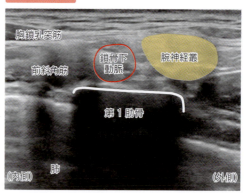

鎖骨上部での腕神経叢の描出：
　患者は側臥位となり術者は患者の背部に立つ．図のようにプローブを鎖骨上部に平行に当て，やや下方に向ける．画面の中央に第1肋骨がくるように位置を調整する．ここは，腕神経叢ブロック（鎖骨上アプローチ）を施行する時の部位である．

　画面中央にある第1肋骨上に，拍動する鎖骨下動脈と腕神経叢が描出される．第1肋骨は短軸と長軸の間であるため，図のように見える．鎖骨下動脈の内側には前斜角筋が描出される．

② 中斜角筋/後斜角筋/第1肋骨の描出

解剖

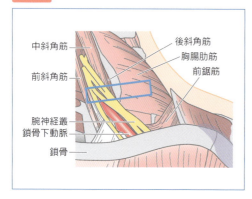

体位

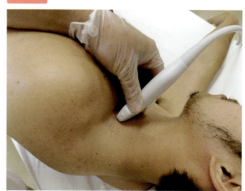

第1肋骨を画面の中央に保持したままプローブを鎖骨上から約1横指頭側に移動させると，第1肋骨が短軸像に変わり，第1肋骨上にあった鎖骨下動脈，腕神経叢が左（内側）に移動する．

エコー解剖

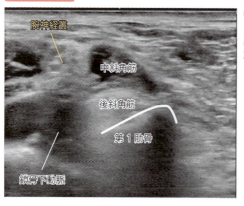

中斜角筋/後斜角筋/第1肋骨のエコー解剖：
　中斜角筋と第1肋骨の間に高輝度の後斜角筋が描出される（プローブを前方から当てているため，中斜角筋の下部に後斜角筋が描出される）．

③ **C8の描出**

解剖

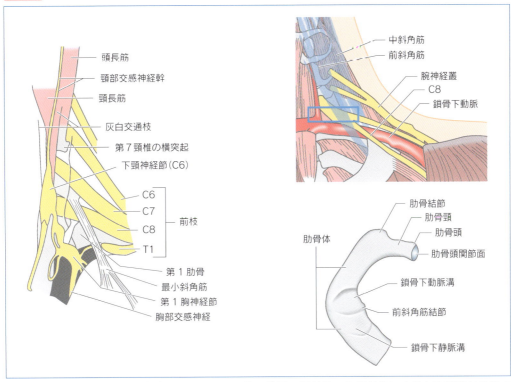

プローブをさらに頭側へ移動させていくと，第1肋骨は短軸像から長軸像に変化し直線状に描出される．これが第1肋骨の肋骨頭であり，直線状に描出するようにプローブの向きを調整する．

体位・穿刺位置

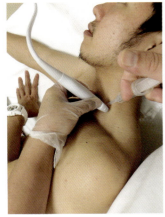
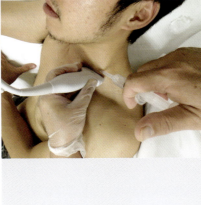

プローブの位置と穿刺位置・穿刺方向．図のようにプローブの上外方より斜めに刺入する（斜行法）．頸部の外側のこの位置から目標に至るルートには危険な構造物がなく，安全なアプローチが可能である．

8 エコーガイド下 fascia ハイドロリリース（US-FHR）の実践

エコー解剖

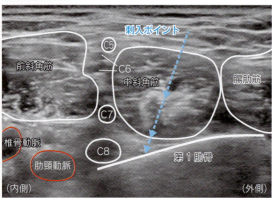

第1肋骨肋骨頸部付近のエコー解剖．深層の中央やや内側よりに，第1肋骨に接して走行するC8神経が低エコー像で描出されている．より浅い領域には，前斜角筋と中斜角筋に挟まれて走行する腕神経叢が見える．内側の深層には，拍動する椎骨動脈と鎖骨下動脈が描出される．C8も血管も同様の低エコー像を呈するため，必ずドプラにて確認する．

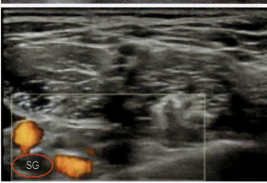

C8神経根周囲は神経・血管が豊富な領域であり，肋骨下には胸膜がある．これらの誤穿刺を避ける安全なルートは限られている．プローブと目標の第1肋骨肋骨頸の間は腕神経叢や血管が複雑に入り組んでいるため，このルートで直接穿刺するのは危険である．

椎骨動脈の深部，肋頸動脈の内側側に頸長筋および下頸神経節（星状神経節，satellite ganglion：SG）も描出されるが，この画像上で直接穿刺は難しい．

（WEB動画）

リリースの手順 （WEB動画）

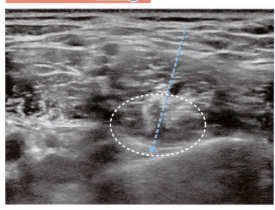

あらかじめドプラにて血管を確認し，安全なルートを設定する．常に針先を確認しながら進めるべきであり，もし見失ったら，いったん針を抜いてやり直す．中斜角筋を貫いてC8神経根よりやや外側の第1肋骨に到達する．C8神経根周囲の重積したfasciaをリリースする．針は極力細いものを用いるべきである．青点線が穿刺方向．白点線で示した円がリリースする部位．

局所麻酔薬がC8神経根より内側に広がると，下頸神経節（星状神経節）に影響し，Horner（ホルネル）徴候が出現する．このように，星状神経節ブロックは本手法でも実施できる．

起こり得る合併症

- 血管穿刺による出血・血腫
- 穿刺部からの感染
- 迷走神経反射
- 神経損傷（腕神経叢）
- 胸腔への誤穿刺（気胸・血胸）
- 注射後の穿刺部痛

⑤側頭筋/外側翼突筋（ランクC）

■ポイント
- 歯痛で歯に原因がない場合（非歯原性疼痛）は，治療を検討する（9章③参照）．
- 顎関節症で開口障害がある場合は治療を検討する．
- 開口で四肢・体幹の可動域が変化する場合は治療を検討する．
- 線維筋痛症など，中枢性感作が起きている症状で治療を検討する．

解剖

咀嚼筋群は，発生学的に鰓弓由来（三叉神経支配）であり，その知覚は直接（脊髄を介することなく）脳神経に入る．そのため，さまざまな中枢性の反射（3章⑥自律神経の病態を参照）を起こしやすい．

咬筋の深層にある側頭筋は，側頭骨から幅広く起始し，筋突起先端だけではなく筋突起表層および深層に強固に付着している．また，一部の線維は蝶形骨の外側板に付着している（a）．外側翼突筋は下顎骨，顎関節から起始し，蝶形骨外側板の表面，後縁に付着している．内側翼突筋は下顎骨から起始し，蝶形骨外側板の裏表，上顎骨に付着している（b，下表）．

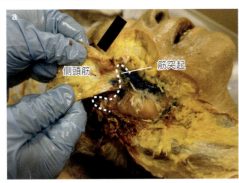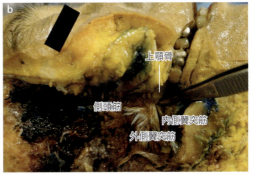

a：側頭筋は筋突起先端だけに付着しているのではなく，筋突起を含む下顎骨を包むように付着している．
b：右顔面部を側面から見た，各筋の付着部の図．
（日本大学医学部倫理委員会承認　承認番号 28-8-0）

臨床上ポイントとなる各筋の付着部	
側頭筋	筋突起裏表，蝶形骨外側板
外側翼突筋	蝶形骨外側板の表面，後縁
内側翼突筋	蝶形骨外側板の裏表，上顎骨

8 エコーガイド下 fascia ハイドロリリース (US-FHR) の実践

描出方法

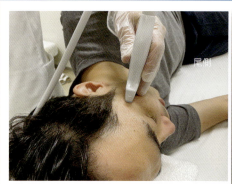
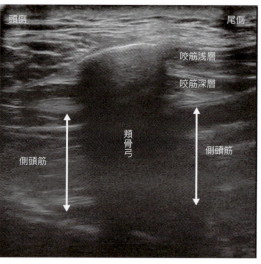

頬骨弓をまたいで動く側頭筋を同定する（側頭筋長軸）．

まず側頭筋を同定するために，患側を上とした側臥位で，1）プローブを頬骨弓に対して直角に当てた状態で側頭筋を動かすと（顎の開閉運動），頬骨弓をまたぐように動く側頭筋の長軸像が確認できる．

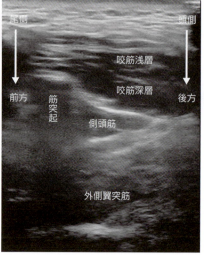

プローブを側頭筋長軸から短軸へ回転させる．

側頭筋の深さを確認したら，2）そのままプローブを90°回転させ，側頭筋の短軸像を描出する．先ほど確認した側頭筋の深部に，外側翼突筋が確認できる．

A 頸部／⑤ 側頭筋/外側翼突筋（ランクC）

体位・穿刺位置

患側を上とした側臥位で，側頭筋の短軸像を描出し，顎動脈を穿刺しないように注意しながら，側頭筋/外側翼突筋のリリースを行う．

エコー解剖

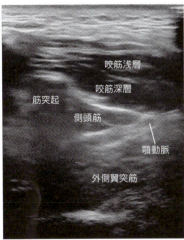
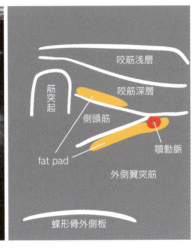

筋突起付近の側頭筋は，短軸像では三角形に見える．その深層に外側翼突筋，浅層には咬筋が存在する．それぞれの間には fat pad が存在する．

リリースの手順 WEB動画 ▶

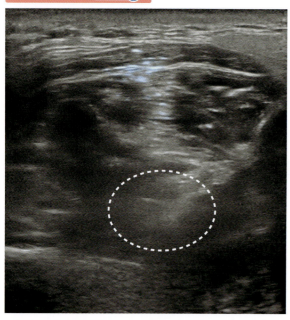

顎動脈を穿刺しないように注意しながら，側頭筋と外側翼突筋の間で fascia 重積部をリリースする．側頭筋と咬筋の間にも重積がある場合は，同時にリリースを行う．

起こり得る合併症

- 血管穿刺による出血・血腫（顎動脈など）
- 穿刺部からの感染
- 注射後の穿刺部痛
- 遅発性筋痛
- 迷走神経反射

⑥ C1/2の黄色靭帯・背側硬膜複合体(ligamentum flavum/dura complex：LFD)(ランクC)

■ポイント
> 頸部の可動域制限や頸椎屈曲時に疼痛が増大する場合、かつ棘突起の圧迫痛および正中部の頑固な痛みに実施を検討する．
> 硬膜穿刺のリスクを避けるため，LFDの表層から慎重にリリースしていく．
> この部位はリスクや難易度が高いため，上級者のみが行うべき手技である．

解剖

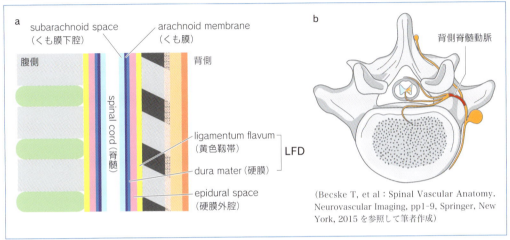

(Becske T, et al：Spinal Vascular Anatomy. Neurovascular Imaging, pp1-9, Springer, New York, 2015 を参照して筆者作成)

脊髄硬膜(dura mater)の表層は黄色靭帯(ligamentum flavum)に覆われており，これらの部位を併せて，黄色靭帯・背側硬膜複合体(ligamentum flavum/dura complex：LFD)と呼ぶ．両者の間のスペースが硬膜外腔(epidural space)で，硬膜外腔ブロック注射を行う部位である(a)．硬膜を栄養している背側脊髄動脈(ventral division of the dorsal spinal artery)の拍動がリリース後に強くなることが，しばしば観察される(b)．

体位・穿刺位置

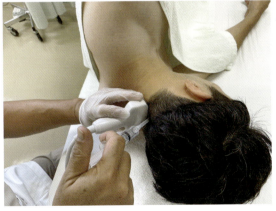

患側を上にした側臥位とし，術者は患者の背側から施行する．患者の痛みがない範囲で頸椎を屈曲しておくと，施行しやすい．

リリースの手順 WEB動画▶

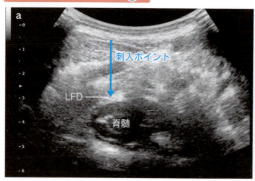
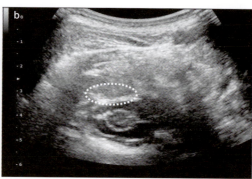

C1とC2の間に長軸方向にコンベックス型プローブを当て，LFDを描出する（a）．圧痛があり，かつ，エコーでfasciaの重積が確認できる部位へ注射針を刺入する．硬膜穿刺を避けるため，ゆっくりと針先を進めていきLFDへ薬液を注入する（b，WEB動画▶）．注入後に脊髄動脈の拍動が強くなることも多い（WEB動画▶）．

起こり得る合併症

・血管穿刺による出血・血腫
・穿刺部からの感染
・注射後の穿刺部痛
・遅発性筋痛
・迷走神経反射
・硬膜穿刺（頭痛などに要注意）

B 肩関節

①肩峰下滑液包と三角筋下滑液包（ランク A）

■ポイント
- 肩関節周囲炎でまず行うべきリリース法の1つ．比較的浅い部位にあるので穿刺は容易である．
- 肩峰直下の圧痛，第3肢位での内旋制限（aROM）時の疼痛がある場合に考慮する手技である．
- 滑液包内の滑膜増生やドプラ陽性を認めるなど炎症が強い場合には，局所麻酔薬やステロイド薬を用いることもある．

解剖

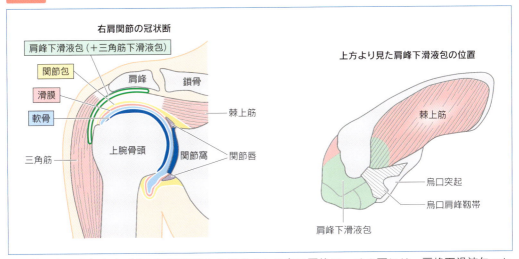

　肩峰と烏口突起および烏口肩峰靱帯から構成される烏口肩峰アーチの下には，肩峰下滑液包 subacromial bursa（SAB）がある．烏口肩峰アーチと上腕骨との間のクッションとなり，肩関節運動時の上腕骨頭の動きを滑らかにする働きがある．滑液包が肩峰，烏口肩峰靱帯，腱板と癒着を起こすと，肩関節の外転・内転および伸展などの可動域制限を起こす．肩峰下に存在するものを肩峰下滑液包，三角筋下に存在するものを三角筋下滑液包 subdeltoid bursa と呼ぶ．SAB の浅層にある脂肪層は peribursal fat（PBF）と呼ぶ．

体位・穿刺位置

1. 肩峰下滑液包

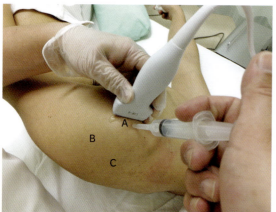

患側を上にした側臥位にて，検査側の手を大腿近位外側に当て，肩関節を軽度伸展させる．肩外上方へプローブを当てる．大結節と高エコー像の棘上筋腱を描出する．肩峰下滑液包を観察して，その天井にある白く肥厚したPBFを目標とする．

なお，一般的に滑液包の前部（A）から注射される．一方で，外側部（B）や後部（C）は意識的に評価しないと，治療されないことが多いため，滑液包の三次元構造を意識した評価治療が重要である．

2. 三角筋下滑液包

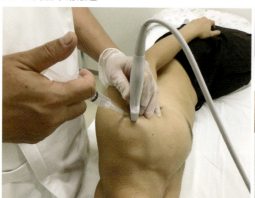 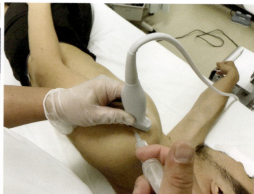

患側を上にした側臥位にて，検査側の手を大腿近位外側に当て，肩関節を軽度伸展させる．プローブを三角筋肩峰部の長軸方向に当てて，三角筋の深層にあるPBFの広がりを観察する．PBFが三角筋下にまで分布しており，かつ重積を認める場合には，滑液包内注射に加えてPBF自体のリリースも行う．

エコー解剖

1. 肩峰下滑液包

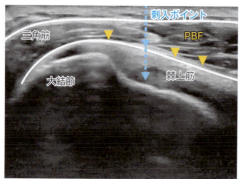

三角筋と棘上筋腱の間に線状の高エコー像がみられる．これがPBFである（黄色矢頭）．棘上筋腱は大結節のsuperior facetに付着する．

2. 三角筋下滑液包

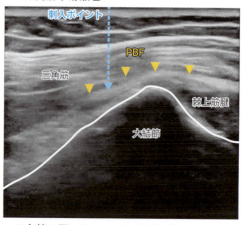

三角筋の下にあるPBFを同定する．

B 肩関節／① 肩峰下滑液包と三角筋下滑液包（ランク A）

リリースの手順　WEB動画 ▶

　肩峰下滑液包にプローブを当て前後に動かしながら，白く厚く描出される PBF を探す．次にプローブを遠位に移動して，同様に三角筋下滑液包の PBF の重積を描出する．PBF を広く観察し，最も白く重積した部分を中心に広範囲にリリースする．滑液包内に針が入ると，三角筋と棘上筋がきれいに分離されていく．

1. 肩峰下滑液包 WEB動画 ▶

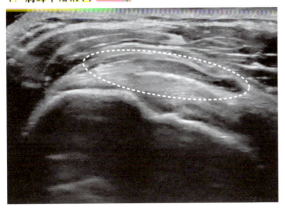

2. 三角筋下滑液包 WEB動画 ▶

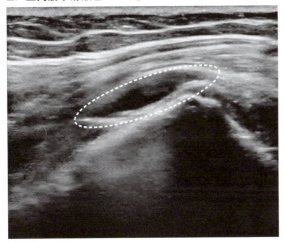

起こり得る合併症

- 血管穿刺による出血・血腫
- 穿刺部からの感染（滑液包への注射は関節内注射に準じた操作が必要）
- 注射後の穿刺部痛
- 遅発性筋痛
- 局所麻酔薬中毒，アレルギー反応
- 迷走神経反射

②烏口上腕靱帯（ランクA）

- **ポイント**
  - ▷ 肩関節周囲炎に対して，まず試みるべき手技．
  - ▷ 特に第1肢位での外旋可動域制限（aROM≒pROM）に治療適応を考慮する．
  - ▷ リリース部位として烏口突起側と上腕骨付着部の2ヵ所がある．

解剖

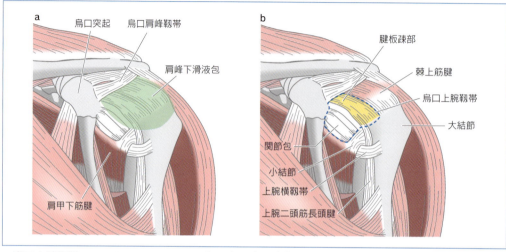

　烏口上腕靱帯 coracohumeral ligament（CHL）は烏口突起の基部から起始し，腱板疎部を覆い大結節および小結節に停止する．
a：左肩を前方より観察．三角筋鎖骨部を取り除いている．肩峰下滑液包を緑色で示した．
b：さらに肩峰下滑液包を取り除いた．腱板疎部は，肩甲下筋腱と棘上筋腱の間にある腱板が存在しない領域である（青の点線で示した）．烏口突起のCHLの下に関節包の一部が見える．

体位・穿刺位置

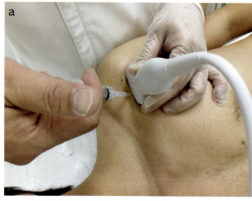 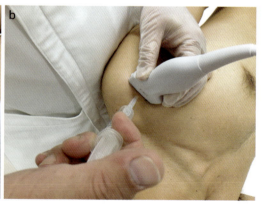

a：烏口突起付近，b：上腕骨側．
　患側を上とした側臥位とし，術者は患者の背側から施行する．穿刺部位としては，烏口突起付近あるいは上腕骨の停止部付近の2ヵ所が代表的である．

エコー解剖

烏口上腕靱帯（CHL）の描出

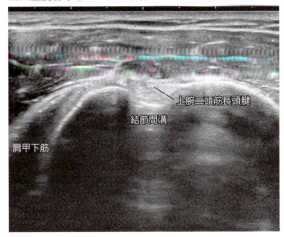

患側の肩前方に短軸方向にプローブを当て、結節間溝を同定し、結節間溝内の卵形高エコー像を示す上腕二頭筋長頭腱 long head of biceps tendon（LHB）が中心にくるよう描出する。

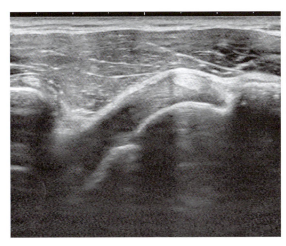

結節間溝が描出しづらい場合は、肩関節を軽度外旋位とする。そのままLHBをガイドにして小結節が消失するところまで頭側へ進め、腱板疎部を描出するとLHBの表層に烏口上腕靱帯が見える。そこからプローブの向きを変えずに内側に平行移動すると、烏口突起が描出される。

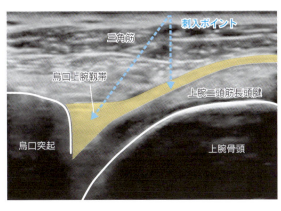

LHBの直上にCHLが描出された画像を示す。三角筋の下に高輝度の peribursal fat（PBF）があり、これに接してCHLが観察される。実際にはエコーではPBFとCHLを区別できない。エコー下で肘関節を屈曲伸展することで、LHBを確認し、CHLとの滑走性を確認するとよい。

リリースの手順

烏口上腕靱帯（CHL）の烏口突起側 WEB動画▶

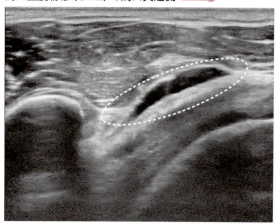

烏口突起を描出し，三角筋を貫いて CHL に到達する．重積した CHL の浅層から深層まで広範囲にリリースする．

烏口上腕靱帯（CHL）の上腕骨側 WEB動画▶

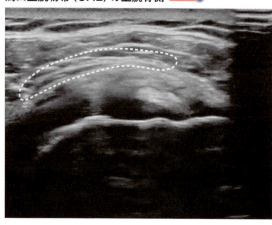

リリースの要領は烏口突起付近と変わらないが，停止部付近の CHL は硬く，特に変性が強い場合には注入時痛が強くリリース困難な場合が多い．その場合は局所麻酔薬の使用も検討する．この部位では同時に肩峰下滑液包，CHL と LHB の間隙などがリリースできる．

起こり得る合併症

- 血管穿刺による出血・血腫
- 穿刺部からの感染
- 注射後の穿刺部痛
- 局所麻酔薬中毒，アレルギー反応
- 迷走神経反射

③三角筋筋内腱（ランクA）

■ポイント
> 肩こり症，肩関節周囲炎の治療後で，症状が残る場合に治療を検討する．
> 三角筋の収縮時痛，伸張時痛がある場合に治療を検討する．
> 触診で，三角筋筋内腱の硬さと圧痛が認められる場合に治療を検討する．

解剖

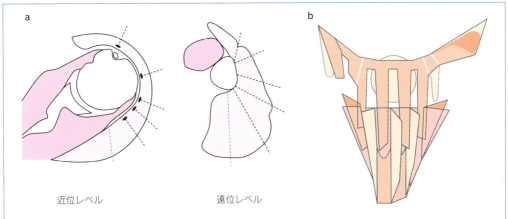

近位レベル　　　　遠位レベル

a：右肩関節を上方から観察．近位，遠位レベルでの筋内腱の位置を示す（筋内腱：黒の実線，区画：点線）．
b：左肩関節を側方より観察．筋内腱の重なりの模式図．起始腱と終止腱が重なり合っている．
（a：文献1）を参照して筆者らが作図．b：文献2）を参照して筆者らが作図）

　三角筋は，前部が鎖骨から，後部が肩甲棘から起始し，肩関節の前後を広範囲に覆っている．筋腹はおよそ6〜7区画に分けられ，筋内腱は近位レベルでは区画の境界に沿って存在し，遠位レベルでは区画内に存在することが多い[1]．起始部からくる起始腱と，停止部からくる終止腱とが重なり合う[2]．

体位・穿刺位置

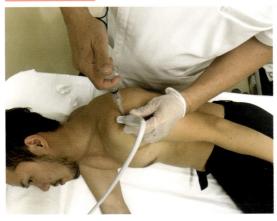

1．筋内腱長軸
　患側を上とした側臥位で，三角筋筋内腱の圧痛部にプローブを当てる．この際，短軸で筋内腱を描出してから，そのまま長軸にプローブを回転させると，筋内腱の長軸像を描出しやすい．

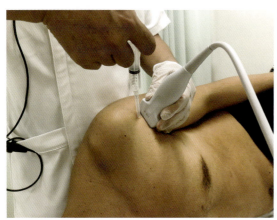

2. 三角筋筋内腱/大胸筋停止部

患側を上とした側臥位で，大胸筋が上腕骨に付着する部位を描出する．大胸筋停止腱と三角筋筋内腱が接する部位を穿刺する．筋内腱の中で，大胸筋停止部と接する部位は特に有効である．

> エコー解剖

1．筋内腱長軸

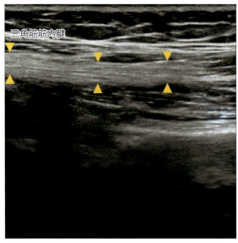

三角筋内の白く厚く重積した筋内腱を，長軸像で描出する．

2．三角筋筋内腱/大胸筋停止部

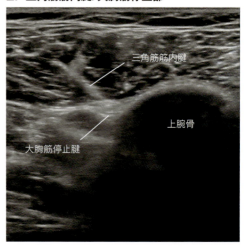

三角筋筋内腱の短軸像と大胸筋停止部とが重なり合う部分に，fascia の重積像を認める．

B 肩関節／③ 三角筋筋内腱（ランク A）

> リリースの手順 WEB動画 ▶

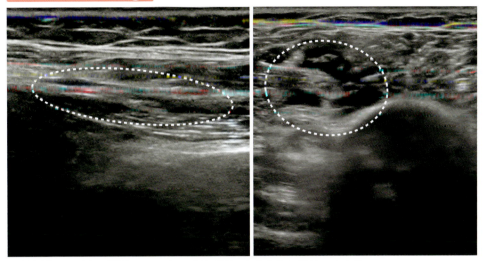

筋内腱およびその周囲 fascia を，バラバラにするようにリリースする．

> 起こり得る合併症

・血管穿刺による出血・血腫
・穿刺部からの感染
・注射後の穿刺部痛
・遅発性筋痛

文献
1) Sakoma Y, et al：Anatomical and functional segments of the deltoid muscle. J Anat 218：185-190, 2011
2) Leijnse JNAL, et al：Morphology of deltoid origin and end tendons－a generic model. J Anat 213：733-742, 2008

④小円筋/上腕三頭筋(長頭)/腋窩神経,下後方関節包複合体(ランクC)

■ ポイント
> painful arc sign, obligate translation が認められる場合に治療を検討する.
> 肩関節の水平屈曲で,痛みや可動域制限を認める場合に治療を検討する.
> 三角筋部(腋窩神経領域)の痛みを確認する.

解剖

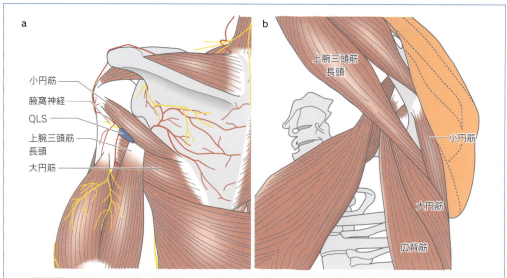

a:肩関節を後方から観察.棘下筋,三角筋を取り除いて,四辺形間隙(QLS)構成筋を示す.上腕三頭筋長頭の表層を小円筋が横断している.
b:肩関節挙上位での走行を示す.

　上腕三頭筋長頭は肩甲骨関節下結節に付着する筋であり,肩関節や肘関節の伸展運動に作用する.また,上腕三頭筋長頭の求心性収縮は上腕骨頭を上方に引き上げ,回旋筋腱板とともに上腕骨頭の求心位保持にも関与している.上腕三頭筋長頭の表層には,肩甲骨の外側縁から上腕骨大結節に付着する小円筋が交差するように走行している.小円筋は回旋筋腱板の1つであり,肩関節の外旋運動や上腕骨頭の求心位保持の作用を持つ.これらの筋は,上腕骨および大円筋とともに四辺形間隙(quadrilateral space:QLS)を形成し,QLS内には腋窩神経が走行する.
　肩関節挙上位では,上腕三頭筋と小円筋は伴走する線維走行となり,その深層には下後方関節包が存在する.下後方関節包内には,下後方関節包複合体の一部肥厚した部位が存在し,下後関節上腕靱帯(posterior inferior glenohumeral ligament:PIGHL)とも称される.

B 肩関節／④ 小円筋/上腕三頭筋（長頭）/腋窩神経，下後方関節包複合体（ランクC）

体位・穿刺位置

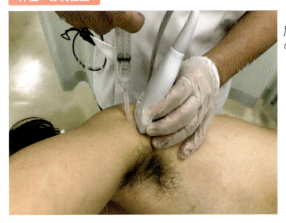

　患側を上とした側臥位で，患者に肩関節軽度屈曲位を保持してもらう．上腕二頭筋，小円筋の深部に走行する腋窩神経を描出する．

エコー解剖

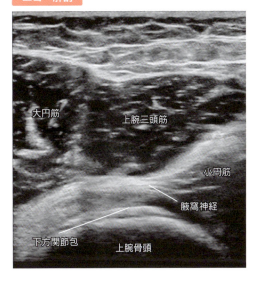

大円筋　上腕三頭筋　小円筋　腋窩神経　下方関節包　上腕骨頭

リリースの手順 WEB動画

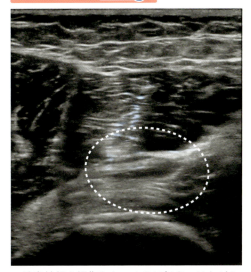

　腋窩神経を損傷しないように気をつけながら，小円筋/上腕三頭筋に刺入し，重積したfasciaをリリースする．その他の部位の肩関節包複合体のリリースについては，書籍「肩痛・拘縮肩に対するFasciaリリース」（文光堂，2018）を参照いただきたい．

起こり得る合併症

・血管穿刺による出血・血腫
・穿刺部からの感染
・注射後の穿刺部痛
・遅発性筋痛
・神経損傷（腋窩神経）

C 上肢帯

①僧帽筋／棘上筋（ランクA）

■ポイント
> 肩こり症，肩関節周囲炎に有効．
> 浅い部分で鮮明な画像が得られやすい．
> 深く刺しすぎても肩甲骨があるので安全．
> 初学者がまず試みるべきリリース法．本法単独では肩こりの十分な治療は困難であるが，初学者の入門には非常に安全かつ容易．

解剖

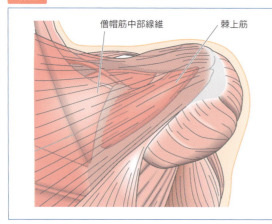

皮膚，皮下組織の下に僧帽筋，fasciaを介して棘上筋という非常に単純な構造である．神経血管などの注意すべき組織に乏しく，さらに下層には肩甲骨があるため，深く刺しすぎた場合でも合併症を起こすリスクがほとんどない．副神経が僧帽筋と棘上筋の間を走行しており，直接針先で穿刺しないように注意する．なお，副神経自体のリリースが必要な場合は，慎重に行う．

筋を同定するためには，対象物を動かしながらエコーで確認することが重要である．

体位・穿刺位置

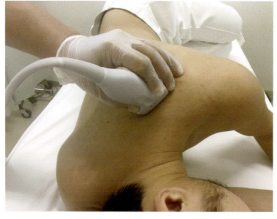

僧帽筋と棘上筋，肩甲挙筋を同定する．圧痛があり，かつ，エコーでfasciaの重積がある部分を探す．肩甲骨が同定できなければ穿刺をしないほうがよい．

C 上肢帯／① 僧帽筋/棘上筋（ランク A）

エコー解剖

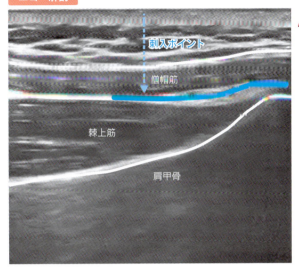

fascia の重積像を認める部分を青線で示す．

リリースの手順 WEB動画

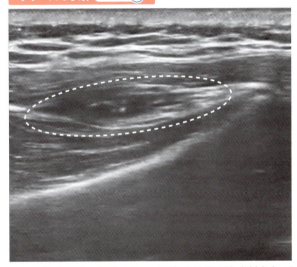

この患者では，深さ 12 mm 程度の位置に治療対象部がある．そのため交差法なら 27 G 19 mm 針でも届く．刺入角度 45°で平行法の穿刺では，27 G 38 mm 針を使用して画面の右側から穿刺すると安全である．

浅い部分なので三角法の利用が便利である．理論上は，プローブから 2 cm 程度離れた場所を 45°で穿刺して 2.8 cm 程度針を進めるとエコー画像に針の先端が現れるはずである．

起こり得る合併症

- 血管穿刺による出血・血腫
- 穿刺部からの感染
- 注射後の穿刺部痛
- 遅発性筋痛

②棘下筋（横走線維/斜走線維）（ランク A）

■ポイント
> 肩関節周囲炎に有効．
> 肩関節から肩甲頭が最も鮮明に描出される部位で行う．
> 初学者がまず試みるべきリリース法の1つ．

解剖

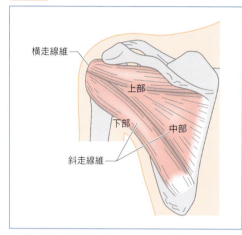

棘下筋の上部の筋線維はほぼ水平方向に走行しており，横走線維とも呼ばれる．中部・下部の線維は肩甲骨棘下窩から上腕骨頭まで斜めに走行し，斜走線維とも呼ばれる．上腕骨頭に近い部位では一部これらの線維が重なった部分があり，浅層に上部と下部線維が，深層に中部線維が位置する．
各部位の主動筋としての機能を以下に示す．
棘下筋上部線維：肩関節の伸展
棘下筋中部線維：肩関節の水平伸展
棘下筋下部線維：肩関節の外転と水平伸展

棘下筋は腱板構成筋の中でも特殊であり，肩関節伸展内旋時に下部線維の伸張障害があると，骨頭が前方へ偏位する様子が観察される（obligate translation 現象）．これは棘下筋の MPS の早期発見にも有用である．また，棘下筋の MPS は，ほぼ全方向性の肩関節の可動域制限（棘下筋単独では屈曲は障害されにくい）をきたすため，凍結肩と誤診しないことが重要である．

体位・穿刺位置

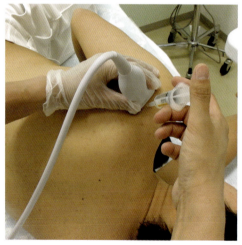

患側を上にした側臥位として肘を屈曲し，手を腹側につかせる．必要に応じて，抱き枕などを利用すると患者は楽な姿勢がとれる．上腕骨頭を指標にして，プローブを肩甲棘に対して平行に移動させながら描出する．

C 上肢帯／② 棘下筋（横走線維/斜走線維）（ランク A）

エコー解剖

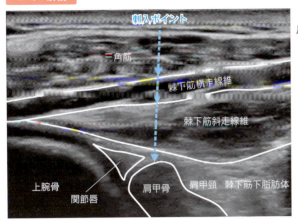

肩関節包後面を描出し，関節唇，関節窩，肩甲頸，棘下筋下脂肪体を描出する．

リリースの手順 WEB動画

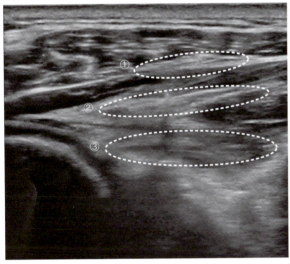

棘下筋の横走線維・斜走線維間の fascia の重積像を確認してリリースを行う．動画では，同時に三角筋/棘下筋間，棘下筋/棘下筋下脂肪体間のリリースも行っている．

①三角筋/棘下筋，②棘下筋横走線維/斜走線維間，③棘下筋/棘下筋下脂肪体間．

③の治療時は，関節唇を避け肩甲骨側の骨表面を目指して刺入する．

起こり得る合併症

- 血管穿刺による出血・血腫
- 穿刺部からの感染
- 注射後の穿刺部痛
- 遅発性筋痛
- 迷走神経反射

③腋窩動脈周囲のfascia（腋窩鞘）（ランクC）

> **ポイント**
> - 凍結肩の治療において，肩峰下滑液包，烏口上腕靱帯，関節包のリリースなどで改善しない場合に，腋窩動脈周囲のfasciaハイドロリリースが有効な場合がある．
> - 胸郭出口症候群（TOS）において，特に腋窩神経のnerve tension test陽性（6章⑤），動脈周囲fasciaの異常を疑う所見（3章⑤），または小胸筋の緊張が高い例などで治療を検討する．
> - 乳癌術後，ペースメーカー植え込み術後の前胸部の難治性疼痛に有効である．
> - 血管周囲にある交感神経への異常入力が改善する可能性がある．

解剖

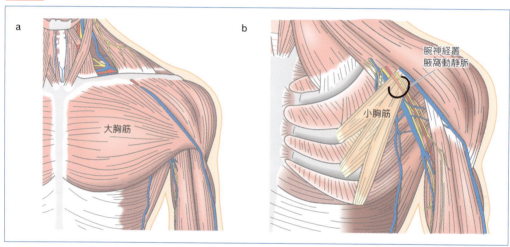

　大胸筋・小胸筋と腋窩動脈．左胸部を前方から観察．a：広頸筋を除いて，大胸筋を示した．b：大胸筋を取り除いて小胸筋を半透明化し，腋窩動静脈と腕神経叢を示した．
　鎖骨下動脈は，第1肋骨を越えると腋窩動脈と呼ばれるようになり，上腕に向かって外下方に走行する．上腕に至り大円筋の下縁を越えると，上腕動脈と呼ばれるようになる．小胸筋は大胸筋に覆われており，第3〜5肋骨の肋軟骨近傍に起始し，烏口突起に停止する．肩甲骨の前傾や呼吸の補助筋として働く．

体位・穿刺位置

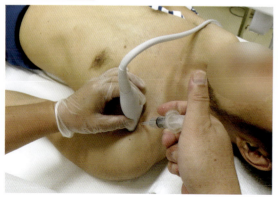

　患者を仰臥位とし術者は患側に立つ．プローブを体軸と垂直方向で烏口突起よりわずかに下方に当て，大胸筋，小胸筋の下を走行する腋窩動脈を短軸像で描出する．

C 上肢帯／③ 腋窩動脈周囲のfascia（腋窩鞘）（ランクC）

エコー解剖

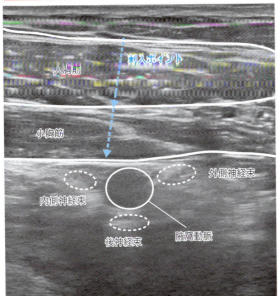

大胸筋に覆われた小胸筋の直下に腋窩動脈がある．腋窩動脈は腕神経叢の外側神経束，内側神経束，後神経束に取り囲まれている．

これらの構造物は腋窩部の脂肪体で支えられており，脂肪体内の線維構造物自体も治療対象となる．

リリースの手順　WEB動画

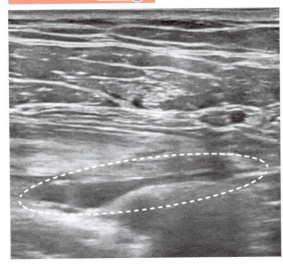

目標は小胸筋裏の重積したfasciaで，腋窩動脈から少し離れたところとする．針先を常に確認しながらゆっくりと進め，確実にこのfasciaをリリースする．針先を見失うと神経や血管を誤って穿刺するリスクが高い．

動画では，これに先立って大胸筋と小胸筋の間のfasciaもリリースしている．

起こり得る合併症

- 血管穿刺による出血・血腫
- 穿刺部からの感染
- 注射後の穿刺部痛
- 神経損傷（腋窩神経）
- 胸腔内への誤穿刺（気胸，血胸）

D 上肢

①橈骨神経周囲の fascia（上腕遠位部）（ランク B）

■ ポイント
> 肘関節外側の痛み（テニス肘），上腕外側の痛みである橈骨単神経障害 radial mononeuropathy，いわゆる Saturday night palsy に有効．
> 末梢神経を傷つけないように注意する．

解剖

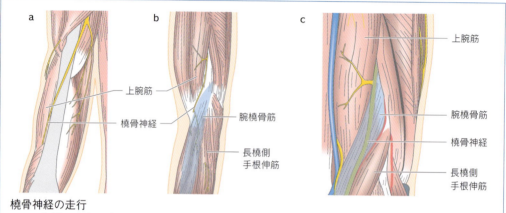

橈骨神経の走行
　a：背側から左上腕を観察．上腕三頭筋を取り除いてある．b：左側面から左上腕を観察．腕橈骨筋を水色で示した．c：左側面からの穿刺部付近の拡大像．

　橈骨神経は腕神経叢に由来する．腋窩から上腕背側に回り込み，ほぼ上腕骨に沿って上腕三頭筋の深部を下行しながら橈側に移動する（a）．上腕の遠位 1/3 付近で腕橈骨筋と上腕筋の間に入り（b），肘関節では上腕骨小頭のほぼ屈側正面の位置を通り，浅枝と深枝に分岐する．

体位・穿刺位置

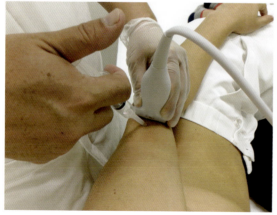

　患側を上にした側臥位とし，上肢は第 1 肢位で自然に体側に沿わせて置かせる．術者は背側に立ち，短軸方向にプローブを置いて交差法で穿刺する．肘関節近位の橈骨神経周囲にある fascia の重積像を確認する．

D 上肢／① 橈骨神経周囲の fascia（上腕遠位部）（ランク B）

エコー解剖

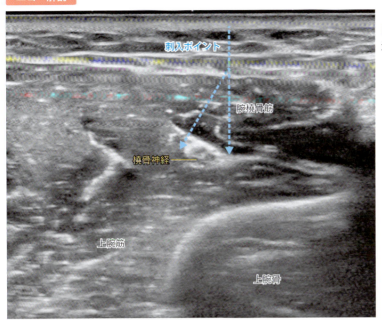

上腕骨遠位では橈骨神経は腕橈骨筋と上腕筋の間を走行する．

リリースの手順 WEB動画

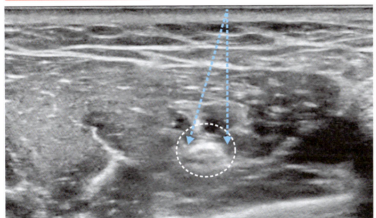

橈骨神経周囲にある fascia の重積像が目標である．橈骨神経を傷つけないように注意しながら，周囲の fascia の癒着をリリースする（ミルフィーユサイン）．神経ブロックでは，薬液が橈骨神経の全周を囲むように局所麻酔薬を注入する（ドーナツサイン）．しかしながら，この方法では末梢神経周囲の重積した fascia をリリースすることが目標であるので，必ずしもドーナツサインを得る必要はない．

起こり得る合併症

・血管穿刺による出血・血腫
・穿刺部からの感染
・注射後の穿刺部痛
・神経損傷（橈骨神経）

②尺骨神経周囲の fascia(Struthers 腱弓)(ランク B)

- ポイント
  - 前腕内側の痛み,しびれに有効.
  - オズボーンバンドのリリース(次稿③参照)と併用することが多い.
  - 尺骨神経損傷に注意する.

解剖

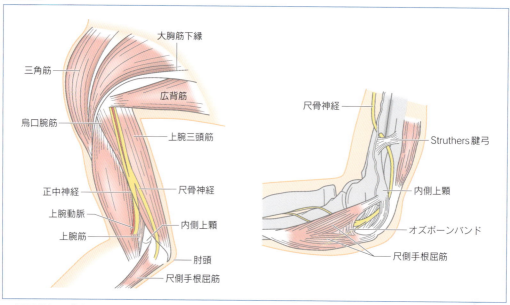

　尺骨神経の走行.肩関節を外転・外旋して前方より観察.尺骨神経は C8,T1 の神経根から由来し,腕神経叢の下神経幹,内側神経束を経由して腋窩に入る.上腕では上腕二頭筋と上腕三頭筋の間を走行し,上腕三頭筋の内側縁に沿って次第に浅層に移動し,内側上顆と尺骨頭の間,すなわち肘部管を通って尺側手根屈筋の内側頭と尺骨頭の間から,この筋の深層に潜り込む.
　前腕尺側と手関節より末梢で,掌側・背側ともに第 4 指尺側および第 5 指の皮膚知覚を支配する.前腕では尺側手根屈筋,深指屈筋,さらに手部では母指対立筋,小指対立筋,骨間筋,虫様筋母指球筋以外の手中の筋群のほとんどに分布し,手根や手指の運動を支配している.

体位・穿刺位置

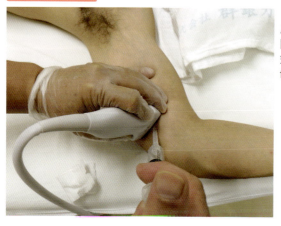

患者は仰臥位で,肩関節を外転・外旋して床上に置く.術者は患側から,プローブを肘関節から近位に向かって操作し,尺骨神経を短軸像で描出する.その浅層を覆っている fascia(Struthers 腱弓)を描出する.

D 上肢／② 尺骨神経周囲の fascia（Struthers 腱弓）（ランク B）

エコー解剖

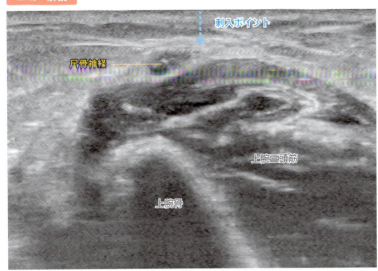

尺骨神経は，上腕二頭筋と上腕三頭筋の間の筋溝を上腕三頭筋の内側縁に沿って次第に浅層に移動し，やがて上腕三頭筋の表面を走行する．上腕三頭筋が上腕骨を覆い，その表面に Struthers 腱弓という fascia に覆われた尺骨神経が描出されている．

リリースの手順 WEB動画

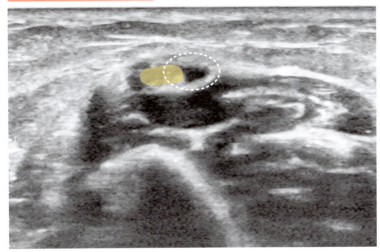

動画例では，目標は皮下 3〜4 mm の尺骨神経である．短い針を用いて，鋭角でゆっくり尺骨神経を直接刺さないように穿刺する．尺骨神経の表層の fascia（Struthers 腱弓）をリリースする．

起こり得る合併症

・血管穿刺による出血・血腫
・穿刺部からの感染
・注射後の穿刺部痛
・神経損傷（尺骨神経）

③オズボーンバンド（ランクB）

■ ポイント
> いわゆる"ゴルフ肘"，肘部管症候群，野球選手の投球障害（尺骨神経由来）による肘内側部の痛みやしびれに有効．
> 尺骨神経損傷に注意する．

解剖

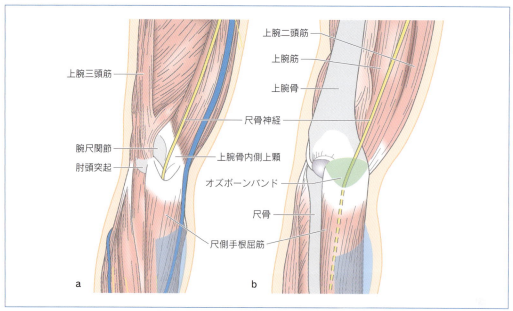

オズボーンバンドと尺骨神経．a：左肘を背側から観察．尺骨神経は上腕三頭筋と上腕筋，上腕二頭筋短頭に囲まれた領域を下行し，上腕骨内側上顆と肘頭突起の間を通り，尺側手根屈筋の上腕頭と尺骨頭の間で尺側手根屈筋の深部に入る．b：尺側手根屈筋の上腕頭と尺骨頭の間にまたがるfasciaをオズボーンバンドと呼ぶ．

体位・穿刺位置

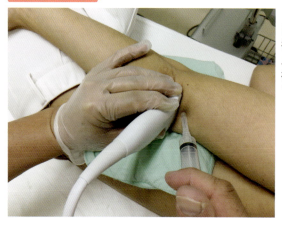

患側を上にした側臥位として，手掌を腹側に向けて上肢を自然に体側に沿って置かせる．術者は背側からプローブを短軸方向に当て，上腕骨内側上顆と肘頭突起を指標に，尺側手根屈筋の上腕頭と尺骨頭を描出する．交差法で穿刺する．

D　上肢／③ オズボーンバンド（ランクB）

エコー解剖

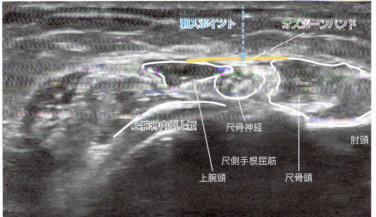

上腕骨内側上顆に尺側手根屈筋の上腕頭が、肘頭に尺骨頭が付着している。2つの筋頭を連結するオズボーンバンドが高輝度で観察される。その直下を尺骨神経が走行する。

リリースの手順　WEB動画 ▶

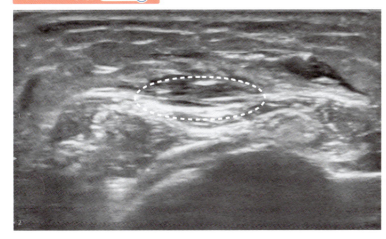

浅い部位なので、27G 19mm針を推奨する。尺骨神経を傷つけないように、末梢神経からやや離れた部位より刺入する。針先をしっかりと確認しながらオズボーンバンドに近づけて、丁寧にリリースする。尺骨神経の下には上腕骨がある。神経の深層に骨などの硬い構造がある場合に誤って神経を穿刺すると、末梢神経障害を起こしやすいので十分な注意が必要である。

起こり得る合併症

・血管穿刺による出血・血腫
・穿刺部からの感染
・注射後の穿刺部痛
・神経損傷（尺骨神経）

④長短橈側手根伸筋・総指伸筋/回外筋（ランク A）

> ■ ポイント
> > 肘関節伸側痛の代表的な治療ポイント．
> > テニス肘の治療でも頻用される．
> > テニス肘などの肘痛の急性期には，短橈側手根伸筋の上腕骨外側上顆付着部へのステロイド薬の注射を行うと有効な場合が多いが，炎症所見に乏しい慢性期では本法のほうが有効な場合が多い．

解剖

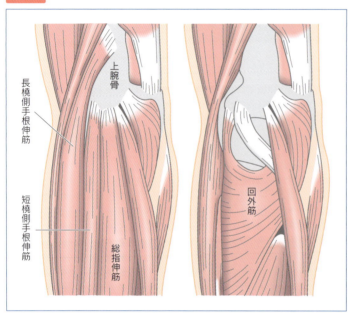

短橈側手根伸筋は上腕骨の外側上顆に起始し，橈側には長橈側手根伸筋，尺側には総指伸筋が隣接する．深層には回外筋が位置する．

体位・穿刺位置

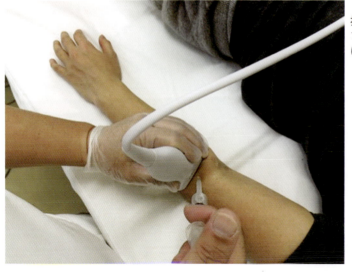

上腕骨外側上顆から2～3横指遠位あたりで圧痛点を探し，プローブを図のように短軸方向に当てる．

D 上肢／④ 長短橈側手根伸筋・総指伸筋/回外筋（ランクA）

エコー解剖

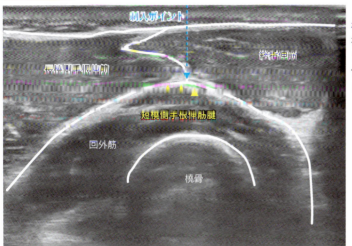

外側から総指伸筋，長橈側手根伸筋，回外筋を同定する．総指伸筋は手指を背屈させて確認する．短橈側手根伸筋は，この位置では腱成分として描出される．

リリースの手順 WEB動画

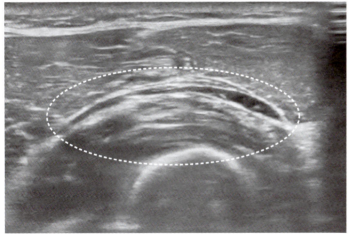

針先を総指伸筋，長橈側手根伸筋，回外筋の隙間にある短橈側手根伸筋腱に穿刺し，薬液を注入する．この位置では短橈側手根伸筋は腱成分で描出されるため，穿刺時の硬さや薬液注入時の抵抗が変化する．

Next Step

本法に手関節の伸筋支帯のリリースも併用すると前腕伸筋群の負荷が軽減することが多く，有効である．また，肘筋に圧痛がある場合は併せてリリースする．

その他，上腕骨遠位外側の橈骨神経周囲のリリースや，外側側副靱帯/回外筋のリリースも，肘関節外側の痛みに有効であることが多い．

起こり得る合併症

- 血管穿刺による出血・血腫
- 穿刺部からの感染
- 注射後の穿刺部痛
- 遅発性筋痛
- 神経損傷（橈骨神経）

⑤手関節部の伸筋支帯（ランク B）

> **ポイント**
> - de Quervain 病やテニス肘の治療で頻用する.
> - 腱鞘内に薬を入れるだけでなく，伸筋支帯，腱鞘自体をリリースする.
> - de Quervain 病の治療で第 1 区画へのリリースで痛みが改善しない場合は，第 3 区画のリリースも追加する．特に橈骨神経浅枝の神経障害に注意する.

解剖

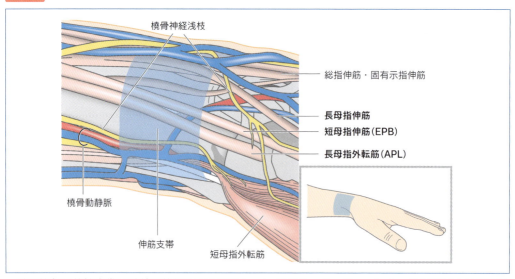

手関節部の伸筋支帯は手首の伸側を広く覆う fascia である．骨への anchoring や隔壁により区画化される．de Quervain 病では手関節橈側の腫脹と圧痛，Finkelstein テスト[注1]や Eichhoff テスト[注2]の所見などで診断する.

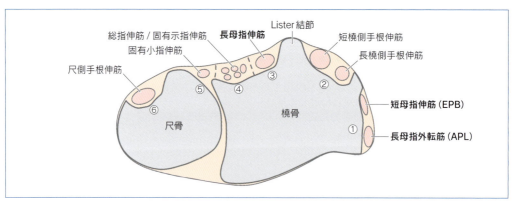

手の伸筋腱は図のように 6 つの区画に区分される．橈骨の外側面に位置する第 1 区画には，長母指外転筋腱 abductor pollicis longus (APL) と短母指伸筋腱 extensor pollicis brevis (EPB) が走行する．APL は尺骨外側面，橈骨外側面，前腕骨間膜に起始し，第 1 中手骨底外側に停止し，母指を外転・伸展し，手関節を橈屈する．EPB は前腕骨間膜，橈骨背面に起始し，母指基節骨底背側に停止し，母指中手指節間関節 metacarpal phalangeal joint (MP 関節) を伸展する．de Quervain 病は APL と EPB の腱の狭窄性腱鞘炎と考えられているが，伸筋支帯，腱鞘という fascia の異常とも考えられ，同部のリリースが有効である.

D 上肢／⑤ 手関節部の伸筋支帯（ランク B）

体位・穿刺位置

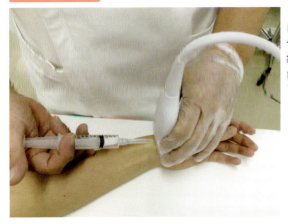

橈側を上にして前腕を置き，短軸方向にプローブを当てる．浅い部分なので短い針を用い，少し離れた場所から鋭角で穿刺する．多くの症例では腱鞘の背側付近に橈骨神経の知覚枝が走行するので，誤って穿刺しないようにエコーで確認する．

エコー解剖

de Quervain 病のエコー画像（模式図）

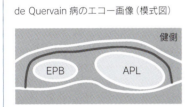
健側

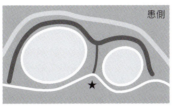
患側

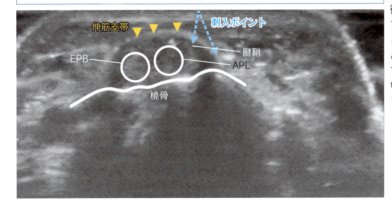

伸筋腱第1区画では EPB と APL が腱鞘に包まれ，その外層を伸筋支帯が覆う構造となっている．約60％では APL と EPB を完全に分離する隔壁があり，隔壁の付着する橈骨側に骨隆起（★）があることが特徴である．de Quervain 病では，ほとんどが腱鞘肥厚と腱肥大を認める．隔壁がある場合は保存療法に抵抗する場合が多い．炎症が強い場合はドプラで血流信号を確認できることが多い．

注1）Finkelstein（フィンケルシュタイン）テスト
　陽性：検者が患者の母指を尺側に牽引した時に疼痛が誘発される．
注2）Eichhoff（アイヒホッフ）テスト
　陽性：他の4指で母指を握り，手関節を尺屈させた時に疼痛が誘発される．

リリースの手順 WEB動画 ▶

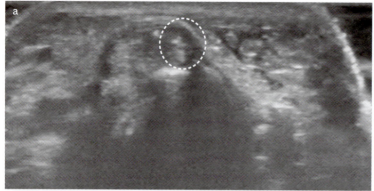

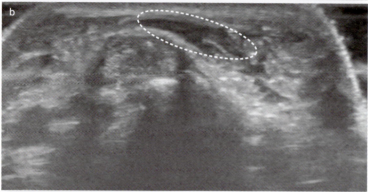

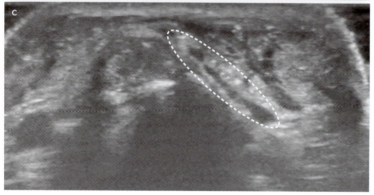

鋭角に穿刺して，細かく針先をコントロールしながら各部位をリリースする．
a：腱鞘内のリリース，b：皮下組織と伸筋支帯の間のリリース，c：伸筋支帯と腱鞘間のリリース．

痛みが残る場合は，長母指伸筋のある第3区画の伸筋支帯，腱鞘も同様にリリースすると有効な場合が多い．

起こり得る合併症

・血管穿刺による出血・血腫
・穿刺部からの感染
・注射後の穿刺部痛
・神経損傷（橈骨神経浅枝）

⑥ 手関節部の屈筋支帯（ランク B）

■ポイント
- 手根管症候群，Raynaud（レイノー）症状，ばね指などに有効である．
- 深部の血管，神経は必ずリリースする．
- 横手根靱帯のリリースも併用すると，より有効である．

解剖

　支帯（retinaculum）は四肢の関節付近に存在し，deep fascia を補強する薄くて柔軟な fascia である．多くのアトラスでは独立した組織として描かれているが，実際は deep fascia が局所的に肥厚したものと推察されている．機能としては，関節の構造的安定に対する寄与は小さく，関節運動時に腱を関節に引きつけておくプーリーシステム pully system として働く．周囲の骨や筋，腱に多くの線維的結合を有し，安定した位置を保つのと同時に力のさまざまな方向への伝達を媒介する．固有感覚受容器に富み，固有感覚においても大きな役割があると考えられている．

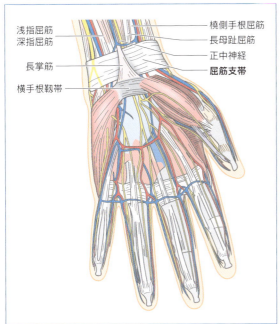

浅指屈筋
深指屈筋
長掌筋
横手根靱帯

橈側手根屈筋
長母趾屈筋
正中神経
屈筋支帯

　手掌を掌側から観察．手関節部の屈筋支帯 flexor retinaculum は，手首の掌側に位置する支帯であり，その表層を長掌筋腱が，深層には浅指屈筋，深指屈筋，長母趾屈筋，橈側手根屈筋，正中神経などが走行する．なお，屈筋支帯と横手根靱帯 transverse carpal ligament は同一と理解されていることが多いが，マクロ解剖学的・組織学的に異なる構造物であることも報告されている[1]．屈筋支帯は浅層にあり，前腕筋膜/腱膜 antebrachial fascia から連続し，deep fascia を補強する柔らかい線維性成分である．横手根靱帯は，より深層にあり，厚く強靱で手根骨同士を結合する，組織学的にも靱帯成分である．

体位・穿刺位置

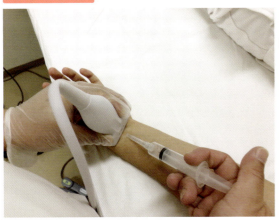

　手掌を上にして上腕を処置台に置く．プローブを上腕の軸位断方向に当て交差法で穿刺する．非常に浅い部分なので穿刺角度は鋭角にする．

エコー解剖

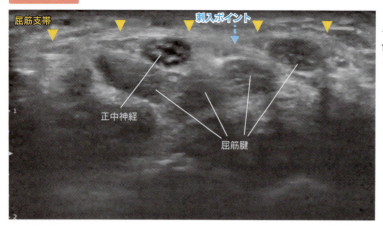

屈筋腱や正中神経を覆うやや高輝度の屈筋支帯（黄色矢頭）が浅層に描出される．

リリースの手順 WEB動画

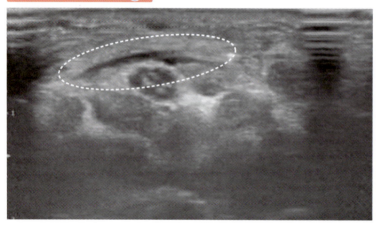

目標はごく浅い部位にあるので短い針を用いて鋭角で穿刺し，ゆっくりと針を進める．皮膚，皮下組織を貫けば，すぐに屈筋支帯に到達する．肥厚した支帯を数層に分離するようにリリースする．当手技と，長掌筋周囲のリリース，さらには末梢側で深層にある横手根靱帯のリリース[2]を併用すると，より有効である．

起こり得る合併症

・血管穿刺による出血・血腫
・穿刺部からの感染
・注射後の穿刺部痛
・神経損傷（正中神経）

文献
1) Stecco C, et al：Comparison of transverse carpal ligament and flexor retinaculum terminology for the wrist. J Hand Surg Am 35：746-753, 2010
2) Rojo-Manaute JM, et al：Ultra-minimally invasive sonographically guided carpal tunnel release：anatomic study of a new technique. J Ultrasound Med 32：131-142, 2013

⑦ 正中神経（束間神経上膜）（ランク C）

■ポイント
> 手根管症候群，Raynaud（レイノー）症状，ばね指などに対して屈筋支帯の手技（206 頁）で症状が残る場合に治療を検討する．
> 第 1・4 指内側までの痛み・しびれ感がある時に治療を検討する．
> 使用する薬液は，炎症所見を認めれば慎重にステロイド薬の適応も考慮する．
> 末梢神経を盲目的に全周性で剥離せず，fascia の重積像を強く認める部位を中心に，丁寧にリリースしていくことが重要である．

解剖

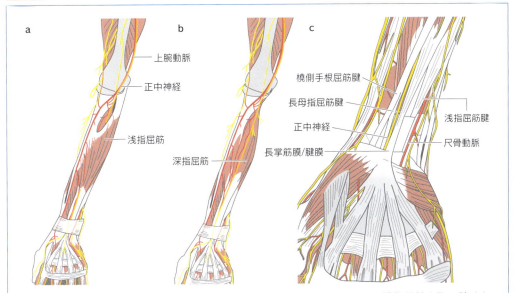

右前腕を前方から観察．a：橈側手根屈筋，円回内筋を取り除いてある．b：浅指屈筋を取り除くと，その深層を走行する正中神経が見える．c：手関節レベルでの正中神経．これらの鑑別は nerve tension test（6 章⑤参照）なども活用して評価する．

　正中神経は C6〜T1 の神経根に由来し，上腕部では上腕動脈に伴走し，肘関節を越えると円回内筋の上腕頭，尺骨頭の間を走行していく．前腕中央部から手関節までは浅指屈筋，深指屈筋の間を走行し，手根管に入る．手関節掌側・手掌，第 1 指から第 4 指橈側までの知覚と，前腕屈筋群（尺側手根屈筋と，第 4 指，第 5 指の深指屈筋を除く），方形回内筋，母指対立筋，第 1・2 虫様筋の運動を支配している．
　本手技では手関節レベルの正中神経をリリースしているが，正中神経走行上で fascia の重積像があり，発痛源となっている部位をリリースすることが重要である（ミルフィーユサイン）．

8 エコーガイド下 fascia ハイドロリリース（US-THR）の実践

体位・穿刺位置

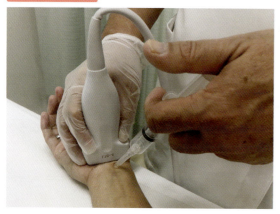

手掌を上にして上腕を処置台に置く．手関節部レベルで正中神経周囲の fascia が特に重積しているところにプローブを当てる．

エコー解剖

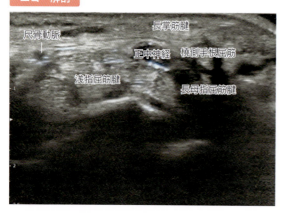

横手根靭帯の深層にある正中神経を描出する．

リリースの手順 WEB動画 ▶

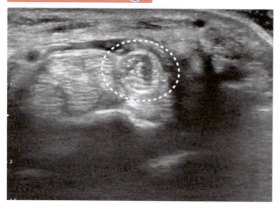

正中神経を傷つけないように神経上膜を十分にリリースしても症状が残存する場合は，ステロイド薬の適応を考慮する．加えて，上級者は，生理食塩水を注入しながら束間神経上膜に針先を進めていき，末梢神経内リリースを実施してもよい（参照：4章 column 末梢神経内リリース）．

起こり得る合併症

- 血管穿刺による出血・血腫
- 穿刺部からの感染
- 注射後の穿刺部痛
- 神経損傷（正中神経）

E 体幹

① 胸腰筋膜（ランク A）

■ポイント
> 腰痛の原因として頻度が高い．
> 技術的に容易で誤穿刺のリスクも少ない．
> 多裂筋，腸肋筋起始下を施標した症例に追加すると，腰部痛症が改善する場合が多い．

解剖・機能

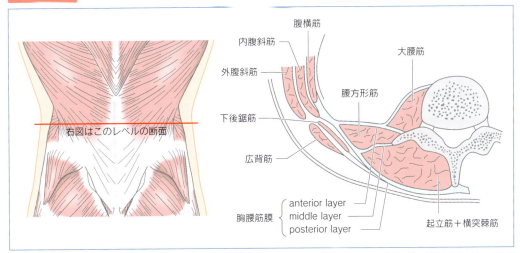

　胸腰筋膜 thoracolumbar fascia という名称は，"fascia＝筋膜"という日本語訳の影響を受けた誤訳である．その成分は，広背筋から連続する筋膜に加えて腱成分も多分に含む fascia である．胸腰筋膜は，正中側では棘上靱帯・棘突起・正中仙骨稜に付着し，外側では腸骨稜・上後腸骨棘に付着する．また，深部方向には，posterior layer, middle layer, anterior layer の 3 層に分かれるとするのが一般的である．さらに posterior layer は，浅層と深層に分かれる．浅層は広背筋の腱膜と連なっている．posterior layer の深層と middle layer は，脊柱起立筋と横突棘筋を包んでいる．また，middle layer と anterior layer は腰方形筋を覆っている．尾側の上後腸骨棘付着部は，腸腰靱帯や仙腸関節構成靱帯の上部にも結合している．体幹と下肢帯・下肢間の荷重を伝達する重要な役割を果たしている．

体位・穿刺位置

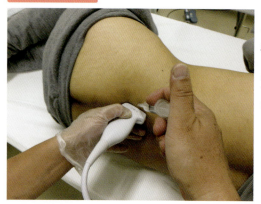

側臥位または腹臥位にて fascia 肥厚部や圧痛点を探す．腸骨稜辺縁，特に正中付近にあることが多い．

上殿皮神経の周囲，または腸骨外側の胸腰筋膜と外腹斜筋・内腹斜筋・腹横筋が腱膜様構造として連続する部位も，圧痛を認めた場合はリリースを検討する．

エコー解剖

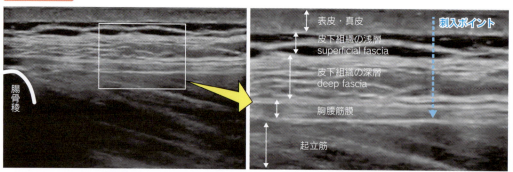

腸骨稜に付着する胸腰筋膜を認める．胸腰筋膜は，エコー上3層構造に見える．表層と深層は白く，中間層は黒く描出される．中間層の黒い部分をリリースすると有効である．

リリースの手順 WEB動画

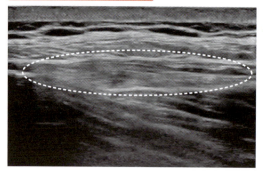

脂肪層と起立筋の間にある胸腰筋膜をはっきりと同定してリリースを行う．

起こり得る合併症

・血管穿刺による出血・血腫
・穿刺部からの感染
・注射後の穿刺部痛
・遅発性筋痛

推奨文献

・Willard FH, et al：The thoracolumbar fascia：anatomy, function and clinical considerations. J Anat 221：507-536, 2012

②腰部多裂筋（ランクA）

■ポイント
> 腰痛の原因として胸腰筋膜と並んで頻度が高い．
> 腰部右回旋にて疼痛が誘発された場合は，多裂筋（回旋筋や横突棘筋）に問題があることが多く，腰椎の椎間関節包や横突起付近のポイントと組み合わせて治療することが多い．

解剖

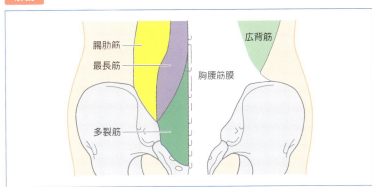

腰部多裂筋は棘突起と椎弓板に接するように位置し，腸肋筋，最長筋の内側にある．上部腰椎レベルでは多裂筋の表層は最長筋に覆われているが，おおむねL3〜L4より尾側では，最長筋は多裂筋の外側にくるようになる．

体位・穿刺位置

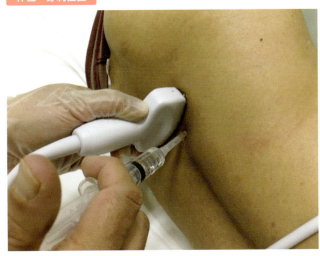

棘突起外側の圧痛点を確認する．図のようにコンベックス型プローブを用いて，棘突起，多裂筋，椎弓板などを描出する．

穿刺位置はリリースする部位によって異なる（リリースの手順を参照）．

体位は側臥位でも腹臥位でもよい．目標部位が深いのでコンベックス型プローブを用いることが多いが，リニア型プローブでも調整次第で描出可能な場合がある．

> エコー解剖

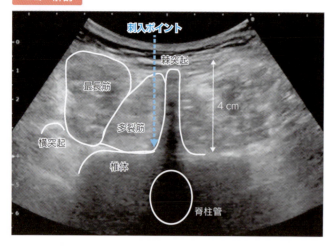

> リリースの手順 WEB動画

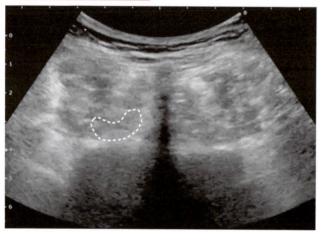

目標が深いので交差法で施行することが多い．多裂筋のfasciaリリースが有効なのは，以下の部位である．

1) 多裂筋と椎体の間（白点線）．棘突起から1横指外側から穿刺し，針先を多裂筋と椎体の間に進め，薬液を多裂筋の深部へ広範囲に広げる．
2) 多裂筋と椎間関節包の間．椎間関節直上から穿刺し，多裂筋の深部と椎間関節包をリリースし，さらに薬液を椎間関節内にも注入する．この部位にある回旋筋は，同定できないことが多い（腰椎椎間関節包のリリース（8章E-④）を参照）．
3) 多裂筋と棘突起の間．針先を棘突起側面に沿って進め，多裂筋との間に薬液を注入する．
4) 多裂筋と棘間靱帯の間．棘突起間から穿刺する．硬膜穿刺をしないように，針先が棘上靱帯を越えたところで薬液を注入する．
5) 多裂筋内．重積像を認める場合（2章②の図3参照），その直上より穿刺する．

> 起こり得る合併症

・血管穿刺による出血・血腫
・穿刺部からの感染
・注射後の穿刺部痛
・遅発性筋痛
・迷走神経反射
・硬膜穿刺

③腰椎横突起腹側（腰方形筋付着部）（ランクA）

> **ポイント**
> ▷ 外側深部の腰痛に有効.
> ▷ 腰部背屈, 同側回旋, 同側側屈にて疼痛が増強する.
> ▷ 気胸と腎臓損傷に注意する.

解剖

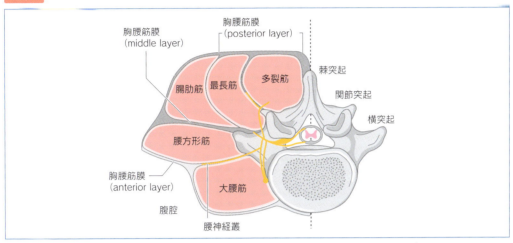

腸肋筋, 最長筋, 多裂筋は, 胸腰筋膜のposterior layerの深層とmiddle layerに包まれている. posterior layerは, 広背筋, 下後鋸筋と連続している. また, 腰方形筋は, middle layerとanterior layerに覆われていて, 横突起腹側に付着している. この横突起腹側が本リリースの重要なポイントとなる.
また, 腰方形筋と大腰筋の間に腰神経叢が位置している.

体位・穿刺位置

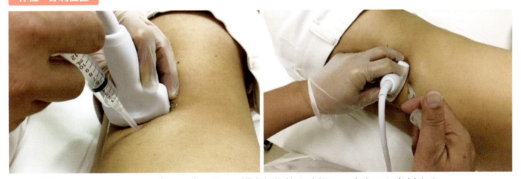

側臥位にてコンベックス型プローブを用いて横突起先端を確認し, 直上から穿刺する.

エコー解剖

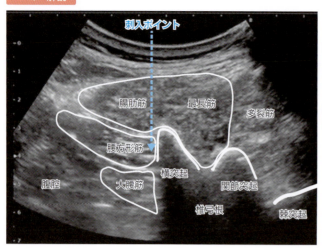

エコー解剖の指標になるのは横突起である．最長筋，腸肋筋，腰方形筋を描出する．

腰方形筋と大腰筋の間には腰神経叢が位置しているため，穿刺時は注意する．腰神経叢の nerve tension test（6章⑤参照）が陽性の時は，腰神経叢周囲の fascia のリリースを検討する．

リリースの手順 WEB動画▶

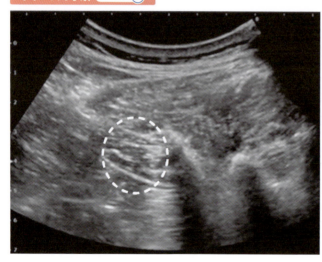

十分に深さを確認し，針先を正確に描出しながら進める．横突起と腰方形筋の解剖を意識しながら，横突起先端を確認し，骨に沿って腹側へ針を進める．上位腰椎の場合は気胸と腎臓損傷に注意する．

起こり得る合併症

・血管穿刺による出血・血腫
・穿刺部からの感染
・注射後の穿刺部痛
・遅発性筋痛
・胸腔・腹腔内への誤穿刺（気胸・血胸，腹腔内出血・腹膜炎・腎臓損傷）

④腰椎椎間関節包（ランクB）

■ポイント
> 腰痛の原因として多裂筋，胸腰筋膜などの次に頻度が高い．
> 棘突起から1横指外側に圧痛があることが多い．
> 上関節突起，下関節突起の裂隙間にある椎間関節包をリリースする．

解剖

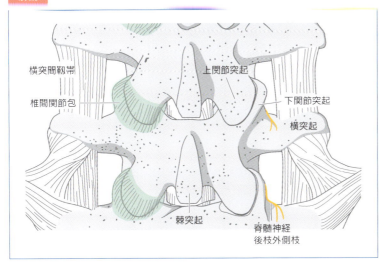

腰椎を背側から見た図．腰椎の正中には棘突起，その外側の上方に上関節突起，下方に下関節突起がある．上下の関節突起は椎間関節を形成する．各椎間関節は椎間関節包に包まれている．多裂筋などの周囲筋膜とは線維性構造で連続している．
下関節突起の外側から横突起に向かい，脊髄神経後枝外側枝が走行する．

体位・穿刺位置

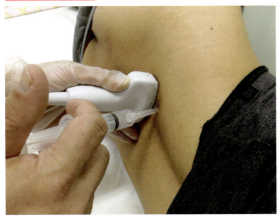

患側を上とした側臥位として背側から施行する．図のようにプローブを当てる．棘突起を指標にプローブを上下させて椎間関節を描出する．

エコー解剖

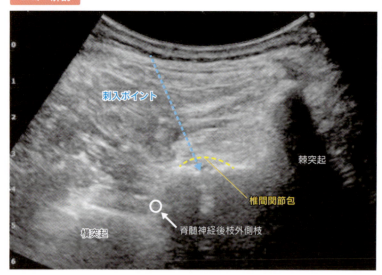

棘突起の外側に椎弓板があるが，その外側端に椎間関節が位置する．上下の関節突起の裂隙が描出されている．

リリースの手順 WEB動画 ▶

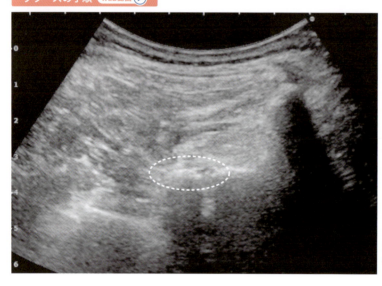

交差法でほぼ垂直に穿刺し，まず白く重積した関節包とその周囲のfasciaをリリースする．次に針先を関節腔（スリット状に見える上関節突起と下関節突起の裂隙）へ刺入し，薬液を注入する．関節腔にも薬液を注入することによって，画像では見えない関節周囲の関節包にも薬液が作用するものと考えられる．

さらに，関節内の液体貯留やドプラ陽性を認める場合は，椎間関節「炎」の診断となる．ステロイド薬の使用も検討する．

横突起基部と下関節突起の間を走行する脊髄神経後枝外側枝の周囲に重積像を認める場合には，リリースを検討する．

起こり得る合併症

- 血管穿刺による出血・血腫
- 穿刺部からの感染
- 注射後の穿刺部痛
- 遅発性筋痛
- 硬膜穿刺

⑤術後創部痛（ランク B）

■ポイント
- 創部痛は適切な局所治療がなされていないために，多剤薬物投与（ポリファーマシー）となり，その副作用で ADL（日常生活動作）障害が起きている患者が多い．
- 創部および創部周囲 fascia の癒着部の治療が有効な場合は多い．
- 開胸術後の場合（乳癌術後でも同様），二次的な不動などから，肩関節拘縮を起こしていることが多い．その場合は，肩関節-関節包複合体のリリースが有効である．
- 開腹術後の場合，癒着した壁側腹膜とその周囲 fascia（脂肪体含む）のリリースも有効である．
- 疼痛が強い場合は，近傍の血管周囲のリリースも有効である．

解剖

皮下組織は，浅層皮下組織 superficial adipose tissue，深層皮下組織 deep adipose tissue からなり，その間を膜様結合組織である superficial fascia が横断している（詳細は 1 章①図 2 参照）．手術後創部痛の患者では，皮下組織の可動性の極端な低下が周囲や他の部位の fascia の可動域を低下させ，疼痛の原因となることがある．

体位・穿刺位置

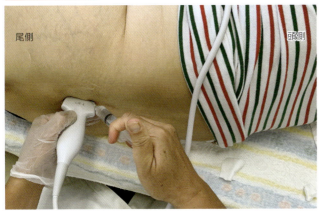

腰椎固定術後の創部で最も圧痛が強い部位を確認する．そこへプローブを当て，その直下の fascia の重積像を確認する．

エコー解剖

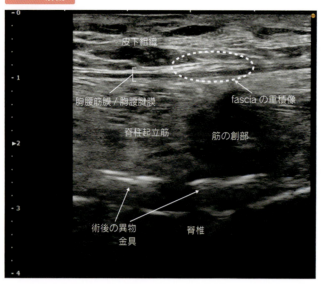

創部自体および創部周囲のfasciaの重積像をリリースする．

リリースの手順 WEB動画 ▶

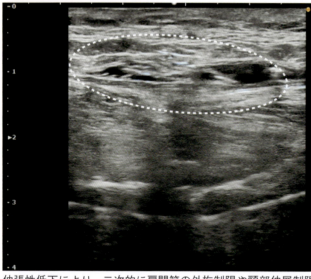

superficial adipose tissue/superficial fascia/deep adipose tissue，大胸筋浅層のdeep fascia，大胸筋と肋骨の間をリリースする．時に，肋間神経内側前枝と外肋間膜などのリリースも必要となる．気胸を起こさないように，胸膜の位置を確認する．なお，診察，エコーから異常血管や肉芽を認める場合は，ステロイド薬の注射も用いながらリリースを実施することも多い（170頁column参照）．疼痛が強く交感神経緊張の関与が疑われる際には，近傍の血管周囲のリリースも有効である．

創部痛は切開した全部位に生じうる．そのため，骨膜，筋外膜，末梢神経，靱帯，皮下組織など多様な創部を丁寧に治療していくことが重要となる．

腰部以外でも，例えば前胸部組織の伸張性低下により，二次的に肩関節の外旋制限や頸部伸展制限をきたしていることも多く，これらの悪化因子としての創部痛の治療は極めて重要となる．このように，創部痛の患者において局所治療部位が1ヵ所で終わることは，稀である．

起こり得る合併症

- 血管穿刺による出血・血腫
- 穿刺部からの感染
- 注射後の穿刺部痛
- 遅発性筋痛
- 胸腔内への誤穿刺（気胸，血胸）

F 下肢帯

①中殿筋/小殿筋/腸骨（ランクA）および中殿筋/小殿筋/股関節包（ランクA）

ポイント
- 関連痛が下肢側面に出る時は、中殿筋と小殿筋の間、あるいは小殿筋深部のリリースが有効な場合が多い。
- 関連痛が下肢の後面に出る時は、股関節外旋筋群に加えて、仙棘靱帯、仙結節靱帯のリリースを行うことが多い。また、後仙骨孔周囲のリリースも有効である。
- 股関節前面から大腿外側の痛みや股関節内旋時の伸張痛の場合は、小殿筋の大転子停止部のリリースが奏効することが多い。

解剖

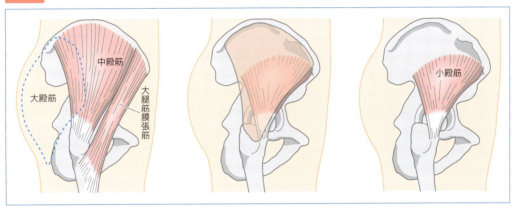

殿部外側の表層には中殿筋が位置する。中殿筋は、後方線維の一部を大殿筋に、前方線維の一部を大腿筋膜張筋に覆われている。中殿筋の深層には小殿筋がある。中殿筋と小殿筋の間には上殿動静脈・神経が走行するため、エコーでも判別しやすい。

大転子には3つのfacet（anterior facet：AF, lateral facet：LF, posterosuperior facet：PSF）がある。AFには小殿筋、腸脛靱帯、LFには中殿筋前方線維、腸脛靱帯、PSFには中殿筋後方線維、腸脛靱帯がそれぞれ付着する。小殿筋は大転子の前面に付着するため、股関節の運動作用としては外転、内旋の他に屈曲も担う。

起こり得る合併症
- 血管穿刺による出血・血腫（特に上殿動脈）
- 穿刺部からの感染
- 注射後の穿刺部痛
- 遅発性筋痛
- 局所麻酔薬中毒、アレルギー反応
- 迷走神経反射

1. 中殿筋/小殿筋/腸骨

体位・穿刺位置

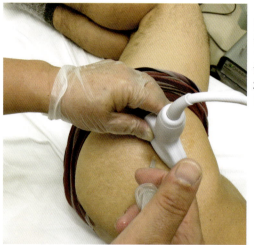

患側を上にした側臥位として，患者の背側より施行する．圧痛の強い部位にプローブを当て，皮膚と垂直に穿刺する．目標は深い部位にあり，コンベックス型プローブを用いたほうがよい．27G 38mm 針で届かない場合は，カテラン針（25G 60mm, 23G 70mm）を使用する．上殿動脈周囲のfasciaに重積像を認める場合が多い．

エコー解剖

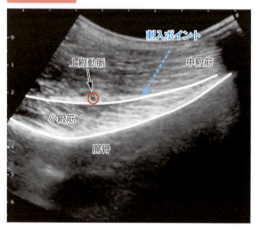

表層から中殿筋，小殿筋，深部には腸骨が確認できる．
中殿筋，小殿筋の間には上殿動脈が見えることが多く，その拍動を確認するとよい．

リリースの手順 WEB動画

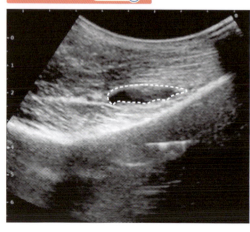

圧痛の強い場所を探して穿刺する．この部位ではカテラン針を使用することが多いため，穿刺時の痛みが強く，痛みに過敏な患者には注意が必要である．穿刺時の痛みが強い場合は，局所麻酔を追加する．穿刺後は上殿動脈に当てないように配慮しながら，中殿筋，小殿筋の間，上殿動脈周囲の重積したfasciaのリリースを行う．リリース後には拍動が強くなることが多い．

2. 中殿筋/小殿筋/股関節包

体位・穿刺位置

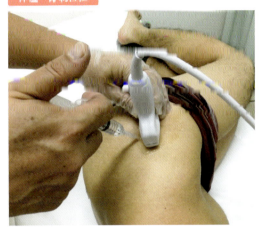

患側を上にした側臥位として患者の背側より施行する。圧痛の強い部位にプローブを当て、皮膚と垂直に穿刺する。目標は深い部位にあり、コンベックス型プローブを用いたほうがよい。27G38mm針で届かない場合はカテラン針を使用する。

エコー解剖

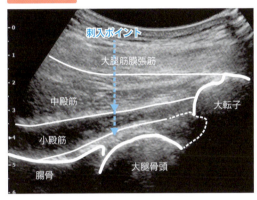

まずは、大転子と大腿骨頭を指標に描出する。表層から大腿筋膜張筋、中殿筋、小殿筋、腸骨から大転子を覆う関節包複合体（腸骨大腿靭帯など）と関節包、さらにその深層に大腿骨頭が見える。中殿筋と小殿筋の間には白い重積像が比較的明瞭に見えることが多い。中殿筋と小殿筋の隙間までは27G38mm針で届くことが多いが、小殿筋の深部には届かないことが多い。この場合はカテラン針を用いる。

リリースの手順 WEB動画 ▶

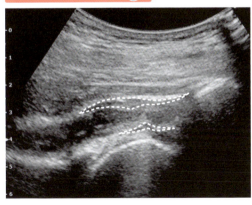

まず、股関節直上に圧痛点を確認する。穿刺後は、中殿筋と小殿筋の間を十分にリリースし、次に小殿筋と関節包複合体の間をリリースする。動画では小殿筋内もリリースしている。

この部位もカテラン針を使用するため、痛みに過敏な患者には局所麻酔薬を追加する。

小殿筋と上後方関節包の間には、坐骨神経のうち総腓骨神経の成分が、外側への分枝を出し走行する。この部位のリリースは、難治性の下腿外側部痛に対して著効することがある。

②梨状筋（ランクB）

> **ポイント**
> ▷ 坐骨神経痛様の下肢痛に有効．
> ▷ 坐骨神経，上・下殿動脈を傷つけないように注意する．
> ▷ 股関節外旋筋群（梨状筋，上下双子筋，内外閉鎖筋，大腿方形筋）の中で，特に梨状筋周囲のリリースは坐骨神経痛様の下肢痛に有効．

解剖

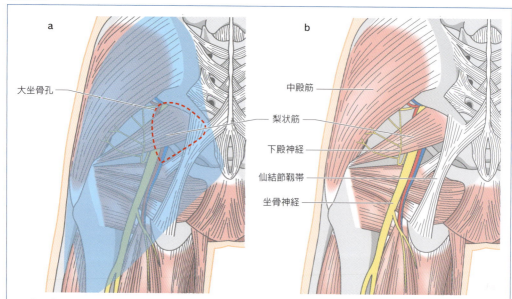

左殿部を後方から観察．a：大殿筋を半透明（水色）に表示．深部に梨状筋が見える．b：大殿筋を取り除き，神経血管などを表示．坐骨神経は梨状筋の下縁から出現して，尾側に走行する場合が多い．下殿神経も同部位から出現するが，反回して梨状筋の表面側を走行して大殿筋に分布する．

梨状筋は仙骨前面に起始し，大転子先端の後縁（lateral facetの上面）に停止する．坐骨神経が梨状筋を貫通する場合を含め解剖学的亜型が多いため，注射時は特に注意が必要である．主たる作用は股関節の外旋である．下肢のnerve tension test（6章⑤参照）などにより発痛源を評価する．

体位・穿刺位置

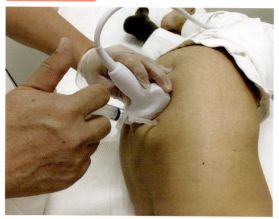

患側を上にした側臥位として検者は背側に立ち実施する．プローブを長軸方向に当て，大坐骨孔を指標にし，大殿筋の深部を走行する梨状筋を描出する．梨状筋は深部にあるため通常はコンベックス型プローブを用いる．またカテラン針が必要な場合が多い．

F 下肢帯／② 梨状筋（ランク B）

エコー解剖

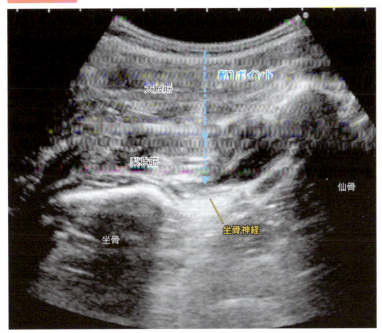

大殿筋の深部に梨状筋があり，梨状筋の深部を坐骨神経が下行している．梨状筋は仙骨の前面から現れ，腸骨・坐骨の近傍を走行している．

リリースの手順 WEB動画 ▶

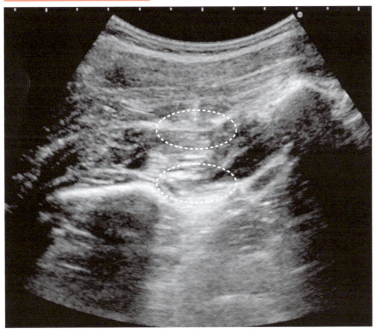

大殿筋を貫いて，まず大殿筋と梨状筋の間をリリースする．さらに梨状筋を貫いて，梨状筋の深部に達する．坐骨神経を損傷しないように針先を常に確認しながら，ゆっくりと進めて梨状筋と坐骨神経の間にある fascia の重積像をリリースする．動画では，梨状筋内で少量の薬液を試験注入しながら針先の位置を確認している．

難治例では，末梢神経内注射（4章② column 参照）の実施も検討する．

起こり得る合併症
・血管穿刺による出血・血腫
・穿刺部からの感染
・注射後の穿刺部痛
・遅発性筋痛
・神経損傷

③S1 後仙骨孔（ランクC）

ポイント
> 仙骨部の痛み，殿部の痛み，S1のデルマトームの痛みやしびれに有効．
> 針先を深く進めると硬膜穿刺の可能性があるので注意する．

解剖

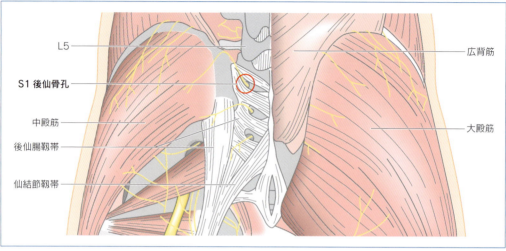

仙骨には左右4つずつの神経孔がある．それぞれS1～S4の神経孔があり，腹側を前仙骨孔と呼び，背側を後仙骨孔と呼ぶ．各仙骨孔は強靱な後仙腸靱帯と仙骨部多裂筋に覆われている．左側では大殿筋，広背筋，腸肋筋，最長筋，多裂筋を取り除いた．左S1後仙骨孔が赤丸で囲まれている．

体位・穿刺位置

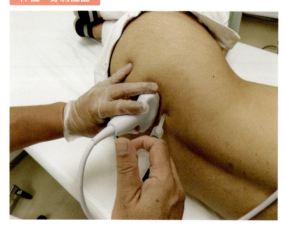

患側を上にした側臥位として術者は背側に立つ．S1後仙骨孔は，L5/S1椎間関節の下方，上後腸骨棘の内側にあり，短軸像で描出する．

F　下肢帯／③ S1後仙骨孔（ランクC）

エコー解剖

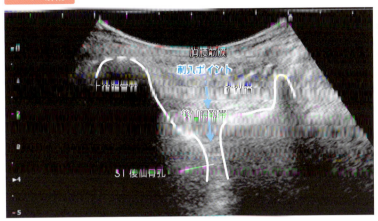

S1後仙骨孔の背側には後仙腸靱帯と多裂筋があり，さらに，その表層には胸腰筋膜が描出される．

リリースの手順 WEB動画 ▶

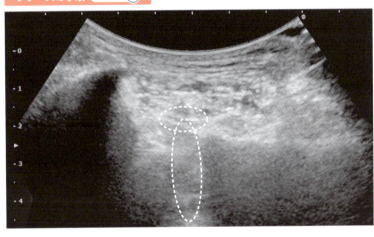

S1後仙骨孔の背側を覆っている多裂筋深部と後仙腸靱帯のfasciaをリリースし，さらに針先を数mm後仙骨孔に刺入する．ただし深く入れる必要はない．深く進めると硬膜穿刺のリスクになる．この部位に薬液を注入するとS1の神経根周囲のfasciaまで及ぶ．

起こり得る合併症

・血管穿刺による出血・血腫
・穿刺部からの感染
・注射後の穿刺部痛
・神経損傷（S1仙骨神経）
・硬膜穿刺

④坐骨神経（ランク C）

■ ポイント
> 坐骨神経周囲のリリースだけでは改善がみられない場合に，治療を検討する．
> Patrick テストで坐骨外側に痛みがある場合に治療を検討する．
> 立位での体軸回旋（股関節内旋）により回旋側の殿部痛を確認する．
> SLR テストを含む下肢の nerve tension test により丁寧に評価する（6 章⑤参照）．

解剖

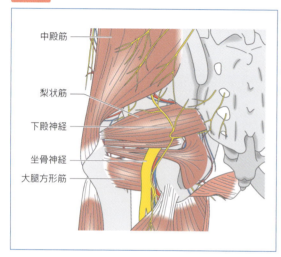

坐骨神経は，人体で最大の支配領域を持つ末梢神経である．第 4, 5 腰神経および第 1, 2, 3 仙骨神経からなり，多くは梨状筋深層から大坐骨孔を出て，坐骨結節と大転子の間を走行し，膝窩に至る．

本手技では大腿方形筋と大殿筋の間を走行する坐骨神経をリリースしているが，坐骨神経走行上で fascia の重積があり，発痛源となっている部位をリリースすることが重要である．その他の高頻度治療部位としては，梨状筋起始部の仙骨腹側外側の坐骨神経近位部，坐骨神経の梨状筋貫通部（構造的亜型による影響も大きい），坐骨神経が後大腿皮神経と分岐する部位，坐骨神経と内閉鎖筋の間，坐骨神経と大腿二頭筋の間などが挙がる．これらの治療部位では，下肢の nerve tension test（6 章⑤参照）と精密な圧痛点の評価を実施する．

体位・穿刺位置

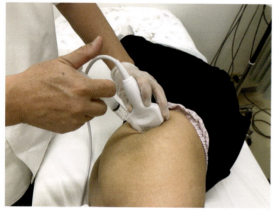

患側を上とした側臥位で，梨状筋の手技（252 頁）の位置より尾側へプローブを移動させ，大腿骨と坐骨結節を結ぶ大腿方形筋の長軸像を描出する．

F 下肢帯／④ 坐骨神経（ランクC）

エコー解剖

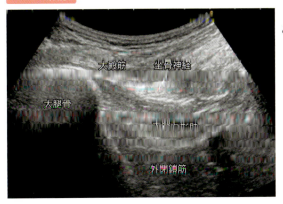

このレベルでは大殿筋の深部に大腿方形筋があり，坐骨神経はその筋間を走行している．

リリースの手順　WEB動画

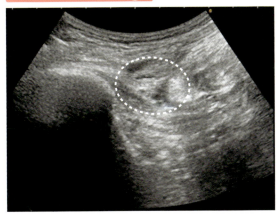

坐骨神経を傷つけないように神経上膜を十分にリリースした後，薬液を注入しながら束間神経上膜に針先を進めていく．この際，使用する注射針は細いものが望ましい．プローブで殿部を圧迫すれば，27G 38mmの注射針でも患部に届くことも多い．一方，皮下脂肪が厚い場合，または筋量が多い場合などは，対象組織が深層に位置することも多く，25G 60mm針が必要なこともある．太い注射針を利用する場合は，特にベベルの向きに注意し，末梢神経の新生線維方向（長軸）とベベルの向きを合わせて実施することが重要である．

起こり得る合併症

- 血管穿刺による出血・血腫
- 穿刺部からの感染
- 注射後の穿刺部痛
- 神経損傷（坐骨神経）

G 下肢

①鵞足/内側側副靱帯（ランク A）

ポイント
- 膝の内側部痛に有効であり，最も高頻度に実施する手技．
- 大伏在静脈の誤穿刺に注意する．
- 縫工筋直下には伏在神経が走行するため，神経損傷に注意する．

解剖

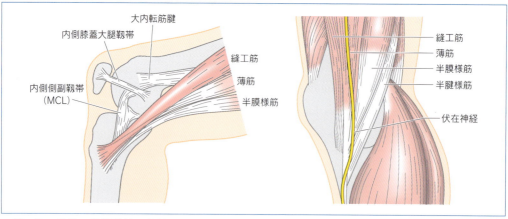

縫工筋，薄筋，半腱様筋は骨盤のそれぞれ別の部位から起始するが，停止はすべて脛骨粗面内側部にある．したがって，停止部付近では3つの筋は1つに束ねられたようになっており，これを鵞足と呼ぶ．縫工筋がその最も浅層を走行している．内側側副靱帯 medial collateral ligament（MCL）は大腿骨の内側顆に起始し，脛骨内側顆の内縁と後縁に幅広く停止する．

鵞足とMCLは膝関節を屈曲すると斜めに交差するように位置するが，伸展するとほぼ鵞足の下にMCLが位置するようになる．

体位・穿刺位置

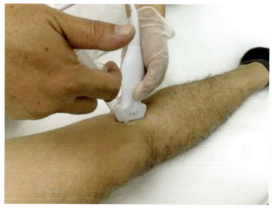
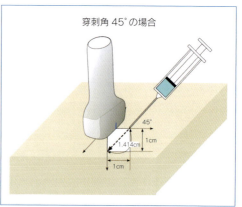

患者は仰臥位とし，術者は健側側に立ち実施する．鵞足の長軸方向にプローブを当て内側側副靱帯および内側半月板を描出する．

鵞足の浅層には大伏在静脈が走行している．そこで三平方の定理を利用して交差法で穿刺する．

G 下肢／① 鵞足/内側側副靱帯（ランクA）

エコー解剖

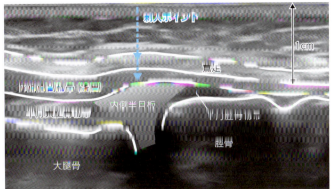

刺入ポイント
内側側副靱帯（浅層）
内側側副靱帯深層
内側半月板
内側膝蓋靱帯
大腿骨
脛骨
鵞足
1cm

内側側副靱帯線維は浅層・深層の2つからなる。鵞足と内側側副靱帯の浅層はともにfibrillar patternを示すが、浅層は鵞足と比べてやや低エコーに描出されている。この両者の関係は異方性によって変化しうる。内側側副靱帯深層線維は内側半月板と付着している。大腿骨側にあるのが半月大腿骨靱帯、脛骨側にあるのが半月脛骨靱帯である。

本例では内側半月板の脱出を認める。

リリースの手順 WEB動画 ▶

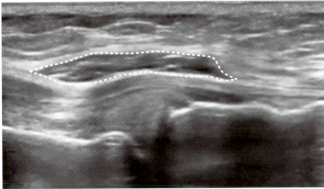

まず、鵞足自体を十分にリリースする。その後、鵞足と内側側副靱帯の表層部分の間をリリースしていく。

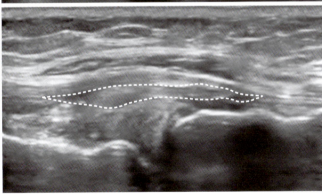

次に内側側副靱帯自体のリリースを行い、内側側副靱帯の深層の間も意識してリリースする。

起こり得る合併症

・血管穿刺による出血・血腫（特に、大伏在静脈）
・穿刺部からの感染
・注射後の穿刺部痛
・遅発性筋痛
・神経損傷（伏在神経）

②伏在神経周囲の fascia（膝関節周囲）（ランク B）

> ■ ポイント
> - 膝関節内側の痛み，下腿内側の痛みに有効．
> - 鵞足のリリースと併せて実施することが多い．
> - 神経損傷に注意する．

解剖

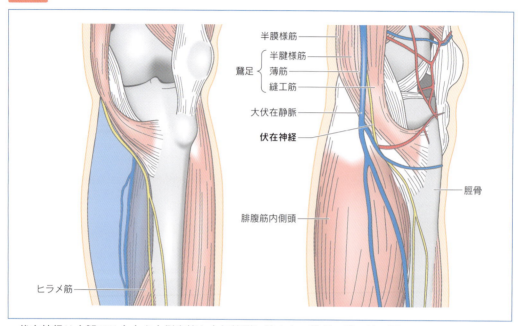

　伏在神経は大腿では左右を内側広筋と内転筋群に挟まれ，浅部は縫工筋に覆われている．縫工筋の深部に沿うように下行し，左右を縫工筋と薄筋に挟まれ，膝関節内側を通過し皮下組織内に現れる．下腿では大伏在静脈と併走して下腿内側の皮下組織内を下方に進み，内果の前方を通って足関節内側縁の皮膚に達する．膝関節内側から下腿内側，足関節内側縁までの領域の知覚を支配している．
　伏在神経周囲の fascia でリリースが有効なポイントは，① Hunter（ハンター）管，②膝関節内側部，③下腿近位部である．本項では③下腿近位部のリリースを記載する．

体位・穿刺位置

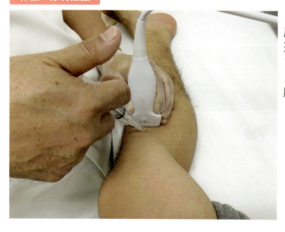

　患者は患側下の側臥位とし，膝関節を軽く屈曲させる．術者は患者の前面に立ち，下腿近位部を触診し，圧痛の強い部位を確認する．プローブを短軸で当てると，圧痛点と一致した伏在神経周囲の fascia の重積像がみられる．脛骨や大伏在静脈が指標となる．

G 下肢／② 伏在神経周囲の fascia（膝関節周囲）（ランク B）

エコー解剖

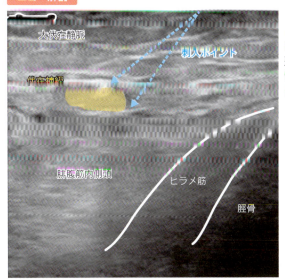

皮下組織の浅層に大伏在静脈がみられ，皮下組織深部（深さ約 1cm）に伏在神経が高輝度に描出されている．伏在神経は，縫工筋から連続する fascia と薄筋から連続する fascia に包まれている．脛骨後縁の後ろにヒラメ筋があり，さらに後方に腓腹筋内側頭がある．

リリースの手順 WEB動画 ▶

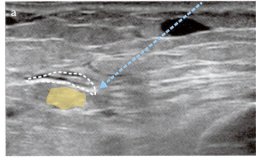
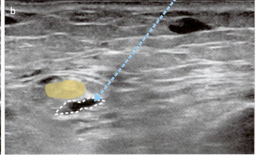

a：縫工筋から連続する筋膜，b：薄筋から連続する筋膜．

伏在神経を直接穿刺しないように注意し，神経の表層にある縫工筋から連続する fascia，および深層にある薄筋から連続する fascia をリリースする．これらの fascia の重積像が脛骨に接する部分にもある場合は，そこもリリースする．

起こり得る合併症

・血管穿刺による出血・血腫（特に，大伏在静脈）
・穿刺部からの感染
・注射後の穿刺部痛
・神経損傷（伏在神経）

③半腱様筋/半膜様筋（ランク A）

■ ポイント
> 膝の内側の痛みとして非常に頻度が高い．
> 鵞足炎（炎症所見）を触診・エコーで見極め，必要に応じて局所麻酔薬やステロイド薬を併用する．

解剖

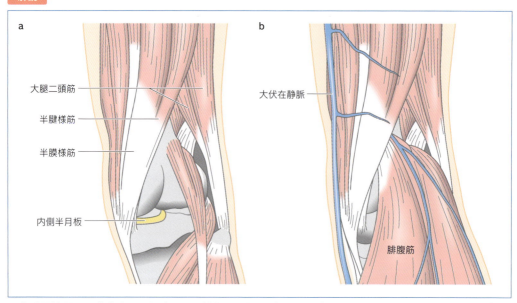

右膝関節周囲を内後方から観察．a は神経，血管，腱，および腓腹筋を取り除いてある．半腱様筋の腱部の深部に半膜様筋があり，さらにその奥に内側半月板が観察される．

体位・穿刺位置

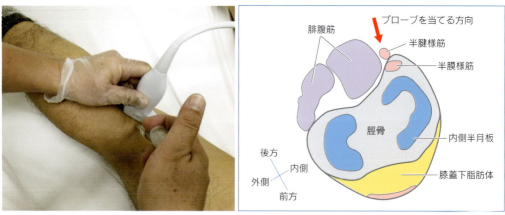

右の半腱様筋・半膜様筋をリリースする場合，患者は腹臥位とし，右下肢をやや内旋させると実施しやすい．
　半腱様筋を確認し，半膜様筋，内側半月板が直線上に描出されるようにプローブを当てる．穿刺目標は比較的浅いので平行法と交差法のどちらの方法で穿刺してもよいが，初心者は平行法のほうが安全である．

G 下肢／③ 半腱様筋/半膜様筋（ランクA）

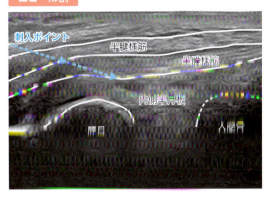

エコー解剖

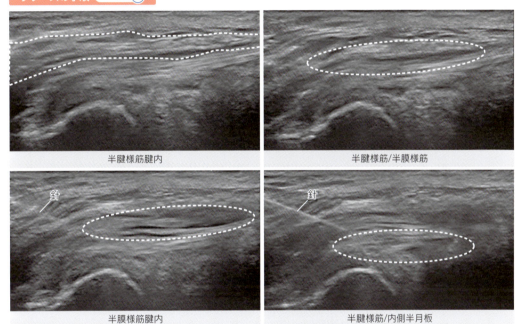

リリースの手順 WEB動画

半腱様筋腱内 ／ 半腱様筋/半膜様筋
半膜様筋腱内 ／ 半腱様筋/内側半月板

　前頁シェーマの矢印の方向にプローブを当ててエコー解剖図のような画像が得られるようにし，平行法（あるいは交差法）で穿刺する．上の図は平行法を用いた画像である．
　半腱様筋腱内，半腱様筋/半膜様筋，半膜様筋腱内，半腱様筋/内側半月板を幅広くリリースする．
　膝内側の痛みでは，単純X線で異常がなくても裂離骨折・疲労骨折・骨挫傷が隠れていることが稀ではない．このリリースや伏在神経周囲のリリースで効果が乏しい場合には，詳細なエコー評価（髄腔内血流増加や骨皮質の不鮮明化などのサイン）やMRIによる評価を検討したほうがよい．

起こり得る合併症

・血管穿刺による出血・血腫
・穿刺部からの感染
・注射後の穿刺部痛
・遅発性筋痛

④膝窩動脈周囲の fascia（ランク C）

> **■ポイント**
> ▷ 膝全体, 膝窩部の痛みの他に, 下腿の痛み, 冷えにも有効.
> ▷ 膝窩動静脈と脛骨神経損傷に注意する.

解剖

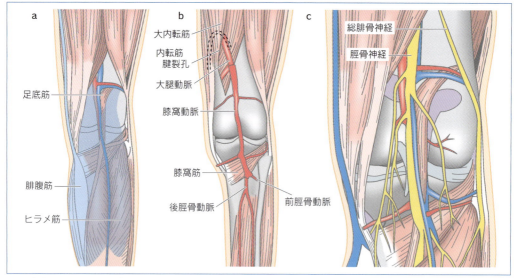

膝窩部を後面から観察.
a：腓腹筋を青色半透明で表示. 深部にヒラメ筋が観察される.
b：腓腹筋, ヒラメ筋, 足底筋を取り除いた図. 大腿動脈は内転筋腱裂孔を通り抜けると膝窩動脈と呼ばれるようになる. 膝窩筋の浅部を下行し, 後脛骨動脈と前脛骨動脈に分岐する.
c：膝窩は神経・血管に富んでいる. 脛骨神経は膝窩動静脈の浅部を伴走する. 膝窩筋は3層構造に分かれており, 解剖学的亜型も多いため注意が必要である[1].

体位・穿刺位置

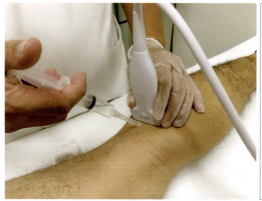
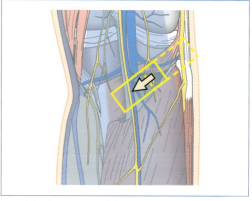

患者を腹臥位にする. プローブの外側端を腓骨頭の頭側に置いて, 膝窩筋の長軸像が描出できるように斜めに当てる. プローブを内側端方向にスライドさせて, 膝窩筋と腓腹筋の間にある膝窩動脈を描出する. 交差法を用いて穿刺する.

G 下肢／④ 膝窩動脈周囲のfascia（ランクC）

エコー解剖

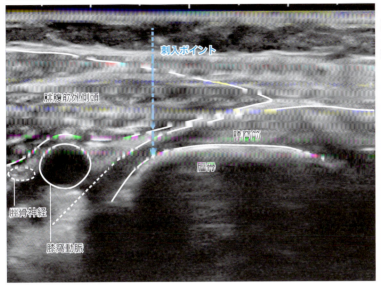

腓腹筋外側頭の深層を膝窩動脈と脛骨神経が走行する．膝窩筋の境界は，この画像では不明瞭である．

リリースの手順 WEB動画▶

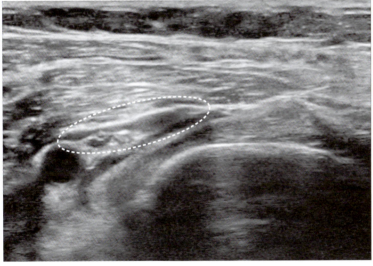

安全のために神経や血管周囲のfasciaリリースではゆっくり確実にアプローチする必要がある．穿刺目標のfasciaは膝窩動脈周囲にある．膝窩動脈を傷つけないように，動脈のやや外側から刺入する．あまり外側すぎると総腓骨神経があるので注意する．針先の位置を確認するため，少量の薬液を注入しながら少しずつ進め，膝窩動脈やや外側の腓腹筋と膝窩筋の間の筋外膜間まで到達させる．そこから薬液を注入し，動脈周囲のfasciaをリリースする．その後，膝窩筋と脛骨の間もリリースする．

起こり得る合併症

- 血管穿刺による出血・血腫（特に，膝窩動静脈）
- 穿刺部からの感染
- 注射後の穿刺部痛
- 遅発性筋痛
- 神経損傷（脛骨神経，総腓骨神経）

文献
1) Satoh M, et al：Three-layered architecture of the popliteal fascia that acts as a kinetic retinaculum for the hamstring muscles. Anat Sci Int 91：341-349, 2016

⑤総腓骨神経周囲の fascia（ランク B）

> ■ポイント
> ▷ 下腿外側・足背の痛みやしびれに有効.
> ▷ 総腓骨神経の彎曲部周囲に fascia の重積像を認めることが多い.
> ▷ 神経損傷に注意する.

解剖

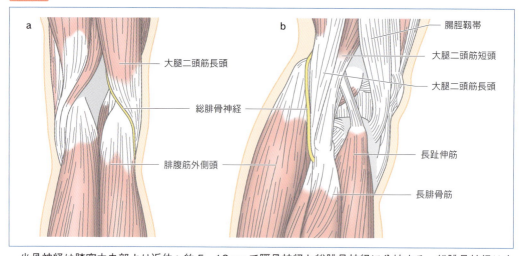

　坐骨神経は膝窩中央部より近位へ約5〜10cmで脛骨神経と総腓骨神経に分岐する．総腓骨神経は大腿二頭筋長頭の内側縁に沿って外側に向かい，大腿骨外側顆の後面を経由して腓骨頭を越えると腓骨を回り込んで長腓骨筋の深部を前方へと走行する．腓骨の外側部で浅腓骨神経と深腓骨神経に分岐する．
　浅腓骨神経の筋枝は長腓骨筋と短腓骨筋を，皮枝は下腿前面の下部1/3と足背の大部分を支配する．深腓骨神経は前脛骨筋，第3腓骨筋，長趾伸筋，長母趾伸筋，短趾伸筋，短母趾伸筋を支配する．また皮枝は母趾と第2趾の間の皮膚を支配する．さらに膝窩で総腓骨神経から分岐する外側腓腹皮神経は下腿外側の皮膚を支配し，内側腓腹皮神経に合流して腓腹神経を形成する．
　a：右膝窩を後方から観察．動静脈，坐骨神経，脛骨神経は取り除いてある．b：右腓骨頭付近を外側から観察．総腓骨神経が長腓骨筋の深部に入り込む直前で大きく前方に彎曲する部位が治療点となることが多い．

体位・穿刺位置

　患側を上に側臥位として，術者は患者の後ろに立つ．腓骨頭よりやや遠位で，総腓骨神経が前方に彎曲する部位で神経周囲のfasciaが重積している場合が多い．短軸から長軸に変わる部位で，総腓骨神経を観察し交差法にて穿刺する．

G　下肢／⑤ 総腓骨神経周囲の fascia（ランク B）

エコー解剖

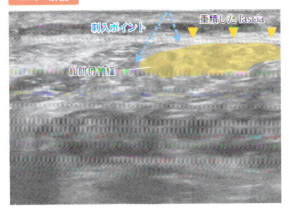

リリースの手順 WEB動画

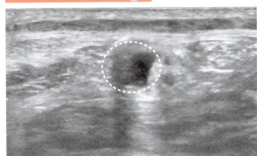 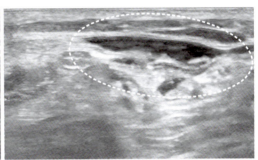

　目標が浅部（症例では 5 mm 程度）にあるので鋭角で穿刺して，ゆっくりと針を進める．総腓骨神経の周囲の重積した fascia を広範囲にリリースする．神経損傷に注意する．
　難治例では，束間神経上膜など末梢神経内注射（4 章② column 参照）も慎重に検討する．

起こり得る合併症

・血管穿刺による出血・血腫
・穿刺部からの感染
・注射後の穿刺部痛
・神経損傷（総腓骨神経）

⑥足関節部の上伸筋支帯（ランク B）

■ポイント
- 足全体，特に足背部の痛み，しびれ，浮腫，冷えに有効．
- 上伸筋支帯の治療は，下腿伸筋群のストレスを減らす．
- つまみ圧痛以外の圧痛所見は乏しいので，重積した部分を広くリリースすることが重要である．
- 足関節部の下伸筋支帯とともにリリースすると，より有効である．

解剖

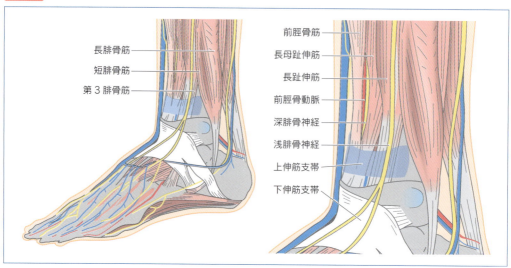

　左下腿遠位を左前方から観察．足関節部の上伸筋支帯は下腿の遠位伸側を覆う．内側では脛骨の，外側では腓骨側面の骨膜に結合している．この支帯の深部を前脛骨筋，長母趾伸筋，長趾伸筋が滑動する．前脛骨筋と長母趾伸筋の間を深腓骨神経と前脛骨動脈が走行する．浅腓骨神経は長趾伸筋の外側かつ上伸筋支帯の浅層を走行する．

体位・穿刺位置

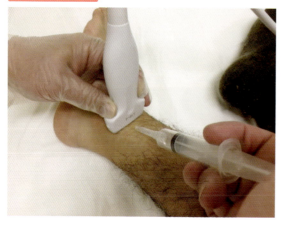

　患者は患側を上にした側臥位とし，術者は患者の後ろに立つ．プローブを長軸方向に当てて脛骨と腓骨の間にある上伸筋支帯を描出する．通常は非常に浅い領域にあるため，短い針で鋭角に穿刺する．

G 下肢／⑥ 足関節部の上伸筋支帯（ランク B）

> エコー解剖

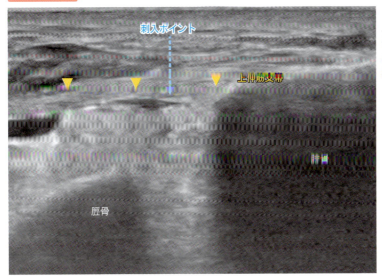

fibrillar pattern を呈する上伸筋支帯が脛骨の骨膜に結合している．厚さは個人差が大きく，同定しにくい場合もある．

> リリースの手順 WEB動画 ▶

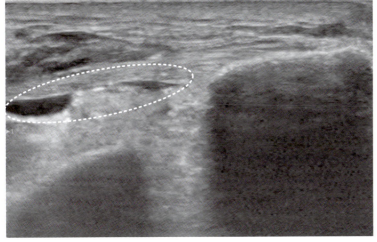

非常に浅いので針をゆっくり進める．上伸筋支帯自体およびその浅層と深層をできるだけ広くリリースする．

> 起こり得る合併症

・血管穿刺による出血・血腫（特に，前脛骨動脈）
・穿刺部からの感染
・注射後の穿刺部痛
・神経損傷（浅腓骨神経，深腓骨神経）

⑦足根洞（ランク A）

■ポイント
> 骨盤帯周囲や下肢の慢性疼痛に対して，他の手技で症状が残る場合に治療を検討する．
> 足関節の内反捻挫など既往歴がある場合に治療部位として選択することが多い．
> 足根洞が発痛源である症例では，前距腓靱帯や足根洞自体の圧痛があり，整形外科的検査において足部の前方引き出しテストや内反ストレステストがわずかに陽性となる場合が多い．また，短趾伸筋や短母趾伸筋の伸張痛，収縮痛が認められる場合もあり，足部不安定性による片脚立位動揺がみられることも多い．

解剖

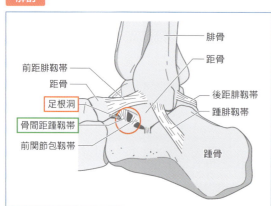

足根洞 tarsal sinus は足関節の前外側下方に位置し，距骨と踵骨で構成される間隙である．この間隙内は脂肪組織で埋め尽くされ，一部表層には前距腓靱帯や腓骨筋腱が走行し，深層には骨間距踵靱帯 interosseous talocalcaneal ligament（ITCL）が，さらにその深層には前関節包靱帯 anterior capsular ligament（ACL）が走行している[1]．

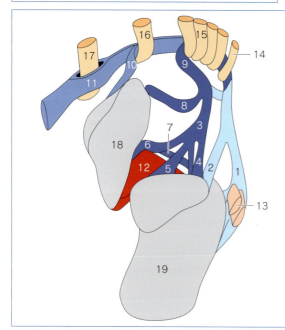

足根洞に挿入される足関節支帯
（1）下伸筋支帯の外側根，（2）下伸筋支帯の中間根，（3）下伸筋支帯の内側根，（4）内側根の外側の踵骨成分，（5）内側根の内側の踵骨成分，（6）足根管に付着する内側根の距骨成分，（7）内側根から起こる骨間距踵靱帯の斜走線維，（8）内側根の距骨付着部，（9）下伸筋支帯の内側根が長趾伸筋腱を回って形成されるループ，（10）長母趾伸筋腱のスリングを形成する下伸筋支帯の斜走する内側帯の反回成分，（11）前脛骨筋腱のトンネル，（12）斜走する足根管の骨間靱帯（下腿伸筋支帯の内側根の内側踵骨成分と「X」を形成する），（13）腓骨筋腱，（14）第3腓骨筋腱，（15）長趾伸筋腱，（16）長母趾伸筋腱，（17）前脛骨筋腱，（18）距骨，（19）踵骨．
（文献2）を参照し筆者らが作図）

また，固有受容器が豊富に存在する足関節の伸筋支帯も，足根洞内に挿入されている．伸筋支帯の固有受容器は，足関節運動に伴う足根洞への機械的負荷を感知し運動調節を行うためのセンサーとして役立つとされている[2]．

G 下肢／⑦ 足根洞（ファンクA）

体位・穿刺位置

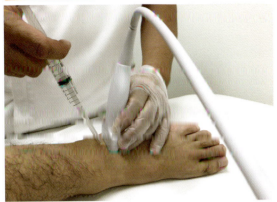

患側下肢を上にした側臥位で、術者は患者の後方から施行する。治療部位である足部が不安定にならないよう、患側足部は治療台に固定するとよい。足根洞の圧痛を確認し、プローブを当てる。

リリースの手順 WEB動画▶

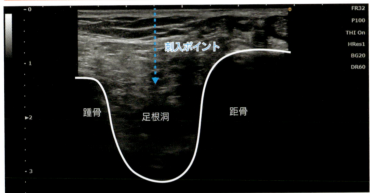

短趾伸筋の踵骨付着部で、踵骨・距骨により構成された足根洞を同定する。圧痛があり、かつエコーで fascia の重積像が確認できる部位へ注射針を刺入する。

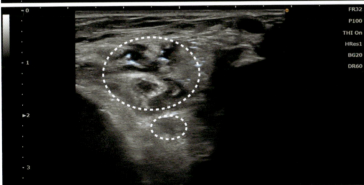

足根洞は「脂肪体＋関節包靱帯＋腓骨筋腱周囲＋三次元的に複雑に広がる支帯・fascia」であり、その構成体を意識して丁寧にリリースする（WEB動画▶）。

起こり得る合併症

・血管穿刺による出血・血腫
・穿刺部からの感染
・注射後の穿刺部痛
・遅発性筋痛

文献
1) Kim TH, et al：Subtalar instability：imaging features of subtalar ligaments on 3D isotropic ankle MRI. BMC Musculoskelet Disord 18：475, 2017
2) Kelikian AS（ed）：Sarrafian's Anatomy of the Foot and Ankle, 3rd ed［Kindle DX version］, 2011. Retrieved from amazon.com, Chapter1, Section3, Figure 3.4

症例提示
fasciaハイドロリリースの実践が進む分野

9

9 症例提示—fasciaハイドロリリースの実践が進む分野

■ポイント
- fasciaに関わる病態について，"見立ての概念"を症例を通じて学ぶ．
- 治療中の会話・対話方法についてイメージする．
- 発痛源と悪化因子の両者を常に意識して診療する．

はじめに

　筋膜性疼痛を含むファシア疼痛症候群（FPS）（2章③参照）と他のタイプの疼痛が混在している患者は多い．臨床の現場で我々は，fasciaというキーワードをもとに，筋などの軟部組織の痛みに対する治療方法の開発・実践・臨床的な検証を重ねてきた．現在の一般的な痛みの原因分類に，fasciaの概念が適切に反映されれば，より多くの疼痛患者に恩恵が与えられると確信している．

　本章では，3章で提示した内容を反映させた症例（筆者らが実際に経験した症例を個人情報・肖像権の観点から編集したもの）を提示する．外来診療では，高頻度である運動器疾患に関しては，前章までの内容が十分に臨床のヒントになってくれるだろう．そのため，fasciaに注目し活用いただきたい全診療科の医師，そしてあらゆる医療職の方々へのメッセージを込めて，運動器疼痛以外の疾患，歯科領域，膠原病・炎症性疾患，術後創部痛，神経内科疾患などを例示した．その病態には推察の域を出ない解説（理論）が多いことも承知している．しかしながら，科学の基本は現象の解析であり，既存の知識体系で現象を整理することではない．生じている現象が事実であり，既存の医学体系で理解できなければ理解できるように考え改める必要がある．一人の患者の抱える多様な痛みの要素をそれぞれしっかり評価し，実施可能な治療を発展させるためにも，本章を記す．

　なお，いずれの症例も悪化因子への対応は必須であり，実施しているが，発痛源評価を中心に記載した．なお，悪化因子への対応手法の1つである生活動作評価介入に関しては10章を参照されたい．

①症例1　整形外科医の腰痛

summary

40歳代の男性，職業は整形外科医．右L4/5椎間板ヘルニアあり．

数日かけて発症した腰痛症で，これまでにも長時間の立位や軽度の前屈状態を続けても重い痛みを感じていた．経過からは，遅発性筋痛の可能性（問診上も神経障害の所見はない）が高いと考えられた．動作分析では，右腰部深部に右腰部回旋＋伸展動作で可動域に比例した鈍い痛みを感じ，頸部前屈では右背部の疼痛も増悪した．既往のアキレス腱断裂（手術後）の影響は少ないと考えられたが，「腰痛により息が止まる感じがある」という訴えは，小児喘息による下後鋸筋を含む胸郭構成fasciaの柔軟性低下がもたらす呼吸への影響が推測された．

以上の分析をまとめると，1) 腰椎横突起近傍の起立筋群の収縮時痛と多裂筋外側の伸張時痛，2) 頸部前屈による疼痛の増悪，3) 深呼吸しにくい＝胸郭運動の異常，となる．結果，主に右の最長筋・腸肋筋などの発痛源が想定された（図1）．

腹臥位での触診では，右L5の横突起（多裂筋などの横突棘筋[注]の回旋成分が付着）に圧痛があり，腰方形筋の関与も疑われた．また，Th10で最長筋・多裂筋に圧痛が著明であった．

鍼灸用の針による刺鍼を行い，想定された発痛源に自覚症状が誘発できるかを確認後，右L5肋骨突起近傍で多裂筋外側と腰方形筋起始部の間へ，7mL程度の生理食塩水で，エコーガイド下fasciaハイドロリリース（US-FHR）を実施した．また，注射針を引き抜きながら，起立筋群（主に最長筋）と横突棘筋群（主に多裂筋内側）の間に生理食塩水を3mL注入した．さらに，Th10の起立筋群（主に最長筋）と横突棘筋群（主に多裂筋内側）の間，多裂筋間，皮下と最長筋の間に計10mLを注入した（図2）．治療後は，PIS（Pain Intensity Scale）10/10→0-1/10と症状は軽減・消失した．

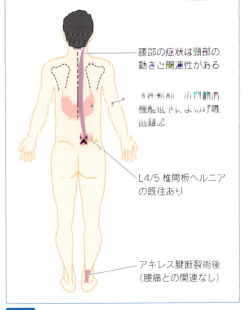

図1　症状の関連と連続性（症例1）

解説

＜ポイント1＞

症状の原因となる発痛源は，多くの場合は単一の筋ではなく，fasciaによって結合された一連の筋および結合組織のグループである．動画（本項末尾のQRコード・URL参照）でも動作分析でこの点を意識しているが，わかりやすく表現するために「〇〇筋」と表現している．なお，実際の解剖では，成書やさまざまなイラストで描かれるように筋の起始・停止が明確にわかることは稀である．

例：腰背部の動作に関与する筋群（動筋のみ提示，拮抗筋は含まない）

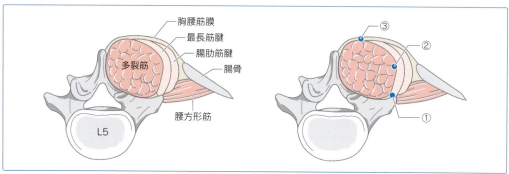

図2 治療実施部位
①L5肋骨突起上（多裂筋・腰方形筋間），②多裂筋・最長筋腱間，③多裂筋・胸腰筋膜間および胸腰筋膜．

- 背屈動作に主に関与：棘突起側の内側の筋群（最長筋・腸肋筋・多裂筋）
- 回旋動作に主に関与：横突起側に付着する筋群（同側の最長筋・腸肋筋・腰方形筋，対側の多裂筋・回旋筋）
- 側屈動作に主に関与：腰方形筋・腸肋筋

＜ポイント2＞

収縮痛は筋腹の病変，伸張痛は付着部の病変の可能性が高い．本症例では背屈よりも回旋による疼痛が中心であるため，起立筋群（最長筋・腸肋筋）の筋腹と横突棘筋の付着部である肋骨突起近傍の病変を疑っている．また，腹臥位の頸部右回旋では可動域制限と疼痛があり，起立筋群の収縮痛があると判断している．

＜ポイント3＞

この患者には，右腰部回旋＋伸展で腰部の右奥に鈍い痛みが生じたので右横突棘筋の伸展時痛を考え，その付着部である肋骨突起近傍のfasciaの異常を疑った．そして，触診では腰方形筋の関与も考えられた．L5の横突起近傍で，多裂筋外側と腰方形筋は深層でfasciaによってつながっている（図2）．

注）横突棘筋：脊椎の横突起と棘突起に起始停止する筋群で，浅層にある半棘筋，中間層の多裂筋，最深層の回旋筋の総称．第9胸椎より遠位では棘筋はない．

整形外科医の腰痛
URL: https://youtu.be/4KmfqI-cAUY

②症例2　若年女性の上肢痛の原因は「顎関節」

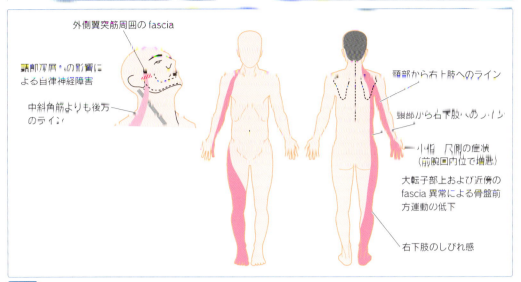

図1 症状の関連と連続性（症例2）

summary

　高校時代から右上肢のしびれと痛みがある20歳代の女性．症状は常にあるのではなく，歩行時に腕を振ると強く感じることが多い．さらに，症状は右上肢を下に垂らすと数秒で発症し，右上肢を力強く胸に近づけると楽になる特徴があった．最近，自律神経症状（息苦しい，血圧が下がるなど）も徐々に伴い，右下肢のしびれ感も伴うようになってきた（図1）．受診時のNRS（Numerical Rating Scale）は6/10であった．

　仰臥位でのreal anatomy trainによる評価（column pROMの全身評価の方法：real anatomy train（140頁）参照）では，小指〜前腕尺側（回内位）〜頸部（中斜角筋より後方）〜顎関節のライン上で，症状に関連した緊張度の上昇が確認された．また，より全身へ向けた評価では，右顎関節開口に左右差（右開口の遅延），両上肢挙上での右骨盤の前方移動の遅延（大転子部のfascia異常）を認めた．

　以上の評価により，症状に対する右顎関節，右頸部の関与が強く疑われた．また，右下肢の症状は二次的な影響と推測された．右顎関節へのアプローチとして，口腔内から外側翼突筋に対する圧痛の確認を行ったのちに，外側翼突筋に対する治療的診断を行った．外側翼突筋と咬筋深層の間にあるfasciaを鍼で治療し，その後にエコーによる同部位の滑走性の評価を行った．治療後，まだ右上肢の症状が2/10（NRS）残存していたため，徒手療法による治療を追加したところで症状は消失し，最後にセルフケアの指導を行った．

解説

＜ポイント1＞

　しびれを主訴に受診した場合，問診でも器質的な神経障害が存在するかを判断することが重要である．神経線維の断線（圧迫や切断など）は持続的な神経機能の低下（感覚神経：鈍麻，運動神経：麻痺，深部腱反射：低下）を引き起こすが，本症例のように症状が一時的に消失する場合には器質的な神経障害は考

えにくく，神経近傍の異常なfascia（筋膜，神経上膜など）からのシグナルを神経線維が拾っていることによる機能的な神経障害と推測された．また，右下肢の症状に関しては，他の症状の発現時期とも合わせ，時間軸に沿って考えることで整理しながら，症状の原発部位の推定を進めた．

複雑な訴えを有している症例では，こうした症状の適切な整理と解釈が必要となる場合が多く，治療手技だけではなく，問診の技術もぜひ学んでいただきたい．

<ポイント2>

本症例で行ったreal anatomy train（6章④column参照）は，かなり高度な観察眼を必要とする．そのため，初学者がこの評価方法を理解するためには，動作の「足し算，引き算」という概念を理解する必要がある（6章④参照）．動作の「足し算，引き算」とは，基本的な動作の評価から始めて，患者に直接触れながら次々に新たな動作を加え，発痛源を絞り込んでいく評価の過程そのものである．まずは可動域評価などの基本的な動きの評価法を学び，そこから「さらにこのように動かすとどうですか？」といった動作の「足し算，引き算」を1つひとつ加えていくと，理解が深まっていく．

<ポイント3>

本症例では，問診による当初の見立てが最終的な診断的治療部位とは異なっていたように見える．しかし，当初の見立てが最終的な発痛源と異なることは多く，本症例の診察のように発痛源のもととなっている悪化因子を論理的に探求し，推測することが重要である．

初学者にとって，診断的治療を行ったが結果として治療が奏効しない場合に，もう一度治療的診断を行うことは心理的にもなかなか難しいだろう．たとえ，その診療中にもう一度治療的診断に至れない場合でも，次回の診察時までに治療の心理的・論理的な振り返りを行うことが望ましい．

<ポイント4>

顎関節は近年，姿勢・アライメント，中枢感作，他部位の筋緊張との関係など，幅広い分野で非常に注目を集めている．線維筋痛症患者からスポーツ選手まで，歯科医と理学療法士らが協力した診療モデルも一部で始まっており，顎関節に対する適切なアプローチの恩恵を受ける患者が増えることを強く期待している．

若年女性の上肢痛の原因は「顎関節」
URL: https://youtu.be/fYyDS9wyCok

③ 症例3　歯科領域への応用（新しい非歯原性歯痛分類の提案）

summary

60歳代男性．歯科にて右側上顎犬歯の抜歯後，抜歯窩と右側上顎前歯（側切歯）に強い痛みを感じていた．再度歯科を受診するも，抜歯窩には異常はみられず，CT画像上でも骨新生が認められ経過は良好とされた．右側上顎前歯（側切歯）に明らかな異常を認めず，鎮痛薬や抗菌薬の内服，および歯周ポケット洗浄などで一時的な改善はみられていたが，強い疼痛が再燃してきた．受診時のNRSは8/10であった．

発痛源評価の概要は以下の通りだった．1）姿勢観察：頭部前方突出位あり，2）動作観察：開口時に下顎の左側偏位あり，3）筋力：開口＋下顎の左右の側方運動に対する徒手による抵抗では，右側への側方運動に筋力低下あり，4）圧痛：右側の頬骨弓下縁で咬筋と側頭筋に圧痛あり，5）三叉神経や頸神経叢などの知覚は正常．

発痛源評価の解釈として，まず1）頭部前方突出位から，顎二腹筋による下顎の開口と下顎頭の後方偏位が誘発される．したがって，外側翼突筋や内側翼突筋は常に短縮位となる．次に2）開口時の下顎の左側偏位からは，左側と比較して右側の外側翼突筋や内側翼突筋の柔軟性低下が予想された．3）開口＋下顎の右側方運動の筋力低下に関しても，右側の外側翼突筋と内側翼突筋の筋力低下が予想された．4）咬筋と側頭筋に圧痛が著明だった．5）明らかな神経障害を疑う所見はない．

上記の1）〜5）より，右側の外側翼突筋と内側翼突筋，咬筋と側頭筋周囲に何らかのfascia異常が存在し，発痛源となっていることが想定された．側頭筋/外側翼突筋/咬筋（右側の頬骨弓下縁で咬筋と側頭筋の間，側頭筋と外側翼突筋の間）に対して，US-FHRとして生理食塩水を2mL注入した（注射手技は8章A-⑤参照）．治療後，1〜2/10（NRS）と症状の著明な軽減が認められた．

解説

＜ポイント1＞

非歯原性歯痛は1）筋・筋膜性歯痛，2）神経障害性歯痛，3）神経血管性歯痛，4）上顎洞性歯痛，5）心臓性歯痛，6）精神疾患または心理社会的要因による歯痛，7）突発性歯痛，8）その他のさまざまな疾患により生じる歯痛に分類されている[1]．我々はfasciaを1つの治療対象として考え，非歯原性歯痛の分類基準を以下のように考案した（小幡，木村：personal communication, 2019年6月15日）[2]．

1) fascial toothache
2) 神経障害性歯痛（外傷による三叉神経障害の既往がある場合など）
3) 三叉神経痛（血管による圧迫）
4) 上顎洞性歯痛
5) 心臓性歯痛
6) その他の歯痛

エコーガイド下fasciaハイドロリリースは，1）fascial toothacheおよび6）その他の歯痛に対する治療として考慮できる．2）神経障害性歯痛（外傷による三叉神経障害の既往がある場合など）に対してはプレガバリンなどの内服薬，顔面部に出てくる末梢枝への局所麻酔薬を用いたブロック注射が適応となり，3）三叉神経痛（血管による圧迫）に対してはカルバマゼピンなどの内服薬，時に手術療法が適応となる．鑑別は，問診と診察で主に実施され，適切な評価のもとで発痛源を考慮した治療選択が必要である．

＜ポイント2＞

上記症例で提示した「側頭筋/外側翼突筋/

咬筋(各筋の筋腹の間の fascia)」のように,「筋間」への治療としては内側翼突筋・翼突筋間脂肪体も実施頻度は多い.さらに,各筋の起始部や停止部への別途治療が必要な場合は,側頭筋(起始部,停止部),外側翼突筋(起始部としての上部線維・下部線維,停止部としての顎関節包複合体),咬筋(浅層・深層ごとの起始部と停止部,咬筋神経[本稿column参照])を評価・治療する.その他,嚥下や舌運動に関連した発痛源としては,顎二腹筋(嚥下困難例で治療検討),オトガイ舌骨筋(舌運動に関連した疼痛の場合に治療検討)が挙がる.顎関節包炎であれば関節内ステロイド薬注射も検討する.炎症後の顎関節包拘縮では,関節包離断を目的とした授動術(マニピュレーション)以外にも,関節包複合体へのUS-FHRが奏効する例も多い.加えて,顎関節部・顔面部に関連痛を高頻度に生じさせる頸部筋群(例:胸鎖乳突筋・肩甲挙筋[8章A-③],斜角筋[8章A-②])も重要である.

＜ポイント3＞

顎関節症および顎関節・嚥下に関わる組織に由来する異常シグナルは,脳神経系に由来した知覚を,脊髄を経由せずに脳に直接伝える.US-FHRは原因不明の歯痛に加えて,いわゆる"肩こり症(頸部の筋膜性疼痛症候群)",さらには全身症状にも有効な場合がある.具体例として,外傷性頸部症候群(いわゆる"むち打ち症")でも高頻度で治療部位として選択されることが多い(9章⑧参照).また,いわゆる"むち打ち症"(外傷性頸部症候群),または線維筋痛症など中枢性感作の関与が疑われる患者に対しても,顎関節の評価・治療は重要である(3章⑥,⑦参照).

下顎の位置および咀嚼筋などの緊張は,姿勢やアライメントにも関連する.例えば,頭部前方突出位は相対的に下顎が後方に引っ張られる(上顎に対して下顎が後方に位置する傾向)ため,内側翼突筋や咬筋の短縮状態(および伸張制限)を慢性化させうる.対して,内側翼突筋や咬筋の短縮状態(および伸張制限)により下顎が後方へ牽引されると,頸椎前彎が減少し,いわゆるストレートネック様のアライメントを生じさせうる.

＜ポイント4＞

見た目としての歯列の美しさと,これら筋群・fasciaの緊張度(発痛源)は一致しない.人の姿勢・アライメントにおいて,顎関節の位置と全身の関係性の個体差に注目して,局所と全身の治療を進めることが肝要であり,機能矯正や筋緊張緩和目的の咬合調整・治療を行う歯科医との連携が重要となる.

文献
1) 日本口腔顔面痛学会(編):非歯原性歯痛診療ガイドライン.日本口腔顔面痛学会雑誌4(2),2011
2) 木村裕明,ほか:歯科領域の痛みに対するエコーガイド下 fascia ハイドロリリース.Dental Diamond 2020年11月号

③ 症例3 歯科領域への応用（新しい非歯原性歯痛分類の提案）

column

顔面痛に対するfasciaハイドロリリース

顔面痛をきたす疾患
13.1 三叉神経痛 trigeminal neuralgia
　13.1.1 典型的三叉神経痛 classical trigeminal neuralgia
　　13.1.1.1 典型的三叉神経痛，純粋発作性 classical trigeminal neuralgia, purely paroxysmal
　　13.1.1.2 持続性顔面痛を伴う典型的三叉神経痛 classical trigeminal neuralgia with concomitant persistent facial pain
　13.1.2 有痛性三叉神経ニューロパチー painful trigeminal neuropathy
　　13.1.2.1 急性帯状疱疹による有痛性三叉神経ニューロパチー painful trigeminal neuropathy attributed to acute Herpes zoster
　　13.1.2.2 帯状疱疹後三叉神経ニューロパチー post-herpetic trigeminal neuropathy
　　13.1.2.3 外傷後有痛性三叉神経ニューロパチー painful post-traumatic trigeminal neuropathy
　　13.1.2.4 多発性硬化症（MS）プラークによる有痛性三叉神経ニューロパチー painful trigeminal neuropathy attributed to multiple sclerosis (MS) plaque
　　13.1.2.5 占拠性病変による有痛性三叉神経ニューロパチー painful trigeminal neuropathy attributed to space-occupying lesion
　　13.1.2.6 その他の疾患による有痛性三叉神経ニューロパチー painful trigeminal neuropathy attributed to other disorder
13.2 舌咽神経痛 glossopharyngeal neuralgia
13.3 中間神経（顔面神経）痛 nervus intermedius (facial nerve) neuralgia
　13.3.1 典型的中間神経痛 classical nervus intermedius neuralgia
　13.3.2 急性帯状疱疹による二次性中間神経ニューロパチー nervus intermedius neuropathy attributed to Herpes zoster
13.4 後頭神経痛 occipital neuralgia
13.5 視神経炎 optic neuritis
13.6 虚血性眼球運動神経麻痺による頭痛 headache attributed to ischaemic ocular motor nerve palsy
13.7 トロサ・ハント症候群 Tolosa-Hunt syndrome
13.8 傍三叉神経性眼交感症候群（レーダー症候群）paratrigeminal oculosympathetic (Raeder's) syndrome
13.9 再発性有痛性眼筋麻痺性ニューロパチー recurrent painful ophthalmoplegic neuropathy
13.10 口腔内灼熱症候群（BMS）burning mouth syndrome：BMS
13.11 持続性特発性顔面痛（PIFP）persistent idiopathic facial pain：PIFP
13.12 中枢性神経障害性疼痛 central neuropathic pain
　13.12.1 多発性硬化症（MS）による中枢性神経障害性疼痛 central neuropathic pain attributed to multiple sclerosis：MS
　13.12.2 中枢性脳卒中後疼痛（CPSP）central post-stroke pain：CPSP
（日本頭痛学会：国際頭痛分類第3版 beta 版，p154，医学書院，2014 より引用，一部改変）

顔面痛をきたす疾患は，国際頭痛分類第3版（和訳：日本頭痛学会）では上記とされる．

1 従来の顔面痛分類にfasciaの観点を組み入れる

この中で典型的三叉神経痛は広く知られている．三叉神経（V）の知覚性線維は，眼神経（V_1），上顎神経（V_2），下顎神経（V_3）に含まれる．下顎神経のみが運動に関与する．三叉神経痛の治療として，薬物療法（抗痙攣薬），神経ブロック（三叉神経ブロック），ガッセル神経節高周波熱凝固法，手術療法（微小血管減圧術）などが検討される．帯状疱疹による三叉神経ニューロパチーの治療は，薬物療法（抗ウイルス薬），神経ブロック（星状神経節ブロック，三叉神経ブロック）などがある．我々は，これら三叉神経痛に対して，一般的な星状神経節ブロックの代わりに，胸鎖乳突筋と

281

斜角筋の筋外膜間から総頸動脈周囲に薬液を広げるUS-FHRが有効であることを多く経験している（8章A-③参照）．これは穿刺部位が浅く，使用する注射針も27G 19 mmで十分であり，麻酔科医以外の医師であっても比較的安全に実施可能な手技である．

このように，顔面痛の原因としてfasciaの異常に起因する痛み（fascial pain syndrome：FPS）はあまり知られていない．以前は"非定型顔面痛"と呼ばれていた病態であり，神経痛の特徴をもたず，他の障害が考えにくい持続的な顔面痛を起こすとされる持続性特発性顔面痛（persistent idiopathic facial pain：PIFP）もまたFPSが多いと感じている．

従来の治療方法が難渋する場合に，fasciaの病態関与を考えてほしい．例えば胸鎖乳突筋の筋膜性疼痛は，眼周囲や前額部に関連痛を生じる．また，後頭前頭筋・表情筋・翼突筋・咬筋・側頭筋の筋膜性疼痛も顔面痛の原因となりうる．特に翼突筋・咬筋・側頭筋は，非歯原性疼痛の原因としても重要である（症例③参照）．これら筋膜myofasciaへの治療以外にも，筋間のfascia自体，顔面神経周囲のfascia，顔面動脈周囲のfasciaに対するUS-FHRが顔面痛に有効だった経験がある．そもそも，顔面神経は「表情筋とアブミ骨筋支配の運動神経成分，涙液と唾液分泌に関わる副交感神経成分，舌の前2/3の味覚を司る深部知覚の成分を含む混合神経」であり，知覚神経としての要素は小さいとされる．しかしながら，Ramsay Hunt（ラムゼイハント）症候群など帯状疱疹ウイルスによる末梢神経炎のような病的状態では，表情筋を司る運動神経成分が痛みを伝える可能性がある（末梢神経の神経nervi nervorumや血管vasa nervorumの活性化が関与しているのかもしれない）．

2 顔面痛に対するUS-FHR

上記で提示した筋群や代表的な末梢神経以外にも，我々が実施する代表的な治療部位を紹介する．

1) 顔面神経（乳様突起前面から出てくる部位）（図1，WEB動画）：この部位では顔面神経自体をエコー描出できないことが多い．顔面神経は，耳下腺と乳様突起の間に存在する．注射自体は耳下腺を避けて，乳様突起前縁に刺入し，その表層から薬液を深部に広げることによって顔面神経周囲のfasciaをリリースすることが可能である．さらに，この治療法は顔面痛だけでなく，顔面神経麻痺や顔面痙攣においても有効例が多い．

2) 咬筋神経（三叉神経の枝）（図2，WEB動画）：咬筋神経は，咬筋の深層で比較的明瞭に描出することができる．ドプラで顎動脈などの動脈の位置を確認することが，安全に実施するためにも重要である．耳下腺が表層に存在するため，耳下腺を避けるように交差法や斜め穿刺法により刺入する．顔面神経が下顎骨表面を走行する部位でfasciaの重積像を認めることが多く，同部位をリリースする．各種三叉神経ブロックを実施しても症状が残る例（特に，側頭部痛）に実施を検討する．

fascia異常による痛みは，いままで想定されることがほとんどなかった顔面痛という領域においても注目されるべきであろう．

③ 症例3 歯科領域への応用（新しい非歯原性歯痛分類の提案）

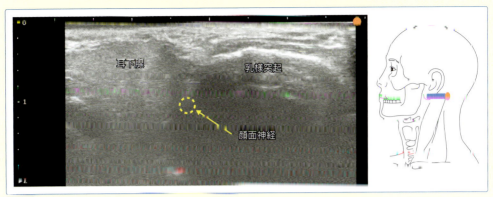

図1 顔面神経のエコー画像（乳様突起部） WEB動画
写真：注射前．想定される顔面神経の位置を黄色円（点線）で示す．顔面神経はエコーで描出できないことが多い．
WEB動画：US-FHR実施後，fasciaがリリースされている．

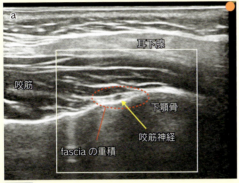 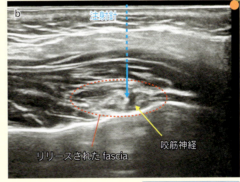

図2 咬筋神経のエコー画像（下顎骨上部） WEB動画
a：注射前．咬筋神経とその周囲のfasciaの重積が確認できる．
b：耳下腺を穿刺しないように，プローブから離れた位置より刺入している．US-FHR実施後，fasciaがリリースされている．

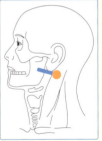

283

④症例4　脳卒中後遺症ではなかった右上肢のしびれ感

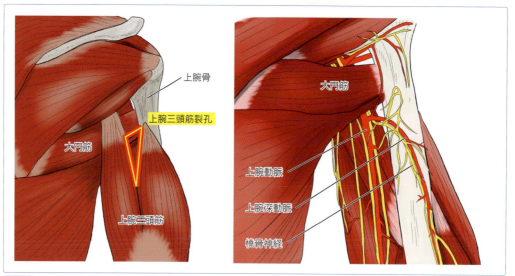

図1 上腕三頭筋裂孔，および橈骨神経・上腕深動脈
（黒沢理人（トリガーポイント治療院）の作図）

summary

　67歳男性．約3年前に脳梗塞を発症し，右上下肢に不全麻痺あり．薬物療法と数ヵ月のリハビリテーションにより，日常生活動作は自立レベルまで回復した．主訴は，右上肢に残存した「しびれ感 numbness and tingling」であり，常時あるしびれに加えて，気温の低下や日中の農作業後に症状の増悪がみられた．前医では，脳梗塞後遺症による症状と診断されていた．受診時のNRSは6/10であった．

　安静時の筋緊張は，左側と比較して右側の頸部・肩部・胸部・上腕・前腕で亢進し，深部腱反射は大胸筋・上腕二頭筋・上腕三頭筋・腕橈骨筋・回内筋で亢進を認めた．他動

的な関節運動に対する筋緊張評価では，アシュワーススケール変法注1)でステージ1，筋緊張の亢進は最終可動域でわずかに感じられる程度であった．動作時筋緊張はブルンストロームステージ注2)でステージVI，上肢の分離運動が可能であった．日常生活では基本動作に障害はなく，退職後の日課である農作業も継続していた．

　以上の評価から，深部腱反射や筋緊張の亢進は認められたが，脳梗塞後遺症により日常生活に影響を与える運動能力低下はなく，生活動作に必要な上肢の分離運動は可能であることがわかった．一方，主訴である右上肢のしびれについては，右頸部から手部にかけてデルマトームで第6・第7頸髄神経根領域に該当するしびれが残存していると評価した．

　追加の評価として，肩関節の関節可動域検

注1) アシュワーススケール変法(modified Ashworth scale)：痙縮の臨床的評価指標[1]．他動運動時の筋緊張を
　　0，1，1＋，2，3，4の6段階で評価．
注2) ブルンストロームステージ(Brunnstrom stage)：日本で脳卒中片麻痺患者の運動機能評価として最も定着
　　している評価法[1]．脳卒中片麻痺患者の回復過程をⅠ～Ⅵのステージで評価．

④ 症例4　脳卒中後遺症ではなかった右上肢のしびれ感

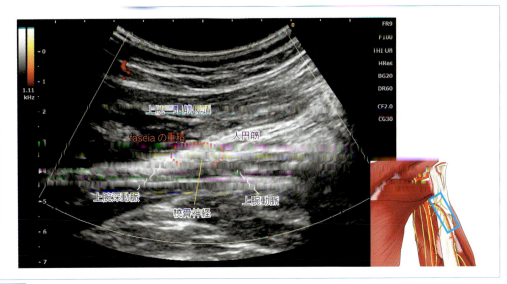

図2 エコー画像（上腕三頭筋裂孔，および橈骨神経・上腕深動脈）WEB動画▶
(右図：黒沢理人（トリガーポイント治療院）の作図)

査を行った．可動域に制限は認められなかったが，1）肘関節屈曲位で増悪する水平屈曲時痛（収縮痛：active ROMがpassive ROMよりも制限されていた）としびれの増悪，2）第3肢位外旋時痛（収縮痛）としびれの増悪を認めた．1）の肘関節屈曲位で増悪する水平屈曲運動では，上腕三頭筋が伸張位となり，2）の第3肢位での外旋運動では，大円筋が伸張位となる．上腕三頭筋と大円筋の周囲には，上腕三頭筋裂孔を走行する橈骨神経が存在している（図1）．一方で，脳卒中後遺症による深部腱反射亢進は認めるが，nerve tension test（6章⑤参照）は陰性であり，橈骨神経領域の知覚低下や麻痺も認めず，末梢神経としての橈骨神経自体の神経脱落症状・所見は認めなかった．したがって，本症例における右上肢のしびれは，上腕三頭筋裂孔部位の橈骨神経周囲のfascia異常に起因するものと推察された．

エコーで構造物を確認すると，上腕三頭筋裂孔を構成する上腕三頭筋，大円筋および上腕三頭筋裂孔内を走行する橈骨神経，上腕深動脈周囲にfasciaの重積を認めた（図2，WEB動画▶）．同部位を治療部位とし，生理食塩水1～2 mLを用いてUS-FHRを実施した（WEB動画▶）．治療後，1）と2）で生じていた症状は0/10（NRS）とすべて改善した．

解説

本症例の主訴であった右上肢のしびれは，脳梗塞後遺症によるものと考えられていた．しかし，右頸部から手部にかけてデルマトームで第6・第7頸髄神経根領域に該当するしびれは，整形外科的テストなどでの再現性が乏しく，また，感覚低下・感覚消失などの神経機能低下・消失を示す所見はなく，脳梗塞による神経の不可逆的な変化（後遺症）とは考えにくかった．そのため，肩関節運動などの機能評価を行った．その後，上腕三頭筋，大円筋，橈骨神経周囲の異常なfasciaに治療を行うことで診断的治療を行い，結果として症状の改善が認められた．それゆえ，本患者の右上肢のしびれは，脳梗塞で即時に生じた病態ではなく，脳梗塞後に発生した筋や神経，血管周囲のfascia異常に起因する異常感覚としてのしびれであったことが示唆された．脳卒中による神経障害を基礎に，二次的

な筋膜性疼痛，fasciaの異常などを生じている患者は非常に多い．既往歴，疾患名から"不可逆な病態である"と思い込まずに，臨床症状の解析と解剖学的部位ならびに病態を再考することで，可逆性のある状態が併存している場合があることを知っていただきたい．

文献
1) 日本理学療法士学会ホームページ：理学療法ガイドライン第1版(2011)．
http://jspt.japanpt.or.jp/guideline/(最終閲覧日：2021年4月5日)

column

神経疾患とファシア疼痛症候群（FPS）の合併

　症例4では脳卒中後遺症に続発する，あるいは別途出現した症状という観点を提示した．このようなFPSの合併例は非常に多いと感じている．例えば，パーキンソン病 Parkinson's disease（PD）の痛みは，一般的にPD関連疼痛（PD-related pain：日内変動を伴い，運動症状ないしは薬物血中濃度と関連したもの）とPD非関連症状（non-PD related pain）に分類されるが，振戦による二次的な筋膜性疼痛が併発していることは多い．この場合は，US-FHRが有効である．

　その他にも，Guillain-Barré（ギラン・バレー）症候群などAIDP（acute inflammatory demyelinating polyradiculoneuropathy）後の残存症状（時に後遺症と称される）も，末梢神経周囲のハイドロリリースで症状が軽快する（完全にではないにしろ，軽減を認める例は稀ではない）ことがある．これは，末梢神経の炎症による二次的な末梢神経周囲のfascia異常が想定される．炎症後に末梢神経内のfibrilsの異常が残存していれば，末梢神経内へのハイドロリリースも考慮される（4章② column 参照）．

⑤ 症例5　創部痛（大動脈弁置換術のための開胸術後）

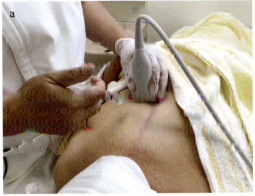

図1 大胸筋表層のsuperficial fasciaへのUS-FHR

a：術創部より左側で大胸筋表層の滑走性が低下している部位にプローブを当し，重積像を確認する．
b：superficial fascia の重横像を確認する．
c：浅層皮下組織/superficial fascia/深層皮下組織，大胸筋浅層の deep fascia の間をリリースする．気胸を起こさないよう，胸膜の位置を確認する．

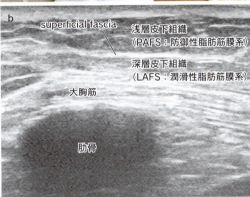
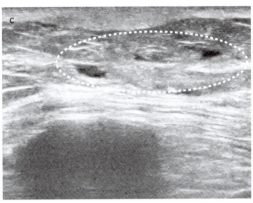

summary

70歳代女性．約1年前に大動脈弁置換術（生体弁）を行い，術後から胸部痛が続いているとのことで来院された．循環器科では，心エコー検査が数回実施されるも術後弁機能には問題なく，痛みの原因は不明とされた．また，整形外科でも異常なしと診断されていた．しかし，胸部の疼痛は四六時中続いているとのことであった．

治療前の発痛源評価では，頸部伸展時に疼痛部位の伸張感が確認された．上位胸椎では，伸展と回旋に可動域の低下が確認され，肩関節では第2肢位での外旋制限や水平伸展で可動域制限が認められたことから，大胸筋の柔軟性低下が疑われた．大胸筋の触診評価では，術創部より離れた大胸筋部における皮下組織に明らかな滑走性低下を触知でき，頸部伸展時における疼痛部位の伸張感も同部位の滑走不全によるものと考えられた．したがって，大胸筋表層のsuperficial fascia を治療部位として選択し，生理食塩水 1〜2 mL を用いた US-FHR を実施した（図1）．治療後に，NRS が 3/10（治療前）から 0/10（治療後）へと改善した．

解説

＜ポイント1＞

術後の創部痛は適切な治療がなされていない場合が多く，薬物依存になりやすい．創部やその周囲のfasciaの癒着をリリースするだけで有効な場合も多い[1]．創部などの線維性組織は，炎症による線維化反応で形成され「不活性組織」と理解されることも多い．し

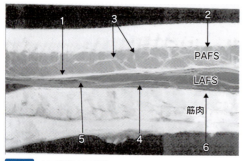

図2 皮下組織の層構造

皮下の脂肪層には，PAFS（protective adipofascial system：防御性脂肪筋膜系）と LAFS（lubricant adipofascial system：潤滑性脂肪筋膜系）が存在し，この２層の境界となるように superficial fascia が横断上の膜様腱膜組織として存在している（1章①図２も参照）．胸部では superficial fascia が不明瞭な２層構造となる．
(1) superficial fascia. (2, 3) PAFS. (4, 5) LAFS. (6) deep fascia.
（文献3）の T16 より転載，一部改変）

かしながら，瘢痕・創部も組織である以上は，細胞・線維・基質で構成される．通常組織より線維成分は多いが，当然に細胞・基質も含まれる．つまり，瘢痕・創部は不活性な組織ではなく，活性組織である．近年，心臓領域では瘢痕組織には収縮能が保持されていることも報告された[2]．

なお，疼痛が強い場合は，近傍の血管周囲のリリースも有効である．

＜ポイント２＞

皮下組織は，浅層皮下組織 superficial adipose tissue（今西論文[3]における PAFS［protective adipofascial system：防御性脂肪筋膜系］），深層皮下組織 deep adipose tissue（今西論文[3]における LAFS［lubricant adipofascial system：潤滑性脂肪筋膜系］）からなり，その間を膜様結合組織である superficial fascia が横断している（図2）．手術後創部痛の患者では，皮下組織の可動性の極端な低下が周囲や他の部位の fascia の可動域を低下させ，疼痛の原因となることがある．また，LAFS は特に血管・神経が豊富に存在しており，多くの病態の発痛源と考察されている．

＜ポイント３＞

具体的な治療部位としては，superficial adipose tissue/superficial fascia/deep adipose tissue，大胸筋浅層の deep fascia，大胸筋と肋骨の間である（図1）．時に，肋間神経内側前枝と外肋間膜などのリリースも必要となる．気胸を起こさないように，胸膜の位置を確認する．なお，診察，エコーから異常血管や肉芽を認める場合は，ステロイド薬の注射も用いながら US-FHR を実施することも多い．疼痛が強く交感神経緊張の関与が疑われる際には，近傍の血管周囲のリリースも有効である．創部痛は切開した全部位に生じる．そのため，骨膜，筋外膜，末梢神経，靱帯，皮下組織など多様な創部を丁寧に治療していくことが重要となる．前胸部組織の伸張性低下により，二次的に肩関節の外旋制限や頸部伸展制限をきたしていることも多く，これらの悪化因子としての創部痛の治療は極めて重要となる．このように，創部痛の患者において，局所治療部位が1ヵ所で終わることは稀である．

＜ポイント４＞

開胸術後の場合（乳癌術後でも同様），二次的な不動などから肩関節拘縮を起こしていることが多い．その場合は，肩関節-関節包複合体のリリースが有効である．

文献
1) Machida T, et al：A new procedure for ultrasound-guided hydrorelease for the scarring after arthroscopic knee surgery. Cureus 12：e12405, 2020
2) Thavapalachandran S, et al. Platelet-derived growth factor-AB improves scar mechanics and vascularity after myocardial infarction. Sci Transl Med 12：eaay2140, 2020
3) 今西宣晶：機能的観点からみた脂肪筋膜組織の解剖学的研究．慶應医学 71：T15-T33, 1994

⑤ 症例 5　創部痛（大動脈弁置換術のための開胸術後）

column

腹壁へのハイドロリリース

　運動器分野の術後創部痛（8章⑤），開胸術後の創部痛（9章⑤）だけでなく，開腹術後の創部痛にもハイドロリリースを試す価値はある．開腹術後創部痛としては，腹部正中切開後，傍正中切開術後，虫垂炎や鼠径ヘルニアなどの小切開による術後痛など多様である．腹部外科，泌尿器科，婦人科などで実施される腹腔鏡関連の手術後創部痛を経験することも多い．

＜評価・治療＞

　姿勢やアライメントを考えた際，腹部前面組織は，腰背部痛や頸部痛の悪化因子としても重要である．いわゆる「猫背」などで体幹前面の組織の伸張性が低下している場合，1）背部筋群の伸張状態が持続し，脊柱起立筋などの深部筋の圧排が持続することで背部筋群の筋膜性疼痛が悪化する，2）骨盤が後傾することにより仙腸関節障害が悪化する，などにも影響する．体幹の伸展動作をした時に，胸部や腹部につっぱり感がある場合は，腹部前面組織の伸張制限を疑う．具体的な評価方法について一部紹介する．

A）皮下組織の影響：皮下組織を用手的に誘導することで，症状の変化を確認する（6章②皮下組織誘導）．

B）創部の影響：創部自体を用手的に誘導することで，症状の変化を確認する（6章②皮下組織誘導）．

C）筋群の影響：

C-1）腹壁関連

　腹筋を収縮させた状態で背屈動作を行い，症状の変化を確認する．

・大胸筋：上肢挙上で体幹を背屈すると，腹部のつっぱり感が増悪する．

・腹直筋・腹斜筋：体幹の回旋動作＋背屈動作の左右差を確認する．この場合，胸腰筋膜の影響が必要となる．

・腹壁神経：前皮神経絞扼症候群（ACNES）では，末梢神経への牽引ストレスを確認する．

・腹膜外脂肪組織：手術後の創部痛としても高頻度治療部位である．癒着が強い場合，瘢痕などでは，ステロイド薬の使用も検討する（図1，WEB動画▶）．くれぐれも壁側腹膜を穿刺しないようにする．

C-2）深部筋群

・大腰筋・腸骨筋：股関節屈曲で背屈動作のつっぱり感の変化を確認する．

D）剣状突起・胸骨など胸郭：両側から肋骨を手掌で圧排することにより，前胸部胸郭の位置を変化させることで症状の変化が確認できる．特に，漏斗胸（女性では乳房のため認識されていないことも多い）の患者では剣状突起部の治療が重要で，特に剣状突起から腹直筋（白線）部のリリースがポイントである．

E）内臓：肝周囲炎（例：フィッツ・ヒュー・カーティス症候群），腸間膜・臓側腹膜，腹膜の癒着（例：子宮内膜症）などにより，内臓に関連した fascia の柔軟性低下が原因であることもある．大腸と壁側腹膜間の癒着を用手的にリリースしたというラットの研究報告もある[1]．これらの治療は，注射ではなく，優しい徒手療法や運動療法が選択される場合もあるが，臓器を損傷させないように極めて慎重に実施される必

要がある．時に手術療法も検討される場合がある．

F）恥骨：基礎に仙腸関節障害があれば，恥骨結合部の圧痛や腹直筋の恥骨付着部の圧痛を確認し，恥骨部の治療も検討する．この場合は，内転筋群（下腿と恥骨をつなぐ筋群）の評価も必要となる．

＜注意点＞

上記で評価した発痛源および悪化因子に対して，注射，鍼，徒手などを有機的に組み合わせて実施する．腹部への注射は，胸腔穿刺による気胸・血胸，腹腔穿刺による腸管損傷・腹腔内出血・肝損傷などの合併症のリスクがある．

文献
1) Bove GM, et al：Visceral mobilization can lyse and prevent peritoneal adhesions in a rat model. J Bodyw Mov Ther 16：76-82, 2012

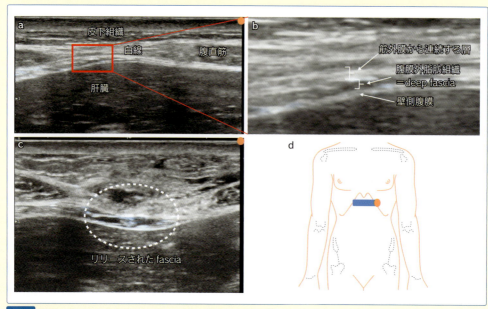

図1 腹壁へのエコーガイド下 fascia ハイドロリリース　WEB動画
a：注射前のエコー画像
b：aの四角（赤枠）を拡大したエコー画像
c：注射後のエコー画像
d：プローブの位置

⑥ 症例6　スポーツ選手の筋腱断裂後疼痛

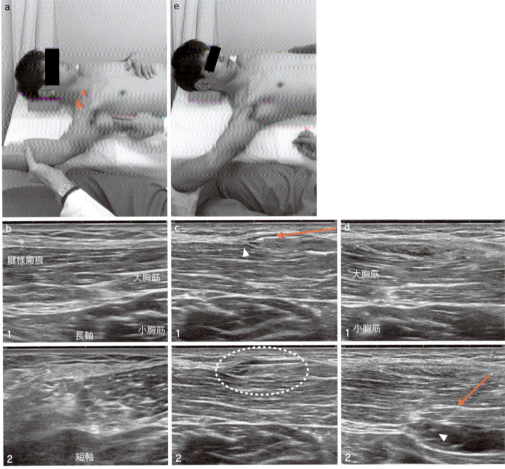

図1 リハビリテーション施行前にUS-FHRを大胸筋瘢痕部分に施行し、余分な緊張と拘縮を軽減させ骨頭求心位を獲得しやすい状態　WEB動画

a：US-FHR施行前．右肩関節の可動範囲は，外転90°において水平伸展－20°・外旋90°までである．大胸筋末梢部の筋腹部分に形成された，緊張の強い腱様瘢痕が触知される（色矢頭）．
b-1：長軸像；大胸筋表層部から上腕骨付着部まで腱様瘢痕（＊）が触知できる．
b-2：短軸像；腱様瘢痕（＊）．
c-1：腱様瘢痕部に生理食塩水を注入．25G注射針（色矢印）．ハイドロリリースにより層状に剥離されていく（白矢頭）．
c-2：ミルフィーユサイン．
d-1：大胸筋と小胸筋の間のfascia．
d-2：ハイドロリリースにより層状に剥離されていく．注射針先端（白矢頭），25G注射針体部（色矢印）．
e：US-FHR施行直後．右肩関節の可動範囲は，外転90°において水平屈曲0°・外旋135°まで拡大した．
（洞口　敬：Fasciaとは―スポーツ診療の見地から．臨スポーツ医 37：146-154，2020より引用，一部改変）

summary

20歳男性．硬式野球内野手（右投げ）．主訴は投球時の肩痛．高校2年生の時に外野からの投球の際，右大胸筋を上腕骨付着部付近で完全断裂した．病院受診するも，ほぼ休むことなく県予選・全国大会に出場しプレーした．受傷後約7ヵ月後に大胸筋腱付着部修復術を受けた．術後2ヵ月で通院中断．高校3年生の時も全国大会にレギュラーで出場した．大胸筋短縮のため肩関節可動域制限が残

> 症例提示　fasciaハイドロリリースの実践が進む分野

存．肩回りのコンディション不良を繰り返し，骨頭求心位の乱れから二次的に生じる，肩インピンジメントによる肩痛が出現していた．トレーナーによるコンディショニング（徒手療法および各種物理療法）が難しい状態となった時点で，肩周囲の拘縮や筋緊張を緩和・軽減させる目的でUS-FHRを実施した（**図1**）．注射直後から，トレーナーによる徒手療法中心のコンディショニング・筋バランスなどの訓練を施し，ストレングス訓練や野球の技術練習などを行った．以後，肩痛も軽快しトレーナーによるケアで症状安定している．

US-FHRを実施したものである．筋腱断裂後には，瘢痕形成だけでなく，周囲組織の癒着に伴う柔軟性（伸張性・滑走性）低下が生じることは一般的である．当然ながら，断裂部の手術症例では，術後の組織短縮が生じやすい．断裂治癒部，そして創部ともにUS-FHRを実施することで，組織の柔軟性改善を促すことができる．注射により，過剰な拘縮や余分な筋緊張の緩和が即時的に獲得しやすく，リハビリテーションの時間短縮も可能となるため，投球動作という主要動作の機能訓練がより効率よく実施できるようになる．加えて，注射後は機能訓練に対する身体反応も促進されるため，治療効果が得やすくなる．

解説

本例は，大胸筋断裂術後の腱様瘢痕による肩関節可動域制限がある野球選手に対して，肩コンディショニングをサポートするための

文献
1) 洞口　敬：Fasciaとは―スポーツ診療の見地から．臨スポーツ医 37：146-154，2020

⑦ 症例 7　左肘窩部の採血後疼痛

summary

　50歳代女性．来院2ヵ月前に実施された採血（左肘窩部で実施）において，採血用注射針の穿刺時に手指まで広がる電撃痛を感じた．その後より左肘穿刺部位や肘関節外側にかけての疼痛と，第1・5指のしびれ，左頸部表層の痛みが常時出現し，持続していた．

　肘関節屈曲可動域に左右差（左＜右）があり，症状として持続的なしびれや鋭痛が認められたことから，複合性局所疼痛症候群（complex regional pain syndrome：CRPS）のための判定指標[1]に2項目該当した．エコーで，以下の部位に圧痛を伴うfasciaの重積像を確認した．

A) 橈側正中皮静脈，橈側皮静脈，および外側前腕皮神経の周囲
B) 左肘窩部における上腕動脈，および正中神経の周囲
C) 胸鎖乳突筋の深層

　これらの部位に，生理食塩水1〜2 mLを用いたUS-FHRを実施した．その結果，A)への注射（図1）後に肘関節の疼痛はPain Intensity Scale（PIS）が10（治療前）から5（治療後）まで改善した．その後，B)への注射（図2）後にPISは5から0へと改善した．さらに，手指のしびれに関しては，A)への注射後にPISは10から1へ，B)への注射後にPISは1から0へと改善した．なお，左頸部表層の痛みはC)への注射（8章A⑧参照）後に，PISは10から0へと改善した．

解説

＜ポイント1＞

　CRPSとは，組織損傷後に創傷が治癒した後にも痛みが遷延するものであり，厚生労働省の研究班（2005〜2007年，班長：真下節）により，「複合性局所疼痛症候群の判定指標」[1]（表1）が作成されている．本症例においては，判定指標のうち2項目に該当した．

＜ポイント2＞

　血管の外膜と呼ばれている部分は，コラーゲンやエラスチンを含む線維成分で構成されるfasciaである．また，末梢神経を構成す

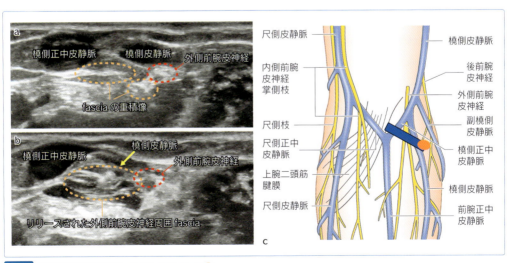

図1　外側前腕皮神経周囲へのUS-FHR　WEB動画
a：注射前のエコー画像．外側前腕皮神経の周囲のfasciaの重積が確認できる．
b：US-FHR実施後のエコー画像．　c：肘窩（浅層）の皮静脈と皮神経（左）．

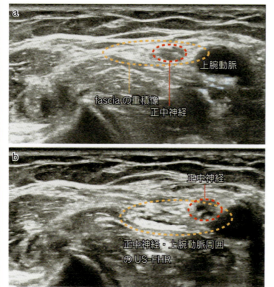
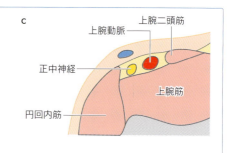

a：注射前のエコー画像．上腕動脈・正中神経の周囲の fascia の重積像が確認できる．
b：US-FHR 実施後のエコー画像．
c：解剖イラスト．

図2 正中神経・上腕動脈周囲への US-FHR　WEB動画▶

る線維性の組織（傍神経鞘や神経上膜などの神経の外層部，多数の神経束を包む構造である神経周膜，神経周膜と神経周膜の間である束間神経上膜，および神経内膜）のすべてが fascia（fibrils 含む）であり，治療対象となる．本症例においては，上記 A) や上記 B) の部位に fascia の重積像が認められた．血管外膜や神経を構成する線維性組織における fascia の異常と考えられた．加えて，上記 A)～C) への注射でも改善しない場合は，腋窩動脈周囲の治療も有効であることが多い（8章 C-③参照）．

＜ポイント3＞

胸鎖乳突筋の深層には総頸動脈が走行している．総頸動脈の周囲には，血管壁に沿ったかたちで頸部交感神経幹や上頸神経節，中頸神経節，下頸神経節が走行している．胸鎖乳突筋と斜角筋の筋外膜間から，総頸動脈周囲に薬液を広げる治療法（上記 C）：8章 A-③参照）は，交感神経周囲の fascia 異常による交感神経への異常入力を減少させる可能性がある．

表1 2008年厚生労働省研究班による複合性局所疼痛症候群のための判定指標

CRPS 判定指標（臨床用）
病気のいずれかの時期に，以下の自覚症状のうち2項目以上該当すること．
ただし，それぞれの項目内のいずれかの症状を満たせばよい．
1．皮膚・爪・毛のうちいずれかに萎縮性変化．
2．関節可動域制限．
3．持続性ないしは不釣り合いな痛み，しびれたような針で刺すような痛み（患者が自発的に述べる），知覚過敏．
4．発汗の亢進ないしは低下．
5．浮腫．
診察時において，以下の他覚所見の項目を2項目以上該当すること．
1．皮膚・爪・毛のうちいずれかに萎縮性変化．
2．関節可動域制限．
3．アロディニア（触刺激ないしは熱刺激による）ないしは痛覚過敏（ピンプリック）．
4．発汗の亢進ないしは低下．
5．浮腫．
CRPS 判定指標（研究用）では，それぞれ上記3項目以上該当すること．

（日本ペインクリニック学会治療指針検討委員会（編）：ペインクリニック治療指針改訂第6版，p161，真興交易（株）医書出版部，東京，2019より引用，一部改変）

文献
1）日本ペインクリニック学会治療指針検討委員会（編）：ペインクリニック治療指針改訂第6版，p161，真興交易（株）医書出版部，東京，2019

⑧ 症例8　交通事故後のむち打ち症（外傷性頸部症候群）

summary

　54歳女性．主訴は「安静時での上部頸部痛，上肢痛・しびれ，右手関節部痛，右大腿部痛，舌部の中央〜先端部にしびれ」．現病歴としては，受診2ヵ月前に停車中に右横から追突され受傷．外回りの仕事で軽自動車の運転が多い．事故後，整形外科を受診し単純X線写真では骨傷なく，頸椎捻挫・腰椎捻挫・右肩打撲と診断を受け，鎮痛薬内服を続けていたが軽快しないため当院受診．既往歴としては，精神疾患なく，幼少期のトラウマや家庭環境も特記事項はない．1年前にも交通事故を起こしており，当時は頸部〜右上肢痛が生じていた．右手関節部痛に対しては三角線維軟骨複合体（TFCC）を手術したが，痛みは残存しており現在まで継続治療中だった．

　今回の事故も自身が運転中であり，右側に相手自動車が衝突する直前に，強くステアリング・ホイールを両手で握りしめ，ブレーキを踏んだと話している．動作時痛が，右頸部〜肩部に広範囲にあり，特に頸部右側屈が困難で，右側屈による収縮痛と上肢への放散痛も認めていた．受診時のNRSは8/10であった．

　衝突時の詳細な状況を問診（事実質問：309頁参照）で確認すると，右側からの衝突時に「頸部・体幹を一度右側に振り，反動で左側へ戻し頸部・体幹の筋を損傷した」ことが判明した．すなわち，衝突時に過度に緊張し，頸部〜肩部周囲筋を損傷したと考えられる．また，シートベルトをしていたため，ベルトの締め付けによる右鎖骨部，右胸部および右股関節への圧迫があったことも考えられる．顎関節の開口で，頸部可動域の改善も認めていた．

　頸部痛，上肢痛・しびれ，舌痛に対して，胸鎖乳突筋深部のfascia（8章A-③），顎関節（外側翼突筋/側頭筋）（8章A-⑤），C8神経根周囲fascia（8章A-④），棘下筋下部線維（8章C-②）へのUS-FHRを実施し，1/10（NRS）と症状の軽減および可動域の改善を認めた．

　その後，セルフケアを指導しながら2週間に1回の治療を6回実施し，その後再発なく経過良好である．

解説

＜ポイント1＞

　むち打ち症（外傷性頸部症候群）とは，「追突や衝突などの交通事故によって，首がむちのようにしなったために起こった頸部外傷の局所症状の総称」[1]であり，解剖学的・病態的な診断名ではない（3章①参照）．発痛源としての解剖学的要素を検証するには，事故状況を詳細に問診することが重要である．例えば，1）ステアリング・ホイールを切った場合，第3肢位内旋に作用する棘下筋・小円筋の損傷，2）強くグリップした場合，手指関節への損傷，3）叫んで口を開けた場合，顎関節の損傷，4）シートベルトをしていた場合，事故の衝撃とシートベルトの反動による頸部・体幹の筋損傷，シートベルトの圧迫による右肩部・胸部および腹部・股関節周囲への損傷が考えられる[2]．

　特に，Barré-Liéou（バレ・リュー）症候群とも称される自律神経症状を合併した外傷性頸部症候群では，顎関節，上位頸椎レベルの治療が必須である．交通事故後の，いわゆる"むち打ち症"では，めまい・耳鳴・文字が読みにくい・眩しい・滑舌が悪くなった・飲み込みにくい・声が出なくなった・顔がほてる・頭がしびれる・顎が痛い，など多様な症状があり，不定愁訴やメンタル性と判断され

ていることも多い．しかし，fasciaと自律神経の評価例としては，後頭下筋の損傷（myofascial painや付着部症）による眼球運動障害から生じるめまいや文章が読めないという症状，事故時の嚙みしめによる顎関節症や舌・舌骨の可動性低下による嚥下障害・構音障害・頭痛・交感神経緊張，上位頸神経根症（C1〜C4）と浅・深頸神経叢・頸神経ワナの障害による頭頸部痛や上頸神経節障害，頸動脈周囲のfasciaの異常による交感神経過緊張，下位頸神経根障害による上肢や胸背部痛・しびれ感など，1つひとつ紐解けるものが増えてきている[3]（表1）（3章⑥，⑦参照）．

<ポイント2>

事故による衝撃と反動では，伸張痛と短縮痛，収縮痛を併せ持つことが多い[3]．不意に衝突された場合は，筋弛緩状態で急激に組織が伸張されるため付着部を損傷しやすい（伸張痛）[3]．一方で，自分から衝突していった場合などでは筋収縮状態で伸張されるため，筋腱移行部などの損傷が多い．これは，材料力学的観点からも異構造接合部が損傷を受けやすいという一般論に合致する．実際の治療では注射だけでなく，薬物療法（筆者らは漢方薬を好んで使用する：例①亜急性期に対して治打撲一方7.5ｇ分3，例②急性期に対して葛根湯＋桂枝加朮附湯＋桂枝茯苓丸），その他，理学療法や物理療法を併用して，筋の付着部，隣接する筋間，筋腱移行部を狙い治療を行うとよい．むち打ち症における代表的な治療部位を例示する（図1，2）．特に，受傷機転から嚙みしめを疑われる例は多く，筆者らは顎関節および上位頸椎の治療を受傷初期から実施することが多い．

<ポイント3>

交通外傷の重症例として，衝撃による胸部圧迫骨折や，シートベルトの圧迫による肝損傷，腸閉塞・腸管穿孔（受傷直後は症状がなく，遅発性に症状が顕著になってくる例も多い）にも注意したい[2]．

表1 むち打ち症（外傷性頸部症候群）における，不定愁訴の解析と対応の例

めまい	頸性めまい（胸鎖乳突筋＞斜角筋） 眼球運動性めまい（後頭下筋→眼球運動：文章が読めない，眼球運動異常）
顔のしびれ感	事故時の嚙みしめ：顎関節症（三叉神経含む） 頸神経叢障害（浅頸神経叢含む）
嚥下障害・構音障害	舌・舌骨の可動性低下 　パ行（顔面神経）→顔面神経リリース 　タ行（舌）→舌牽引療法 　カ行（舌咽神経）→頸動脈周囲リリース 肩挙上・頸部側屈で嚥下改善→肩甲舌骨筋
耳鳴り・耳閉感	耳管閉鎖不全症→上咽頭炎の治療，口蓋帆挙筋の治療 高音の耳鳴り：鼓膜張筋（顎関節・三叉神経） 低音の耳鳴り：アブミ骨筋・内耳関係→上頸神経節ブロック，顔面神経リリース
顔がほてる	対応する動脈周囲のリリース
頭がつっぱる・しびれる	皮膚・皮下組織の誘導で症状軽減するポイントを治療（頭蓋骨の縫合部位が多い）
顎が痛い	顎関節包：pROM = aROM（開咬動作と舌突出による開咬の比較） 外側翼突筋・側頭動脈 咬筋・顎動脈

文献

1) 日本整形外科学会ホームページ：むち打ち症．https://www.joa.or.jp/public/sick/condition/traumatic_cervical_syndrome.html（最終閲覧日：2021年4月5日）
2) 大村健史，ほか：シートベルトによる腸管穿孔症例の検討．日腹部救急医会誌36：1173-1176，2016
3) 小林 只：疼痛・自律神経症状治療のネクストステージ，第3回日本整形内科学研究会九州・沖縄ブロック研修会，2019年6月9日．https://www.jnos.or.jp/archives/information/1379

⑧ 症例 8　交通事故後のむち打ち症（外傷性頸部症候群）

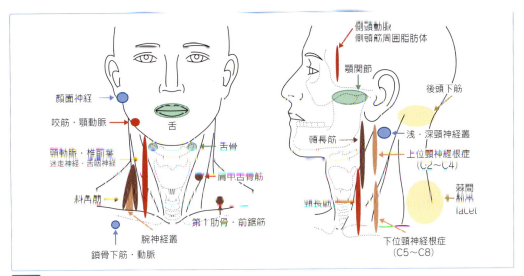

図1　むち打ち症の代表的な治療部位 ①
（小林　只：疼痛・自律神経症状治療のネクストステージ．第 3 回日本整形内科学研究会九州・沖縄ブロック研修会，2019 年 6 月 9 日．
https://www.jnos.or.jp/archives/information/1379）

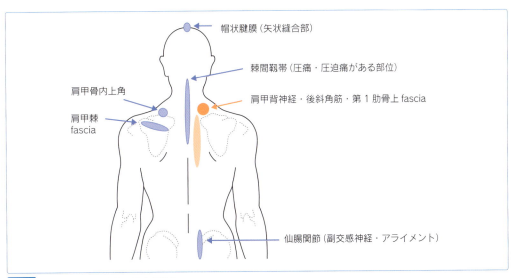

図2　むち打ち症の代表的な治療部位 ②
（小林　只：疼痛・自律神経症状治療のネクストステージ．第 3 回日本整形内科学研究会九州・沖縄ブロック研修会，2019 年 6 月 9 日．
https://www.jnos.or.jp/archives/information/1379）

⑨症例9　前胸部不快感と過換気発作を繰り返す若年女性

summary

24歳女性．主訴は過呼吸発作と胸部不快感．22歳より仕事（デスクワーク）中に，発作的に胸部不快感が生じ，身の置き所がなくなり，過呼吸発作を繰り返していた．23歳より精神科クリニックに通院し，セルトラリン塩酸塩錠（選択的セロトニン再取り込み阻害薬，selective serotonin reuptake inhibitors：SSRI）を内服していた．今回も同様のエピソードを発症し，頓用のアルプラゾラム錠0.4 mgを内服するも改善なく，救急車で当院に搬送された．受診時，呼吸数30回/分のhyperpneaで，SpO_2は100％だった．ジアゼパム錠5 mg内服し，付きそいの母に「ゆっくりと娘と話すように」指示した．30分ほどで過呼吸発作は落ち着くが，胸部不快感は残存していた．問診では「息が十分に吸えない」「肩こりが酷くなると胸も苦しくなる」と話していた．この訴えから，頸部および背部の筋膜性疼痛を疑い診察したところ，吸気時の胸椎後彎および両側肩甲骨外転の不良が著明であり，胸部の脊柱起立筋の強い緊張と圧痛を認めた．

最も圧痛が強い第6胸椎多裂筋にUS-FHRを実施したところ，前胸部への関連痛を生じ，直後より胸部不快感は消失した．デスクワーク中に発作が多かったことから，デスクワークの姿勢を確認したところ，上肢を伸ばし，肘を机につけない状態でパソコン作業をしていることが判明した．背部のストレッチを指導し，デスクワークの姿勢改善（肘置きの設置）を提案したところ，その後3ヵ月間発作は起きず，内服薬もすべて中止後1年間，経過良好であった．なお，血液検査ではフェリチンの低下を含め鉄欠乏性貧血は認めなかった．

解説

＜ポイント1＞

前胸部不快感を契機に過換気発作（パニック発作）を起こす患者がいる[1]．しかし，前胸部不快感自体が背部の筋群の筋膜性疼痛の関連痛であることは多い．また，不安自体が筋緊張を亢進させるため，筋膜性疼痛を悪化させる．前胸部症状を起こす高頻度部位としては，前斜角筋・頸長筋などの前頸部筋の関連痛，大胸筋などの胸部筋群，そして本症例のように背部筋群の関連痛である．筋膜性疼痛やfasciaによる症状が認識されずに，抗不安薬や抗うつ薬を内服し，症状軽快せずに不安定な患者は多い．

＜ポイント2＞

本症例では異常なかったが，フェリチンの低下を含む鉄欠乏性貧血は，むずむず脚症候群（レストレスレッグス症候群）を筆頭に全身の筋クランプを誘発することが多い[2]．不安神経症，パニック発作などの患者では，鉄以外にも，甲状腺機能，電解質異常（カリウム，カルシウム，リン，マグネシウム），ビタミン欠乏（ビタミンB1，ビタミンDなど）の評価が一度は必要である（3章⑥・⑦参照）．

文献

1) 松岡史彦，小林　只：プライマリケア―地域医療の方法，メディカルサイエンス社，東京，2012
2) Telarović S, et al：Frequency of iron deficiency anemia in pregnant and non-pregnant women suffering from restless legs syndrome. Hematology 24：263-267, 2019
3) 白石吉彦，ほか（編）：THE 整形内科，南山堂，東京，2016

⑩ 症例 10　膠原病（炎症性疾患）に合併するファシア疼痛症候群（FPS）

summary

63歳女性．主訴は左足部痛．5年前から関節リウマチの既往あり，メトトレキサート，アダリムマブで寛解している．歩行時や前足部の荷重時に，左前足部に痛みが出るとの訴えあり．視診では明らかな関節変形を認めない．触診では，左第2趾中足趾節関節（metatarsophalangeal joint：MTP関節）に腫脹なく，圧痛のみあり（図1， WEB動画 ）．関節エコーでは当該関節に滑膜肥厚を認めず，関節リウマチの炎症による痛みではないと判断．長軸像で，左第2趾 MTP 関節上の脂肪組織と足趾伸筋腱の間の fascia に重積像を認めた（図2）．当該部位の fascia へ交差法により 27 G の針を刺入し，1 mL の生理食塩水を使用して US-FHR を実施した（図3， WEB動画 ）．エコーにて fascia の重積部がリリースされたことを確認した（図4）．その直後の触診で，左第2趾 MTP 関節の圧痛の消失を確認した．同時に，歩行や前足部の荷重時の痛みも消失した．

図1　左第2趾 MTP 関節上の圧痛点　WEB動画

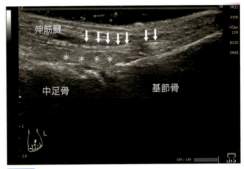

図2　左第2趾 MTP 関節上の fascia の重積像
＊：関節上の脂肪組織，矢印：fascia の重積像

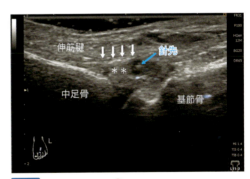

図3　US-FHR　WEB動画
＊：関節上の脂肪組織，矢印：リリースされる瞬間の fascia の重積像

解説

＜ポイント1＞

　炎症性疾患において，炎症後に fascia の異常が起きる．関節リウマチは主に（関節）滑膜に炎症を起こす疾患である．関節は関節包に覆われているが，関節包は内側を覆う滑膜と外側を覆う線維膜に分かれる（図5）．滑膜の炎症は，時に隣接する腱や腱鞘，脂肪組織にも生じる[1]．その炎症が沈静化する際に，3章③で概説したような fascia の異常が起こることがある[2]．関節エコーにて滑膜増殖やパワー・ドプラのシグナルを認めないにもかかわらず，本症例のように明確に関節の上に圧痛点がある場合，FPS を疑う．

＜ポイント2＞

　MTP 関節の周囲構造は，図6のようになっている[3]．本症例で US-FHR を施行した部位は，図6-①の長趾伸筋腱の伸側に当たる．ここに注入された液体は，長趾伸筋腱，図6-⑧伸側スリング，さらには図6-⑨伸側ウイングの内部に沿って広範に広がることが

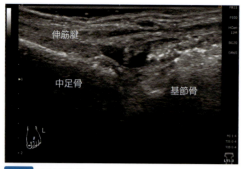

図4 US-FHR 後

伸筋腱とMTP関節が分離し，fasciaの重積像は十分リリースされた．

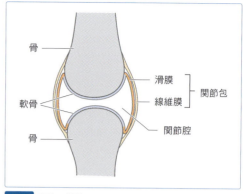

図5 関節の構造

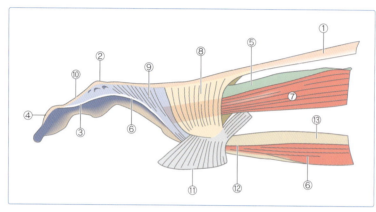

図6 MTP関節周囲の構造（内側面より）

①長趾伸筋腱，②中央スリップ，③外側スリップ，④腱末端，⑤短趾伸筋腱，⑥虫様筋・，⑦長・短趾屈筋腱，⑧伸側スリング，⑨伸側ウイング，⑩三角索，⑪深横中足靱帯，⑫長趾屈筋腱，⑬短趾伸筋

(Dalmau-Pastor M, et al：Extensor apparatus of the lesser toes：anatomy with clinical implications—topical review. Foot Ankle Int 35：957-969, 2014 より引用，一部改変)

予想される．伸側スリングや伸側ウイングはMTP関節の安定化に寄与している構造物であるが，逆にこの部位のfasciaの硬化や癒着がみられた場合，MTP関節の可動性の悪化や，誤用(maluse)を惹起する可能性があり，US-FHRによってそれらが解消されるかもしれない．また，液体は伸側スリングに沿って底側にも広がることが予想される．歩行時で，足を地面についた時にMTP関節の底側に痛みを感じる患者が，伸側のUS-FHRで底側の痛みも併せて取れてしまうことをしばしば経験するが，それは，この底側への液体の広がりによるものかもしれない．これらの仮説は今後，解剖学的に検証される必要がある．

文献

1) Sudoł-Szopińska I, et al：Rheumatoid arthritis：what do MRI and ultrasound show. J Ultrason 17：5-16, 2017
2) Pavan PG, et al：Painful connections：densification versus fibrosis of fascia. Curr Pain Headache Rep 18：441, 2014
3) Dalmau-Pastor M, et al：Extensor apparatus of the lesser toes：anatomy with clinical implications—topical review. Foot Ankle Int 35：957-969, 2014

column

リンパ節炎後のリンパ節リリース

　リンパ節の外膜および周囲fasciaにも知覚があり，ここが発痛源となっている患者が散見される．炎症後の周囲組織との癒着は一般的であるが，リンパ節炎後にもリンパ節が周囲組織と癒着し，リンパ節自体の可動性が低下する．特に，慢性炎症ではリンパ節自体も基質化し硬くなり，周囲組織の癒着も強い傾向にある．

　頭頸部領域では，放置されていたう歯（虫歯），慢性扁桃腺炎，慢性唾液腺炎，壊死性リンパ節炎（菊池病），帯状疱疹などによるリンパ節腫脹に伴う残存症（後遺症）として認識される．頻度としてはう歯後が多く，抜歯後の慢性痛（頸部痛，顔面部痛など）の中には，リンパ節炎後に疼痛や圧痛，そして"つっぱり感（伸張痛）"が残存する場合，かつエコーでもリンパ節自体に炎症所見を認めない場合には，リンパ節周囲のfasciaを発痛源として検討する．なお，顎下腺や顎下リンパ節などは口腔内触診を双指診で診察しないと，圧痛の判断が困難であることも多く，注意が必要である．

　リンパ節の圧痛部位に一致したfasciaの重積像（stacking fascia）が確認できれば，その部位をリリースする．癒着が軽度ならば徒手によるリンパ節リリース（リンパ節を周囲組織からリリース），そして癒着が強い場合はリンパ節に対するUS-FHRの実施を検討する．

　臨床例を以下に例示する．

頸部：
- う歯後の下顎部の痛み→顎下リンパ節
- う歯後の前頸部の痛み・嚥下痛→オトガイ下リンパ節
- 帯状疱疹後→耳下腺周囲リンパ節，頸部リンパ節（図1）

頸部以外：
- 下肢蜂窩織炎後の大腿前面しびれ，陰部感染症後の鼠径部痛など→鼠径リンパ節（図2， WEB動画▶）
- 乳癌術後疼痛など→腋窩リンパ節（拘縮肩の治療においても重要）
- 猫ひっかき病後の前腕しびれ→滑車上リンパ節

参考文献
1) 小林 只：疼痛・自律神経症状治療のネクストステージ．第3回日本整形内科学研究会九州・沖縄ブロック研修会，2019年6月9日．https://www.jnos.or.jp/archives/information/1379
2) Huang S, et al：Lymph nodes are innervated by a unique population of sensory neurons with immunomodulatory potential. Cell 184：441-459.e25, 2021

9 症例提示 —fasciaハイドロリリースの実践が進む分野

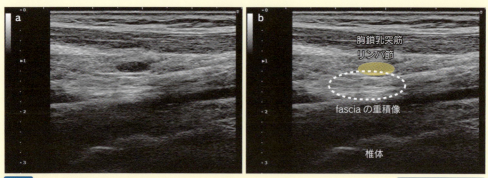

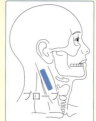

図1 リンパ節炎により二次的に生じたfasciaの重積像(エコー画像)
a:エコー画像.
b:エコー画像の解説;後頸リンパ節の深層にfasciaの重積像を認める.

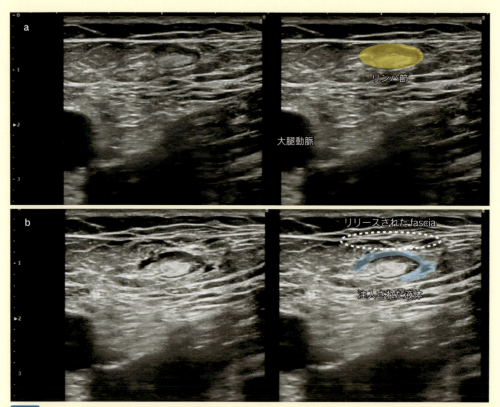

図2 鼠径リンパ節に対するUS-FHR　WEB動画▶
a:注射前.fasciaの重積像は明確でないが,顕著な圧痛とリンパ節の可動性低下を認めた.
b:注射後.圧痛も可動性も改善した.

⑪ 症例 11　脳出血後の頭痛・めまい（fascia がつなぐ東洋医学と西洋医学）

summary

52歳女性．主訴は，めまい感と頭痛．右尾状核出血・脳室内穿破によって脳神経外科に入院し，保存的加療中，めまいと頭痛に対して疼痛ケアチームへ介入依頼があった．普段は看護学校の教員をしており，ADLは保持されていた．喘息と両側の筋性肩こり症の既往あり，鍼灸を時々受けると肩こり症は改善していた．今回の入院経緯としては，2週間前に頭痛で発症した脳出血で，1週間ベッド上安静となっていた．その頃から「頭全体がぼわっと膨張するように痛む」，加えて「時々，左側頭部が片頭痛のように拍動性に痛む」ようになった．これらの頭痛は雨天で増悪した．また同時期から，頸部を回旋したり，歩行で向きを変えたりした時などに，一瞬ぐらっと揺れるようなめまい（faintness）が出現した．めまいの潜時はなく，持続は短い．

診察では，特に左の肩甲挙筋に圧痛あり，前後屈，右回旋，左側屈時に左肩甲挙筋の部位に痛みが誘発された．頸椎の可動域制限あり，肩甲骨上角内側に圧痛点あり．エコーでは左僧帽筋-肩甲挙筋間に fascia の重積を認めた（図1）．

左肩甲挙筋のFPSと判断し，左肩甲挙筋にUS-FHRを行った（図2，WEB動画）．注射中に，左腕の尺側を通って小指外側に至るまで「ピリピリ」と電気が走るような感覚が出現．同時に，左耳介から頬部まで同様に電気が走るような感覚が出現した．US-FHR直後から頭痛，めまいは消失．可動域も著明に改善した（表1）．

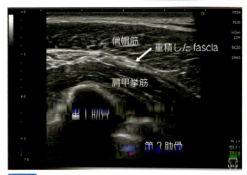

図1 僧帽筋-肩甲挙筋間の fascia の重積

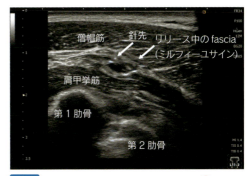

図2 僧帽筋-肩甲挙筋間の US-FHR　WEB動画

表1 US-FHR前後の頸椎可動域の変化

頸椎	注射前	注射後
前屈	20°	60°
後屈	20°	60°
右回旋	40°	90°
左回旋	60°	80°
右側屈	60°	70°
左側屈	30°	40°

解説

＜ポイント1＞

本症例を，まず西洋医学的に考察する．脳出血後の安静期間において不動（disuse）により僧帽筋-肩甲挙筋間のFPSを発症し，さらに頸性めまい（cervical dizziness）を続発

9 症例提示—fasciaハイドロリリースの実践が進む分野

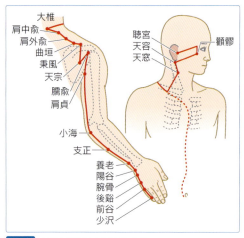

図3 太陽小腸経の主要経穴位置

したと推察される．頸性めまいの歴史は古く，1920年代にBarréらによって，頸頭関節炎によるめまいとして初めて記載された[1]．頸性めまいの診断に確立された基準はないが，1例としては，めまいを主訴とする患者で，頸部痛・頸部損傷などの頸部疾患の既往を有し，頸部痛とめまいに関連があり，Dix-Hallpike法が陰性かつ明らかな前庭機能障害を認めない場合は本症の可能性が高い[2]．

近年，頸部の機能解明が進むにつれて，頸部がめまいに関連するメカニズムが明らかになりつつある．例えば，頸部筋群の固有感覚入力は，バランス，歩軌道，主観的「正面」(subjective straight-ahead)，自己動作の認識(self-motion perception)に影響を与え，解剖学的だけでなく機能的にも頭と体をリンクする役割を担っている[3]．さらに，頸部筋群は頸性眼反射(cervico-ocular reflex：COR)，頸筋反射(cervico-cervical reflex：CCR)や前庭筋反射(vestibulo-cervical reflex：VCR)を介して空間で頭部を安定保持する役割も担っている．頸部筋群の緊張により，これらの機能が障害されてめまいを起こすことは想像に難くない．また，頸部交感神経からの異常信号による血管収縮(Barré-Lieou症候群)や，頸部固有受容器

障害による前庭神経核への異常求心性入力も，頸性めまいの機序として想定されている[4]．本症例で治療した肩甲挙筋は，体幹(肩甲骨)と上位頸椎を連結する筋であり，そのfasciaの治療は，筋トーヌスやfascia内の固有知覚受容器からの信号入力を調節した可能性がある．いずれにせよ，頸性めまいに頸部筋群のFPSが合併すること，またFPSの治療により頸性めまいが改善することはよく経験されることであり，治療手技としての有用性が高い．

＜ポイント2＞

次に，東洋医学的に考察する．本症例でのUS-FHRのポイントは，「肩外兪(けんがいゆ)」という経穴と一致する．鍼灸治療による肩外兪の効能としては，

・舒筋(じょきん)：筋肉を伸びやかにすること
・散風(さんふう)：「風」の邪(過剰になったもの)を体外へ排出すること

の2つが挙げられる．肩外兪は「太陽小腸経」(太陽小腸経：SI)という経絡上の経穴(国際的にはSI 14という番号が振られている)であり，**図3**のような走行をしている．本症例でUS-FHR中に，患者が「左腕の尺側を通って小指外側に至るまで電気が走るような感覚」，また「左耳介から頬部まで同様に電気が走るような感覚」を訴えたことを思い出すと，いずれもこの経絡の走行に見事に一致している．

各経絡の治療適応はさまざまであるが，なぜか手の太陽小腸経は全経絡の中で，運動器系愁訴の治療に使われる割合が一番多い[5]．

太陽小腸経と聞いて，「小腸」はどう関係するのか？という疑問が生じる．最近の研究で，腸内のマイクロバイオーム(腸内細菌叢)の変化と線維筋痛症との関連がいわれており，腸内細菌がfasciaの痛みや慢性痛に影響を及ぼしている可能性がある[6]．また，陽という「部位」(東洋医学的人体観では，体は長軸

⑪ 症例11　脳出血後の頭痛・めまい (fascia がつなぐ東洋医学と西洋医学)

方向のライン＝6⃣の部位に分かれており、太陽はその１つ、「陽」とは元々、四足動物で太陽がよく当たる部位、すなわち背部や手の伸側、足の屈側)を考えると、解剖学との対応がみえてくる．東洋医学では、経絡という五臓六腑と四肢を結ぶラインに加え、同名の経筋という筋肉の情報伝達のラインが想定されている．『霊枢・経筋篇』によれば、「手の太陽の筋は、小指の上に起こり、腕に結び、上りて臂(ひじ)の内廉(内側)を循(めぐ)り、肘内の鋭骨(えいこつ＝上腕骨内側上顆)の後に結び、これを弾ずれば小指の上に応じ(しびれ感が小指の先まで響く)、入りて腋下に結ぶ．其の支なる者は、しりぞいて腋の後廉(後側)に走り、上りて肩胛(肩甲部)を繞(まと)い、頸を循り、出でて太陽(足太陽膀胱経筋)の前に走り、耳後の完骨に結ぶ．其の支なる者は、耳中に入る．直なる者は、耳上に出で、下りて頷(うなず＝顎下)に結び、上りて目の外眥(がいし＝外眼角)に属す」(図4)．すなわち、手の尺側から腋窩に入り、肩甲骨内側から側頭部につながる流れである．これを、fascia のつながりのラインである anatomy train[7]の deep back arm line (図5)と対応させてみると、ほぼ同一の走行をしていることがわかる．『霊枢』は紀元前に編纂された鍼灸の教科書であり、当時の人間が fascia の解剖学的な連結を知っていたとは考えにくい．しかし、おそらくは力点－作用点の関係を観察することにより、anatomy train に近い力学的ラインを作業仮説として構築していたことは驚きに値する．

さて、この肩外兪への介入で、なぜ頸性めまいが治ったのか？　１つの仮説として、鋸筋の作用により頸部筋群の緊張が緩和され、前述のような固有感覚入力の異常が改善したことが考えられる．もう１つの仮説として、散風の作用が考えられる．脳出血(脳卒中)は、東洋では「中風」という名称で呼ばれており、文字通り風邪(ふうじゃ)に中(あた)

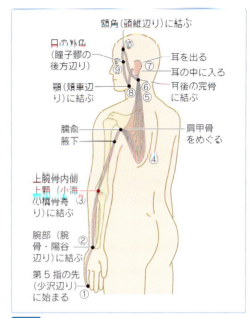

図4　手太陽経筋の走行
(西田晧一：図解経筋学―基礎と臨床、図表番号27 手太陽経筋の走行、東洋学術出版社、千葉、2008 より引用)

ることが原因とされる．いわゆる風邪(かぜ)は、外因の風邪(ふうじゃ)の侵入で起こるとされるが、中風は体内の風邪(ふうじゃ)(これを内風と呼ぶ)の過剰・内動で起こるとされる．本例は、脳卒中が起こった時点で内風の過剰・内動が生じた可能性がある．東洋医学的には、めまいはさまざまな原因で起こる可能性があるが、その原因の１つとして肝火上炎(かんかじょうえん＝自律神経を司る「肝」というシステムに熱が貯まる)による肝陽上亢(かんようじょうこう＝その熱が上方に突き上げる)、肝風内動(熱による内風の頭部への移動)がある．本例のめまいがこの機序で起きていたとすれば、肩外兪へのハイドロリリースが、風邪(ふうじゃ)を散じる散風の作用をもたらして症状が軽快したとも考えられる．さらに、経筋のつながりを考えると、肩外兪からの刺激伝達が「其の支なる者は耳中に入る」ことで、めまいに影響する三半規管、前庭神経などを調整した可能性も想定される．

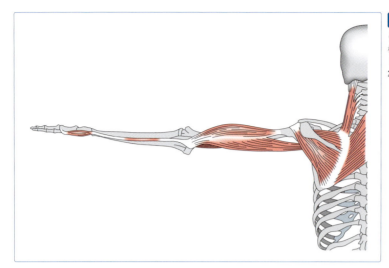

図5 deep back arm line
(トーマス・W・マイヤース(著),板場英行,ほか(訳):アナトミー・トレイン第3版,医学書院,東京,2016を参照して作図)

最後に,上記のような考察はまだ想像の域を出ないが,fasciaという新しい解剖学的ターゲットが共通言語となり,東洋医学と西洋医学双方からの症例の理解が進むことを願う.

文献

1) Barré JA：Sur un syndrome sympathique cervical postérieur et sa cause fréquente, l'arthrite cervicale. Paris Revue Neurologique 45：1246-1248, 1926
2) Wrisley DM, et al：Cervicogenic dizziness：a review of diagnosis and treatment. J Orthop Sports Phys Ther 30：755-766, 2000
3) Pettorossi VE, et al：Neck proprioception shapes body orientation and perception of motion. Front Hum Neurosci 8：895, 2014
4) Li Y, et al：Pathogenesis, diagnosis, and treatment of cervical vertigo. Pain Physician 18：E583-E595, 2015
5) 篠原昭二,ほか：運動時愁訴に対する経筋を応用した遠隔部治療について.全日鍼灸会誌 53：4-7, 2003
6) Minerbi A, et al：Altered microbiome composition in individuals with fibromyalgia. Pain 160：2589-2602, 2019
7) トーマス・W・マイヤース(著),板場英行,ほか(訳):アナトミー・トレイン第3版,医学書院,東京,2016

10 悪化因子への対応 ─整形内科的生活指導

10 悪化因子への対応
―整形内科的生活指導

　運動器疼痛の治療では，発痛源と，その発痛源による症状を悪化させている悪化因子の評価が大切である（6章①図1参照）[1,2]．悪化因子は3つある．
1) 姿勢や代償動作として「身体」
2) 精神的緊張による中枢の疼痛閾値低下がもたらす全身の疼痛過敏や筋緊張亢進として「心理」
3) 生活動作や動作の工夫という観点として「生活」

　発痛源の適切な評価は，悪化因子を探す手がかりとなる．そして，悪化因子の明確な同定は，発痛源の自然軽快を促すことができる．発痛源の詳細な評価・治療は，近年の運動器超音波診療技術の向上も寄与した結果として，加速度的に発展している．しかし，悪化因子に対する評価・介入の技術，または再発予防を目指した取り組みは，ノウハウがないままに展開されていることも多い．「なぜ，その場所を痛めたのか？」という興味が出ても，取り組む足がかりが見出せず，短期的なケアは見通しが立っても，中長期的なケアが成立しないことも多いのではないだろうか．

生活指導の現状と課題

　生活指導の本質は，「生活環境や生活動作の困り事に対する，医療者のサポートと患者自身の工夫」である．運動器疾患の患者に対する生活指導の方法は，糖尿病などの内科疾患の患者に対する生活指導の方法を思い出していただくと共有点がある．「甘いものに気をつけて！」の言葉のみで行動が変わらない糖尿病患者に対しては，「（すべての）食事を写真で撮って見せてください」のように，事実を把握する手法がしばしば実施され，成功する．これは，運動器疾患の患者でも同様である．筋性肩こり症で来院した患者に「デスクワークの姿勢に注意！」という漠然とした言葉を伝えるだけでは，患者の行動は変わらない．患者自身が「事実」を受け入れ，能動的に困り事に対峙しようとする心情・態度・行動を尊重することが，継続的な生活動作改善には必要不可欠である[3]．そのためには，痛みが悪化する生活の一部を「事実」として確認し，医師がその動作を追体験することで，どの身体部位に負荷がかかるかを具体的に検討し，判明した悪化因子（例：中腰姿勢などの不良姿勢，椅子・机，靴・メガネ[4]，寝具・枕[5]）に対して，より具体的な介入（例：動作変更，道具購入・調整）を検討する一連のプロセスを患者とともに医療者が体験し，認識を共有することが大切である[3,6]．そして地域で生活する「集団」には，しばしば「同じ介入」が有効であり，目の前の患者一人が地域全体へ介入するための入口となることも多い[7]．

運動器疼痛に対する整形内科的生活指導のプロセス

　整形内科学分野の活動の一側面として，運動器疼痛を扱う際の具体的な評価・治療プロセスを示す（図1）[2]．このプロセスは，発痛源・悪化因子に対する機能解剖学的評価・治療，および悪化因子への生活動作評価・介入を，その関係性とともに示している．機能解剖学的評価・治療（図1内の1，2，5，6のステップ）が実行できれば，より生活動作の評価・介入精度も，そして患者の納得も深ま

10 悪化因子への対応—整形内科的生活指導

図1 整形内科的生活指導のプロセス（1→8の手順）

1, 2, 5, 6のステップが発痛源・悪化因子に対する機能解剖学的評価と治療に必要なプロセス．一方で3, 4, 5, 7, 8のステップが生活動作評価・介入に必要なプロセスになる．5は両者に共通の重要ステップである．

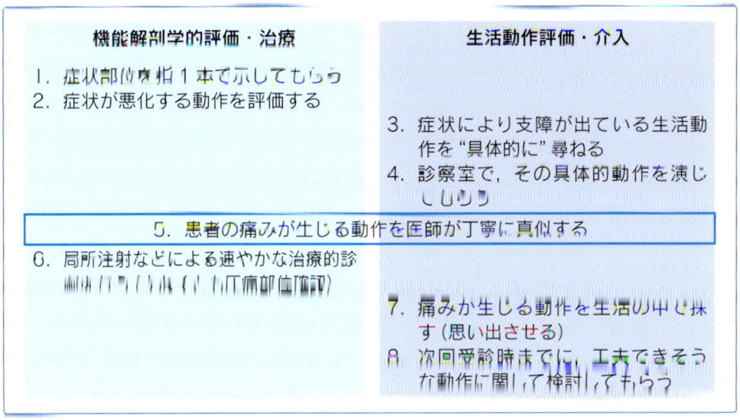

機能解剖学的評価・治療
1. 症状部位を指1本で示してもらう
2. 症状が悪化する動作を評価する
5. 患者の痛みが生じる動作を医師が丁寧に真似する
6. 局所注射などによる速やかな治療的診断（場合によっては徒手的治療）

生活動作評価・介入
3. 症状により支障が出ている生活動作を"具体的に"尋ねる
4. 診察室で，その具体的動作を演じてもらう
7. 痛みが生じる動作を生活の中で探す（思い出させる）
8. 次回受診時までに，工夫できそうな動作に関して検討してもらう

図2 事実の確認方法の種類と特性

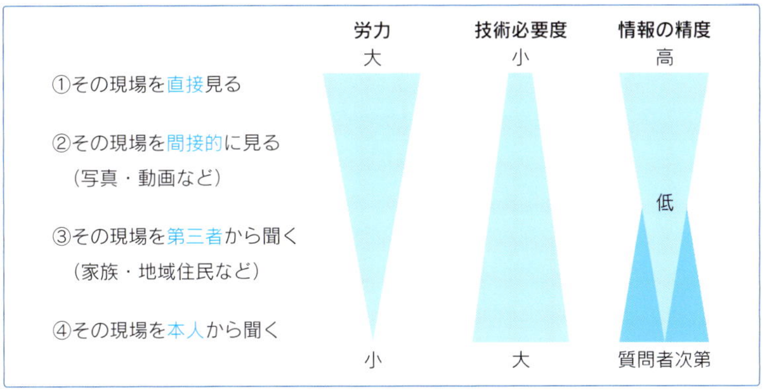

①その現場を直接見る
②その現場を間接的に見る（写真・動画など）
③その現場を第三者から聞く（家族・地域住民など）
④その現場を本人から聞く

労力：大→小
技術必要度：小→大
情報の精度：高→低（質問者次第）

る．一方，局所の発痛源に対する評価・治療手技を実施する環境にない（あるいは，実施できない）状況では，悪化因子の生活動作評価・介入のプロセス（図1内の3，4，5，7，8のステップ）だけでも意識して，ぜひ実践してほしい．

事実の確認方法

上記プロセスを経ても，悪化因子が見つからない場合，あるいは見つかるも改善策が挙がらない/できない場合の対応方法を紹介する（図2）．そもそも，いずれの方法であっても，「検討（撮影）記録した資料が，本当の悪化因子かどうか」という懸念は残る．

個人への介入方法

52歳女性，3年前から続く右腰殿部痛と右膝痛を主訴に当院に通院している．野菜の箱詰め作業後の床清掃を週に3回行うため，作業翌日は起き上がれないほどの腰殿部痛と膝痛が出るというパターンを自分で把握していた．これまでは腰部筋に局所注射を行うと数日間は有効な時もあり，時間があれば通院していた．治療担当が変更となり，全身疾患（例：関節リウマチ）などの症状ではないことを十分に確認したうえで，ハイドロリリースを実施した．これまでも「椅子などを使う床掃除は，なるべくモップなどで行って，痛くならないようにしてくださいね」と説明していたが，患者の仕事環境は変化しなかった．そこで，腰殿部痛と膝痛の原因動作を事実質問の技術を用いて改めて確認した（表1）．この問診により，実は，床には細かな溝があり詰まったものは座っては取れないこと，モップでは着色した床がきれいにならないことがわかった．また，患者は「右膝が(痛みで)

表1 作業動作を描出するための質問

質問	答え
このお仕事はいつからしていますか？	「5年前です」
最初に痛みがあったのはいつですか？	「3年前です」
溝のゴミ掃除，着色した床掃除をし始めたのは？	「3年前で，痛みが出た時期と同じです」
その仕事は一人でしていますか？	「3年前から一人になりました．以前は3人です」
その仕事を休んだことはありますか？	「痛みで寝込んで，休んだことはあります」
作業時間は何時間ですか？（休憩時間は？）	「午前1時間，午後2時間の合計3時間です」
床に残るのは何ですか？	「床の3mmほどの溝に野菜くず，段ボールくず，輪ゴムなどが残ったり，野菜で床が着色もします」
椅子やモップなどの工夫はしましたか？	「モップ・ブラシ・高圧洗浄を使いました」
直接の手作業以外でゴミが取れたことはありますか？	「取れる時もありますが，すべて取れたことは一度もありません」
その時の姿勢をしてみてください	（右膝が曲がらず，前傾姿勢が3分続くと痛み発生）
痛みが出た時に何をしましたか？（しますか？）	「足を変えるか，両膝をついてやっていました」

完全に曲がらない」ために左膝を床につけ，（左膝を軸とした）作業を行っていることがわかった．右膝の屈曲制限が改善すれば，一方だけを床につき作業をすることも減り，結果，腰殿部痛が軽減するかもしれないと考えられた．

まずは，膝痛の部位について尋ね，1本指で痛い部分を指し示してもらった（前述プロセス1）．痛みの程度を数値化するためにNRSを用いて痛みの評価を行い，症状として悪化動作を評価（前述プロセス2）し，作業動作の中でその痛みが出現する状況を「言葉（プロセス3）」や「（診察室内で）実際の動きで再現（プロセス4）」してもらった．医師自身でその動きを丁寧に真似ることにより，動作を追体験した（前述プロセス5）．ROM評価，一般的な整形外科テストに加え，最も著明な圧痛部位にプローブを当て，そのすぐ脇からエコー下触診で圧痛点を再確認し，その位置・深さを評価した．局所注射を行った後は，圧痛の有無，圧痛部位の再確認，可動域変化，特に痛みが誘発された動作をその場で再確認した（プロセス6）．この時，局所注射による即時的効果が得られ直後から痛みや可動域の改善がみられたため，注射した部位が発痛源であったことを患者に納得してもらいやすかった．同時に，この動作が悪化因子と気がついた（プロセス7）ことで，発痛源に過負荷がかからないような生活指導の必要性を共有し，スムーズに工夫を検討することが可能になった（プロセス8）．

症例の右膝周囲の発痛源は，縫工筋および薄筋が隣接する部分であった．腰殿部痛の発痛源は，梨状筋表層部で坐骨神経が通過する部分であった．本ケースではそれぞれUS-FHRを行い，疼痛が改善（動作時NRS 6/10 → 0/10）し，膝関節屈曲制限も消失した．そして，誘発動作での疼痛の消失を確認した．局所注射を行った3〜7日程度は効果が持続したことから，「自宅でのストレッチや生活動作を変更することで，効果を持続させることが目標である」と伝え，発痛源へ負担をかけない動作を意識してもらうなどのセルフケアについて，短時間で毎日続けられるような簡単な項目を指導することを心がけた．各部位（縫工筋，薄筋，梨状筋）につき1つのストレッチを指導した．ストレッチの概要がわかるプリントと動画サイトの検索ワードを渡し，その後の外来で一連の動作とセルフケア

が正確に行えているかを確認した．その後も強い疼痛の発生はなく，作業道具の調整や作業環境にも調整を続けた．

本症例とは違い，セルフケア継続が困難な場合にも遭遇する．その場合は，改めて患者自身に気づいてもらうために問診から再出発することも重要である．また，多職種・多業種連携による介入や，地域のリソース（例：介護施設のデイケア，住民団体の健康教室・体操教室）の有効活用も大切である．こうした各種リソースを活かしてセルフケアにつなげることが，生活指導の本質である．

集団への介入方法

生活指導の本質は，「生活環境や生活動作の困り事に対する，医療者のサポートと患者自身の工夫」にある．地域で生活する「集団」は，しばしば同じ生活パターンを行っている場合もあり，しばしば「同じ介入」が有効である．そのため，目の前の患者一人が地域全体に介入するための入口となることも多い．本項では，患者1名から地域で生活する「集団」に対して介入を行った事例を示す．

38歳女性，6年前から続く「右側の肩こり」で受診を繰り返している．外来看護師で，問診を中心に平日はほぼ毎日6時間近く，デスクトップの電子カルテ業務（例：カルテ記載など）をこなしている．これまでの諸検査で「筋性肩こり症」と診断を受けており，鎮痛薬，外用薬，そしてヨガなどでセルフケアを続けていた．また，これまでに同院の外科医師から局所注射を受けることがあり，数日間は有効な時もあった．

最初に，発痛源と悪化因子の評価を行った．口述の病状部位は頸肩部だったが，one finger test では肩甲骨内上角を示した．症状が悪化する動作は，右頸部側屈動作と右上肢挙上動作であった．その症状で支障が生じていると考えている生活動作は，診察室で電子

図3 疼痛誘発時の動作

カルテを打ち込みながら患者と会話をしている動作であった．診察室内で，その具体的動作を演じてもらったが再現性は乏しかった．一方で，局所注射などによる速やかな治療的診断を行うと，肩甲挙筋の肩甲骨内上角付着部で症状は完全に消失した（また数日は症状の再燃を認めなかった）．後日，実際に症状を強く感じた時の複数の状況を詳細に再現した．また，その状況を患者と医師で再現すると，背の低い高齢患者と小児患者への問診時に症状が誘発された（図3）．また，自宅キッチンでの作業（特に洗い物）時に症状が出現していた．本事例と同様に，他5名の外来看護師にも同じ症状があった．そのほとんどが未就学児の家族をもち，右手で子どもを抱くことが多いと答えた．

次に，全員に発痛源および悪化因子に対する評価と悪化因子の確認，生活動作評価・介入を検討した（表2）．局所療法には局所注射だけではなく，療法士による徒手療法や皮膚刺激ツール（例：ソマセプト®）の使用などを行い，誘発動作での疼痛の消失を確認した．その後に，「仕事場と自宅キッチンの環境を再考し，加えて自宅でのストレッチや生活動作を変更することで，効果を持続させることが目標である」と伝え，集団指導を行った．

主に，肩甲挙筋につき1つのストレッチを指導した．ストレッチの概要がわかるプリントを渡し，自宅に持ち帰るだけではなく，

表2 動作・介入パターン一覧

No.	利き手	年齢	性別	勤続年数	疼痛部	動作パターン（症状誘発姿勢）	主な介入箇所
1	右	34	女	4	肩, 腰	右肩甲骨挙上, 右肩甲骨内転, 右肘関節屈曲, 腰部背屈＋左回旋	肩甲挙筋, 菱形筋, 上腕二頭筋, 腰部多裂筋
2	右	38	女	6	肩	右肩甲骨挙上, 右肩甲骨内転, 右頸部側屈	肩甲挙筋, 前・中斜角筋, 菱形筋
3	右	29	女	5	肩	右肩甲骨挙上, 右肩甲骨内転, 右頸部側屈, 右肩3rd内旋	肩峰下滑液包, 肩甲挙筋, 前・中斜角筋, 菱形筋
4	右	33	女	7	肩, 腰	右肩甲骨挙上, 右肩甲骨内転, 腰部背屈＋左回旋	肩甲挙筋, 菱形筋, 腰部多裂筋
5	右	30	女	5	肩, 腰	右肩甲骨挙上, 右肩甲骨内転, 3rd内旋	肩峰下滑液包, 肩甲挙筋, 菱形筋
6	右	41	女	15	肩	右肩甲骨挙上, 右肩甲骨内転, 腰部背屈	肩甲挙筋, 菱形筋, 腰部多裂筋

看護師の外来控え室にも掲示した．背の低い高齢患者と小児患者への問診時には意識して，自分の椅子の高さやデスクトップの位置を手軽に変えられるよう，デスクトップの高さ調整，デスクトップ後面の配線整理や机上の整理を一緒に行うことで，「作業環境を変えてもよい」ことを確認した．自宅キッチンは，同じキッチン会社を使用している者同士で対応を検討し，互いの作業パターンを相談できることを確認した．その後，外来看護師同士で一連の動作とセルフケアが正確に行えているかを上司とともに確認してもらった．その後も強い疼痛の発生はなく，作業環境にも調整を続けている．

本事例では，患者自身に気づいてもらうために行った介入が，集団全体への介入によって，より一層のセルフケア促進につながった．同じような環境にいる当事者同士が改めてつながることも，生活指導の本質となりうる．

最後に

本章では，「適切な生活動作指導まで行う一連の診療技法」および「地域における生活動作サポートの実践」に関して記載した．より詳細な内容に興味がある読者は，「小林只（監修）．特集 肩こり・腰痛・膝痛患者に対する整形内科的生活指導．日本医事新報（4987号）2019年11月」を参照いただきたい．

文献

1) 小林 只，ほか：生活指導．木村裕明（編集主幹）：肩痛・拘縮肩に対するFasciaリリース，pp182-186，文光堂，東京，2018
2) 小林 只：整形内科的生活指導・総論―患者を動機づける診療技術．日本医事新報4987：20-26，2019
3) 平野貴大：生活指導のためのコミュニケーション技法―考え・感情・事実を聞き分ける事実質問の手引き．日本医事新報4987：27-35，2019
4) 小林 只，ほか：肩こり症の診断と治療．白石吉彦，ほか（編）：THE整形内科，pp180-187，南山堂，東京，2016
5) 小林 只，ほか：装具（含む足底板）・サポーター・皮膚テーピングなど．白石吉彦，ほか（編）：THE整形内科，pp121-133，南山堂，東京，2016
6) 遠藤健史，ほか：外来運動器診療と事実質問―聞く・触る・エコー・注射・生活指導の流れ．日本医事新報4987：36-41，2019
7) 並木宏文：地域で整形内科的生活指導を展開するための工夫―多職種連携の観点から．日本医事新報4987：42-47，2019

11 fasciaに注視した手術 ―認識と手技の変遷

11 fasciaに注視した手術 —認識と手技の変遷

■ポイント
- さまざまな損傷（手術，けがなど）が原因で組織の癒着は生じる．
- 外科手術領域においてfasciaは「膜」や「膜様構造」として認識されてきたが，最新の内視鏡による拡大近接画像の世界により，「生きている臓器・組織」としての「立体的網目状構造の線維構成体」として再認識されるようになった．
- fasciaを「生きている臓器・組織」として愛護的に扱う手術手技，具体的には内視鏡下手術における組織・臓器間の剝離術は，組織損傷・術後の癒着・出血量の軽減に加えて，手術成績の向上などが期待される．
- 手術は侵襲行為である．外科医surgeonは「患部の治療」と「組織への損傷」という利点・不利点を勘案し，「生きている臓器・組織」としてのfasciaを念頭に置いて手術手技を工夫する必要がある．

はじめに

腹部外科医は，"膜"の解剖と，"膜"を分けていくプロセスとしての手術手技を学んでくることが多い．腹膜や胸膜のような正真正銘の"膜"として，"膜"という名称がつく構造をすべて認識しようと努力してきた．しかしながら，その"膜"や"筋膜"という言葉に違和感を抱いたことはないだろうか？ 例えば，以下のような記録を解剖学者や外科医が残している．

「要するにfasciaは「包むもの」を意味することを言いたかったのである．(中略) しかし「包まれる側」はかならずしも筋とはかぎらない．内臓や血管・神経も「包まれる」対象となるからである．fascia renalis (renal fascia) を和訳した「腎筋膜」という用語はすっきりしないが，がまんして使っていくよりしかたがあるまい．」(佐藤達夫．日本臨床外科医学会雑誌，1995 [1])

「筋膜fasciaという用語が登場したが，その語感から外腹斜筋膜のようなしっかりした構造物を思い浮かべてはいけない．そもそも筋膜は"シート状に肥厚した疎性結合組織"であり，本物の"膜"ではない．」(篠原尚，ほか．イラストレイテッド外科手術—膜の解剖からみた術式のポイント，2010 [2])

「fasciaに対して「筋膜」というあたかも筋肉でできた，もしくは筋肉を覆う強靭な構造物を連想させる語感をもった訳語を当てることに違和感がある」(篠原尚．第17回臨床解剖研究会記録，2013 [3])

このように，外科手術領域においてfasciaは，従来「膜membrane」や「膜様構造membranous structure」として認識されてきたが，違和感を抱く先人なども少なくなかった（言葉と認識および解剖の関係に関しては，1章①を参照）．

近年の研究では，fasciaを「線維性の立体的網目状構造」として認識することが提唱さ

11 fasciaに注視した手術—認識と手技の変遷

れている．具体的には，「全身にある臓器を覆い，接続し，情報伝達を担う線維性の立体網目状組織．臓器の動きを滑らかにし，これを支え，保護して位置を保つもの」，つまり「ネットワーク機能を有する線維構成体」としての「fascia system」であり，かつ組織や臓器レベルの「a fascia」とは，これは「細胞 cell ＋細胞外マトリックス（線維 fibrils ＋基質 ground substance）」で構成される（1章③参照）．これが本書で提示する fascia の定義である．何よりも，従来の"筋膜"とは認識を新たにすることが重要である．この「a fascia」という「生きている構造」を可能な限り温存する低侵襲手術手技が，内視鏡を用いた手術領域で産声を上げた[4,5]．この潮流が，外科医 surgeon（頭頸部外科，胸部外科，腹部外科，骨盤外科，整形外科などの手術に関わる外科医ら），そして外科領域全体へ広がり，術後の癒着や瘢痕形成を減らし，さらには術後痛や患者の術後 ADL が改善することを期待している．

創部と痛み・癒着の関係

創部は多様な要因で生じる．けがをしたことがない人は稀であろう．足関節捻挫にしても，軽微な靱帯損傷を含め fascia の「癒着」は生じている．ここでいう癒着とは，2章⑤で詳述したように，異なる組織同士の"くっつき"を意味する．そして，"くっつき"の強さ（程度）を含まない概念であり，徒手で表皮上から剥離できる程度のものから，外科的操作でなければ剥離不能な程度までが含まれる．決して，瘢痕と同義でもなく，外科医がしばしばイメージする「ベタベタなもの」のみを示す用語ではない．そして，手術やけがはもちろんであるが，放射線治療もまた組織の炎症を起こし，二次的な癒着や組織損傷を起こす．スポーツ選手はもちろん，デスクワークの事務職でさえも，特定動作の overuse（使いすぎ），disuse（廃用），maluse（誤用）により，多部位において層性の fascia の癒着（もちろん，軽微なものから強いものまで多様）が積み重なっていく．

創部の治療

fascia に対する多様な治療について，前章までに提示してきた．例えば，本書の中核となる注射手技（エコーガイド下 fascia ハイドロリリース：US-FHR）以外にも，5章では癒着の Grade 分類に応じた「鍼，徒手，物理療法」について，その位置づけと適応を提示した．そして，10章では，正確な発痛源評価と対応する局所治療（注射，鍼，徒手など）の治療効果を高めるため，さらには再発予防としての運動療法・生活指導・認知行動療法について，整形内科的視点から紹介した．創部痛は中枢性の影響（下行抑制系）も関与するが，創部自体が発痛源として治療可能な状態が見過ごされていることも多い．この観点からは，9章の症例では，損傷後の癒着部（症例 6），開胸術後の瘢痕部（症例 5），開腹術後の創部痛（症例 5 column）が発痛源となり，これに対する US-FHR の治療例を紹介した．創部自体が発痛源であり，しばしば別部位の悪化因子（例：胸骨正中切開後の前胸部 fascia の癒着による肩外転・外旋制限と痛み）にもなる．

一方，創部自体をできるだけ発痛源にしないような手術・処置を，外科医を含め医師らはどれだけ認識できているのだろうか．

手術手技と fascia

外科手術は西洋医学の基本であり究極であり，多くの人類の命を救い，生活を支えてきた．手術とは「生体に侵襲を加えることで，用手的に創傷または疾患を制御する治療法」の1つである．その目的は「構造を変化させ

ること」であり，その手技としては，病変部位の切除などの「切除」，離開部の縫合や閉塞部位の開通などの「形成」などがある．「形成」の低侵襲化については，形成外科におけるマットレス縫合など，皮膚・皮下組織の血流などへも配慮した愛護的な技術が進歩した．一方で，「切除」に関しても試行錯誤が進んでいる．本章の目的は，主に「切除」に関して，fasciaの観点から考察し実践している術者らの工夫と認識を言語化することにある．

手術領域において「膜」や「膜様構造」と認識されてきたfascia

　手術において，解剖は血管，神経，臓器，骨などの構造を主体に考えられ，これらを覆い・つなぐ組織や構造は不活性な構造と考えられ，十分な注意が払われてこなかった．これら組織や構造は，従来は"筋膜"と称され「膜」や「膜様構造」と認識されてきたが，近年では「立体的網目状構造」として認識されるfasciaとして注目される．この意味におけるfasciaとは，筋を覆い・つなげるmyo-fasciaに加えて，靱帯・腱などの密性結合組織，脂肪組織などの疎性結合組織，壁側腹膜や壁側胸膜などの上皮性組織も含む膜様構造物，さらには臓側胸膜や臓側腹膜など内臓を覆い・つなげる組織を含む概念であり，線維性の結合組織全般を指す．

　しかしながら，日本ではfasciaは"筋膜"と訳された歴史的経緯もあり，特に運動器分野（整形外科領域）では，"筋膜"という呼称は，筋成分で構成された膜，もしくは筋muscleを覆う「筋外膜epimysium」がイメージされることが多い（1章①参照）．一方で，腹部や骨盤部を扱う外科医にとっては「筋肉のみならず，臓器を覆うもの（風呂敷に包んだごとく覆うものとしての"膜"のイメージ）」と自然に理解されてきた[1, 6, 7]．例えば，臓器を覆うものとしては，開腹術時に切開する腹直筋を覆う筋外膜である腹直筋筋膜 rectus ab-dominis fasciaのみならず，内臓を覆う"筋膜"である，ゲロタ筋膜 Gerota's fascia，腎筋膜 renal fasciaなども含まれる．しかしながら，あくまでも「臓器を覆う"膜"や"膜様構造物"」として認識されてきたため，臓器同士などの構造間を埋める疎性結合組織や脂肪組織は，fasciaの一部として認識されない傾向にあった．

　さらに考察を加えれば，腹部・骨盤部外科における"膜"や"膜様構造"の認識には2分類3種あると考えられる．

1）本来の意味としての"膜"

　腹膜や胸膜などの上皮性の本来の意味としての"膜"である．これは，fasciaの表面が強度を要するために線維が密になった状態としての"膜様構造"である．

2）"膜"のように認識されうる，結合組織で構成される膜様構造

2-1）fasciaの最外層の厚い部分

　いわゆるGerota's fasciaなど，一連のfasciaの構造の最外層が，その外層の組織と「境界をつくるために」厚くなって膜様構造と認識されうるもの．あるいは，「強度を増すために」線維がより高密度になり膜様構造と認識されうるもの（対して，強度を要さない部位では線維が密にならず，明確な膜様構造をとらないともいえる）．これらは，腹膜や胸膜のような均一の膜構造として認識できないまでも，比較的"膜様構造"として認識されやすい構造である．

2-2）人為的につくられた"膜"

　手術操作により，疎性結合組織膜の中を切り分けた結果としてつくられた"膜様構造"である．例えば，血管周囲の膜様構造を剥離していく際に，「何層かある」と認識されていた場合でも，それは"あくまで疎性結合組織の密度の高低"であり，術者によってつくられるものである．しばしば"何層構造か？"と議論されることも多いが，あくまで人為的につくられた"膜"であり，建設的な議論に

なりにくい傾向にある．この点は，篠原も以下のように同様の指摘をしている．

> 「注意深い外科医は手術のたびに遭遇する気持ちの良い剥離層があることに気付き，剥離された後の景色を眺めながら，あたかも自分が2枚の「膜」の隙間を見事かき分けて進んでいるような"錯覚"に陥る．（中略）ときには無から有（アーチファクト）を作り出して錯覚しているかもしれない．（小略）かくして"呪縛"に支配された，難解極まりない局所解剖学が成立する．」（篠原尚，ほか．臨床外科，2012[8]）

このように腹部や骨盤部を扱う外科領域において，「膜」や「膜様構造」として認識されてきたfasciaは，手術において臓器や組織の剥離操作時の重要なメルクマールとして利用されてきた[9]．しかし一方で，実際の手術では剥離操作の途中で膜様構造が消失し，剥離層を見失うことや，数層の膜様構造が複数層にわたり堆積した部位において「特定の膜様構造の間（層間）に対して剥離操作を実施する場合，途中でいつのまにか別の層間に入ってしまい，改めて本来の層に入り直さなくてはならない」など，その膜様構造自体への認識においても曖昧さが多い．また，そもそもこの層の認識は術者間で一致しないことも多い．すなわち，「"膜"や"膜様構造"という構造が生体内に明確な実態として存在する」という認識からでは，解剖の本質は理解することができない．換言すれば「解剖の本質の理解のためには，膜様構造という概念からいったん離れて，広くfasciaとして認識する必要がある」ともいえる．

"膜"や"膜様構造"はfasciaの1つの表現形にすぎない

fasciaは，コラーゲンなどの線維による立体的網目状構造を基本構造としている．そして，fasciaはコラーゲンなどの線維の種類・量・密度・配列，細胞の種類，そして基質の性状や量などを必要や目的に応じて変え，疎性・密性結合組織や脂肪組織として多彩な表現型をとる[10]．その構造にはgradient（傾斜）があり，変化は連続的である．この変化の連続性が急峻であると，隣接するfasciaが「あたかも異なる組織のように観察されうる」という現象が生じる．例えば，筋外膜や疎性結合組織のように，独立した構造として認識されるわけであるが，代表的組織名称を与えられた構造が独立して存在するわけではない．そして，これら組織が「連続的につながっている」ことは自明である．外科手術領域においても"筋膜"という用語の使用を止め，立体的網目状構造物であるfasciaとして解剖を認識することが今後必要であろう．

fasciaに対する認識の転換―内視鏡による拡大近接画像が見せた「生きている立体的網目状構造」

立体的網目状構造が基本構造であるfasciaについて，Guimberteau医師により観察，撮影された立体的網目状構造の動的変化（1章③column参照），例えば立体的網目状構造が外力に応じて変形，枝分かれする様子[11,12]は，外科医が「fasciaに対する認識」について考えを新たにする必要性を突きつけた．

最新の内視鏡による拡大近接画像の世界は，生命の神秘を覗き見た気分にすらさせる．臓器や組織を毛細血管が縦横無尽に走行し，その毛細血管内を流れる赤血球まで観察でき，我々の身体の末梢に至るまで赤血球が酸素を届けていることを改めて認識させる．毛細血管は脂肪に包まれており，この脂肪が毛細血管を保護するようにも存在し，リンパ管の自律性収縮も観察できる．これらは，細胞外マトリックスの世界を実感させる．拡大近接画像の世界は，我々の身体内においてミクロレベルでもダイナミックな活動が行われている，

図1 従来の凝固モードによる fascial plane dissection
〔WEB動画〕
この方法では，放電熱による組織の熱損傷が大きい．

すなわち「組織は生きている」ことを実感させ，外科医が従来認識してきた「膜様構造」中心の結合組織の解剖観を一変させようとしている．

手術とは，このような「生きている構造」への侵襲的行為に他ならない．切開せずに外科手術は実施できない．縫合せずには閉創できない．外科医は当然として，「組織への損傷」と「患部の治療」という利点・不利点を勘案し，手術の実施を検討し実施している．ここで，皮膚・皮下組織，脂肪，組織・臓器間の立体的網目状構造が「生きている」と捉え直した時に，「組織の損傷」への配慮を再考する必要が出てくる．

総論：fascia を意識した手術手技（腹部・骨盤部を例に）

精度の高い「切除」の手術操作を実施するためには，A）剝離・切開などの処置をする「部位」への認識と，B）切離，凝固・止血など「どのように処置するか」への認識の両者が重要である．

A) 剝離・切開「部位」への認識

切開・剝離の方法は主に2つある．1つは，2つの隣接する臓器や組織の間を分離するための fascia 間の正確な剝離である（その1つが，fascial plane dissection と称される手技である）．もう1つは，臓器・組織自体を露出させるために臓器・組織を覆う fascia を切開することである[13]．

手術では，これまでも正確な剝離のために，臓器に切り込むことを極力避け，それぞれの臓器を覆う「膜」や「膜様構造」を指標に切開・剝離の操作が行われてきた[6]．近年，腹部・骨盤部への手術において，腹腔鏡下手術やロボット支援下手術などで切開創を小さくすることが低侵襲手術とされているが，体表の切開創の大小だけではなく，内臓周囲の組織の損傷をも減らす努力，すなわち切開創部と内臓周囲の fascia の損傷を最小限に抑えること，fascia の連続性を極力保つことが，真に低侵襲な手術であると考える．

B) 凝固・止血方法の工夫

上記 A）で正確に認識した部位を，どのような方法で処置するのか．具体的には，止血・凝固という重要な操作への工夫がある．"fascial plane dissection" を実施する場合，fascia 内には豊富に毛細血管が走行するため，これらを凝固・止血する必要がある．これらは従来，電気メスの凝固モードで実施されてきた（図1，〔WEB動画〕）．しかし，凝固モードでは放電熱の影響が広範囲に及び，対側の fascia へ熱損傷を起こすという問題があった．最新の電気メス（VIO®3 の preciseSECT モード）では，高頻度の抵抗感知と，高度な出力調節により，熱損傷を最小限に抑え，精密に線維を切断することが可能となった（図2，〔WEB動画〕）．preciseSECT モードを用いて fascial plane dissection を徹底することが望まれるが，前述したように，臓器全体を覆う fascia は切開せざるを得ない．この場合は最新の電気メスを用いて，電気メスの熱損傷を最小にとどめ，極力シャープに切開することで fascia の損傷を最小限に抑えることが必要である．

現在の電気メスを用いた組織切離は，ジュール熱による組織の切開・炭化・変性により行われている．具体的には，瞬時に高温

にすることで線維を切断する，比較的低温で炭化を起こし血管を止血する，低温で線維を変性させる，などである．いずれにしても，熱を使う限り線維の損傷・破壊はゼロにはならない．fasciaへの侵襲を可能な限り小さくするためにも，熱以外の方法（例：光，薬剤）で「線維の紡がり方を断ち，線維同士の架橋を外して」切断することが可能となる技術や機器が開発されることも期待している．

> 各論：fasciaの認識と手術手技の関係（腹部・骨盤部を例に）―fasciaを温存するか，しないか

　以下，筆者らが理解するfasciaに対する3種類の認識（①膜，②線維の集合体からなる膜様構造，③立体的網目状構造）と，3種類の剝離手技（A：fasciaが温存されない剝離手技，B：fasciaを温存する剝離手技，C：fasciaを「あえて」温存しない剝離手技）について，以下の対応関係において示す．

A）fasciaが温存されない剝離手技
①「膜」と認識される"筋膜"としてのfascia
B）fasciaを温存する剝離手技
②「線維の集合体からなる膜様構造」と認識される"筋膜"としてのfascia
③「立体的網目状構造」として認識されるfascia
C）fasciaを「あえて」温存しない剝離手技
・臓器・組織を露出するためのfasciaの切開
・リンパ郭清におけるfasciaの除去
・腫瘍摘出時において，腫瘍の露出を回避するためのfasciaの除去

A）fasciaが温存されない剝離手技
①「膜」と認識される"筋膜"としてのfascia
　日本語の"筋膜"という名称の通り，fasciaをあくまで「膜 membrane」として認識する立場である．この認識下におけるfascial plane dissectionとは「膜と膜を分けるよう

図2　VIO 3のpreciseSECTによるfascial plane dissection　WEB動画
この方法では，放電熱による熱損傷が小さく，シャープな切開が可能となる

な面で切開する」という意味になる．具体的には，臓器や組織の牽引操作，または腹腔鏡下手術における気腹操作（内視鏡による視野を確保するために，腹腔内に炭酸ガスを入れて腹部を膨らませる操作）により，2つの重なっていた（と認識されていた）「膜」と「膜」の間に「疎な線維状構造（疎性結合組織）」が出現する．この「疎な線維状構造」は不要な構造物であり，その内部に重要な構造（出血を起こすような血管，明らかに太い末梢神経など）は存在しないと認識する．そのため，「疎な線維状構造」という"綿状の構造（わたわた）"の中央に電気メスで切り込むような剝離操作は，安全な剝離ルートと解釈される（図3-A，図4）．

　この手技は，現在でも国内外で広く実施されている考え方であり，外科手術領域では「手術の基本」の1つとされることも多い[1,6]．認識や程度の差こそあれ，多様な外科分野で共通する考え方であろう．

B）fasciaを温存する剝離手技
②「線維の集合体からなる膜様構造」と認識される"筋膜"としてのfascia
　fasciaを，日本語の"筋膜"という名称通りの"膜"というほど単純な構造ではなく，「線維の集合体からなる膜様構造」と認識する立場である（下記③で提示する現在のfasciaの認識に近づいてきた）．この認識下におけるfascial plane dissectionとは，「線維の集合

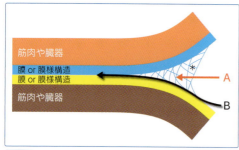

図3 fasciaを"膜"や"膜様構造"と認識した場合の切離（模式図）

A："筋膜"を単純な「膜」と認識した時の切離ライン．
B："筋膜"を「線維の集合体としての膜様構造」と認識した時の切離ライン．
＊：2層の膜様構造物間に出現する疎な線維状構造（弱いほうの筋膜（ここでは青色で図示）の一部である）．

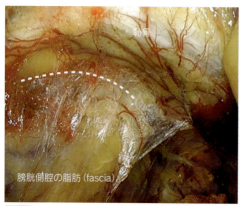

図4 fasciaの中へ切り込むような剝離操作
本文中の①に相当する手技である．fasciaの中間を切開（白点線）することで，fasciaを破壊している．

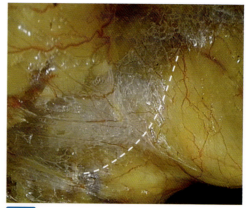

図5 fasciaを温存する切離方法
本文中の②と③に相当する手技である．破綻したfasciaの線維を，対側のfascia（ここでは膀胱を覆うfascia（脂肪））への付着部の最辺縁部で正確に切離し，2層間の剝離を行う（白点線）．

体で形成された膜様構造を分けるような面で切開する」という意味になる．具体的には，臓器や組織の牽引により，2つの重なっていた（と認識されていた）膜様構造の層間に「疎な線維状構造」が出現する．この「疎な線維状構造」は，膜様構造物のうち力学的に弱い部分が破綻して出現したものと解釈される．この「疎な線維状構造」という"綿状の構造（わたわた）"は重要な構造の一部であり，2層間の精密な剝離を意図した場合には，この中央へ電気メスで切り込まない．この"綿状の構造（わたわた）"を温存するように，この最辺縁部の線維を電気メスで剝離していく操作が，より望ましい剝離ルートと考えられた（図3-B，図5）．これは，下記③で示す「立体的網目状構造」としてのfasciaを温存する剝離ルートと同じである．

この手技は，泌尿器科では国立がんセンター中央病院泌尿器科の鳶巣賢一医師（現，がん・感染症センター都立駒込病院名誉院長）によって主に実践され，発展したものである．これは，日本の外科領域における，剝離の精度を上げる努力の一側面としての「独自の精緻さ」ともいえる[14]．

③「立体的網目状構造」として認識されるfascia

最新のfascia研究の成果として，fasciaを「立体的網目状構造」と認識する立場である．この認識下におけるfascial plane dissectionとは，「立体的網目状構造を温存するような面で切開する」という意味になる（図3-B，図5）．

上記②で鳶巣医師が認識した「線維の集合体からなる膜様構造」に基づくfascial plane dissectionの重要性，先進性がよく理解できる．鳶巣医師から指導を受けた川島清隆医師（現，熊谷総合病院泌尿器科医長）は，Guimberteau医師との交流を得て，拡大近接画像からfasciaの立体的網目状構造を意識し，さらに最新の電気メス（例：VIO®3のpre-

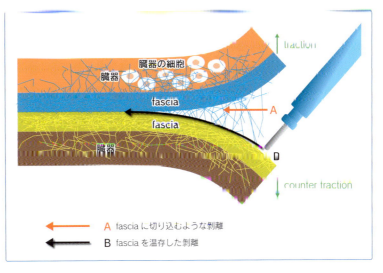

図6 fasciaの理解に基づいた剥離

fasciaを温存する剥離では、疎な線維状構造として現れたfasciaの線維を、対側のfasciaの線維に連続する最辺縁部で電気メスを用いて切離し、剥離を進める。

A　fasciaに切り込むような剥離
B　fasciaを温存した剥離

ciseSECTモード）を用いて線維を可能な限り末梢（対側付着部）で切り離すことで、臓器としての「a fascia」を温存し、fasciaへの侵襲性を抑えた手技へ発展させた。

上記②③のように、fasciaの連続する線維を可能な限り対側に近い部位で切離する必要があるのは、なぜだろうか？　その理由を実感するためには、fasciaの認識を「膜」や「膜状構造」から「立体的網目状構造」へと変える必要がある（図5，**図6**）。事実、それぞれの臓器を覆うfasciaは臓器自体と、そして対側のfasciaとの間で、互いの線維が強固に絡み合い、牽引で容易に2層が剥がれるわけではない。この2層間におけるfasciaの結合は、いわゆる互いの膜様構造が面と面で接着しているのではなく、お互いのfasciaに由来する線維が絡み合い、結合することで、1つの立体的網目状構造を形成している。すなわち、「線維の集合体からなる膜様構造を牽引することで、この膜様構造が裂かれた後に、網目構造が出現する」のではなく、「立体的網目状構造が、高密度化した結果として膜様構造の形をとっている」と理解できる。前述したように、fasciaは、コラーゲンなどの線維の種類・量・密度・配列、細胞の種類、そして基質の性状や量などにより多彩な表現型をとり、その表現形は連続的である。例えば、末梢神経において神経鞘と周囲fasciaがミクロ解剖においても連続している[15]。このfasciaの連続性こそが、「全身にある臓器を覆い、接続し、情報伝達を担う線維性の立体的網目状組織であり、臓器の動きを滑らかにし、これを支え、保護して位置を保つ」という役割を担うための重要な構造である。

つまり、<u>fasciaを温存するように実施するfascial plane dissectionは、切り込み・剥離していく部位を精密に把握し実行されることで、fasciaへの侵襲を最小限に抑えることに役立つと考えられる</u>。fasciaは細胞に足場を与え、細胞を包み、形状を与え、維持し、臓器を形成し、さらに全体を統合する全身に連なる重要なシステムであるとされている。またfasciaは線維による張力のネットワークであるのみならず、細胞外マトリックスとして臓器の細胞と連続し、細胞に情報を与え、細胞の分化、増殖、移動を制御している。fascia内部には体液が流れ、直接の情報伝達を行うとともに、毛細血管、神経、リンパ管が走行している。つまり、fasciaの温存を目的とした場合は、腹腔鏡手術では一般的に行われるfascia内への切り込み（図4）は、「生

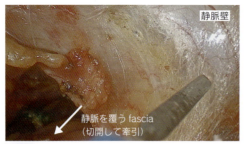

図7 fascia を意識したリンパ郭清　WEB動画
静脈壁近傍での fascia の線維の切離.

きている」fascia という臓器を破壊することと同義であり，fascia を温存したい場合は避けるべきである．

C) fascia を「あえて」温存しない剥離手技

上記に反する内容に感じられるかもしれないが，fascia を立体的網目状構造の臓器として認識するということは，fascia を温存する以外にも，「あえて」切り込むという選択肢も意識的に実施できることを意味する．「生きている fascia」を可能な限り温存したい立場からは，fascia へ切り込まざるを得ないといった状況ともいえる．

具体的には，臓器・組織を露出するための fascia の切開，リンパ郭清，腫瘍摘出時における腫瘍の露出の回避について，下記に示す．

- **臓器・組織を露出するための fascia の切開**

臓器は fascia に覆われている．臓器の外層線維と臓器外の fascia の線維は連続しており，手術を低侵襲に実施するためには，臓器を覆う fascia に極力切り込まず，臓器が fascia に包まれた状態を維持することが重要である．そうはいっても，臓器自体へアプローチする必要がある時には，対象となる臓器・組織を露出させるために，「仕方がなく」臓器を覆っている fascia 自体へ切り込むことになる[13]．

- **リンパ郭清における fascia の除去**

リンパ節およびリンパ管は fascia の中に存在している．そして，リンパ節に加えてリンパ管を含めた組織を除去することが「郭清」の目的である．したがって，本稿ではリンパ節郭清ではなく「リンパ郭清」と表記した[8]．また，fascia は癌細胞の浸潤や進展とも深い関係にあると報告されている[16]．ゆえに，リンパ郭清を実施するためには，リンパ節を完全に摘除するだけではなく，「リンパ節-fascia-血管」という並びの構造において，fascia の中を走行するリンパ管も摘出する必要がある．すなわち，血管浸潤をしていない限りにおいてだが，リンパ郭清では血管を包む脂肪組織などの疎性結合組織（fascia）を完全に除去する必要があり，血管の完全な露出が求められる．fascia は血管壁を構成する線維と連続しているため，血管周囲の fascia の線維を，可能な限り血管近傍で切離する必要がある．前述したような最新の電気メスを用いることで，血管損傷のリスクを最小限に抑えつつ，血管壁近傍で fascia の線維を切離することが可能になり，比較的安全に，より確実な郭清が実施できるようになった（図7，WEB動画）．

例えば，泌尿器科領域の内視鏡下手術において，骨盤リンパ節郭清における外腸骨静脈の露出を挙げる[13]．通常，外腸骨静脈を覆う fascia に切開を加え，その切開孔から鉗子などを挿入し，静脈と fascia との間を鈍的に剥離する．この際，外腸骨静脈を完全に露出したつもりでも，処置中に外腸骨静脈上に1層の膜様構造物が残存し，改めて外腸骨静脈を露出するために切開し直すことがある．これは，fascia が立体的網目状構造として外腸骨静脈の外層線維と連続していることが原因である．静脈のごく近傍ではなく，少し離れて線維組織を切離すると比較的多量の線維（立体的網目状構造）が静脈上に残り，これが基質（組織液）に浸ると薄い一枚の膜状構造のように見えて，"1層残っている"ように認識される．つまり，正確に臓器を露出するためには，臓器と連続する線維組織を，臓器近傍で丁寧に切離する必要がある．

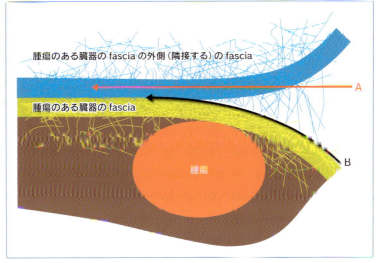

図8 腫瘍摘出時のfasciaを意識した剥離

A：腫瘍の露出を避けるために，腫瘍側に至適な量のfasciaを「あえて」付けた剥離．
B：腫瘍がない臓器側のfasciaを可能な限り温存しようとした場合の剥離．

● 腫瘍摘出時において，腫瘍の露出を回避するためのfasciaの除去

　悪性腫瘍の手術では腫瘍の露出を避けるため，腫瘍を含む臓器をそのfasciaに包まれた状態で摘出することになる．具体的には，腫瘍側に至適な量の「疎な線維性構造（fascia）」を「あえて」付けて剥離する方法のことである．上述したリンパ郭清も同様であるが，肉眼所見上はわからないレベルで癌細胞が浸潤しているかもしれないfasciaを除去することは，理にかなった処置ともいえる．加えて，fascia内に癌細胞の浸潤が疑われるような場合，または癌を含む臓器に隣接するfasciaとその外側のfascia（外側の層と認識される位置にあるfascia）との間の剥離が容易でない場合には，癌を含む臓器に隣接するfasciaには切り込まず，外側のfasciaも一部腫瘍側に残した状態で摘出することもある（図8）．

> fasciaを意識した手術は合併症を減らす

　"膜"の認識下で実施されてきたfascial plane dissectionも，術後の癒着を減らし，組織侵襲性を軽減させてきた．そして，「立体的網目状構造としての生きているfascia」を温存したfascial plane dissectionは，さらに組織侵襲性を軽減させる方向に発展してきた．

　広範なfasciaの破壊は，多大な創傷治癒機転を要し身体にとって大きな負担になるが，微細な瘢痕形成でさえも局所の機能障害や血流障害を引き起こす可能性がある（1章③参照）．再手術時の身体内の創部や癒着部をイメージしていただきたい．fasciaの中へ切り込むように剥離した症例では癒着が強固（時に，瘢痕形成している）であり，本来見えるべき剥離層が消失しており，臓器（a fascia）があたかも瘢痕のように強固に癒合し，一塊となり，もはや臓器間の剥離ラインは見えなくなっていることが多い．これに対して，fasciaを温存するように剥離したfascial plane dissectionで実施した症例では，癒着している面積が小さく，かつ癒着の強度も小さいため，剥離層を認識しやすく，剥離自体も比較的容易に実施できる利点がある．換言すれば，fasciaを温存するように剥離したfascial plane dissectionは，創傷治癒の観点からも低侵襲な手技であるといえる．

　外観上の創部という観点では，形成外科領域ですでに実践されている．具体的には，術後創部を目立たなくするために，皮膚や皮下

組織への負担軽減として，縫合時だけでなく切離・剥離時にも細心の注意が払われている．さらに，外観からはわからない内部構造(fascia)への手術操作に伴う負担(損傷)を極力減らすことが，術後合併症や機能障害を防ぐ．精緻な手術技術は出血量をも低減させる[17]．かつて術後3日ほどの微熱は，反応熱として「仕方ないもの」とされてきた．しかし，精緻な操作によりfasciaへの負担を最小限に抑える手術操作に変換してからは，術後の発熱や白血球上昇が抑えられる傾向を認めている．これは，これまで侵襲が大きかった膀胱全摘術において顕著である[18]．

このように臓器を切ることを当然とする外科手術においても，切開創のみならず，fasciaを中心としたすべての組織への負担を極力減らすことについて検討する必要がある．腹部・骨盤部の内視鏡下手術において，気腹や多関節鉗子などにより力で押さえ込む手術から，fasciaの微細構造を理解した手術(fasciaに最も負担のかからない部位で，最も負担の少ない方法で剥離する手術)へ転換することで，身体にとってより低侵襲かつ根治性向上をかなえる手術の実現が期待される．

fasciaを意識した手術の未来

「我々の身体は線維により構成されている」ともいえる．厚い膜様構造と認識されてきたfasciaも，手術後の瘢痕組織もまた，線維の集合体である．手術とは，多彩な表現型をとる線維を，状況に応じた適切な方法により処理していくプロセスである．fasciaをコラーゲンなどの線維による立体的網目状構造として捉え，線維群(時に，線維単位)を意識した切開・剥離は，手術精度の向上，および手術侵襲の低減に役立つ．

例えば，内視鏡下手術における前立腺全摘術においては，骨盤底で臓器が密に接しており，fasciaの本質を理解した丁寧な操作を実施することが，根治性向上に寄与する[17]．一方で「精密な手術」＝「ロボットによる手術」とイメージされている方も少なくない．ロボット支援下手術は手術成績を安定化させるものの，治療根治性の向上については賛否両論が続いている．例えば，前立腺摘除術に関しては，治療根治性および機能予後に関して「開腹手術と同様(向上していない)」とLancet誌でも報告され，より重要なのは「術者の経験」であるとされている[19,20]．内視鏡下手術も機器の発展が手術成績を向上させるように，開腹手術における機器もまた発展している．古い時代の開腹手術に比べて，現在のロボット支援下手術の有意性を論じることは困難である．

最後に

ついに，fasciaの理解に基づく手術手技や適応が見直される時代が近づいてきた．手術は「生きている構造」への侵襲行為に他ならない．外科医は，「組織への損傷」と「患部の治療」という利点・不利点を勘案し，「生きている臓器・組織」としてのfasciaを念頭に置き，手術の実施方法を工夫する必要がある．本章で詳述したfascial plane dissectionの概念や手技は，より正確な剥離を目指す国立がん研究センター中央病院の医師をはじめ，職人らが精緻を尽くし発展させた匠の技の1つである．外科医にとって重要なことは，根治性向上や機能予後改善を目指し，立体的網目状構造であるfasciaに基づく手術解剖の再認識，発展する機器を使いこなす技術，少しでも低侵襲かつ精密な治療手技を追求し続ける態度である．本章が，外科手術の世界を少しでも前進させる一助になることを願う．

文献

1) 佐藤達夫：臓側筋膜の局所解剖．日臨外医会誌 56：2253-2272，1995
2) 篠原 尚，ほか：イラストレイテッド外科手術

第3版―膜の解剖からみた術式のポイント，医学書院，東京，2010
3) 篠原　尚：鏡視下手術時代に適合する胃の外科解剖―筋膜から fascia へ，膜から層へ―．臨床解剖研究会記録 14：10-11, 2014
4) Kawashima K：Extended radical prostatectomy for high risk prostate cancer-anatomical total en bloc prostatectomy Kihara K (ed)：Gasless Single-Port Retroperitoneoscopic Surgery in Urology—with RoboSurgeon in Mind—．pp166-189, IGAKU TOSHO SHUPPAN, Tokyo, 2019
5) 川島清隆，ほか：骨盤内筋膜概念のパラダイムシフト―筋膜から fascia（ファシア）へ，さらに細胞外マトリックスへ―．泌尿器外科 32：1119-1126, 2019
6) Spratt JS, et al：Exenterative Surgery of the Pelvis, Vol. 12, Saunders, London, 1973
7) Sato T, et al：Morphological analysis of the fascial lamination of the trunk. Bull Tokyo Med Dent Univ 31：21-32, 1984
8) 篠原　尚，ほか：胃癌手術のロジック―発生・解剖・そして郭清 1) 大網：知られざる胃の腸間膜．臨床外科 67：1420-1429, 2012
9) Walz J, et al：A critical analysis of the current knowledge of surgical anatomy related to optimization of cancer control and preservation of continence and erection in candidates for radical prostatectomy. Eur Urol 57：179-192, 2010
10) Omelyanenko NP, et al（eds）：Connective Tissue, CRC Press, 2014
11) Guimberteau JC, et al：The role and mechanical behavior of the connective tissue in tendon sliding. Chir Main 29：155-166, 2010
12) Guimberteau JC, et al：Architecture of Human Living Fascia：The Extracellular Matrix and Cells Revealed Through Endoscopy, Handspring Publishing, 2015
13) 川島清隆，ほか；前立腺全摘術における真の根治性向上と侵襲低減についての考察―ミニマム創，開腹手術からみた手術の本質と未来―．日本ミニマム創泌尿器内視鏡外科学会雑誌 11：71-80, 2019
14) 鳶巣先生による前立腺全摘除術 お気に入り術野の作り方，MediChannel，https://med.astrazeneca.co.jp/medical/operation/pc_ope.html（最終閲覧日：2021年4月5日）
15) Stecco C, et al：Role of fasciae around the median nerve in pathogenesis of carpal tunnel syndrome：microscopic and ultrasound study. J Anat 236：660-667, 2020
16) Benias PC, et al：Structure and distribution of an unrecognized interstitium in human tissues. Sci Rep 8：4947, 2018
17) 川島清隆，ほか：根治性と低侵襲性の追求によるミニマム創/開腹 拡大前立腺全摘術＋拡大リンパ節郭清の確立―解剖の探求，手技の変遷と治療成績の変化―．日本ミニマム創泌尿器内視鏡外科学会雑誌 12：51-64, 2020
18) 川島清隆：手術の精度向上のための生体筋膜（fascia）の微細構造の観察―最新のフル HD 3CCD 内視鏡システムで見る私たちの体のミクロの世界．日本ミニマム創泌尿器内視鏡外科学会雑誌 10：45-52, 2018
19) Yaxley JW, et al：Robot-assisted laparoscopic prostatectomy versus open radical retropubic prostatectomy：early outcomes from a randomised controlled phase 3 study. Lancet 388：1057-1066, 2016
20) Coughlin GD, et al：Robot-assisted laparoscopic prostatectomy versus open radical retropubic prostatectomy：24-month outcomes from a randomised controlled study. Lancet Oncol 19：1051-1060, 2018

初学者のための Q&A 集 | 12

12 初学者のためのQ&A集

「何から学べばよいか，わからない」「実際にどのような手順でやっているか知りたい」「注射する時に困ることは何か知りたい」「注射後にどのような対応をしたらよいか，わからない」など，高頻度で生じる疑問に答える．

Q1 どのように診察を始めればよい？

A1 まずは十分な問診・診察を行い，「筋を代表とした軟部組織の異常である」と診断することが重要となる（121頁，図2参照）．そのうえで以下の項目をそれぞれ学んでいく（以下の項目は本書でおおむね学ぶことが可能と思われるが，ここでは軟部組織に関する特徴的な「問診」について記載する）．なお，各部位ごとに特徴的な方法は，各論を参照されたい．

1）発痛源となる軟部組織の特徴を確認し，治療部位を推定するための問診

問診で聴取した疼痛の表現を確認することは極めて重要であり，その表現をもとに罹患部位を推測する．

・収縮痛（筋腹・筋連結部）は「ギュー」「重い感じ」「ズーンとする」など
・伸張痛（骨付着部・筋腱移行部）は「引っ張られる」「引き延ばされる」など（特に付着部痛は「ズキンとする」など）

なお，靱帯には収縮痛はなく伸張痛のみである．その表現は上述の伸張痛に類似しているが，「鋭い」「一瞬のズキン」「力が抜ける」などが加わることが多い．

以上，問診の際に，これらの表現を聴取することで治療部位の詳細な推測が可能となる．

2）注射後の生活指導・セルフケア・多職種連携治療につなげるための問診

発痛源の推測も重要であるが，患者背景を理解し，治療後の生活指導・セルフケア・多職種連携治療につなげることも極めて重要である．注射の効果が永続的であることは決して多くなく，エコーガイド下fasciaハイドロリリース（US-FHR）が万能であるという誤解を招き，結果的に治療者と患者の双方にとって負担となるケースもある．そのため，問診の段階で患者と良好なコミュニケーションを構築しながら治療後の生活指導やセルフケア指導を行い，治療がうまくいかない場合には，さまざまな職種との連携治療へつなげることが必要となる．

最後に，問診能力を向上させるためには，疼痛・しびれの訴えを繰り返し聴き，訴えの先にある患者背景と生活を知ることに努めることが大切であると考える．

Q2 結局，痛いところに注射をすればよい？

A2 患者の自覚症状部位は関連痛であることが多い．関連痛部位に注射しても効果は乏しい．最も大切な点は，「正しい見立て」と「診断・評価する技術」の重要性を認識することである．すべての痛み・しびれに対してUS-FHRが有効なわけではなく，US-FHRの適応となる病態とUS-FHRの軟部組織治療における位置づけを理解したうえで「注射をする」ことが，本治療の意味であり，効果を一層高めることになる．

以下に，初学者の具体的な診察の流れを記

識する．とりわけ，注射をする（⑤に該当）ことで治療が完結できない場合には，⑥に至るため，必ず"見立て""診断"をつけてから注射を行うことが大事である．

① 問診（受傷機転や発症状況から発痛源を推測する）
② 動作分析，可動域評価（「どこが痛いかよりもどうすると痛いか？」が重要）
③ 触診・圧痛評価（筋硬結の触知にこだわらない．一番強い圧痛点を同定）
④ エコー評価（圧痛点の深部にある fascia を確認．fascia 同士の滑走性・伸張性を観察）
⑤ 治療的診断（自覚症状（問診）や関節可動域・組織柔軟性（診察・エコー）の改善を確認）
⑥ 治療に反応しない時（MPS や FPS の診断根拠の確認．他の治療家やチーム（リハビリスタッフなど）とも相談．実際は治療部位選択の間違いが多い）→再度治療部位検討

Q3 リリースで悪化する病態はあるの？

A3 結合組織の脆弱性（例：Ehlers-Danlos 症候群），または関節不安定性を認める部位（例：足関節，仙腸関節）へのリリースは，過剰に緩めることにより，疼痛など症状を悪化させる場合がある．整形外科テスト，姿勢・動作分析，エコーなどを活用し，治療部位の関節や結合組織の柔軟性が「高いのか？ 低いのか？」を評価したうえで，「固定する」もしくは「緩める」のかを判断していただきたい（詳細は5章③ column 参照）．

Q4 注射実施時の感染予防対策は？

A4 基本的には"適切と考えられる消毒を行ったうえで"注射を行う．感染症の発生は，①細菌の種類，②死腔の形成，③細菌繁殖の環境，の3つの要素で決まる．つまり，注射する部位の状況ごとで①〜③のリスクの高さが異なるため，自らの背景（診療所・病院・手術室など）と患者状況（皮膚疾患の有無・糖尿病を含めた基礎疾患，外傷部分など）によって，総合的かつ適切な判断を行う必要がある．

一方，経験上は US-FHR により感染症が発生する可能性は低いと考えられ，不用意な手技でなければ過度な心配はしなくてもよい．

2020年から世界的に流行している新型コロナウイルス（COVID-19）感染対策も考慮する必要がある．COVID-19 は，基本は接触感染，飛沫感染（一部エアロゾル感染の報告もあるが"空気感染"ではない）である．したがって，対策としては，①院内・治療器具などの消毒，②手指消毒の徹底，③定期的な換気，④患者の受診前検温，⑤（必要に応じた）手袋着用など，患者および医療機関スタッフの感染防止対策の教育が重要である．特に重要な対策は，飛沫の管理・防止，および患者・スタッフの接触部（機器や手指）の消毒である．

以下，各論として「感染対策の考え方」を例示する（本書出版時点で内容が変更されている可能性もあるため，常に最新情報を確認されたい）．

・患者に接するエコープローブは，実施前後で適切な消毒をする（プローブの種類によって使用できる消毒液は異なるため，機器メーカーへ確認することが望ましい．不適切な消毒液はプローブの劣化，または不適切な消毒になる）．
・血液からの感染は（2021年3月時点では）確認されていないため，注射手技自体による患者・治療者間の感染は考慮しなくてよい（一般的な感染予防対策でよい）．
・患者との対話による飛沫感染（唾液など）には十分に注意を払う必要がある．そのため，注射手技実施時は，患者も治療者もマ

スク（可能であれば不織布マスク）を着用する．

- 頭頸部への注射手技時は，可能であれば患者はマスク装着したまま実施する．一方で，三叉神経（特に上顎神経，下顎神経）への注射時は，患者のマスク装着が困難である．総合的に判断し，マスク以外の飛沫感染予防策，例えば，会話を控える，患者と治療者の顔を向き合わせない，治療者がフェイスシールドやゴーグルを装着する，なども検討されるべきである．
- 顎関節関係への局所注射手技としては，口腔内アプローチ（例：翼突筋への注射）は控え，体表からの注射手技を基本とする（手技：203頁参照）．
- 手指への治療手技時は，患者の手指全体を消毒したほうがよいかもしれない．一定のトレーニングを受けた医療者を除き，一般人（患者など）は無意識に頭頸部を触っている．そのため手指は，唾液や鼻汁など体液が付着していることが多い．患者自身，診察室前や医療機関入口での手指消毒徹底はもちろんであるが，注射手技実施前には手指全体を消毒するほうが接触感染リスクを減らせる可能性がある．

Q5 プローブの血液汚染はどうすればよい？

A5 単回使用の濡れたガーゼかタオルを使って，すべての血液を十分に洗い流す，少なくとも3回以上は「アルコール綿で拭く→単回使用のティッシュで拭く」を繰り返す，プローブを滅菌水や水道水で十分に洗浄する，などが主に行われる．

プローブを直ちに使用する場合は，少なくとも目視で血液の残存がないかを確認し，また同時にエコー機器全体に血液の付着がないかどうかも確認するほうがよい．

各施設で基本的な感染対策があればそれに準拠する，あるいは感染対策委員などと十分に相談のうえで，施設ごとにマニュアル化された対策をとることが望ましい．

Q6 注射後は，注射した液体を手などで広げるの？

A6 リリースのために注入した液体を広げることで，治療効果の促進を期待することができる．具体的には，①診察やエコーでの評価（筋膜などのfasciaの柔軟性の評価）に基づき注入した薬液を可動域や滑走性を高めたい方向へ広げる，②重力と反対側（薬液注入後は重力で下方向に広がるため）に広げる，③筋線維や皮膚割線に垂直方向にゆっくりと広げていく，などがよい．

また，薬液を広げる時には，ゆっくりと大きな動きをするとよい．fasciaなど結合組織の伸張性は速い動きよりも，ゆっくりと大きな動きに反応する．そのため，注射後の状態を確認するためにも，注射部分に（浅い部分であれば）手のひら，（深い部分であれば）親指などを用いてゆっくりと広げる．

広げる時に最も注意が必要なのは，深く強く押す時である．深く強く押す時は患者の苦痛を強めるので，技術が拙い治療家の場合は，リバウンドや合併症（内出血など）のリスクが増大してしまう．特に腰背部の場合，深く強く押してしまいがちであるが，手のひらで皮膚・皮下組織を捻るように広げる動きが，低リスクかつ有効な方法として推奨される．

Q7 よくある治療中の患者の反応は？

A7 多くの人が"重たい""ズーンとくる"といった痛みを訴える．しかし，痛みの性状が"電気が走る""ビリッとくる"痛みである場合は，針が神経近傍に接触している場合が多く，十分な注意が必要である．

その他として，治療中の反応で重要なことに，現在感じている痛みと同じという"再現

痛"の有無がある．もし再現痛が発生した際は，患者との治療の共有がしやすいという点で治療の有効性が高まる．

下記に，組織学的なリリース部位ごとの注入時の「痛み，抵抗の強弱，局所麻酔薬の使用頻度」について一般的な見解を示す．基本的なルールとしては，癒着が強い部位ほど注入時の抵抗が強く，注入時痛が大きい，そのため，適切な局所麻酔薬を併用することが患者の苦痛を減らすためにも配慮されたい．一方，神経近傍などには，できるだけ麻酔薬は使用しない．転倒などの局所麻酔薬による合併症を減らすこと，また麻酔効果で，神経に針先が当たっていることを治療家が認識できないことで，神経損傷のリスクを増大させる懸念があるためである．神経近傍のfasciaへの治療で効果が限定的な場合は，末梢神経内リリースを検討する（8章D-⑦正中神経，8章F-④坐骨神経を参照）．

リリースの種類	注入時の		局所麻酔薬の使用頻度
	痛み	抵抗	
筋膜リリース	弱〜強	小	低
腱膜リリース	強	大	中
腱鞘リリース	強	小	高
関節包リリース	強	大	高
脂肪体リリース	弱	小	低
支帯リリース	弱	小	低
靱帯リリース	強	大	低
末梢神経リリース	弱	小	使用しない
末梢神経内リリース	弱	小	使用しない
創部リリース	弱〜強	小	中
LFDリリース	強	大	使用しない

LFD：黄色靱帯・背側硬膜複合体

Q8 注射後の重だるさや痛み（リバウンド）はあるの？

A8 注射の刺激が強すぎて組織損傷（内出血など）が大きい場合，既存の主たる発痛源が患者に認知されてきた場合は，二次的な炎症反応などの原因により数時間から1日後に遅発性筋肉痛（いわゆる"筋肉痛"：局所性の重だるさや痛み）が生じることがある．遅発性筋肉痛は，西洋医学の一般的な表現であればリバウンド，東洋医学の一般的な表現であれば瞑眩（めんげん）と称される．

いわゆるリバウンドは，「注射行為が痛くてつらい！」と患者が表現した時に注射を止めれば，基本的に出現しない．一方，適切な治療後にリバウンドのように悪化することがある（リバウンド以外の悪化）．適切な治療によって，治療していない別の部位に痛みが移動（患者が痛みを認知する場所が変わる場合も含む）し，それに対して「症状が悪化した（移動した）！」と表現してくることは少なくない．この場合，治療部位の効果を適切に評価できる技術（治療部位の可動域改善，痛みの移動への説明も含む）が十分でないと，「悪化した」と治療者は考えてしまい，患者も「十分な効果がない」と判断し，結果的に治療を断念してしまいがちである．患者だけではなく，治療者も納得できるよう，十分に治療前の見立てを行う必要がある．

Q9 注射した液体はどれくらいで消えるの？

A9 筋膜間や筋内の液体はリンパ管と静脈で回収され，数時間以内に消失することが多い．非局所麻酔薬であれば，合併症も含めた使用に伴うリスクは「基本的にはない」と言い切れるほどに安全である．患者へ注入後の液体の消失時間を伝えておくと，さらに安心してもらえるであろう．

Q10 薬液注入量のだいたいの目安は？

A10 局所麻酔薬の場合は，体格に応じた極量が規定されているために，使用量は非常に重要である．しかし，生理食塩水や細胞外液の場合，極量はない（慢性心不全患者に500 mL注射すれば心不全の増悪が

起きるかもしれないが），そのため，「白い重積がパラパラと剝がれるまで注入する」ことが多い．具体的には，斜角筋の治療であれば約3〜4 mL，肩甲挙筋では5〜6 mL，腰部多裂筋や殿筋群では10 mLなどの目安はあるが，これらの数値を覚えるよりも，注入時痛に対する患者の反応と，エコーで確認をしながら十分にリリースすることが重要である．

Q11 針を骨に当てると骨表面上での合併症が起こる？

A11 多くの場合は針先が当たり骨膜の微小な損傷による出血が発生するのみで，重大な合併症が発生する可能性は極めて低い．しかし重要なことは，まずは不必要に針を骨に当てないことである．骨表面上に近い部分での治療が必要な際には骨に針を当ててしまうこともしばしばあるが，針先が曲がったまま治療を続けると不要な組織損傷が起こるため，骨への影響を不必要に与えないようにする必要がある．

誤穿刺により気胸などの重篤になりうる合併症が起こると想定される場合には，目標の延長線上に骨があるとよい．この際もあえて骨に針を当ててから治療するのではなく，過剰な穿刺による気胸を避けるために，目標の延長線上に骨を据えておくという"リスクマネジメント"として解釈したほうがよい．

Q12 古いエコー機器ではこの治療はできないの？

A12 エコー機器は，あくまでも適切に注射をするための道具である．また，画像で確認できる"重積"は，最新のエコー機器を用いたとしても約80％（古いエコー機器では約50〜60％）のケースでのみ確認可能と経験上感じている．そのため，古いエコー機器では治療できないとは決して言い切れない．エコー機器が，用途に合った機能を有しているかどうかが大事である．リニア型プローブでは深部病変は描出しにくく，コンベックス型プローブでは浅部病変は描出しにくい．また，エコーの機種によっては，運動器エコーのセッティング（musculoskeletal mode：MSK）が搭載されていないことも少なくない．軟部組織の描出解像度は，画像調整で想像以上に向上することが多い．

Q13 治療に要する時間は，一人当たりおよそ何分くらい？

A13 上級者が初診患者の治療を行う場合，治療に要する時間はおよそ15分程度である．その病態にもよるが，単純な"ぎっくり腰（急性腰痛症）"では，診療時間は3分もかからないことは珍しくない．一方，慢性的な経過，治療に難渋してきたケースではその限りではない．一度の外来ですべてのアプローチを試みるのではなく，セルフケアや多職種連携を用いながら，複数回にわたって治療を行うことが多い．この治療は，あらゆる疼痛やしびれを改善できるわけではない．リリース治療の適応となる病態と軟部組織治療における位置づけを理解したうえで，経験を積んでいくことが重要である．

和文索引

あ

アセスメント 63
悪化因子 274, 308
圧痛 117, 186
アナトミートレイン 7
アロディニア 40, 100
アンカリング 56
アンギオソーム 75, 154

い

医学的病態診断のフレームワーク 63
異常血管 248, 288
異所性発火 39
一次求心性神経 37
インテグリン 30
インピンジメント 56, 66

う

ヴェノソーム 75
烏口上腕靱帯 52, 71, 210
う歯 301
運動器エコー 112, 149

え

エアロゾル感染 329
腋窩神経 141, 216
腋窩リンパ節 301
エコーガイド下筋膜リリース 85
エコーガイド下触診 124, 135
エコーガイド下 fascia ハイドロリリース 87, 95, 106, 186, 189, 275
エコーガイド下 fascia リリース 82
エコー解剖 5, 132
壊死性リンパ節炎 301
エビデンス 16

エラスチン 23, 90
エラストグラフィ 49, 52, 135
円回内筋 237
嚥下障害 296
炎症性疾患 70, 274, 299
エントラップメント 56

お

横手根靱帯 238
黄色靱帯 205
黄色靱帯・背側硬膜複合体 86, 153, 174, 205
オズボーンバンド 143, 226, 228
オトガイ下リンパ節 301
オトガイ舌骨筋 280

か

開胸術 105
開胸術後 247, 287
下位頸神経根障害 296
開口障害 201
外傷性頸部症候群 280, 295
回旋筋腱板 216
外側翼突筋 201, 277
開腹術 105
開腹術後 247, 289
解剖 62
解剖学的知識 187
解剖学用語 4
外肋間膜 248
下顎骨 201
下顎神経 281
顎下腺 301
顎下リンパ節 301
顎関節 201, 278
顎関節症 41, 85, 201
顎関節包炎 280
学習法 186
拡大近接画像 314, 317
顎動脈 203
顎二腹筋 280

下行性促進 41
下行性抑制系 40
下後方関節包 216
下後方関節包複合体 216
下後関節上腕靱帯 216
過呼吸発作 298
鵞足炎 262
肩インピンジメント 292
肩関節 12
肩関節拘縮 247
肩関節周囲炎 64, 210, 213
肩こり症 4, 213
肩痛 138, 291
葛根湯 296
滑車上リンパ節 301
ガッセル神経節高周波熱凝固法 281
滑走性 23, 49, 57
滑膜 299
滑膜肥厚 299
下殿神経 256
可動域評価 136, 186
過敏性腸症候群 41
過用 117, 137
カルバマゼピン 279
簡易型 McGill 痛みの質問票 (SF-MPQ) 114
肝火上炎 306
眼球運動障害 296
間質 2
間質液 2
肝周囲炎 289
眼神経 281
関節鏡 105
関節腔 12, 66
関節不安定性 329
関節変形 299
関節包 11, 66, 91
関節リウマチ 299
感染防止対策 329
肝風内動 306
間膜 4
顔面痙攣 282
顔面神経麻痺 282

333

索引

顔面痛　281
関連圧痛　128
関連痛パターン　89
肝陽上亢　306

き

機械的シグナル伝達　8, 29
気胸　151, 174, 176, 181, 332
起始腱　213
求心位　216, 292
胸郭出口症候群　64, 76, 222
狭義の結合組織　7, 21
頬骨弓　202
胸鎖乳突筋　194
凝集　56
胸部不快感　298
棘下筋　216, 220
局所単収縮反応　19
局所麻酔薬　42, 82, 91, 172
棘突起　92, 205
距骨　270
筋外膜　11, 23, 248
筋緊張　284
筋腱移行部　11, 122
筋腱断裂　291
筋硬結　18, 37
筋周膜　12
筋線維　12
筋線維芽細胞　28
筋組織　21, 46
緊張性頭痛　41
筋突起　201
筋内腱　213
筋膜　7, 89
筋膜間ブロック　83
筋膜性疼痛症候群　36, 53, 83
筋膜リリース　85, 95, 110

く

区画　213
屈筋支帯　235, 237
雲学　14
くも膜　205
くも膜下腔　205
グリア・神経細胞複合体　73
グリコサミノグリカン　30

け

経筋　305
頸筋反射　304
経穴　5, 17, 304
頸肩腕症候群　64
脛骨神経　144, 146
桂枝加朮附湯　296
桂枝茯苓丸　296
頸神経根　141
頸神経叢　194, 279
頸性眼反射　304
頸性めまい　85, 303
頸部リンパ節　301
経絡　5, 104, 305
血管外膜　12, 75
血管の fascia　92
結合組織　7, 21
血腫　151, 172
肩外兪　304
肩甲挙筋　70, 141, 181, 194
肩甲棘　213
肩甲骨関節下結節　216
肩甲上神経　141
肩甲背神経　141
腱鞘　91
腱組織　11, 91
腱様瘢痕　292

こ

抗ウイルス薬　281
構音障害　296
交感神経緊張　78, 296
広義の結合組織　7, 21
後距腓靱帯　270
咬筋　201
咬筋神経　280, 282
抗痙攣薬　281
膠原病　274, 299
後根神経節　39, 74
交差法　164
拘縮肩　105, 301
甲状腺機能　298
後大腿皮神経　144, 146
膠着　56
硬膜外腔　205

硬膜外腔ブロック　205
硬膜穿刺　82, 205
高密度化　57, 321
高密度状態　57, 84
膠様組織　7, 21
国際疼痛学会　36
ゴーグル　330
誤穿刺　174, 181
固着　56
骨間距踵靱帯　270
骨挫傷　263
骨盤帯　270
骨盤リンパ節郭清　322
骨膜　248
古典型 Ehlers-Danlos 症候群　117
固有受容器　270
誤用　80, 117
コラーゲン線維　21, 90

さ

採血後疼痛　293
最長筋　241, 275
細胞外マトリックス　18, 29
細網組織　7, 21
サイレント受容器　37
鎖骨　213
坐骨神経　145, 147, 256
サブスタンス P　19, 40, 76
三角筋　213, 216
三角筋筋内腱　213
三叉神経　279
三叉神経痛　281
三叉神経ブロック　281
散風　305

し

指圧　109
耳下腺周囲リンパ節　301
歯科領域　274
弛緩　96, 104
子宮内膜症　289
軸索切断　40
事実質問　309
持続性特発性顔面痛　282
支帯　25

索引

歯痛　201
膝蓋下脂肪体　171, 262
しならせながら注射する技術　167
しびれ感　284
四辺形間隙　142, 216
脂肪組織　7, 21, 46, 270
脂肪体の fasica　91
尺側手根屈筋　226, 237
尺骨神経　144, 266
尺骨頭　237
尺骨動脈　237
終止腱　213
収縮時痛　213
収縮痛　137, 276
自由神経終末　18
重炭酸リンゲル液　86, 163
集団指導　311
柔軟性　57
柔軟性（伸張性・滑走性）低下　292
手根管　237
手根管症候群　36, 63, 85, 237
手掌　237
樹状細胞　27
術後創部痛　247, 274
授動術　108, 280
腫瘍摘出　322
潤滑性脂肪筋膜系　22, 288
症　63
上位頸神経根症　296
小円筋　216
上顎骨　201
上顎神経　281
上級者　164, 187
上頸神経節障害　296
症候群　63
踵骨　270
踵腓靱帯　270
上皮組織　7, 21
上腕三頭筋　216
上腕三頭筋裂孔　284
上腕頭　237
上腕動脈　237
舒筋　304
触診　46, 76, 186
自律神経失調症　77
自律神経症状　277

侵害可塑性疼痛　36, 73
侵害受容器　37
侵害受容性疼痛　19, 36
新型コロナウイルス　329
伸筋支帯　232, 270
腎筋膜　22, 316
神経筋接合部　18
神経根　237
神経周膜　22, 46, 91
神経鞘　19, 74
神経障害性疼痛　36, 73, 115
神経上膜　22, 73, 91, 238
神経組織　21
神経内科疾患　274
神経内膜　22, 91
神経ブロック　99, 281
深指屈筋　237
侵襲　105
深層皮下組織　247, 288
伸側ウイング　300
伸側スリング　300
靱帯　4, 248
診断学　5
伸張時痛　213
伸張性　48, 57
伸張痛　137, 276
振動刺激　107
真皮　6, 21
深部腱反射　284
深部腱反射亢進　285

す

スキマブロック　83
頭痛　296, 303
ステロイド薬　63, 71, 84, 102, 122, 149, 162, 170
ストライプサイン　48

せ

生活指導　17, 308
生活動作評価・介入　308
整形外科的検査　89
整形外科テスト　18
整形外科用語　4
整形内科の生活指導　308
——のプロセス　308

脆弱性　329
星状神経節ブロック　200, 281
正中神経　142, 237
精密触診　128
西洋医学　16, 303
世界気象機関　14
脊髄　205
脊髄後角　38
脊髄後角ニューロン　90
脊髄視床　205
脊髄視床路　38
脊髄神経後枝外側枝　245
脊髄中脳路　38
脊髄網様体路　38
施術　17
接触感染　329
接着　56
舌痛　295
セルフケア　17, 113, 310
線維化　30, 57
線維芽細胞　28, 58
線維筋痛症　41, 54, 201
線維性結合組織　7, 21
線維性の立体的網目状構造　314
前関節包靱帯　270
前距腓靱帯　270
浅指屈筋　235, 237
浅・深神経叢・頸神経ワナの障害　296
浅層皮下組織　247, 288
仙腸関節　12, 66, 86
前庭筋反射　304
前方引き出しテスト　270
前立腺全摘術　324
前腕屈筋群　237

そ

総腓骨神経　144, 146, 266
創部痛　247, 287, 315
束間神経上膜　91, 237
足関節支帯　270
側頭筋　201
側頭骨　201
足部不安定性　270
鼠径リンパ節　301, 302
組織障害　172
組織の線維化　30

咀嚼筋　201
疎性結合組織　6, 7, 21, 48
足根管症候群　85
足根洞　270

た

大円筋　216
大胸筋　214
大胸筋腱付着部修復術　291
大胸筋停止腱　214
大後頭神経　190
帯状疱疹　301
帯状疱疹ウイルス　282
帯状疱疹後神経痛　36, 85
大腿二頭筋　262
大腿方形筋　256
大動脈弁置換術　287
大伏在静脈　258, 262
太陽小腸経　304
多剤薬物投与　247
脱髄　39
多裂筋　275
短趾伸筋　270
短母趾伸筋　270

ち

治打撲一方　296
中医学　5, 17
中級者　187
注射　186
注射針　160
――をしならせる技術　168
中枢性感作　40, 201
中長期的なケア　308
中殿筋　249, 256
肘部管　141
肘部管症候群　85, 89
虫様筋　237
蝶形骨　201
蝶形骨外側板　201
長掌筋膜／腱膜　237
腸内細菌叢　305
長母指屈筋腱　237
腸肋筋　275
鎮痛　41, 106

つ

使いすぎ　18, 70, 80
抵抗消失法　82
手関節　232, 235, 237
テニス肘　63, 224, 230, 232
デルマトーム　86, 89
電解質異常　80, 298
電気メス　318

と

凍結肩　71, 85, 91, 108
橈骨神経　141, 224
動作の「足し算, 引き算」　278
動作分析　89, 136, 186
橈側手根屈筋腱　237
疼痛誘発動作　136
東洋医学　16, 303
得気感覚　19
ドーナツサイン　92, 101
トリガーポイント　18, 54

な

内因性鎮痛系　40
内視鏡下手術　314
内側翼突筋　201
内反ストレステスト　270
内反捻挫　270
内閉鎖筋　256
斜め穿刺法　167

に

肉芽　248, 288
偽物（シャム）の鍼　19
日常生活動作障害　247
乳癌術後　75, 93, 222, 247, 288

ね

熱侵害受容器　37
ネットワーク機能を有する線維
　構成体　315
粘膜下組織　21

の

脳梗塞　80, 284
脳梗塞後遺症　284
脳神経　195, 201
脳髄膜系のfascia　92

は

背側脊髄動脈　205
ハイドロダイセクション　98, 106
ハイドロリリース　87, 95
廃用　18, 46, 80, 111
パーキンソン病　85, 286
拍動　18, 205
剥離　60, 96, 98, 104
発生学　77, 201
発痛源　44, 66, 89
パニック発作　298
ばね指　85, 89, 91, 237
鍼　18, 60, 93, 104, 108, 130
半月板　149, 258, 262
半腱様筋　262
瘢痕組織　288, 324
瘢痕部のfasciaリリース　93
反射　201
半膜様筋　145, 262

ひ

ヒアルロン酸　31, 63, 84, 95
冷え症　75
皮下組織　21, 247, 248
皮下組織深層　6, 24
非器質的疼痛　36, 41, 74
腓骨　270
腓骨筋腱　270
膝関節　12, 66
非歯原性歯痛　279
非歯原性疼痛　201, 282
微小血管減圧術　281
非ステロイド性抗炎症薬　71
非定型顔面痛　41, 282
皮電点　18
泌尿器科　12, 60, 105, 289, 320
皮膚　6

索引

腓腹筋 138, 262
飛沫感染 329
病 63
評価 63
病態 62
表皮 6, 161, 176
疲労骨折 150, 263

ふ

ファシア疼痛症候群 53
ファシアトーム 80
ファシア・マニピュレーション 109
フィッツ・ヒュー・カーティス症候群 289
フェイスシールド 330
フェリチン 65, 298
腹腔鏡下手術 105, 318
複合性局所疼痛症候群 293
伏在神経 258, 260, 263
腹診 18
腹直筋筋膜 316
腹壁 289
腹壁神経 289
腹膜外脂肪組織 289
不織布マスク 330
婦人科 12, 60, 105, 289
不全麻痺 284
不定愁訴 63, 65, 77, 295
ブラジキニン 38, 42
フラワーサイン 73, 92, 94
プーリーシステム 90, 235
プレガバリン 279
ブロック 99, 106
分離 98

へ

平行法 164
壁側腹膜 247
弁証論治 17

ほ

防御性脂肪筋膜系 22, 288
方形回内筋 237
膀胱全摘術 324

傍神経鞘 22, 85, 91
傍神経鞘リリース 91
母指対立筋 69, 226, 237
母指痛症候群 68
ホメオスタシス 16
ポリノテーマソー 247
ポリモーダル受容器 37, 76

ま

マイクロバイオーム 305
膜 314
膜様結合組織 23, 247, 288
膜様構造 314, 316
マクロファージ 27, 38
マスク 330
末梢神経 248
──の fascia 91
末梢神経終末 12, 75
末梢神経内リリース 92, 238
末梢神経分布 74, 89
末梢性感作 38, 74
マトリックスメタロプロテアーゼ 31, 70
マニピュレーション 108, 280
慢性骨盤痛症候群 41
慢性唾液腺炎 301
慢性痛サイクル 43
慢性疲労症候群 41
慢性扁桃腺炎 65, 301

み

密性結合組織 7, 21, 48, 90
密着 56
脈診 18
ミルフィーユサイン 73, 92, 101, 225, 237, 291

む

むずむず脚症候群 298
むち打ち症 280, 295

め

迷走神経反射 78, 173, 191, 221, 242, 249

めまい 173, 295, 303
免疫細胞 27

も

毛細血管 12, 28, 30, 317
モヤポイント 18
モビライゼーション 108

ゆ

癒着 28, 48, 85, 104, 315
──の Grade 分類 60

よ

養生 17
腰神経叢 243, 244
腰仙骨神経叢 145
腰椎固定術 247
腰痛 4, 36, 82, 162, 239
腰方形筋 239, 243, 275

ら・り

ラベリング 62
梨状筋 252, 256
立体的網目状構造 22, 33, 316
リバウンド 172, 330, 331
リフレックス 98
良導絡 18
リラクゼーション 98
リンパ郭清 319, 322
リンパ節炎 301
リンパ節リリース 301

れ

レストレスレッグス症候群 298
裂離骨折 149, 263

ろ・わ

肋間神経内側前枝 248, 288
ロボット支援下手術 318, 324
綿状の構造（わたわた） 319

337

数字・欧文索引

数字

Ⅰ型コラーゲン線維　23, 27
5-HT 作動性下行性抑制系　41

A

Aδ線維　19, 37, 107
active ROM　138, 285
adhesion　26, 55, 60, 84
ADL 障害　247
a fascia　8, 45, 77, 93, 315
AIDP (acute inflammatory demyelinating polyradiculoneuropathy)　286
anatomy　62
anatomy train　7, 11, 140, 305
anchoring　56, 232
angiosome　75, 89, 101, 154
anterior capsular ligament (ACL)　270
anterior layer　239, 243
arachnoid membrane　205
articular capsule　91
assessment　63

B

Barré-Liéou 症候群　295, 304
B-mode 画像　46

C

C 線維　19, 37, 107
C1　205, 296
C2　70, 205
C6　141, 237
C8 神経根　141, 197
CAE ブルーファントム (CAE Blue Phantom®)　179
calcitonin gene-related peptide (CGRP)　19, 42, 83
cervical dizziness　303

cohesion　49, 56, 84
complex regional pain syndrome (CRPS)　293
connective tissue　7, 21
COVID-19　329
CREST 症候群　76
crowned dens syndrome (CDS)　70

D

deep adipose tissue　247, 288
deep back arm line　305
deep fascia　6, 23, 48, 86, 89, 153
densification　48, 57
de Quervain 病　68, 71, 85, 89, 232
dermatome　153
descending facilitation　41
diagnosis　63
disease　63
disuse　18, 80
dorsal root ganglion (DRG)　74
dura mater　205

E

Ehlers-Danlos 症候群　329
elastography　49, 134
endoneurium　91
entrapment　56
entrapment neuropathy　101
epidural space　205
epimysial fascia　9, 23
epineurium　85, 91
etiology　62
extensibility　57
extracellular matrix　29

F

faintness　303

fascia　2, 91
――の重積　48
fascia ハイドロリリース　42
fascia リリース　71, 89
fascial manipulation　108, 109
fascial plane dissection　318
fascial toothache　279
fascia of fat pad　91
fascia system　8, 26, 315
fasciatome　89, 153
fat pad　171, 203
fibroblast growth factor (FGF)　31
fibroblasts　28
fibrosis　30, 57, 70
flexibility　57
FPS (fascial pain syndrome)　48, 53, 70, 89, 122, 282, 286, 299
frozen shoulder　71, 139

G

gap junction　28
Gerota's fascia　316
gliding　57
glio-neural complex　73
glycosaminoglycan　30
Guillain-Barré 症候群　286
Guyon 管症候群　85, 89

H

Heckmatt score　46
hydro　97
hydrodissection　99
hydrorelease　95, 99, 112

I

impingement　56
interfascicular epineurium　91
interosseous talocalcaneal ligament (ITCL)　270

索 引

J

joint space　12, 66

L

labeling　62
LAFS (lubricant adipofascial system)　23, 97, 105, 288
ligament　4
ligamentum flavum　205
ligamentum flavum/dura complex (LFD)　86, 92, 174, 205
local twitch response　19
loss of resistance　82

M

maluse　70, 80, 111, 117, 120, 137, 300
mechanical nociceptor　37
medically unexplained symptom (MUS)　65
membrane　8, 314, 319
membranous structure　314
meningeal fascia　9, 92
MIAs (mechanically-insensitive afferents)　37
microvacuolar collagenic absorbing system　33
middle layer　239, 243
MMPs (matrix metalloproteinases)　31
myofascia　7, 22, 53, 89, 109, 316
myofascial pain syndrome (MPS)　36, 53, 64, 83
myotome　153

N

NA作動性下行性抑制系　41
nerve gliding test　147
nerve tension test　141, 237, 244, 256, 285
neural fascia　91
N-methyl-D-aspartic acid (NMDA) 受容体　40
nociplastic pain　36
non-PD related pain　286
numbness and tingling　284

O

obligate translation　216, 220
osteotome　156
overuse　18, 70, 80, 111, 117, 120, 137, 182, 313

P

painDETECT 日本語版　39
painful arc sign　216
paraneural sheath　85, 89, 91
Parkinson's disease (PD)　286
passive manipulation with hydrorelease　112
passive ROM　138, 285
pathophysiology　62
Patrick テスト　256
PD 関連疼痛　286
PD 非関連症状　286
perineurium　9, 74, 91
persistent idiopathic fascial pain (PIFP)　282
polymordal nociceptor　37
posterior inferior glenohumeral ligament (PIGHL)　216
posterior layer　239, 243
protective adipofascial system (PAFS)　22, 288
pully system　90, 235

Q R

quadrilateral space (QLS)　141, 216
Ramsay Hunt 症候群　282
Raynaud 症候群　76
Raynaud 症状　235, 237
real anatomy train　140, 277
rectus abdominis fascia　316
reflex　98
relaxation　98
renal fascia　314, 316
retinaculum　9, 25, 63, 76, 85, 90, 235

S

S1 後仙骨孔　254
separation　87, 95, 98, 106
silent nociceptor　37
SLR テスト　256
sonographic anatomy　5
sonopalpation　101
spinal cord　205
stacking fascia　48, 75, 101, 301
Struthers 腱弓　226
subarachnoid space　205
superficial adipose tissue　247, 288
superficial fascia　6, 247, 287
symptom　63
syndrome　63

T

T1　141, 226, 237
tarsal sinus　270
tendon sheath　91
thermal nociceptor　37
thumb pain syndrome　68
TIMPs (tissue inhibitor of metalloproteinases)　31
transforming growth factor $\beta 1$ (TGF-$\beta 1$)　31
transient receptor potential (TRP)　38

U

ultrasound-guided fascia hydrorelease (US-FHR)　96, 99
ultrasound-guided palpation　128
unidentified complaints　65

V

vascular fascia　92
venosome　75, 156
visual analogue scale (VAS)　47, 114, 170

検印省略

Fasciaの評価と治療
解剖・動作・エコーで導く
Fasciaリリースの基本と臨床
ハイドロリリースのすべて

定価（本体7,000円＋税）

2017年3月7日　第1版　第1刷発行
2021年7月15日　第2版　第1刷発行

編　者	木村　裕明・小林　只・並木　宏文
発行者	浅井　麻紀
発行所	株式会社 文光堂
	〒113-0033　東京都文京区本郷7-2-7
	TEL (03)3813-5478（営業）
	(03)3813-5411（編集）

Ⓒ木村裕明・小林　只・並木宏文, 2021　　　印刷・製本：広研印刷

ISBN978-4-8306-2749-1　　　　　　　　　Printed in Japan

- 本書の複製権，翻訳権，翻案権，上映権，譲渡権，公衆送信権（送信可能化権を含む），二次的著作物の利用に関する原著作者の権利は，株式会社文光堂が保有します．
- 本書を無断で複製する行為（コピー，スキャン，デジタルデータ化など）は，私的使用のための複製など著作権法上の限られた例外を除き禁じられています．大学，病院，企業などにおいて，業務上使用する目的で上記の行為を行うことは，使用範囲が内部に限られるものであっても私的使用には該当せず，違法です．また私的使用に該当する場合であっても，代行業者等の第三者に依頼して上記の行為を行うことは違法となります．
- JCOPY〈出版者著作権管理機構　委託出版物〉
  本書を複製される場合は，そのつど事前に出版者著作権管理機構（電話03-5244-5088, FAX 03-5244-5089, e-mail : info@jcopy.or.jp）の許諾を得てください．